D0234208

Des éloges pour *La Vie Allégée*, **livre rédigé par Robert K. Cooper, Ph.D., en collaboration avec Leslie L. Cooper**

« *La Vie Allégée* est un excellent résumé très innovateur qui vous permettra de faire des choix judicieux pour vous aider à vivre mieux et pas seulement plus longtemps. Fortement recommandé. »

– Dr Dean Ornish

Président et directeur de l'Institut de recherche de médecine préventive, auteur du livre *Dr. Dean Ornish's Program to Reverse Heart Disease.*

« Une mine de renseignements et les meilleures armes qui soient pour combattre les graisses. »

– Dr Tom Ferguson

Éditeur médical du *Millenium Whole Earth Catalog* et auteur de *Health On Line*.

« Ouvrage très édifiant, et rempli de conseils judicieux ! *La Vie Allégée* est un livre dont nous avons tous besoin pour vivre en meilleure santé et plus longtemps. »

– Holly McCord, R.D.

Éditeur du magazine sur la nutrition *Prevention.*

« *La Vie Allégée* est un excellent guide pratique rempli de conseils judicieux qui nous aideront tous à atteindre une meilleure qualité de vie. »

– Dr Bill Hettler

Co-fondateur de la *National Wellness Institute* et directeur des Services de santé de l'université du Wisconsin.

« Le meilleur livre jamais publié à ce sujet, rédigé par deux professionnels de la santé qui sont des exemples vivants de l'efficacité quotidienne de ce programme pour les personnes actives. Un guide immensément pratique ! »

– Dr Harold H. Bloomfield

Psychiatre et auteur à succès de *Making Peace With Yourself*.

« Un programme superbe et sensé visant un "style de vie allégée" actif. Ma famille y a déjà puisé les meilleures recettes, sans se sentir privée de quoi que ce soit ! »

– Sirah Vettese, Ph.D.

Co-auteur de *Lifemates : The Love Fitness Program for a Lasting Relationship* et auteur de *Reinventing Love*.

La vie allégée

La vie allégée

Dr Robert K. Cooper et Leslie L. Cooper

Désactivez les producteurs de graisse
et activez les destructeurs de graisse

LES PUBLICATIONS MODUS VIVENDI INC.
55, rue Jean-Talon Ouest, 2e étage
Montréal (Québec) Canada
H2R 2W8

Design de la couverture : Marc Alain
Infographie et traduction : Les Éditions électroniques Niche
Concepteur du livre : Christopher R. Neyen
Illustrations : © MCMXCVI Par Mark Murphy

ISBN-10 2-89523-462-0
ISBN-13 978-2-89523-462-3

Dépôt légal - Bibliothèque et Archives nationales du Québec, 2006
Dépôt légal - Bibliothèque et archives Canada, 2006

Nous reconnaissons l'aide financière du gouvernement du Canada par l'entremise du Programme d'aide au développement de l'industrie de l'édition (PADIÉ) pour nos activités d'édition.

Gouvernement du Québec — Programme de crédit d'impôt pour l'édition de livres — Gestion SODEC

Remarque

Le présent ouvrage est seulement un livre de référence et non pas un guide médical. L'information ci-incluse a pour but de vous aider à faire des choix éclairés concernant votre santé. Vous ne devez pas vous en servir pour remplacer un traitement prescrit par votre médecin. De plus, les médicaments qui y figurent peuvent porter un nom différent selon la région ou le pays où ils sont vendus. Veuillez consulter votre pharmacien ou votre médecin à ce sujet.

À Chris, à Chelsea et à Shanna, avec tout notre amour et notre appui en vue d'une vie saine et de la réalisation de leurs rêves

Table des matières

Remerciements

Nous souhaiterions exprimer spécialement notre gratitude aux personnes qui nous ont apporté un soutien professionnel dans la recherche et l'écriture de ce livre. Pat Corpora, président et Bill Gottlieb, premier vice-president et éditeur en chef des Éditions Rodale, ont créé et défendu le concept général de l'initiative du livre *La Vie Allégée* dès le début. Ed Claflin, rédacteur en chef, a travaillé intensément pendant de nombreuses heures pour rendre ce livre accessible au plus grand nombre de lecteurs possible, et Jane Sherman a mené le manuscrit jusqu'à la forme de son édition finale.

Jennifer Haigh, rédacteur adjoint des Livres de Santé Rodale, a fourni une aide précieuse en établissant les bases d'un raisonnement scientifique et médical pour *La Vie Allégée* et nous a aidé à présenter et à clarifier les nombreux bienfaits pour la santé d'un tel programme. Anita Small et Valerie Edwards-Paulik nous ont fourni des points de références médicales et scientifiques, tout comme Linda R. Yoakam, R.D. a dirigé les analyses nutritionnelles de toutes les recettes, et Linda Miller et Jean Rogers ont rédigé la section éditoriale des recettes du livre. D'autres personnes des Éditions Rodale nous ont apporté leur encouragement et leur confiance.

Nous sommes particulièrement reconnaissants envers de nombreux professionnels qui ont influencé notre façon de penser et inspiré nos efforts au cours des années : Liz Applegate, Ph.D. ; George L. Blackburn, M.D., Ph.D. ; Steven N.

Blair, P.E.D. ; Harold H. Bloomfield, M.D.; Kelly D. Brownell, Ph.D.; C. Wayne Callaway, M.D. ; Thomas F. Cash, Ph.D. ; Kenneth H. Cooper, M.D. ; Ellington Darden, Ph.D. ; Robert S. Eliot, M.D. ; William Evans, Ph.D. ; Tom Ferguson, M.D. ; Peter Hauri, Ph.D. ; Sheldon Saul Hendler, M.D., Ph.D. ; William Hettler, M.D. ; Michael F. Jacobson, Ph.D. ; Lawrence E. Lamb, M.D. ; Wayne C. Miller, Ph.D. ; Martin Moore-Ede, M.D., Ph.D. ; Joyce D. Nash, Ph.D. ; Esther M. Orioli; Dean Ornish, M.D. ; James Perl, Ph.D. ; Judith Rodin, Ph.D. ; Irwin H. Rosenberg, M.D. ; Ernest Lawrence Rossi, Ph.D. ; Bryant A. Stamford, Ph.D. ; Robert E. T. Stark, M.D. ; Robert L. Swezey, M.D. ; Robert E. Thayer, Ph.D. ; Art Ulene, M.D. ; Peter D. Vash, M.D. ; Wayne L. Westcott, Ph.D. ; et Redford Williams, M.D.

Enfin, nous voulons remercier les nombreux autres chercheurs, éducateurs et médecins dévoués à travers le monde qui apportent régulièrement de nouvelles informations sur la santé qui donnent de l'espoir à notre futur collectif et un essor à nos rêves personnels.

La lutte contre les graisses : savoir plutôt que vouloir

La graisse ne se voit pas seulement à l'extérieur du corps. Elle fait petit à petit partie intégrante de votre vie, de la même façon qu'elle agit petit à petit sur les cellules de l'organisme. Elle affecte non seulement votre métabolisme, mais peut aussi nuire à votre système immunitaire. Une alimentation allégée vous permet donc de modifier votre fonction cellulaire, ce qui se traduit par une transformation à la fois physique et affective. Bref, une vie nettement améliorée.

Sachez que vous n'êtes pas la seule personne préoccupée par un excès de graisse. Si vous êtes comme des millions d'autres, vous êtes prêt à vous en débarrasser pour de bon. Mais il vaut la peine de prendre un moment afin de réfléchir un peu sur votre propre dilemme. Par exemple :

- Êtes-vous une femme de plus de 30 ans qui a pris du poids à chacune de ses grossesses et ne peut le perdre ?
- Êtes-vous un homme de plus de 30 ans affolé de constater que vous prenez de l'embonpoint autour de la taille ?
- Faites-vous de trop longues journées de travail qui vous laissent peu de temps libre pour faire de l'exercice ?

Partie 1

- Êtes-vous soucieux de prévenir les maladies du cœur et le cancer ?
- Luttez-vous pour paraître et vous sentir plus jeune, à mesure que les années passent ?
- Quand vous mangez des aliments très gras, attribuez-vous votre attitude au stress ?
- Aimez-vous manger au restaurant? Avez-vous pourtant l'impression d'être dupé par toutes ces « matières grasses cachées » dans les plats que l'on vous sert ?
- Croyez-vous qu'il est plus difficile que jamais de rester en bonne forme ?
- Remarquez-vous que votre taille s'épaissit : le cas classique de « l'embonpoint de la cinquantaine » qui ne disparaîtra jamais même avec tous les exercices bien connus pour renforcer vos abdominaux et perdre des kilos ?

Voici une bonne nouvelle : le programme de La Vie Allégée est suffisamment pratique pour convenir au style de vie de toute personne qui pense à rester mince sans équivoque. Ce programme est universel. Il s'adresse aux causes les plus courantes d'accumulation de graisses et a recours aux stratégies anti-graisse les plus simples et les plus efficaces que préconisent médecins et chercheurs du monde entier.

Chapitre Un

Comment faire disparaître les graisses

Avant tout, il vous faut bien reconnaître que chaque personne sur terre mène une bataille incessante contre sa propre biologie. Par exemple, chacun doit quotidiennement rassasier sa faim ou maîtriser son niveau de stress. Ces deux forces redoutables rendent les aliments riches en gras si attirants et l'exercice si difficile qu'il y a de quoi décourager n'importe qui. En outre, ceux et celles qui ont essayé courageusement d'« affamer » leurs cellules graisseuses en sautant des repas ou en se privant, semaine après semaine, ont sûrement découvert l'implacable vérité : cela ne marche pas.

Pourquoi ? Eh bien, parce que le cerveau et l'organisme possèdent une capacité naturelle à fabriquer et à emmagasiner les graisses. Cette capacité semble s'accélérer à une vitesse exaspérante chaque fois que vous essayez quelques vieilles techniques de perte de poids. Si vous réduisez le nombre de calories consommées, si vous vous livrez à d'épuisantes séances d'exercices pendant de longues heures ou sautez des repas cruciaux comme le petit déjeuner, le déjeuner ou les en-cas, dites-vous bien que vous ne réglerez pas vraiment votre problème. Vous menez simplement une bataille du ventre que vous aurez certainement à reprendre très bientôt.

Même si les enquêtes menées à travers le pays révèlent que des millions d'entre nous cherchent, de façon définitive, à éliminer une certaine quantité de graisse, il est évident que nous n'y parvenons pas et que nous sommes terriblement déçus.

Le programme de La Vie Allégée vous aidera bien simplement à éclaircir deux mystères qui laissent perplexes la plupart des chasseurs de graisse : comment désactiver les mécanismes qui produisent la graisse, et comment activer ceux qui la détruisent. En parcourant ce livre, vous découvrirez de nouvelles façons pratiques d'être en meilleure santé et de le rester. Vous apprendrez également comment résister à cette attirance naturelle qui vous pousse vers les aliments riches en gras. Vous serez en mesure de réduire, voire de supprimer, les tendances naturelles bien fondées de votre corps à fabriquer et à emmagasiner la graisse.

En même temps, le programme vous permettra de maîtriser de mieux en mieux votre métabolisme, c'est-à-dire l'ensemble des transformations qui affectent votre taux d'énergie et qui se manifestent au niveau des cellules 24 heures par jour.

Vous découvrirez les nombreuses techniques spécifiques et pratiques qui aideront de façon salutaire votre métabolisme. Vous maîtriserez les manières les plus efficaces d'amener votre corps à brûler les calories qui donnent l'énergie nécessaire pour effectuer les fonctions essentielles. Vous saurez que lorsque vous activez ces processus métaboliques, vous activez aussi un destructeur de graisse. C'est tout simple.

Le pourquoi des « mécanismes »

Si vous pensez que vous êtes responsable de votre excédent de graisse, il est temps de réviser votre jugement. Vous ne devez pas vous blâmer. Si nous avons trop de graisse, c'est parce que les producteurs de graisse font partie intégrante de notre style de vie, alors que les destructeurs de graisse n'en font pas partie.

Peu d'entre nous disposent actuellement des bons outils qui nous permettraient d'être vainqueur. Et c'est la raison pour laquelle le programme de La Vie Allégée vous donne des outils plutôt que des conseils.

C'est savoir, et non pas vouloir, qui fait vraiment toute la différence. Vous n'avez pas à vous astreindre à un régime très compliqué pour chasser votre graisse. Il vous suffit de choisir les bonnes tactiques parmi un grand éventail de possibilités.

Et pour mettre à profit votre savoir, je vous suggère des modes d'action très particuliers. Chaque mode d'action se fonde sur des théories sérieuses concernant les processus de l'organisme – théories sur lesquelles de nombreuses recherches sont menées actuellement.

Vous pouvez pratiquer ces modes d'action n'importe quand, n'importe où durant la journée. Chacun représente ce que les scientifiques appellent une technique de levier, c'est-à-dire une méthode équilibrée qui exige conscience et précision, davantage qu'une lutte menée contre une force brutale. Et aucun de ces modes d'action n'impose la privation.

D'après certains chercheurs, nous ne changerons pas notre comportement de façon définitive si nous nous fixons des objectifs difficilement accessibles. C'est une bonne chose d'avoir ces objectifs en tête, mais ce n'est pas ce qui importe le plus. Nous avons plutôt besoin de faire des choix judicieux. Peu importe si ces choix peuvent sembler sans importance, ils sont en fait le moyen le plus efficace d'obtenir des résultats immédiats et durables.

Petites méthodes pour de grands changements

Le programme de La Vie Allégée vous apprend à utiliser les capacités de votre cerveau et de votre corps pour maigrir et être en meilleure santé. Le résultat : une plus grande énergie tout au long de votre vie et un sentiment de bien-être nettement amélioré. Dès que vous pratiquerez un régime de vie allégée, vous vous rendrez compte qu'il s'intègre naturellement à vos journées. Très vite, vous n'aurez même plus besoin d'y penser.

Contrairement à d'autres programmes que vous avez peut-être essayés dans le passé, les modes d'action recommandés dans le programme de La Vie Allégée se concentrent sur le cœur du problème – la manière dont votre cerveau et votre corps

Changer ses habitudes

SAVOIR PLUTÔT QUE VOULOIR

Y a-t-il quelques glaçons dans votre réfrigérateur ? Et un verre tout près ? Vous en aurez besoin pour activer immédiatement un premier destructeur de graisse.

Prenez des glaçons du congélateur, placez-les dans un verre et remplissez-le d'eau froide. Tandis que vous lisez ce chapitre, arrêtez-vous de temps à autre pour avaler une petite gorgée d'eau.

Même si ce geste vous semble simple, votre corps y répond de deux manières très importantes : tout d'abord il depense un peu d'énergie supplémentaire pour réchauffer l'eau glacée. Ensuite, le simple fait de boire des liquides contribue en quelque sorte à « duper » votre estomac en lui donnant l'impression qu'il est plein. Cette sensation fait bien vite passer l'envie de manger.

Vous découvrirez aussi comment rester hydraté en lisant le Destructeur de graisse N° 3 (page 7). Mais c'est le moment de la pause. Buvez ce verre d'eau glacée avant de poursuivre la lecture.

règlent votre énergie et votre métabolisme à la suite des choix que vous faites.

Tout au long de la journée, depuis le moment où vous vous réveillez jusqu'à celui où vous vous couchez, vous ouvrez et fermez des interrupteurs qui produisent et détruisent les graisses. Et cela non seulement aux heures des repas ou pendant les séeance d'exercices auxquelles vous participez, mais toute la journée, chaque jour, sans exception.

Et cela s'applique au moment présent

Que vous le sachiez ou non, vous êtes en train d'envoyer aux milliards de cellules de votre corps des messages ou « signaux » particuliers. Vous demandez à ces cellules soit d'enclencher certains mécanismes, soit de former et d'emmagasiner plus de graisse corporelle, soit de brûler plus de graisse pour produire de l'énergie et refaire vos forces.

Que choisissez-vous ? En lisant ces mots, êtes-vous assise ou allongée ? Quand avez-vous mangé pour la dernière fois ? Qu'allez-vous entreprendre de particulier pendant les dix prochaines minutes ?

Les décisions ne se prennent pas de façon passive, il faut faire des choix positifs.

Pour vous aider à apprendre comment activer les mécanismes destructeurs de graisses, je vous encourage à pratiquer les conseils énoncés dans les encadrés « Changer ses habitudes » qui se trouvent tout au long de ce livre. Chacun d'eux décrit une façon immédiate et facile de détruire davantage de graisse.

En voici un exemple. Lisez simplement l'encadré *Savoir plutôt que vouloir* à la page 6 du présent chapitre.

Dites vous bien cependant que ce n'est qu'une première étape. Vous devrez ensuite faire une véritable pause et vous mettre au travail.

Ce ne sera pas très long. De plus, si vous pouvez mettre en pratique chaque conseil pendant que vous lisez ce livre, vous commencerez à adopter des habitudes qui peuvent changer votre vie.

Le « timing » n'est pas tout dans la vie, mais c'est quand même le principal facteur de réussite ou d'échec. Chaque chose finalement arrive à point, et lorsque le « timing » est bon, le succès est enfin à la portée de la main.

—Denis Waitley, auteur de Timing is Everything

Pourquoi savoir plutôt que vouloir ?

Les résultats de plus de 50 études sur au moins 30 000 sujets ont démontré qu'un changement véritable de soi dépend de la façon de faire les bonnes choses aux bons moments.

Nous avons recensé plus de 80 articles sur la réussite du changement de soi. L'élément prépondérant semblait être la perception qu'a une personne sur son propre contrôle des étapes à franchir pour atteindre un but. Selon une équipe de chercheurs de premier plan, « les personnes qui comptent seulement sur le vouloir se mettent elles-mêmes dans une situation d'échec ». C'est pourquoi le programme de La Vie Allégée repose sur l'idée de la connaissance plutôt que sur la simple volonté de changer.

Chaque fois que vous développez de nouvelles techniques, vous avez de fortes chances de les adopter, surtout si vous comprenez le « pourquoi » de leur efficacité. Il en va de même pour les techniques de La Vie Allégée. Comment réagit votre corps quand vous désactivez les producteurs de graisse et que vous activez les destructeurs de graisse ? Pourquoi vos cellules emmagasinent-elles parfois des graisses et en libèrent-elles d'autres fois ? Pourquoi ne faut-il pas trop absorber d'hydrates de carbone ni de gras ? Et pourquoi devez-vous surveiller le nombre de calories que vous ingérez ?

Si vous avez cru jusqu'ici dans la volonté, il ne serait pas surprenant que vous ne puissiez pas répondre à ces questions. Quand nous mettons toute notre confiance dans le vouloir, nous sommes plus enclins à nous mettre à l'épreuve constamment en formulant des phrases comme « si j'arrivais seulement à sauter ce repas ou à contrer ce besoin, je me prouverais à moi-même que je peux le faire. Non seulement je réduirais les graisses de mon alimentation, mais je libérerais aussi mon organisme de tout excédant de gras à tout jamais. »

Mais votre corps ne prête nullement attention à vos combats avec le vouloir, que vous en sortiez vainqueur ou vaincu. En fait, si vous êtes aux prises avec votre volonté dans une lutte de pouvoir quotidienne, il se peut que votre corps s'attende à ce que vous abandonniez la bataille en faveur des producteurs de graisse.

Il n'est pas logique de se concentrer sur un seul mode de destruction des graisses aux dépens d'un autre. Pourquoi combattre les graisses en adoptant un style de vie qui se limiterait à un seul exercice ou à un seul programme de nutrition ? Malheureusement, beaucoup de personnes agissent de la sorte. D'après une étude, la plupart des gens qui suivent un régime amaigrissant ne font pas d'exercice physique. Et, inversement, de nombreuses personnes qui privilégient les exercices ne tiennent aucun compte de la nécessité de consommer des repas sains et des collations faibles en gras.

Si vous mangez des aliments sains, faites de l'exercice régulièrement et adoptez de bonnes habitudes de sommeil/éveil, vous rendrez automatiquement votre corps plus efficace et plus responsable. Il détruira ainsi plus de graisse qu'il n'en fabriquera ou qu'il n'en emmagasinera. Maîtrisez le programme de La Vie Allégée et vous n'aurez plus à penser au gain ou à la perte de poids, à manger trop ou pas assez, à festoyer ou à vous priver. En fait, vous n'aurez plus à utiliser de tels mots dorénavant.

Inventer quelque chose de bon

Le programme de La Vie Allégée n'est en aucune façon un programme de perte ou de gain de poids. Les principes énoncés dans ce livre sont basés sur des théories qui ont été développées à partir d'un échantillonnage très large de recherches les plus à jour. Et ces recherches incluent non seulement la médecine et la nutrition, mais également la science des exercices, la psychologie, la chronobiologie (influence des rythmes biologiques quotidiens sur le corps et le cerveau), les cycles du sommeil, les neurosciences, les facteurs environnementaux, la dynamique de stress, et plus encore.

Outre les autres habiletés qu'exige une vie allégée, il est très important d'apprendre comment faire une cuisine faible en gras. Quelle que soit la tâche qui vous incombe à la maison, vous devez vous habituer à remplir votre garde-manger d'aliments faibles en gras, à préparer des repas allégés qui plairont à la famille entière et à choisir un menu savoureux, mais sans gras, quand vous mangez au restaurant.

Les techniques d'une cuisine allégée ne sont pas difficiles, mais il est essentiel de les apprendre. Faites vos courses de façon intelligente, remplacez les ingrédients riches en gras par des aliments sains faibles en gras, pesez les portions que vous servez et méfiez-vous des pièges des plats tout faits. Il est essentiel en outre de consommer des repas faibles en gras qui comprennent une variété de fruits, de légumes, de céréales et d'autres ingrédients nutritifs. Leur saveur est des plus agréables et chaque repas devient une nouvelle expérience gastronomique.

Dans les parties 3 et 4 de ce livre, vous trouverez des informations sur les «trucs» nécessaires qui vous permettront de maîtriser un programme complet de cuisine allégée. Vous y trouverez un guide pratique sur l'achat et la consommation d'aliments faibles en gras, que vous dîniez à la maison ou au restaurant. Il comprend aussi de nombreuses recettes qui vous aideront à préparer les repas faibles en gras du Programme nutritif 3 + 4 de La Vie Allégée – des repas, des desserts et des collations allégés élaborés à partir des meilleures recettes traditionnelles et qui offrent une vaste gamme de nouvelles saveurs.

Vous découvrirez que la cuisine allégée n'exige rien de particulier : simplement quelques ustentiles de cuisine et quelques techniques de base très faciles à apprendre.

En fait, l'achat d'aliments faibles en gras, la préparation et la cuisson de la nourriture font partie des passe-temps les plus agréables que vous puissiez découvrir. Très loin des aliments à éviter – route sans fin de si nombreux régimes restrictifs populaires d'autrefois – les mets allégés vous donnent les meilleurs repas qui soient. Une fois que vous aurez essayé quelques-unes de ces recettes et que vous ne pourrez plus vous passer de préparer des mets plus savoureux avec moins de gras, vous mangerez si bien et avec tant de bonheur que vous ne penserez plus jamais à la cuisine d'autrefois.

Premier groupe témoin

Le programme que vous découvrirez dans les pages suivantes, je l'ai suivi avec ma propre famille pendant une douzaine d'années, puis je l'ai fait connaître à mes collègues de travail et à de nombreux amis. Chaque aspect de ce programme est documenté par une recherche, scientifique ou médicale, ou le conseil de spécialistes, et j'ai fourni des centaines de références qui valident les lignes directrices que vous lirez.

J'attribue à La Vie Allégée les changements très importants qui sont survenus dans ma propre vie, notamment l'amélioration de ma santé, de ma forme physique, l'augmentation de mes niveaux d'énergie et mon efficacité au travail. Pendant les dix dernières années, ce programme a transformé les efforts de contrôle de poids de ma famille en une habitude étonnamment facile et automatique, plan qui est devenu pour nous une seconde nature.

Mon épouse Leslie a expérimenté les effets à long terme de ce programme. Pendant que nous développions le programme de la Vie Allégée, elle perdit du poids de façon telle qu'elle passa petit à petit de la taille 42 en 1984 à la taille 36 (sa taille naturelle) à peine deux ans plus tard. Après ses grossesses en 1990 et 1993, elle retrouva son poids et sa silhouette, et, bien plus important encore, son niveau d'énergie et son endurance. Elle a maintenu son poids et son énergie, et s'habille toujours en taille 36, depuis qu'un programme de vie allégée fait partie de notre style de vie.

Leslie a créé dans notre cuisine les recettes que vous trouverez dans la partie 4 de ce livre. Nous les aimons toutes et nos enfants aussi – même notre fils de 6 ans, toujours insatisfait, et celui de 5 ans, encore plus difficile. (Note : Nous avons également une fille de 2 ans, mais elle est trop jeune pour de la nourriture faible en gras. Les nutritionnistes déconseillent un tel régime aux enfants de moins de 2 ans.) L'avantage de tester des recettes en famille est que ces repas et ces collations ont déjà été éprouvées par des critiques sévères, et ont été améliorées toutes les fois que cela s'est révélé nécessaire.

Voilà pourquoi les recettes que vous trouverez dans ce livre ne sont pas seulement faibles en gras, mais sont également délicieuses. Et vous pourrez presque toutes les préparer en un rien de temps.

Chapitre Deux

Ce qu'une vie allégée fera pour vous

Si vous remplacez une partie des graisses de votre alimentation par des aliments à plus grande valeur nutritive, des fruits et des légumes par exemple, vous constaterez une amélioration très nette de votre état de santé à court et à long terme. Dès que vous entreprendrez le régime de La Vie Allégée, votre qualité de vie changera immédiatement. Vous serez de bonne humeur. Vos notes d'épicerie diminueront. Vous vous sentirez plus en forme et plein d'énergie.

Certains bienfaits de la vie allégée tiennent directement aux kilos perdus. Moins de gras dans votre régime alimentaire implique moins de graisse dans votre corps. En effet, si vous avez du poids en trop, des aliments sensiblement faibles en gras associés à la pratique d'un sport vous fera maigrir d'une manière saine et naturelle – vous ne vous sentirez pas privé de nourriture et vous n'en éprouverez aucune obsession. Dès que vous aurez entrepris le programme de La Vie Allégée, vous cesserez de vous inquiéter de votre poids et commencerez à profiter des bienfaits d'un corps mince et en forme.

Voici quelques-uns des avantages du programme, bienfaits d'ailleurs déjà confirmés par des études scientifiques récentes :

- une meilleure estime de soi
- moins de douleurs articulaires
- une tension artérielle et un taux de cholestérol plus bas
- moins de risques de souffrir de la goutte, de varices et de maladies liées au travail comme le syndrome du canal carpien
- moins de risques de crise cardiaque, de thrombose, de diabète et de cancer – quatre des dix principales causes de décès dans le monde occidental

Mais perdre du poids n'est pas la seule raison de réduire la teneur en gras des aliments que vous consommez. En effet, même si votre poids est normal et que vous adoptez un régime faible en gras, vous réduisez considérablement le risque de contracter une maladie grave. De plus, vous serez davantage à l'abri de maux de dos et votre système immunitaire combattra plus facilement rhumes et blessures légères. De plus, de bonnes habitudes nutritives sont aussi « contagieuses » que de mauvaises. C'est pourquoi toute votre famille bénéficiera de votre exemple. Vous vous féliciterez d'un tel investissement, garant d'une vie saine et prolongée.

Perte de poids : une obsession internationale

Connaître les bienfaits d'un régime minceur est une chose, les appliquer est une autre affaire. C'est ce que les chercheurs américains ont pu observer aux États-Unis. Il y a dix ans, environ une personne sur quatre était quasiment obèse, déclare le Dr Wayne Miller, directeur de la Clinique de perte de poids de l'université d'Indiana, à Bloomington. Aujourd'hui, c'est une sur trois, et ce pourcentage grimpe toujours.

L'obésité est un phénomène complexe qui relève tout autant de causes génétiques que psychologiques et relatives au comportement général d'une personne. C'est pourquoi il n'est pas facile de comprendre pourquoi tant de gens semblent incapables d'éliminer leurs kilos superflus. Beaucoup estiment tout simplement que les gens gros mangent trop, mais des études démontrent que les populations de personnes obèses ne mangent pas davantage que les gens minces. Ils se nourrissent différemment cependant : la plupart des calories ingérées par les gens minces proviennent des hydrates de carbone et des protéines maigres. La plupart des calories consommées par les personnes obèses proviennent des graisses.

Cette différence clé contribue en grande partie à expliquer la raison pour laquelle certaines personnes luttent en vain contre leur excès de poids, tandis que d'autres restent minces sans le moindre effort. Le gras alimentaire que l'on consomme est plus facile à éliminer que les graisses corporelles, déclare le Dr Miller. « Nous savons depuis longtemps qu'il y a quelque chose dans le gras alimentaire qui favorise l'accumulation de graisse dans l'organisme. »

Ce « quelque chose » est la tendance naturelle de l'organisme à emmagasiner les graisses autour du ventre ou des hanches au lieu de les brûler. Certains chercheurs reconnaissent qu'il est beaucoup plus facile pour l'organisme de stocker des graisses plutôt que des hydrates de carbone ou des protéines. « Il faut peu d'énergie pour stocker les graisses, déclare le Dr Miller. On estime qu'une personne brûle environ 3 à 5 % des calories provenant des graisses en les stockant, alors qu'elle en brûle de 25 à 27 % dans le cas des hydrates de carbone.»

Un meilleur rendement pour votre argent

Remplacer les graisses par des hydrates de carbone ou des protéines maigres produit également un effet formidable sur votre métabolisme. Chaque fois que vous mangez, vous déclenchez une réaction thermique des aliments – augmentation temporaire du rythme métabolique, qui vous aide à absorber et à digérer les aliments.

La réaction thermique des aliments est plus élevée après un repas ou une collation riche en hydrates de carbone complexes et modérée en protéines qu'après un repas riche en gras. C'est pourquoi de nombreux scientifiques considèrent que les hydrates de carbone et les protéines sont des aliments « générateurs de chaleur ». Et consommer ces aliments « plus chauds »

Au sujet des lipoprotéines

Quand quelqu'un déclare « mon cholestérol est trop élevé », c'est généralement avec une certaine inquiétude, crainte d'ailleurs bien fondée.

Habituellement, on se soucie du cholestérol dans sa totalité, c'est-à-dire la quantité complète de cholestérol dans le sang, mesurée en milligrammes par décilitre. Et il est vrai qu'un taux élevé de cholestérol augmente les risques d'accident vasculaire cérébral et de crise cardiaque.

Mais ces risques dépendent en fait des lipides, ou lipoprotéines, qui, une fois mêlés au sang, véhiculent le cholestérol dans tout l'organisme. Il existe trois grands types de lipoprotéines.

HDL (lipoprotéine de haute densité). Elle est souvent associée au « bon cholestérol » en raison de son rôle protecteur. Elle extrait l'excès de cholestérol des artères coronaires et le véhicule dans l'organisme. En général, plus le taux de HDL est élevé, meilleure est votre protection contre les maladies cardiaques.

LDL (lipoprotéine de faible densité). Ce type de lipoprotéine est généralement considéré comme la principale cause des cardiopathies. Associée à d'autres substances chimiques, la LDL adhère aux parois des artères coronaires, particulièrement celles qui sont à proximité du muscle cardiaque, contribuant ainsi à la formation d'une substance qui vient obstruer l'artère et qu'on appelle plaque graisseuse. Plus le niveau de LDL sanguin est élevé, plus grand est le risque de maladie cardiaque.

VLDL (lipoprotéine de très faible densité). Ce type de cholestérol est fabriqué par le foie et sert à transporter les substances adipeuses à travers l'organisme. Ces substances comprennent les triglycérides, les acides gras libres qui se présentent par groupes de trois et qui sont stockés sous forme de matières grasses dans le corps. La VLDL transporte également la LDL. Plus le niveau de VLDL est élevé, plus le foie produit de LDL. Ainsi, directement ou indirectement, la VLDL contribue à véhiculer les matières grasses et à les stocker dans l'organisme. Elle contribue ainsi à la production du « mauvais » cholestérol.

Le taux idéal de cholestérol sanguin est de 200 milligrammes par décilitre : tel est l'avis de l'American Heart Association et de l'Institut national de santé de Bethesda, au Maryland. Certaines études, cependant, indiquent qu'un niveau moins élevé serait préférable. Si bien que l'on peut considérer que le taux idéal de cholestérol chez un adulte se situe entre 180 à 190 milligrammes par décilitre.

De nos jours, beaucoup d'organismes de santé estiment que les données les plus importantes sont celles qui comparent le taux de cholestérol total au taux de HDL. Les proportions considérées comme « saines » sont différentes selon les hommes et les femmes. Le taux doit être au-dessous de 4,6 pour les hommes et de 4 pour les femmes.

En respectant ces données, vous contribuerez à vous protéger contre les maladies coronariennes. De plus, en abaissant votre taux élevé de cholestérol sanguin, vous réduisez vos risques de cancer du colon.

signifie que vous brûlez davantage de calories, déclare Elliott Danforth, médecin et directeur de recherche clinique de la Faculté de médecine de l'université du Vermont, à Burlington.

En ce qui concerne le métabolisme, une collation riche en hydrates de carbone pourrait se comparer à un tas de feuilles séchées et craquantes que l'on jette sur un feu de camp : la flamme jaillit et consume les feuilles aussitôt et complètement. Par contre, une collation riche en gras serait l'équivalent du petit bois humide : le feu doit lutter pour le brûler et produit davantage de fumée que de chaleur.

Jour après jour, de repas maigre en repas maigre, la dépense de calories supplémentaires des protéines et des hydrates de carbone peut se traduire par une perte de poids lente, mais certaine. En fait, certains chercheurs estiment qu'en passant d'un régime dont 40 % des calories proviennent des matières grasses (moyenne actuelle chez les Américains, par exemple) à un autre qui n'en contient que de 20 à 25 %, une personne normale peut maigrir sans réduire son apport calorique quotidien.

Mince pour la vie

En définitive, le grand avantage du programme de La Vie Allégée se résume ainsi : contrairement aux régimes restrictifs, ce régime vous fournira une stratégie alimentaire que vous pourrez conserver toute votre vie.

Une étude menée à l'université du Minnesota, à Minneapolis, a comparé la perte de poids chez deux groupes de femmes souffrant d'embonpoint. Le premier groupe fut soumis à un régime faible en calories, soit 1200 calories par jour, avec au plus 40 g de gras. Les femmes du second groupe pouvaient manger autant qu'elles le voulaient – mais la quantité de gras absorbé ne devait pas dépasser 20 g par jour. Au bout de six mois, les femmes des deux groupes perdirent le même poids, mais les femmes qui avaient suivi le régime le plus faible en gras se sentaient plus énergiques et étaient plus satisfaites de leur alimentation que celles à qui on avait réduit de calories.

Mieux encore, quand les chercheurs reprirent contact avec ces femmes un an plus tard, ils observèrent que celles qui avaient suivi le régime le moins riche en gras avaient perdu plus de deux fois plus de poids de celles qui avaient fait le régime réduit en calories.

« Les femmes qui avaient suivi le régime allégé étaient plus satisfaites de leur qualité de vie que celles qui avaient fait le régime réduit en calories », déclare Meena Shah, titulaire d'un doctorat, chercheur au Centre de nutrition humaine de l'université du Texas, à Dallas, et l'un des auteurs de l'étude « *A low-fat diet isn't an excuse to overeat, but it does allow you to eat more, especially if you concentrate on the complex carbohydrates, like fruits, vegetables and whole grains.* »

Compter les calories à aussi son importance, comme vous le constaterez dans le cas de certains producteurs de graisse. Mais il est impossible de perdre des graisses corporelles pour toujours en comptant seulement ses calories – comme l'ont fait bon nombre de personnes en suivant les régimes minceurs d'autrefois. Si vous voulez perdre du poids avec succès, il est très important que vous contrôliez le gras de votre régime. De plus, les personnes qui consomment peu de gras risquent moins d'avoir faim et de souffrir de privation que celles qui réduisent simplement leurs calories ; elles risquent donc moins d'abandonner par suite de frustation.

Éviter les hauts et les bas

Avec un régime faible en gras, vous évitez également le cycle infernal de perte de poids, pour le reprendre quelques mois plus tard. À l'inquiétude constante de grossir s'ajoute un autre prix à payer : des études ont montré que les personnes qui perdent et reprennent continuellement du poids accumulent souvent plus de gras autour de la ceinture que celles qui atteignent un poids et le maintiennent.

L'excès de gras autour de la taille ne plaît à personne. Le fait d'avoir du ventre n'est pas seulement inesthétique, c'est carrément dangereux. Les spécialistes savent que l'« infâme » bourrelet est bien plus néfaste que le gras sur les hanches et les cuisses : il est associé à un plus haut risque de diabète, de maladies cardiaques et de cancer.

De plus, des études laissent penser que la graisse logée dans la région abdominale pourrait avoir d'autres effets sur la santé, fait que semblent ignorer les scientifiques. Un bourrelet semble être associé à un plus haut risque de calculs biliaires, tandis que la graisse sur les hanches et les cuisses n'est pas un facteur aussi significatif. Une étude laisse même supposer que l'excès de gras sur le ventre pourrait avoir une corrélation avec l'infertilité chez la femme.

Si vous vous êtes déjà privé de manger en suivant un régime hypocalorique, vous trouverez beaucoup plus facile de manger des aliments allégés. Et voici une autre bonne nouvelle : vivre une vie allégée devient encore plus facile avec le temps. Une étude révèle que les personnes et les membres de leur famille qui ont supprimé le gras alimentaire de leur régime pendant plusieurs mois peuvent actuellement perdre le goût du gras. Plus de la moitié des femmes ont avoué au cours d'une étude qu'elles commençaient à détester le goût du gras, et presque les deux tiers ont déclaré qu'après deux mois d'un régime allégé, elles se sentaient physiquement mal après avoir mangé des aliments riches en graisses.

Lutter contre la maladie et développer son ossature

Jusqu'à maintenant, nus nous sommes concentrés sur les bienfaits d'une vie allégée afin de jouir d'une bonne santé et de perdre du poids. Cependant, que se passe-t-il si vous êtes à votre poids idéal ? Existe-t-il de bonnes raisons de modifier votre régime ?

Eh bien, oui ! Même si vous faites partie des heureux mortels qui peuvent rester minces en consommant des aliments saturés de graisse, il y a de fortes chances que les systèmes de votre corps ne se portent pas aussi bien. Même si votre poids est normal, soyez assuré que manger régulièrement des aliments riches en gras aura un effet néfaste sur votre état général : affaiblissement de votre système immunitaire et augmentation des risques de problèmes de santé, depuis l'impuissance et les

La bonne et la mauvaise graisse

Dans ce livre, nous ne vantons aucun mérite des aliments gras. Cependant, il ne faut pas calomnier toutes les espèces de graisse. Certaines sont essentielles au bon fonctionnement de votre organisme.

Les acides gras polyinsaturés que l'on trouve dans les céréales, les grains, les noix, les aliments à base de soja et certains légumes, jouent un rôle primordial dans les fonctions du corps. Sans eux, l'organisme ne métaboliserait pas les graisses adéquatement. Cette famille fournit des acides gras essentiels appelés acide alpha-linoléique et acide linoléique.

L'acide linoléique est immédiatement converti dans l'organisme en acide arachidonique, acide important dans le développement des membranes cellulaires. Ainsi, le gras polyinsaturé est aussi important dans le stockage de la graisse – dont vous avez besoin pour survivre – que dans le développement des membranes cellulaires.

Cette graisse est vitale ; mais la grande variété d'aliments dont nous disposons aujourd'hui nous fournit l'acide linoléique dont nous avons besoin – que l'on suive un régime faible en gras, riche en gras ou allégé.

calculs biliaires jusqu'aux maladies cardiaques et au cancer.

Des études ont prouvé qu'un régime allégé augmente la mobilisation des globules blancs qui constituent la première ligne de défense de l'organisme contre l'infection. Ces bienfaits du système immunitaire tendent à démontrer que les gens qui mangent peu de graisse sont moins enclins à être victimes de certains types de cancer.

Des études laissent également supposer qu'une consommation de nourriture faible en gras peut prévenir les calculs biliaires – particules ressemblant à des cailloux qui se forment dans la vésicule biliaire, organe en forme de poire qui est logé sous le foie. Plus courants chez les hommes et les femmes de plus de 35 ans, ces calculs, s'ils s'échappent de la vésicule biliaire, peuvent causer la jaunisse (l'ictère) et une douleur abdominale très vive – état très grave exigeant souvent une intervention chirurgicale.

Un régime allégé peut même aider à lutter contre l'ostéoporose, maladie des os qui, chaque année, rend invalides des milliers de personnes âgées. Les premiers résultats d'une étude démontrent que les femmes qui mangent maigre sont moins sujettes aux fractures que celles qui mangent gras.

Il est évident qu'un régime allégé réduit souvent le risque de complications graves associées à la sclérose en plaques.

Affaires de cœur

Le bienfait le plus connu d'un régime allégé est peut-être l'effet qu'il produit sur votre cœur et vos vaisseaux sanguins. Les maladies cardiaques sont la principale cause de décès chez les hommes et les femmes dans la plupart des pays industrialisés. Combien de fois avez-vous entendu parler de quelqu'un qui est mort d'une « crise cardiaque subite » ?

Quelle ironie ! La plupart des crises cardiaques sont le résultat de modifications graduelles du système circulatoire qui surveinnent au cours des années. Elles comprennent notamment l'athérosclérose, épaississement et durcissement des vaisseaux sanguins dû à l'accumulation de plaque, substance graisseuse qui s'accumule à la suite d'années de vie sédentaire et de mauvaise nutrition. La plaque peut obstruer la circulation sanguine à travers les artères. En même temps, les personnes qui souffrent d'une maladie cardiaque sont plus sujettes à former des caillots et, dans une artère déjà rétrécie par la plaque, l'un de ces caillots peut suffire à empêcher le sang de circuler. Il en résulte alors un infarctus du myocarde, que nous appelons communément une « crise cardiaque ».

Les médecins savent depuis longtemps qu'un régime riche en gras saturés est la principale cause d'athérosclérose et, qu'en réduisant la graisse de votre régime alimentaire, vous pourrez ralentir le processus, voire le faire disparaître.

Une tension réduite en vue d'une plus grande puissance

Un régime faible en gras peut également diminuer les risques d'hypertension, autre facteur très important des maladies cardiaques. Si vous avez des kilos en trop, l'une des manières la plus efficace de réduire votre tension artérielle est de maigrir.

Et même si votre poids est normal, une réduction des graisses alimentaires peut contribuer au maintien de votre tension artérielle. Une étude a démontré qu'un régime faible en gras peut réduire la tension artérielle, avec ou sans perte de poids. Les épidémiologistes, spécialistes qui étudient l'apparition et l'évolution de maladies dans différents milieux, ont observé que l'hypertension artérielle est beaucoup moins répandue dans bon nombre de pays sous-développés que dans les pays industrialisés.

Les personnes qui suivent un régime riche en gras sont plus sujettes à la formation de caillots sanguins qui peuvent bloquer leurs artères coronaires, autre facteur important de risque de maladies cardiaques. Dans ce cas, une diminution substantielle des graisses donne rapidement de bons résultats.

Dans une brève étude portant sur des jeunes femmes ayant un taux élevé de cholestérol, on a remarqué qu'après avoir suivi pendant seulement cinq mois un régime allégé, elles avaient réduit d'environ 30 % leurs risques de caillots sanguins et, par conséquent, de mourir d'une crise cardiaque.

Une bonne circulation sanguine présente d'autres avantages, peut-être moins évidents. Sans distinction d'âge, les hommes qui suivent un régime allégés sont moins sujets à souffrir d'impuissance que ceux dont les artères sont tapissées de plaque. On a même constaté une certaine corrélation entre l'obstruction des artères et les maux de dos : des autopsies démontrent que les personnes dont les artères abdominales sont tapissées de plaque ont tendance à présenter une dégénérescence des disques lombaires, associée à une douleur de la région postérieure du tronc.

La graisse et le cancer

La graisse, qu'elle marbre votre steak ou qu'elle soit confortablement blottie autour de votre taille, peut augmenter les risques de développement de certains types de cancer.

Le cancer de la prostate, une forme de cancer parmi les plus répandues chez les hommes occidentaux, a été relié à l'absorption de graisse. Des chercheurs démontrent depuis longtemps que le cancer de la prostate est beaucoup moins courant dans les pays où l'alimentation traditionnelle est faible en gras saturés – type de graisse que l'on trouve dans les dérivés animaux comme la viande, le fromage, le beurre et le lait entier. Ils soulignent également que lorsque des Polonais ou des Japonais – qui viennent de pays dans lesquels le taux de gras saturé est faible et où le cancer de la prostate est rare – émigrent en Amérique du Nord, leur risque d'être atteints d'un cancer de la prostate augmente de façon dramatique. Les spécialistes pensent que la cause est notre alimentation riche en gras.

Notre laissez-aller alimentaire peut également favoriser l'apparition de certains cancers liés à l'environnement, notamment le cancer de la peau ou le cancer des poumons. Ces formes de cancer, parmi les plus répandues, sont toutes deux le produit de comportements dangereux – une exposition excessive au soleil et le fait de fumer la cigarette. Cependant, ces deux causes ne sont pas les seuls facteurs déterminants.

Une étude portant sur 76 personnes atteintes du cancer de la peau a révélé que celles qui consommaient des aliments faibles en gras avaient moins de risque de développer de nouvelles lésions précancéreuses que celles qui avaient une alimentation riche en gras.

Protégez votre organisme

Il est vrai que la meilleure façon de prévenir le cancer du poumon, c'est d'arrêter de fumer. Cependant, certains scientifiques reconnaissent que, chaque année, des milliers de non-fumeurs meurent de ce type de cancer. Nous ne savons pas encore pourquoi certains sont touchés et d'autres épargnés, mais plus d'une étude révèle que la consommation de graisse pourrait figurer parmi les facteurs de risques.

Quand des chercheurs ont comparé l'alimentation de 429 femmes non fumeuses atteintes d'un cancer du poumon avec celle de 1 021 femmes en bonne santé, ils constatèrent que plus les femmes consommaient de graisses saturées, plus élevés étaient les risques de développer un cancer du poumon.

Le gras alimentaire joue un rôle important dans l'apparition des cancers de l'appareil digestif. Le plus répandu de ces cancers est le cancer du colon qui frappe plus de 100 000 Américains, hommes et femmes, chaque année, soit presque autant que les cancers du poumon.

Tout comme le cancer du poumon, le cancer du colon peut être évité en modifiant quelque peu le style de vie. La formule est vraiment très simple : diminuer les graisses, en particulier les graisses saturées, et manger des aliments riches en fibres, comme les fruits, les légumes et les grains complets, aliments essentiels à toute personne qui suit le programme de La Vie Allégée. C'est également ce type de régime alimentaire – faible en gras et riche en hydrates de carbone complexes – qui peut vous protéger contre les cancers buccaux, de l'œsophage et du pancréas.

Lutter contre le cancer du sein

Nous savons maintenant que toute personne voulant prévenir le cancer doit diminuer son apport de graisse alimentaire. Cette démarche s'avère donc impérative, surtout chez les femmes. En effet des travaux de recherche ont révélé que les cancers du sein, des ovaires et de l'endomètre peuvent tous être liés à la consommation de gras alimentaire.

Si vous demandez à un groupe de femmes de nommer la maladie qu'elles craignent le plus, il y a de fortes chances qu'elles mentionnent le cancer du sein. Cancer le plus courant chez les femmes, il frappe en effet des dizaines de milliers de personnes chaque année.

Il est vrai que les scientifiques ne sont pas encore unanimes au sujet du degré d'importance d'une alimentation allégée. Mais des travaux de recherche sur des animaux montrent un lien évident entre la quantité de gras alimentaire consommé et le risque de souffrir d'un cancer du sein. Certaines études supposent un rapport similaire chez les humains. D'autre part, nous savons que, tout comme le cancer de la prostate, le cancer du sein est plus rare dans les pays où l'on consomme peu de graisse que dans ceux où l'on en consomme beaucoup.

Non seulement une consommation de gras alimentaire semble augmenter le risque de cancer du sein, mais elle peut aussi influer sur le développement ultérieur de ce cancer. Une étude canadienne menée après de 678 victimes d'un cancer du sein a prouvé que plus l'alimentation d'une femme était riche en graisses saturées, plus elle risquait de mourir d'un cancer du sein.

Une autre étude confirme qu'une telle alimentation risque d'empêcher la détection d'un cancer du sein. Et au moins une étude laisse entendre que les mammographies sont moins précises chez les femmes dont le régime est élevé en gras. Voilà une autre raison d'inciter les femmes à adopter une alimentation plus allégée par simple mesure préventive.

Réduction du risque chez les femmes – le facteur œstrogène

« Une autre motivation peut pousser les femmes à suivre un régime allégé : une alimentation riche en gras augmente les risques de cancers de l'endomètre ou des ovaires », déclare Nancy L. Potischman, titulaire d'un doctorat et professeur adjoint du Service d'épidémiologie environnementale de l'Institut national du cancer de Bethesda, au Maryland. Dans une étude portant sur 399 femmes atteintes d'un cancer de l'endomètre et 296 contrôles de santé, le Dr Potischman a constaté que les victimes consommaient de façon significative davantage de gras, en particulier de la graisse animale.

« Il est tout à fait évident qu'une alimentation de type occidental riche en gras est associée à des taux d'œstrogène plus élevés, et nous savons que des taux d'œstrogène élevés sont liés au cancer de l'endomètre », déclare le Dr Potischman.

Ce n'est pas seulement la graisse que vous consommez qui augmente vos risques de cancer, mais également celle dont dispose l'organisme.

Tout d'abord, être trop gros affecte votre système immunitaire, mécanisme d'auto-défense de l'organisme contre tous les types de maladies, cancer y compris. Plusieurs études indiquent que les personnes obèses ont des systèmes immunitaires plus faibles que les personnes de poids normal. La personne obèse se remet de façon générale plus lentement d'une intervention chirurgicale qu'une personne de poids moyen. Et, fait plus inquiétant, quelqu'un de trop gros arrivera plus difficilement à éliminer de son corps les cellules anormales qui, si on les laisse se propager, développent le cancer.

Et pour les femmes, la graisse abdominale crée une menace particulière. « Elle affecte en effet la production d'une protéine appelée hormone sexuelle – globuline qui lie l'hormone sexuelle à l'œstrogène en le transportant dans le système sanguin », explique le Dr Potischman. Dans le cas des femmes obèses, la production de l'hormone est restreinte et l'œstrogène circule alors avec d'autres protéines sans s'y fixer. Il en résulte donc un taux d'œstrogène plus élevé dans le sang, ce qui semble accroître le risque de cancer. »

Comment vaincre le diabète

Un régime allégé peut être un outil important dans la prévention ou la maîtrise du diabète, désordre du métabolisme qui affecte des millions de personnes. Le pancréas des victimes de la maladie ne produit pas suffisamment d'insuline, hormone essentielle au contrôle des taux de glucose dans l'organisme qui permet également de transformer la nourriture en énergie.

Le diabète de Type I (insulinodépendant) est très courant cependant la plupart des gens atteints de diabète le développent après l'âge de quarante ans. Il est connu sous le nom de Type II, ou diabète non-insulinodépendant. Sans traitement approprié, le diabète de Type II peut entraîner des complications graves, notamment les maladies cardiaques, l'insuffisance rénale et la cécité.

Si le diabète de Type II est une maladie courante dans votre famille, vous le développerez très certainement. Mais l'hérédité biologique n'est pas synonyme de destin. Les spécialistes signalent que même si vos deux parents ont souffert de diabète de Type II, vous ne courez qu'une chance sur vingt d'en être atteint. Dans la plupart des cas, développer ou non le diabète est beaucoup plus une question de hasard.

Un facteur déterminant : l'excès de graisse. Si vous avez de 20 à 30 % de kilos en trop, vous triplez vos risques de diabète, que vous ayez ou non dans votre famille des personnes atteintes de la maladie. C'est la meilleure raison pour maintenir un poids normal et surveiller sa santé.

D'autres chercheurs ont découvert qu'en plus de faire grossir, une alimentation riche en gras pouvait contribuer à l'évolution d'un diabète d'autres manières. Des études laissent entendre que certaines personnes dont le régime est riche en gras souffriront plus que d'autres d'une intolérance au glucose, cas dans lequel l'organisme éprouve des difficultés à métaboliser les hydrates de carbone. Une intolérance au glucose augmente les risques de diabète.

Pourquoi éviter l'excès de graisses ? Une étude du Centre des sciences de la santé de l'université du Colorado, à Denver, estime que si vous absorbez chaque jour 40 g d'aliments gras – l'équivalent d'un grand hamburger et d'une portion de frites – vous augmentez par trois le risque de contracter le diabète de Type II. (Cependant, certaines personnes atteintes de diabète réagissent mal à un régime faible en gras et élevé en hydrates de carbone. Si vous êtes diabétique, il faut avant tout consulter votre médecin pour savoir ce qui vous convient.)

En diminuant le gras de leur alimentation et en maintenant un poids normal, les personnes déjà atteintes de diabète peuvent avoir une vie active si elles surveillent leur état de santé et préviennent les complications graves. En suivant bien leur régime, de nombreuses personnes souffrant d'un diabète de Type II peuvent réduire ou éliminer leur besoin d'insuline. Ces personnes sont également plus vulnérables aux maladies cardiaques ; il leur faut donc absolument adopter un style de vie avec une alimentation faible en gras pour protéger leur cœur et leurs vaisseaux sanguins.

Note : si vous souffrez déjà du diabète, adopter une alimentation appropriée est un facteur déterminant pour conserver une bonne santé. Le programme de La Vie Allégée vous apportera certainement de nombreux bienfaits, mais nous vous conseillons de consulter votre médecin avant de modifier votre régime.

Un jour, vos enfants vous remercieront

Si vous avez des enfants à la maison, vous avez certainement eu droit à des récriminations de leur part quand vous modifiez leurs recettes préférées ou lorsque vous revenez de l'épicerie sans leur rapporter leurs collations préférées. Ne considérez pas leur résistance comme un obstacle, mais voyez-la plutôt comme une motivation supplémentaire pour les inciter à adopter une vie allégée.

Les raisons pour que vos enfants mènent une vie saine sont plus importantes que jamais. Entre le début des années 60 et la fin des années 70, l'obésité chez les enfants a augmenté de 54 %, et le phénomène continue d'empirer. Aujourd'hui, les spécialistes déclarent qu'un enfant américain sur quatre est obèse.

Dans une société obsédée par la minceur, les enfants trop gros souffrent beaucoup. Les recherches démontrent que les enfants obèses ont une estime d'eux-mêmes plus faible et un stress émotionnel plus élevé que leurs camarades de classe de poids normal. Les enfants potelés courent aussi un plus grand risque de problèmes de poids plus tard dans leur vie : une étude portant sur des enfants âgés de 10 à 13 ans trop gros a démontré qu'environ 80 % d'entre eux demeuraient gros adultes. Ils ont souvent, parvenus à l'âge adulte, des problèmes d'obésité plus graves que les personnes qui engraissent plus tard dans leur vie.

Autre injustice, l'excès de poids désavantage les enfants socialement et professionnellement. Beaucoup d'études ont prouvé que les enfants obèses gagnaient moins d'argent quand ils grandissaient et se mariaient en moins grand nombre que ceux ayant un poids normal.

Même si vos enfants semblent assez minces, ils ne sont pas à l'abri des dangers apportés par une alimentation riche en gras et un style de vie sédentaire. Durant la guerre du Vietnam, des médecins militaires furent stupéfaits de trouver de nombreux cas d'athérosclérose chez des soldats jeunes et apparemment en santé qui moururent sur le champ de bataille. Dans le cas des enfants d'aujourd'hui, qui sont physiquement moins actifs que n'importe quelle génération dans l'histoire, la situation est encore plus grave. Des autopsies pratiquées sur de jeunes adolescents montrent que pratiquement tous ceux âgés de 15 à 19 ans ont des traînées de graisse dans leurs artères coronaires.

Vos enfants ont besoin de bienfaits, aussi

Comment est-ce possible que des enfants tout juste assez vieux pour conduire montrent déjà des signes de maladies cardiaques ? « Les coupables sont sans doute une mauvaise alimentation, un régime alimentaire riche en gras et un style de vie trop sédentaire, déclare Jack P. Strong, médecin et chef du Service de pathologie de l'université de l'État de la Louisiane, à New Orleans. »

De nos jours, les enfants regardent la télévision 20 heures par semaine, ce qui les prive de 20 heures de passe-temps plus actifs, comme faire du sport, de la bicyclette ou d'aider à des travaux ménagers. Beaucoup d'entre eux regardent la télévision en avalant des collations riches en gras et en calories, et faibles sur le plan nutritif. Ils voient des centaines de spots publicitaires qui leur vantent les mérites du prêt-à-manger et d'autres aliments gras.

Tout cela produit un effet désastreux sur les habitudes alimentaires des enfants. Une étude portant sur 209 enfants de 9 ou 10 ans, de la région de Baltimore, aux États-Unis, a démontré que les enfants qui regardaient le plus la télévision buvaient plus que d'autres des boissons gazeuses, allaient davantage dans des restaurants de cuisine rapide, mangeaient des collations à forte teneur en gras et des céréales sucrées au petit déjeuner.

Mais ce n'est pas seulement à la télévision que les enfants prennent de mauvaises habitudes : ils reçoivent les mêmes messages à l'école. Une étude portant sur le menu du déjeuner, dans une école de quartier de la ville de Washington, a révélé qu'on servait aux enfants un déjeuner satisfaisant l'apport recommandé de gras et de cholestérol un jour d'école sur sept seulement. Les autres jours, tous les aliments qu'on leur proposait avaient un taux suffisamment élevé en gras pour boucher leurs artères.

Mais avant d'abandonner et de laisser votre enfant vivre une vie de restauration rapide et de lasisser-aller, sachez que le meilleur modèle de nutrition saine réside dans la façon dont les parents s'alimentent.

Des études révèlent que, consciemment ou inconsciemment, les parents obèses ont tendance à transmettre à leurs enfants des habitudes de vie riches en gras. « N'oubliez pas que si vous présentez à vos enfants des aliments faibles en gras et riches en fibres et que si, de plus, vous leur montrez l'exemple, vous pourrez influencer d'une manière positive les habitudes alimentaires de vos enfants, déclare Ann Shattuck, médecin et chercheur en nutrition au Centre du cancer Fred Hutchison, à Seattle. Si, à la maison, c'est vous qui préparez les repas, qui décidez des plats et faites les courses, vous jouez un rôle très important en déterminant ce que mangent les autres membres de votre famille. »

Il ne faut pas oublier que les enfants ne devraient pas suivre un régime faible en gras les premières années de leur vie. Certains spécialistes en nutrition déclarent, en effet, que les enfants ont besoin de ce gras dans leurs repas jusqu'à l'âge de deux ans. Nous vous conseillons de suivre les recommandations de votre pédiatre. Cela étant dit, contrairement à ce que l'on enseigne dans les cours sur la santé, les enfants n'ont pas besoin de grandes quantités de lait entier et de steaks bien persillés pour devenir forts et en bonne santé : les recherches démontrent que les enfants qui ont une alimentation faible en gras grandissent aussi vite que ceux à qui l'on donne des aliments riches en gras.

Enfants et adultes sont façonnés par leurs habitudes ; les aliments qu'on leur propose tout au long de leur vie déterminent ce qu'ils aiment et ce qu'ils n'aiment pas.

Le prix de l'émotion

Il est évident qu'une vie « mince » est la meilleure façon d'être plus tard en bonne santé et en bonne forme, mais qu'une vie allégée offre plein de bienfaits immédiats.

En plus de la confiance que vous allez gagner à la simple idée de vous maintenir en bonne forme, vous noterez également une amélioration de votre humeur générale dès que vous aurez entrepris un régime faible en gras. C'est ce qui est arrivé à 165 hommes et femmes de l'Oregon, aux États-Unis, qui suivaient un régime faible en gras pour faire baisser leur taux de cholestérol. Ces personnes participaient à une étude sur la « Family Heart » Les personnes de ce groupe, qui suivirent fidèlement leur régime d'alimentation pendant cinq ans eurent moins de problèmes de dépression et de comportement que celles d'un autre groupe qui continuèrent à consommer une alimentation traditionnelle riche en gras.

« Nous croyons que cela a un rapport avec la notion d'efficacité personnelle, déclare Gerdi Weidner, médecin et professeur adjoint à l'université de l'État de New York, à Stony Brook, et l'un des auteurs de l'étude. Les personnes qui arrivent à apporter des changements dans leur style de vie ont un sens de l'accomplissement qui se reflète dans tous les autres secteurs de leur vie. »

Et ce n'est pas tout. Les bienfaits émotionnels et physiques d'une vie allégée ne vous sont pas seulement adressés – ils peuvent avoir un effet important sur les autres membres de votre famille. Une étude réalisée par le Centre de cancer Fred Hutchison révèle que, dans un couple, lorsque l'un des deux effectue des changements positifs dans son style de vie, l'autre suit souvent son exemple.

Lorsque des chercheurs aidèrent un groupe de 156 femmes à suivre un régime faible en gras, ils découvrirent que l'exemple d'une vie saine était contagieux. Pendant quinze mois, les femmes participèrent régulièrement à des réunions pour se renseigner sur les bienfaits d'une alimentation allégée, savoir quels produits acheter et comment les faire cuire. Un an plus tard, les chercheurs contactèrent les maris de ces femmes et comparèrent leurs habitudes alimentaires avec celles de 148 hommes dont les femmes n'avaient pas changé leur façon de se nourrir. Ils constatèrent que même si les hommes de l'alimentation allégée n'avaient pas assisté aux rencontres ou obtenu toute instruction sur le programme de La Vie Allégée, leur consommation de graisse avait diminué de 10 %.

« Nous avons constaté, qu'il existe un lien évident entre les femmes et leur mari, en ce qui concerne, la consommation excessive de graisse, déclare le Dr Shattuck, l'un des auteurs de l'étude. Même si les maris ne semblaient pas faire d'effort spécial pour choisir des aliments allégés avec leur femme, le simple fait d'avoir à la maison des produits faibles en gras était suffisant pour noter une différence significative dans leur consommation de graisse. »

Diminuer les graisses signifie diminuer les factures

Beaucoup de personnes constatent avec surprise que lorsqu'elles réduisent à la maison les graisses de leur alimentation, les factures du supermarché diminuent elles aussi. Des chercheurs du Centre de recherche de l'hôpital Mary Imogene Bassett, à Cooperstown, New York, comparèrent les notes d'épicerie de personnes qui avaient un régime alimentaire traditionnel (c'est-à-dire riche en gras) avec celles qui avaient adopté une alimentation allégée. Les résultats ont révélé qu'une personne du groupe consommant des aliments faibles en gras dépensait 15 F de moins, sur une période de trois jours qu'une personne de l'autre groupe. Et si l'époux et les enfants suivent le mouvement, les économies sont encore plus grandes : une étude réalisée à la Clinique de recherches sur les lipides, à l'université George Washington, dans l'État de Washington, a révélé qu'une famille de quatre personnes qui suivait un régime très faible en gras (10 % de calories provenant des graisses) dépensait 200 F de moins par semaine qu'une autre famille qui avait une alimentation traditionnelle (37 % des calories provenant des graisses). Cela fait plus de 10 000 F par an qui peuvent servir à des vacances en famille ou à acheter de nouveaux vêtements (probablement d'une taille ou deux inférieures à votre taille actuelle) pour chaque membre de votre famille !

Chapitre Trois

Un bon départ : désactiver les dix producteurs de graisse

Attention ! Si, comme de nombreuses personnes, vous traitez « en ennemie » chacune des cellules de l'organisme, alors votre corps est envahi – car votre organisme contient environ 30 milliards de cellules. Et ces cellules ont la capacité de stocker près de 75 kg de graisse.

Depuis de nombreuses années, la plupart d'entre nous font face à l'ennemi – la graisse – en ayant souvent recours à des moyens pleins de bonnes intentions mais qui se révèlent inefficaces. Ou bien nous affrontons le problème sans plan véritable, ce qui, biologiquement parlant, est voué à l'échec.

Certains travaux de recherche démontrent que si les personnes qui décident de maigrir utilisaient des méthodes plus efficaces, elles obtiendraient de meilleurs résultats. Vous ne perdrez pas de graisse en faisant plus d'exercice, en vous privant davantage, en suivant de plus près un régime minceur, ou en faisant preuve de plus de volonté ou d'un sentiment de culpabilité tant que vous consommerez des aliments « mauvais » ou « interdits ».

Si fournir davantage d'efforts n'est pas la réponse, c'est qu'il est temps d'abandonner les vieilles habitudes.

Mais comment ?

Si nous sommes encore en train de prendre du poids malgré nos efforts héroïques, c'est que nos producteurs de graisse sont encore activés. Nous devons donc trouver une manière de les désactiver.

En réalité, vous savez certainement que la tendance à prendre rapidement de nombreux kilos est, dans une certaine mesure, héréditaire. Néanmoins ce n'est pas une raison suffisante pour ne pas entreprendre un régime de vie allégée.

Quels que soient nos gènes, nous avons tous à combattre les mêmes éléments qui produisent les graisses, en particulier dix que j'ai identifiés comme étant les principaux producteurs de graisse.

Sachez que chaque producteur de graisse a un un effet plus ou moins important sur l'organisme. Vous pouvez déjà en désactiver quelques-uns en évitant la grande friture, par exemple. Mais ces producteurs inhibent l'élimination de la graisse corporelle de bien d'autres façons.

Vous découvrirez qu'il existe une certaine corrélation entre les producteurs de graisse que vous devez désactiver et les destructeurs de graisse que vous devez activer. Et vous devrez faire preuve de la même habileté pour désactiver les producteurs que pour activer les destructeurs.

L'acquisition d'une telle habileté exige de votre part une certaine pratique. Voici donc ce que je vous conseille. En lisant les textes de ce chapitre sur les dix producteurs de graisse, identifiez celui qui vous semble le plus néfaste et qui vous semblera le plus difficile à désactiver. C'est cependant celui que vous devrez désactiver dès aujourd'hui.

Cependant, au départ, ayez bien en tête que c'est le plus difficile. Et c'est une bonne nouvelle. En effet, dès que vous aurez maîtrisé ce producteur de graisse, vous trouverez plus facile de désactiver les autres. Et la tâche sera de plus en plus facile, jusqu'à ce que vous trouviez la façon la plus simple de désactiver les derniers producteurs de graisse.

Producteur de graisse Nº 1

Repas ou collations riches en graisses

Votre journée de travail s'achève et vous êtes affamé. Vous pouvez entendre votre estomac crier famine. Mais vous travaillez tard et l'heure du dîner est passée. Vous n'avez pas le temps de cuisiner ce soir, vous commandez donc une pizza.

Je parie que vous en avez déjà l'eau à la bouche. Avec deux pizzas pour le prix d'une, vous avez décidé de vous gâter – fromage, olives et pepperoni en sus. La vie est belle !

Et même si vous avez pensé aux graisses que contiennent ces ingrédients supplémentaires, peut-être vous êtes-vous dit : « Mais où est le problème ? c'est le dîner après tout. Le repas le plus important de la journée. »

Eh bien, il est grand temps d'envisager un autre scénario.

Vous courez à votre travail et vous n'avez pas le temps de prendre votre petit déjeuner. Vous saisissez donc un croissant. C'est un gros croissant, bien sûr. Mais pourquoi pas ? Les croissants ne sont pas mauvais pour la santé n'est-ce pas ? Et c'est votre premier repas plein d'énergie de la journée.

Mais attendez une minute. Que se passerait-il si vous décidiez de manger seulement un morceau de croissant pour le petit déjeuner et une part de pizza pour le dîner ? Pourriez-vous tenir le coup ainsi – si vous mangez seulement une très petite portion riche en gras de pizza et un tout petit bout de cet énorme croissant ?

Oui, certainement. Nous pourrions essayer de manger de faibles quantités de ces aliments riches en gras. Cependant, pour un grand nombre d'entre nous, il est impossible de manger aussi peu. Et quand la graisse de votre régime – le gras des aliments –, traverse votre estomac et vos intestins et s'achemine dans votre sang, votre cerveau et votre organisme sont programmés pour déclencher le signal de stockage. Ils mettent une importante partie de la graisse dans vos cellules adipeuses.

Cette graisse est mise de côté comme carburant pour les temps maigres à venir.

Dans ces temps lointains où l'on passait de longues heures à chasser et à récolter, cette graisse était utilisée pendant les « imprévus », marches épuisantes à travers des terrains hostiles et périodes de chaleur exténuante et de froid quand il y avait peu à manger. Mais un grand nombre des nos besoins d'autrefois ont disparu avec l'ère de la technologie.

La plupart d'entre nous ont beaucoup moins besoin de stocker la graisse dans les cellules comme on devait le faire en ces temps-là. Même les corvées auxquelles les gens de la campagne s'astreignaient à la ferme il y a un siècle – couper du bois ou pomper l'eau, par exemple – ont disparu avec l'arrivée du cheval et de la charrue.

De nos jours, la plupart des gens se limitent à se lever de leur chaise longue, à s'étirer, à bailler, à éteindre les lumières et à aller au lit. Même les matins les plus « fous », vous n'utilisez pas vos réserves de graisse pour affronter la circulation ou emmener les enfants à l'école.

Au sujet des cellules

Votre organisme doit brûler ou stocker tout le gras que vous mangez. Mais même si vous vous livrez à de multiples activités, votre cerveau – qui suit un code ancien et qui vous permet de vous garder en bonne santé – continue à signaler à vos cellules de stocker le gras au lieu de le brûler.

Il est vrai que nous avons tous besoin chaque jour d'une certaine quantité de graisse alimentaire – et notre organisme est équipé pour utiliser de petites quantités de gras à chaque repas ou collation. Mais si nous consommons des aliments très gras, le soir, par exemple, l'organisme n'a rien à en faire.

Beaucoup d'entre nous mangent d'énormes portions de « plats maigres » dans les restaurants de style fast-food ou consomment des aliments riches en gras pour le dîner, sans prêter beaucoup d'attention à la quantité de graisse qu'ils ingurgitent. Et ils le font justement aux heures où l'organisme est beaucoup moins apte à développer de l'énergie et à brûler la graisse.

La graisse alimentaire est déjà du gras à l'état pur qui s'apprête à envahir nos cellules adipeuses. Pour cette raison, cela « coûte » très peu d'énergie – seulement environ 3 calories – pour convertir 100 calories de gras en nouvelle graisse corporelle.

Y a-t-il d'autres options ?

Eh bien, contrairement aux graisses alimentaires qui circulent aisément, les hydrates de carbone que l'on trouve dans de nombreux aliments de grains complets, ainsi que les fruits frais et les légumes, exigent beaucoup plus d'énergie pour être digérés et introduits dans l'organisme. Il faut dépenser plus de huit fois plus de calories pour transformer un aliment riche en hydrates de carbone en graisse corporelle que pour transformer la graisse alimentaire en graisse corporelle, estime Jean-Pierre Flatt, professeur de biochimie au Centre médical de l'université du Massachusetts, à Worcester. Autrement dit, si vous consommmez une nourriture riche en hydrates de carbone – une salade de légumes frais par exemple, une assiette de flocons d'avoine ou un morceau de pain complet –, votre organisme doit fournir des efforts huit fois plus grands pour transformer la nourriture en graisse corporelle.

Changer ses habitudes

SAVOIR PLUTÔT QUE VOULOIR

Arrêtez-vous pour réfléchir à ce que vous allez manger au dîner. Dans un repas dit normal, la graisse pourrait provenir de l'huile, du beurre, de la margarine, du fromage, de la crème fraîche, des chips ou d'un assaisonnement de salade. Au dessert, peut-être hésiterez-vous entre une tarte, une glace ou des biscuits. Ou peut-être prendrez-vous de la crème dans votre café.

En pensant à ce repas, décidez d'un changement particulier. Peut-être éliminerez-vous le fromage. Vous pouvez aussi diminuer la quantité d'huile, manger une plus petite portion de viande ou remplacer les chips par quelques grillés de seigle. Vous choisirez peut-être un assaisonnement à salade faible en gras ou allégé. Comme dessert, essayez une glace allégée. Et mettez dans votre café du lait écrémé ou un succédané de lait.

Optez pour un changement spécifique. C'est tout. Commencez ainsi. Votre organisme accumulera moins de graisse, et moins de production et de stockage de graisse par la suite.

Charcuterie, frites et autres aliments

C'est vouloir simplifier à outrance que de déclarer que deux beignets, un hamburger double bacon-fromage, un grand paquet de pop-corn couvert de beurre ou un sachet de chips peuvent aller de votre estomac à votre système sanguin tel un lourd camion-citerne rempli de graisse. Et quand ce camion déverse sa charge dans votre système sanguin, il se répand doucement et automatiquement partout dans votre abdomen ou vos cuisses.

En résumé, il est très facile d'augementer son taux de graisse corporelle en consommant de grandes quantités de gras alimentaires. Et chaque fois que vous mangez des aliments riches en gras, l'organisme ralentit sa transformation de graisse en énergie, rendant ainsi son élimination de plus en plus difficile.

Votre organisme augmente également de façon dramatique sa production d'insuline quand vous consommez en trop grande quantité des aliments riches en gras. L'un des effets de l'insuline est d'augmenter l'appétit et le taux auquel l'organisme stocke le gras. En même temps, l'insuline inhibe la destruction de la graisse corporelle. Résultat évident : quand vous mangez des aliments riches en gras, vous avez inévitablement envie d'en manger davantage dans les heures qui suivent.

Où le gras se loge...

Sommes-nous prêts à couper le gras de notre régime ? Eh bien, oui et non.

Pour la plupart d'entre nous, le besoin maladif d'aliments riches en gras n'est pas hors de contrôle. D'un autre côté, certains signaux du corps pourraient nous pousser vers le prochain morceau de gras. Depuis des années, des neurobiologistes étudient une région spécifique du cerveau, appelée l'hypothalamus, qui joue un rôle clé dans l'appétit : le taux du métabolisme et le stockage de la graisse.

Quand votre taux de galanine est élevé, il est presque certain que l'excédent de graisse que vous mangez est stocké comme de la graisse corporelle. Des chercheurs de l'université Rockefeller, à la ville de New York, ont découvert dans leurs travaux effectués sur des rats que manger du gras semble pousser à manger plus de nourriture à base de graisse.

« Les mécanismes qui stimulent l'envie de manger du gras apparaissent plus puissants que ceux qui le freinent », déclare le Dr Sarah Leibowitz, neurobiologiste à l'université Rockefeller, qui dirigea l'équipe de recherche. Comme l'ont montré les travaux sur les animaux du Dr Leibowitz, dès que les rats commencent à manger des aliments gras, ils semblent ne plus pouvoir s'en passer. Il semble probable que les mêmes influences sur l'appétit s'appliquent aux humains.

Ainsi, sommes-nous donc tenus à être dominés par des envies de gras qui commencent au déjeuner et continuent tout au cours de la journée ?

Peut-être pas. Même si une substance chimique générée par le cerveau comme la galanine pourrait s'avérer puissante, ce n'est pas l'unique influence, selon Stephen Bailey, titulaire d'un doctorat et anthropologiste de l'université Tufts à Medford, Massassuchetts, aux États-Unis. « Même s'il est évident que les composés comme la galanine jouent un rôle important dans le contrôle de notre appétit, il est vrai que nous sommes également capables de générer une grande variété de réponses aux signaux qui nous disent de consommer du gras », observe le Dr Bailey.

Changez de poids

Il est évident que plus l'on consomme d'aliments riches en gras, plus notre corps commence à prendre l'habitude de stocker la graisse au lieu de la détruire afin de la transformer en énergie. Autrement dit, le métabolisme peut décider de stocker plus et d'utiliser moins.

Cette transformation indésirable implique une enzyme appelée lipase lipoprotéine (LPL). La fonction de la LPL est de décomposer les molécules de graisse en composés appelés acides gras, qui sont assez petits pour traverser les parois des cellules adipeuses de l'organisme.

Comme vous mangez davantage d'aliments gras, votre corps émet des signaux plus forts, activant cette enzyme qui stocke la graisse. Un régime à forte teneur en gras alimente davantage les cellules adipeuses de votre corps.

Les aliments qui fournissent le plus de gras semblent être ceux qui sont riches en lipides et en glucides. Pensez seulement aux gâteaux, à la glace, aux beignets et au chocolat – tous ces mélanges de graisse et de sucre lourds à digérer.

Le sucre, dans ces aliments, stimule la production d'insuline, en même temps que des quantités importantes de graisse s'infiltrent dans le système sanguin. Et cette action peut substantiellement accroître l'activité de l'enzyme LPL, qui stocke la graisse.

Éviter les graisses hydrogénées

En expérimentant les modèles moléculaires internes de certaines graisses, les fabricants d'aliments préparés mettent parfois sur le marché de nouvelles substances qui peuvent être néfastes pour la santé.

Tel est le cas des graisses hydrogénées, huiles dans lesquelles on a artificiellement introduit de l'hydrogène pour les « renforcer » et leur permettre de mieux se répandre. Comme la structure moléculaire passe du type « cis » au type « trans » quand l'hydrogène est introduite, ces huiles sont souvent appelées acides trans-graisse.

La margarine, qui est fabriquée à partir d'huile hydrogénée polyinsaturée, a été surtout adoptée en tant que substitut de beurre sans cholestérol. Mais le procédé d'hydrogénation, utilisé dans la création de la margarine, pourrait être relié à d'autres problèmes de santé, pensent les chercheurs.

L'huile hydrogénée ne se trouve pas uniquement dans la margarine, mais également dans les produits suivants :

- Les pains
- Les gateaux et les biscuits
- Les bonbons
- Les grillés et les chips
- Les aliments frits
- Les glaçages
- La mayonnaise et les assaisonnements de salades
- Les puddings
- Les matières grasses

Des travaux de recherche révèlent que la consommation excessive de ces « trans-graisses » peut entraîner des problèmes de santé. Une hydrogénation partielle peut augmenter le taux de cholestérol et peut entraver plusieurs mécanismes de protection du corps.

En réalité, n'importe quel édulcorant raffiné transmet de l'insuline dans votre système sanguin. Presqu'instantanément, l'insuline prépare les cellules adipeuses à stocker. Elle encourage également les calories en provenance de tout aliment (non seulement les calories de la graisse) à être stockées comme graisse plutôt que transformées en énergie. Les cellules semblent « s'ouvrir » et le LPL mène essentiellement les molécules de graisse qui circulent vers la sortie. Le résultat peut augmenter le stockage de la graisse de manière dramatique. Et chez de nombreuses personnes, cette graisse a tendance à être stockée tout d'abord autour de la taille et dans les régions de l'estomac.

En plus de la prise de graisse réelle, des travaux de recherche ont démontré que la graisse dans les aliments riches en gras produit une fatigue physique et mentale. Après des repas ou des collations riches en gras, « la viscosité du sang augmente de façon très nette », selon le Dr Neil Barnard, membre du corps professoral de la Faculté de médecine de l'université George Washington, à Washington, D.C., président du Comité des médecins pour la médecine responsable et auteur de *Food for Life*.

À mesure que votre sang s'épaissit ou devient plus visqueux, il devient inévitablement stagnant. « Cet effet peut contribuer au ralentissement mental et physique que de nombreuses personnes ressentent après un repas », dit le Dr Barnard.

L'absorption quotidienne de graisses

Pour désactiver le producteur de graisse, vous devez calculer combien de graisse vous consommez chaque jour. Le but est de stocker le minimum de gras de votre alimentation comme graisse corporelle. Mais si vous voulez atteindre ce but, vous devez fixer un maximum en termes de pourcentage de calories totales qui peuvent provenir du gras.

Tous les instituts de santé sont du même avis. Ils disent tous que les calories provenant du gras de votre alimentation quotidienne ne devraient pas dépasser 30 %.

Cependant, cette recommandation est conservatrice et permet certainement trop de gras dans votre alimentation. Selon de nombreux nutritionnistes indépendants et des experts médicaux, un pourcentage de 30 % est certainement beaucoup trop élevé.

Des recherches révèlent que 30 % de gras peuvent ralentir le développement de maladies cardiaques, par exemple, mais certainement pas l'arrêter. Dans une étude de l'université Harvard portant sur des infirmières, des chercheurs ont rapporté que celles qui avaient 27 à 30 % de graisse dans leur alimentation avaient le même taux de cancer du sein que celles dont l'alimentation comportait 40 % de graisse.

D'autres travaux de recherche indiquent que l'un des plus importants bienfaits sur la santé – la perte du poids – se

L'élimination de la graisse rendue facile

Voulez-vous plus de renseignements sur les aliments que vous conservez dans votre garde-manger ? Voici un bref aperçu des graisses les plus courantes.

Graisse	Saturée (%)	Monoinsaturée (%)	Polyinsaturée (%)
Beurre	68	24	4
Huile de canola	7	60	30
Huile de coco	86	6	2
Huile d'olive	14	72	9
Huile d'arachide	19	46	30
Huile de carthame	99	12	74
Huile de sésame	15	40	40
Huile de soja	15	23	58
Huile de tournesol	11	21	68

produit quand le pourcentage de gras de l'alimentation est inférieur à 30 %. Dans une étude réalisée en deux temps, dirigée par des chercheurs de l'université Cornell, à Ithaca, New York, et de l'université de Goteborg, en Suède, on a demandé à un groupe de femmes de suivre tout d'abord un régime illimité en gras, puis un régime réduit en gras, afin de mesurer les effets d'une alimentation faible en gras.

Durant la première phase de l'étude, les femmes mangèrent des repas typiques avec environ 35 à 40 % de calories provenant du gras. Cette phase s'échelonna sur 11 semaines, durant lesquelles la plupart d'entre elles prirent du poids. Ensuite, on leur fit suivre un régime faible en gras. Pendant les 11 semaines qui suivirent, le même groupe de femmes continua de manger autant de nourriture qu'elles voulaient – mais les aliments qu'elles pouvaient choisir contenaient seulement de 20 à 25 % de gras.

Le résultat ? À la fin de la seconde période de 11 semaines, chacune des femmes avait perdu en moyenne 2,5 kg de graisse corporelle. En résumé, lorsque la quantité de nourriture n'était pas limitée pendant les deux périodes, la différence venait du pourcentage des calories en provenance du gras. Quand moins de calories provenaient du gras, le poids diminuait.

Lutter contre les graisses

Nous avons tendance à mettre toutes les sortes de graisse dans une même catégorie, et cela irait si vous surveilliez votre consommation de graisse. Cependant, il existe plusieurs sortes de graisses qui ont des effets différents sur la santé.

Plus de 90 % du gras alimentaire est composé de molécules complexes formées à partir de trois acides gras : saturés, mono-insaturés et polyinsaturés. Les graisses animales contiennent généralement un pourcentage élevé d'acides saturés gras, tandis que la plupart des graisses des légumes contiennent principalement des acides gras insaturés.

Ces trois acides gras jouent des rôles différents dans notre régime et affectent de façon définitive notre santé. Voici comment :

Gras saturés. Ils proviennent en premier des animaux, comme le bœuf, le veau et le porc, et également des produits laitiers comme les œufs, le beurre et les fromages. L'huile de coco et l'huile de palme sont elles aussi élevées en graisses saturées. Quand plus de 5 % de la quantité quotidienne de vos calories proviennent de ces sortes de gras, vous courez le risque de niveaux élevés de LDL (le « mauvais » cholestérol) et de souffrir d'une maladie. On pensait aussi qu'une consommation élevée de gras saturés accroissait le besoin en acides gras essentiels, qui peut mener à la création d'un excès de graisse corporelle de même qu'à d'autres problèmes de santé.

Gras monoinsaturés. On les trouve en grande quantité dans l'huile de canola, l'huile d'olive, l'huile d'arachide et l'huile de sésame. Les chercheurs ont trouvé que les huiles qui sont élevées en gras monoinsaturés faisaient baisser le taux du cholestérol LDL et n'affectaient pas le HDL (le « bon » cholestérol).

Gras polyinsaturés. On les trouve dans les céréales, les graines, les noix, les aliments à base de soja tels que le tofu, et d'autres légumes. Ils sont nécessaires pour stocker le gras indispensable à l'organisme et à la santé des cellules – mais il sont présents en grande quantité dans une alimentation équilibrée. Durant certaines expériences scientifiques menées sur des animaux, des chercheurs ont associés les huiles polyinsaturées à la formation de tumeurs cancéreuses et aux premières lésions des artères coronaires.

Ces trois types d'acides gras se retrouvent sous plusieurs formes dans différents types d'huiles. Le tableau ci-dessous montre une comparaison entre les gras saturés, mono-insaturés et polyinsaturés dans chaque type d'huile – en les comparant aux graisses contenues dans le beurre.

Fixez votre objectif

La plupart d'entre nous doivent réduire les calories de leur alimentation provenant du gras s'ils veulent désactiver le producteur de graisse.

Pour une vie allégée, vous devez vous fixer un régime quotidien qui contient environ 20 % (et pas plus de 25 %) des calories totales en provenance du gras. Votre objectif éventuel, ou un idéal réaliste, peut être même plus bas.

Jusqu'à preuve suffisante du contraire, l'écart le plus grand semble être situé entre 10 et 25 %. Et pour la plupart des personnes qui ont une alimentation équilibrée, être juste endessous de 30 % de calories provenant du gras est un objectif très élastique.

Si vous utilisez les menus et les collations contenus dans ce livre, vous pouvez raisonnablement atteindre un objectif pour votre régime aux environs de 20 % de calories quotidiennes provenant du gras. Et comme vous le verrez quand vous lirez les pages qui traitent de ces aliments, rester dans cette moyenne n'exige aucune privation de votre part. En fait, vous mangerez mieux – et certainement de façon plus économique – que jamais.

Mais il y a autre chose à considérer quand vous calculez la consommation de graisse – et c'est la sorte de graisse que vous prenez. Idéalement, votre alimentation quotidienne de consommation de graisse ne devrait pas dépasser un tiers de gras polyinsaturés, un tiers ou moins de gras saturés et le solde en gras mono-insaturés. Tout d'abord, diminuer les gras saturés peut être spécialement important pour un grand nombre de personnes. Les recettes et les menus de ce livre ont été élaborés avec soin pour vous aider à conserver ce solde.

Sachez où démarrer

Si vous ignorez le nombre de calories que vous consommez chaque jour ou quelle est la quantité de graisse recommandée, vous pouvez commencer de zéro et établir un programme sur mesure. Voici les étapes à franchir pour établir l'apport quotidien de graisse recommandé.

1. Pensez au poids idéal que vous voudriez atteindre pour être en bonne santé. Vous en avez déjà certainement une idée, mais bon nombre de gens se fixent des buts irréalistes.

Peut-être voulez-vous discuter de votre idéal de poids de santé avec votre médecin ou votre diététicien. Il est essentiel de réaliser que lorsque vous augmentez l'élasticité de vos muscles et que vous réduisez la graisse, vous semblerez certainement plus mince que l'indique la balance.

Pendant de nombreuses années, les professionnels de la santé se référaient aux silhouettes ayant un poids « idéal » des années 1959 que calculait la Metropolitan Life Insurance Company, compagnie d'assurance vie américaine. Les standards d' « idéal » étaient créés en calculant quel groupe d'hommes et de femmes assuré dans cette compagnie, à partir de leur poids et de leur taille, avait le plus bas taux de mortalité. Les statistiques montrèrent que les personnes qui faisaient partie de la catégorie de poids «indésirable » mouraient généralement plus jeunes que celles qui se trouvaient dans la catégorie « désirable ». Mais la taille était le seul autre facteur pris en compte quand ces estimations furent établies.

Au fil des années, on critiqua les données de poids de la Metropolitan Life parce qu'elles ne tenaient pas compte du type de corps, d'âge, de groupe ethnique et de pourcentage de la graisse corporelle. On révisa les données en 1983 en ajoutant simplement 10 % des poids « désirables » inscrits pour chaque taille.

De nos jours, l'Institut national de la santé à Bethesda, au Maryland (États-Unis), met en garde contre l'utilisation des données datant de 1959 ou 1983 de la Metropolitan Life comme seul indicateur de poids idéal. Après avoir passé en revue les 25 études importantes réalisées sur le poids et la durée de vie, une équipe de recherche d'Harvard a rapporté que la plupart des études établissaient généralement ces critères de poids et sous-estimaient les risques d'obésité. Selon ces études, les critères contenaient aussi des écarts qui permettaient de faire fluctuer les données des poids « désirables » à la hausse. C'est pourquoi vous devriez consulter votre médecin plutôt que de vous référer aux données « standards » qui vous permettront de découvrir si vous figurez dans la catégorie des poids désirables pour votre sexe, votre âge, votre poids et d'autres facteurs.

2. Une fois que vous avez déterminé votre poids idéal, vous devez calculer votre limite de calories quotidienne. Le tableau dans l'encadré intitulé « Limite approximative de calories par jour » vous aidera à l'évaluer.

Limite approximative de calories par jour

Le tableau ci-dessous vous aidera à calculer votre limite de calories par jour, en tenant compte de votre moyenne d'exercices et de votre objectif de poids.

Choisissez la catégorie qui vous décrit le mieux, selon votre niveau d'activité et votre sexe. Puis écrivez le poids idéal de santé que vous avez évalué dans la seconde colonne. Finalement, multipliez-le par le nombre de la troisième colonne pour obtenir la limite de calories que vous devrez atteindre chaque jour.

Collez ce nombre sur votre placard ou sur votre réfrigérateur. Souvenez-vous en bien – ceci est votre objectif quotidien.

Si vous êtes…	Et vous voulez peser…	Multipliez par…	Pour votre limite de calories quotidienne
Une femme sédentaire	___kg	26	________
Un homme sédentaire	___kg	31	________
Une femme modérément active	___kg	33	________
Un homme modérément actif	___kg	37	________
Un femme très active	___kg	40	________
Un homme très actif	___kg	44	________

Notez bien que le tableau contient différentes limites de calories quotidiennes qui varient selon votre sexe et votre style de vie. Un homme très actif, par exemple, peut consommer beaucoup plus de calories qu'une personne sédentaire. C'est normal, bien sûr, un individu actif doit brûler davantage de calories pendant la journée qu'un individu sédentaire.

Si vous n'êtes pas sûr de vous situer dans la catégorie « modérément actif » ou « très actif », utilisez la catégorie modérément actif pour commencer. Si vous augmentez votre niveau d'exercice et si vous trouvez que vous n'avez pas besoin de plus de calories dans votre alimentation, vous pouvez toujours augmenter la quantité de calories de vos repas et de vos collations.

3. Déterminez votre apport quotidien de graisse. Vous pouvez calculer la moyenne des grammes de gras en multipliant 20 (0,20) ou 25 % (0,25) par le total des calories. Puis divisez par 9 (le nombre des calories dans un gramme de gras) pour calculer le nombre maximum de grammes de gras que vous devriez avoir chaque jour. Pour vous épargner un peu de temps dans les calculs, voici un tableau avec les réponses instantanées.

Naturellement, votre apport quotidien de graisse devrait être divisé de façon aussi égale que possible pour la journée. Par exemple, si vous imaginez que votre maximum journalier devrait atteindre 55 g de gras, voici comment vous pourriez répartir votre consommation entre vos repas et vos collations. Mais rappelez-vous, ce sont simplement des exemples, et ces données sont également approximatives.

Apport quotidien de graisse

Limite de calories	Graisse (g) (20 % Objectif)	(25 % Objectif)
1,200	27	33
1,300	29	36
1,400	31	39
1,500	33	42
1,600	36	44
1,700	38	47
1,800	40	50
1,900	42	53
2,000	44	56
2,100	47	58
2,200	49	61
2,300	51	64
2,400	53	67
2,500	56	69
2,600	58	72
2,700	60	75

- Petit déjeuner : 8 g de graisse
- Collation du milieu de la matinée : 4 g de graisse
- Déjeuner : 18 g de graisse
- Collation du milieu de l'après-midi : 4 g de graisse
- Dîner : 18 g de graisse
- Collation légère de la soirée : 3 g de graisse

Régler votre consommation sera relativement facile lorsque vous aurez appris à reconnaître où se cache le gras des aliments que vous consommez. Vous n'aurez pas besoin d'avoir une calculatrice sous la main pour vérifier si vous avez dépassé la consommation de graisse quotidienne que vous vous étiez fixée.

Plus loin dans ce livre, vous trouverez quelques raccourcis qui vous permettront de respecter les quantité fixées. Et bien sûr, tous les menus-types et les recettes de la Partie 4 se basent sur ce modèle.

Producteur de graisse N° 2

Vous rassasier même avec des aliments non gras ou faibles en graisses

Vous vous préparez à vous détendre en face de la télévision avec un sachet de vos chips favorites ou des biscuits.

Non, attendez, vous ne voulez pas vous bourrer avec des bonnes choses riches en gras ! Vous prenez donc à leur place un sachet qui contient des collations faibles en gras ou sans gras – des chips allégées, ou toutes sortes de biscuits délicieux sans graisse.

Un choix de santé – n'est-ce pas ? Aucun risque que vous preniez de la graisse de ces aliments non gras, même si vous mangez un paquet entier. Vous comprenez ?

Eh bien, si vous consommez ces bonnes choses et si vous en reprenez encore, vous faites erreur. Il est vrai que les aliments riches en gras font le plus engraisser et que, plus vous en mangez, plus le gras s'agglutine dans les cellules adipeuses de votre corps. Mais ce n'est pas tout. Quand vous mangez trop, même des aliments non gras peuvent se transformer en producteur de graisse dans l'organisme.

« Quoi ? » dites-vous.

Non, je ne plaisante pas. De petits gateaux au chocolat fourrés de crème et de caramel avec une étiquette « 100 % sans gras » n'ont pas, en fait, un gramme de gras. Mais ils peuvent faire engraisser !

Et avant de décider de manger jusqu'à la dernière miette ce paquet de galette de riz sans graisse ou de pommes chips non grasses, vous devriez vous rendre compte que ces aliments peuvent vraiment agir comme des producteurs de graisse dans l'organisme. C'est parce qu'ils déclenchent une hormone et des réactions enzymatiques qui peuvent transformer les calories non grasses en graisse et par la suite les stocker dans les cellules adipeuses.

En conclusion : trop manger favorise les cellules adipeuses, même si on peut lire sur l'emballage faible en gras ou non gras. Quand un repas fixe une limite de 500 à 700 calories, les calories en trop, provenant même d'aliments non gras, stimulent la formation et le stockage de graisse.

Une étude s'étalant sur 20 semaines a révélé que les personnes qui limitaient à la fois leur consommation de graisse et de calories perdaient de façon significative du poids et un pourcentage de graisse sur le corps plus élevé que les personnes qui réduisaient seulement leur consommation de graisse.

« Nous mangeons des aliments sans gras mais en portions industrielles », fait observer le nutritionniste Joan Horbiah, auteur de *50 Ways to Lose Ten Pounds.*

Le secret de la méthode de stockage

Quand vous consommez un repas copieux, votre corps commence à libérer de l'insuline – et plus vous mangez , plus grande est la quantité d'insuline qui pénètre dans votre organisme. L'insuline demande à votre corps de réduire les excès de sucre dans le sang (glucose) de la façon qu'il le peut. L'une des manières est d'utiliser le glucose sanguin en trop dans votre sang plutôt que la graisse stockée. Avec l'insuline qui intervient dans le

Changer ses habitudes

SAVOIR PLUTÔT QUE VOULOIR

Êtes-vous donc prêt à modifier votre façon de penser sur la nutrition et les aliments ?

Attendez une seconde. Quand vous mangez des pop-corn, pouvez-vous vous arrêter ?

Si vous ressentez un besoin urgent de vous gaver, prenez un verre d'eau glacée.

L'eau n'a aucune calorie, ce qui veut dire qu'elle n'a aucune chance d'activer l'insuline. Et si l'insuline n'est pas touchée, vous désactiverez l'interrupteur de producteur de graisse.

Pensez maintenant à votre prochain repas du soir et gardez en mémoire ce qui arrivera si vous consommez trop de calories. Il faut à peu près 20 minutes à votre corps depuis le début de n'importe quel repas pour être satisfait et repu. Tournez cette situation à votre avantage pour vous en mangeant plus doucement. Décidez de prendre des portions plus petites. Pensez à la manière dont vous pouvez ajouter des minutes supplémentaires à votre repas. C'est la façon la plus simple de désactiver le Producteur de graisse N° 2.

Les hydrates de carbone qui augmentent la fabrication de la graisse

Les hydrates de carbone fournissent le sucre essentiel pour le sang – le glucose –, carburant utilisé pour la production d'énergie du cerveau et de chaque cellule du corps. Le glucose permet également de maintenir la température du corps, facilite la digestion, le mouvement, la respiration, la réparation des tissus et les fonctions du système immunitaire ; pour cette raison, il constitue un des plus importants composés circulant dans le corps.

Il existe trois types de base d'hydrates de carbone, classés d'après la complexité de leur structure moléculaire : les monosaccharides (les plus simples), les disaccharides et les polysaccharides (les plus complexes). Les polysaccharides comprennent de nombreuses unités de sucre, qui se lient naturellement pour former les hydrates de carbone complexes (amidons).

On peut se servir des amidons non raffinés ou raffinés. Ils entrent par exemple dans la fabrication de certains aliments. Les hydrates de carbone non raffinés se trouvent dans beaucoup de fibres, des vitamines, des minéraux et d'autres substances nutritives. Nous avons presque tous besoin de consommer davantage d'aliments comme le pain de blé complet et le riz brun pour avoir des hydrates de carbone complexes non raffinés en quantité suffisante dans notre alimentation.

À l'opposé, les aliments comme le pain blanc et le riz blanc sont tous les deux moins nourrissants et moins nutritifs parce qu'ils contiennent des hydrates de carbone raffinés. La méthode utilisée pour les raffiner, comme la moulure du blé pour fabriquer la farine blanche, fait perdre la fibre et beaucoup de vitamines et de minéraux.

Les hydrates de carbone complexes non raffinés sont généralement digérés lentement et de façon efficace, fournissant ainsi une source d'énergie solide sans l'effet biochimique des sucres concentrés. De cette manière, consommer des aliments contenant des hydrates de carbone complexes permet de rendre nos niveaux de sucre stables.

Le sucre blanc raffiné – sucrose – arrive en tête de la liste des « calories vides », avec ses équivalents : le sirop de maïs, le sucre brun, le dextrose, le maltose et le sirop de canne. Une consommation élevée de sucre raffiné a été reliée à plusieurs problèmes de santé, comprenant les taux élevés de cholestérol et d'autres graisses dans le sang, une déficience de chrome, trace du métal du même nom associée à une maladie de cœur et au diabète, et au développement du cancer du sein.

Les molécules simples de sucre dans le sucrose se digèrent très facilement. Elles pénètrent dans le système sanguin et font rapidement élever les niveaux de sucre dans le sang bien au-dessus de la moyenne normale. Le mécanisme de sécrétion de l'insuline du corps en retour est activé pour rejeter l'excès de glucose sanguin, ce qui cause une baisse dans les niveaux de sucre dans le sang.

Les « alternatives naturelles » comme le sirop d'érable, le miel et les jus de fruits ne sont pas des panacées. On a remarqué en effet qu'aucun édulcorant utilisé de façon excessive n'est bon pour la santé.

processus, les cellules adipeuses, devenues paresseuses, sont lentes à décomposer la graisse et à l'évacuer dans le système sanguin, où elle pourrait être brûlée comme du carburant.

En même temps, l'insuline aide surtout vos cellules adipeuses à se transformer en aimants pour stocker davantage de gras. C'est parce que l'insuline évacue le glucose du système sanguin et l'aide à se tranformer en graisse qu'il est stocké dans vos cellules.

Ainsi, si vous prenez comme collation devant votre télévision deux galettes de riz faibles en gras, vous êtes dans le droit chemin. Vous êtes en train de consommer environ 70 calories et moins d'1 g de gras.

Mais si vous êtes sur le point de manger tout le paquet, vous êtes en train d'activer un producteur de graisse. Cet assaut de calories supplémentaires déclenche un excès d'insuline, donnant comme résultat moins de graisse brûlée et plus de graisse stockée. C'est pourquoi il est si important de désactiver le Producteur de graisse N° 2.

L'une des question les plus souvent posées ces dernières années par des personnes déçues par leur régime minceur était : « Comment ai-je pu prendre du poids alors que je suis un régime faible en gras ? »

La vérité est que lorsque vous choisissez des aliments avec peu ou pas de fibres, pas de gras ne signifie pas nécessairement non engraissant. De nombreuses personnes qui suivaient des régimes faibles en gras consommaient des hydrates de carbone raffinés comme le sucre, le riz blanc et la farine blanche. À l'université John Hopkins à Baltimore, aux États-Unis, Barbara Rolls, chercheur dans le domaine de la perte de poids, a remarqué que lorsque les personnes remplaçaient leurs aliments riches en gras par des aliments réduits en gras ou sans gras, ils compensaient souvent en mangeant davantage.

De nombreux médecins et des chercheurs en obésité, y compris Stephen Gullo, qui a soigné plus de 10 000 patients obèses en tant que directeur de l'Institut pour la santé et les sciences du poids dans la ville de New York, déclarent que passer d'aliments à base d'hydrates de carbone riches en gras à des aliments faibles en gras n'est pas suffisant. Il est important de remplacer la graisse de l'alimentation par des hydrates de carbone complexes, des aliments riches en fibres comme les légumes, les fruits, les grains entiers et les légumes comme les haricots, les pois et les lentilles.

Depuis des années, certains chercheurs savent que consommer de grandes quantités d'édulcorants raffinés comme le sucre, le miel et le sirop est associé à une augmentation de la graisse sur le corps. « On n'arrête pas de prendre du poids simplement en mangeant de grandes quantités de pâtes ou de riz blanc », déclare Louis Aronne, directeur du Centre du contrôle de poids au Centre médical Cornell de l'hôpital de New York, dans la ville de New York.

Le Dr Aronne et de nombreux autres médecins n'évoquent cependant pas le retour des aliments riches en protéines. Ils préféreraient plutôt voir les personnes concernées remplacer les grandes quantités d'hydrates de carbone simples qu'elles consomment – comme le sucre, le miel, la farine blanche et l'alcool – par un régime faible en calories qui serait riche en fibres et en hydrates de carbone complexes et comprendrait des fruits, des légumes, des céréales complètes et des légumineuses.

Quand vous remplacez des aliments riches en gras par des aliments faibles en gras ou non gras, faites bien attention d'en consommer la même quantité. Une cuillère à soupe d'assaisonnement de salade contient environ 100 calories ; si vous utilisez des ingrédients non gras, elle n'en contiendra que 16. Vous pouvez constater que la réduction de calories est donc considérable – elle l'est cependant beaucoup moins si vous multipliez la quantité que vous utilisez.

Une autre façon de ne pas prendre du poids, c'est de ne pas fréquenter les restaurants qui offrent des « buffets ». Même si vous ne consommez que des aliments faibles en gras, vous aurez tendance à trop manger.

Producteur de graisse N° 3

Des repas ou des collations allégés ou sans fibres

L'un des plus grands avantages des hydrates de carbone complexes est la présence de fibres. Les différentes sortes de fibres proviennent toutes des parois cellulaires des plantes. Elles jouent un rôle majeur en permettant à la digestion de se faire aisément et en s'assurant également que les toxines étant susceptibles de déclencher un cancer ou d'autres substances provocatrices de maladies entrent en contact permanent ou soient absorbées dans le tube digestif. Il a été démontré qu'une alimentation riche en fibres prévenait souvent les maladies cardiaques, l'obésité et le cancer du colon. Une consommation élevée de fibres facilite également la disparition de la graisse sur le corps et fait baisser de 10 % la tension artérielle.

La fibre alimentaire entoure toute substance provenant des plantes qui résiste à la digestion. Certaines personnes l'appellent « aliment de volume », mais la fibre à vrai dire permet d'effectuer un transit doux et rapide à travers l'appareil digestif.

Pour désactiver le Producteur de graisse N° 3, vous avez besoin de deux sortes de fibres.

Les fibres insolubles comprennent la cellulose que l'on trouve dans des aliments comme le son de blé ; l'hémicellulose, dans les grains complets et les légumes, et la lignine, qui est la « colle » des parois des cellules des plantes. Ces fibres absorbent l'eau, c'est-à-dire qu'elles gonflent et ajoutent du volume, facilitant ainsi la tâche des intestins afin d'éliminer les déchets.

Les fibres solubles comprennent la pectine, que l'on trouve dans les pommes, les citrons, les légumineuses et certains légumes ; le mucilage, dans les flocons d'avoine et les légumineuses ; et les gommes, qui sont des substances de plantes ayant l'apparence de gel. Ces fibres ont des activités très différentes des fibres brutes insolubles dans l'eau.

Toutes les fibres sont associées à des hydrates de carbone digestibles, elles permettent ainsi de ralentir l'absorption du glucose dans le système sanguin. La pectine et les gommes ralentissent l'absorption du sucre venant des intestins. Étant donné que ces fibres ont la propriété de maintenir les niveaux de glucose sanguin, elles peuvent réduire le processus de fabrication du gras dans le corps.

Pour désactiver le Producteur de gras N° 3, la plupart des gens ont besoin d'augmenter leur consommation de fibres solubles et insolubles en se nourrissant abondamment de nombreux aliments frais et entiers. Les fruits frais et les légumes, les pains de grains complets et les plats qui les accompagnent ainsi que les haricots et les légumineuses sont de très bons choix.

Quelle quantité totale de fibres consommez-vous chaque jour ? Une personne moyenne en consomme environ 10 g. Les spécialistes en recommandent cependant 20 à 35 g par jour, et d'autres autorités suggèrent qu'un adulte d'âge moyen devrait consommer de 30 à 60 g de fibres totales par jour.

Quand l'insuline entre en jeu

Quand vous prenez des repas et des collations faibles en fibre ou sans fibre avec trop de sucre et d'amidon dans votre régime, l'hormone insuline peut commencer à jouer un très grand rôle dans la production des graisses.

Certains scientifiques ont découvert qu'un régime élevé en hydrates de carbone raffinés peut déclencher la résistance de l'insuline. Cette résistance se manifeste quand l'organisme répond aux amidons et aux sucres en produisant trop de glucose, ce qui déclenche en retour une surproduction d'insuline.

Cette hormone contrôle généralement le glucose, mais de plusieurs manières très rapides. Tout d'abord, elle détermine quelle quantité de glucose est utilisée immédiatement comme énergie et quelle quantité sera convertie et stockée comme gras.

Elle stimule aussi votre appétit, ce qui est une manière de vous faire savoir que votre organisme a besoin de plus d'énergie.

Et elle règle les triglycérides, qui sont des « graisses stockées » dans le corps.

Comme je l'ai déjà mentionné, l'insuline empêche les cellules adipeuses de se fractionner et de libérer ainsi les graisses dans le système sanguin. Et elle permet de transformer vos cellules adipeuses en « aimants » pour toute graisse alimentaire absorbée dans votre système sanguin.

La résistance insulinique est reliée à un nombre important de facteurs provoquant l'intolérance au glucose et une tension artérielle élevée, d'après le Dr Gerald Reaven, professeur à la Faculté de médecine de l'université Stanford, qui étudie les effets de l'insuline depuis plus de 30 ans. Même si on l'associe à une sorte de diabète (Type II), vous ne souffrez pas nécessairement de cette maladie parce que votre organisme résiste à l'insuline.

> **Changer ses habitudes**
>
> **SAVOIR PLUTÔT QUE VOULOIR**
>
> Avez-vous faim en ce moment ? Si vous avez faim entre les repas ou si vous sentez que vous avez besoin de quelque chose de sucré, prenez donc une pomme, une orange ou une poire, car tous les fruits sont riches en fibres naturelles.
>
> Le goût sucré des fruits également – provenant du fructose – vous donnera souvent un sentiment de satisfaction. Vous n'aurez pas un besoin maladif de graisse ni de sucres raffinés.

Pour ces personnes, « il est presque impossible de perdre du poids en remplaçant une proportion de la graisse de l'alimentation par des hydrates de carbones simples », explique le Dr Artemis P. Simopoulos, précédente présidente du Comité américain de coordination nutritionnelle de l'Institut national de la santé et co-présidente actuelle d'un panel sur la résistance de l'insuline et des maladies chroniques.

Cependant, pour la plupart de ces personnes, remplacer la graisse de l'alimentation par des hydrates de carbone complexes peut être différent. Voilà une raison de plus pour souligner l'importance de manger des fruits frais, des légumes, des céréales complètes et des légumineuses.

Mangez efficacement

Voici un point supplémentaire à garder en mémoire : les repas faibles en fibres et riches en gras, ainsi que les collations, n'éliminent pas le message « mangez plus » de façon aussi efficace que les aliments riches en hydrates de carbone et en fibres, déclare le Dr James Kenney, spécialiste en recherche de la nutrition au Centre de longévité Pritikin à Santa Monica, Californie. C'est parce que la graisse alimentaire ne peut être convertie en glycogène, forme de sucre qui est stocké en premier dans le foie et les muscles.

Le glycogène, en particulier celui stocké dans le foie, semble être le déclic qui éteint le signal de l'appétit et vous dit que vous n'avez plus faim.

Dans une expérience portant sur des hommes et sur des femmes trop gros, une équipe de recherche de l'université de Leeds en Grande-Bretagne a trouvé que les individus mangeaient deux fois plus d'aliments riches en gras comme des gâteaux, des fromages, des viandes grasses et des plats mijotés à la crème que d'aliments riches en fibres et en hydrates de carbone comme les pains de grains complets, les céréales, les fruits frais et les légumes. Manger de grandes quantités d'aliments riches en gras ne stimule apparemment pas le « signal » de satiété du corps à l'esprit de façon aussi efficace que manger des aliments riches en fibres et faibles en gras.

Vous développez en fait la fidélité du signal de votre appétit en mangeant des salades, des pains de grains complets, des soupes de haricots et des plats mijotés ; en fait, toutes les recettes de ces délicieux repas et collations que vous trouverez dans ce livre. Tous ces aliments vous permettent non seulement de vous sentir rassasiés et satisfaits en mangeant moins de graisse, mais ils permettent d'augmenter la fabrication de la graisse plutôt que son stockage.

Producteur de graisse N° 4

La disparition du tonus musculaire

Beaucoup d'entre nous se considèrent physiquement actifs et sont fiers de l'être.

Mais voici une surprise. Même si vous courez toute la journée au travail, au supermarché ou à la maison, vous ne faites pas vraiment des exercices tonifiants.

Et vous ne faites presque rien pour conserver le tonus de centaines d'autres muscles de votre corps. Chaque semaine, chaque jour, vous négligez d'utiliser un de vos muscles, et il se détend et devient plus faible.

La diminution du tonus musculaire entraîne l'augmentation de la production de graisse. Les fibres d'un muscle tonifié permettent à votre corps de lutter contre la graisse en produisant des enzymes qui la brûlent et en utilisant la graisse pour brûler l'action de chaque fibre du muscle.

Quand vos muscles commencent à s'atrophier – ce qui arrive quand vous commencez à perdre le tonus de vos muscles –, le signal qui indique à ces muscles de produire des enzymes qui brûlent la graisse devient progressivement plus faible. Lorsque cela se produit, il devient plus facile pour la graisse alimentaire d'être stockée comme graisse corporelle. Et une fois stockée, il y a de bonnes chances pour qu'elle demeure dans l'organisme, plutôt que d'être évacuée dans le système sanguin et être brûlée dans vos muscles de moins en moins actifs.

Brûler ses graisses

Chaque fois que vous ajoutez une livre supplémentaire de muscle à votre corps, vous brûlez automatiquement 75 calories supplémentaires par jour pour qu'il puisse conserver sa forme.

Par contraste, si vous ajoutez une livre de graisse à votre corps, vous avez seulement besoin de 2 calories par jour pour

Changer ses habitudes

SAVOIR PLUTÔT QUE VOULOIR

C'est le meilleur moment pour vous de commencer à fortifier vos muscles !

Réfléchissez : quelles régions de muscles les plus importantes utilisez-vous chaque jour ? Par « région importante de muscles », je veux dire un groupe de muscles dans une partie générale de votre corps – vos cuisses et vos jambes, par exemple, ou vos bras et vos épaules.

Maintenant, choisissez une des régions de muscles que vous utilisez le moins et imaginez un exercice simple pour elle.

Imaginons par exemple, que vous n'utilisez pas beaucoup vos épaules pendant la journée. C'est donc cette région que vous pouvez choisir de développer. Et voici une manière simple de commencer.

Tenez ce livre sur le coté de votre corps. Allongez complètement le bras, levez le livre à la hauteur de votre épaule. Puis, petit à petit, ramenez le bras dans sa position initiale. Après avoir fait cet exercice plusieurs fois, répétez-le avec l'autre bras.

Aussi simple que cela paraisse, avec cet exercice, vous avez tout

(suite)

conserver cette masse supplémentaire apportée à votre organisme.

Tout cela dépend de l'activité métabolique, taux auquel l'organisme produit de l'énergie ou brûle de la graisse. Quand vous comparez l'activité métabolique du muscle et de la graisse, il semble que le muscle soit 37 fois ½ plus actif sur le plan du métabolisme que la graisse. De toutes les calories brûlées dans le corps, 50 à 90 % sont brûlés par vos muscles. Et cette activité qui consiste à brûler de la graisse se produit même pendant votre sommeil.

Quand le muscle s'affaisse

La plupart des adultes, malheureusement, commencent à perdre leur tonus musculaire dès 25 ans environ. Si vous êtes physiquement actifs et que vous pratiquez régulièrement des exercices comme la marche, le jogging ou la bicyclette, vos muscles resteront bien sûr en bien meilleure condition que ceux de la plupart des adultes sédentaires. Mais même ainsi, vos muscles commenceront à perdre de leur élasticité – jusqu'à 500 g par année – passé 25 ans.

Ce déclin net dans l'élasticité des tissus a un effet mesurable sur le reste du métabolisme –, c'est-à-dire le taux auquel vous brûlez l'énergie quand vous êtes assis, que vous lisez, regardez la télévision ou dormez. Comme résultat de ce déclin, et parce que votre corps a besoin de moins en moins de calories pour fonctionner, les calories en trop sont plus facilement stockées comme graisse corporelle. Lorsqu'elles ne sont pas appelées à alimenter les fibres musculaires de carburant, elles commencent à produire la graisse.

Il ne semble y avoir cependant aucune raison d'avoir à perdre du tonus de muscle si rapidement et de façon si drastique. Un nouveau témoignage révèle que peu de personnes parmi nous ont besoin de perdre beaucoup de tonus dans leurs muscles avant l'âge de 90 ans, selon des études publiées dans le *Journal of the American Medical Association*. Et même si quelque atrophie s'est déjà produite, il est prouvé que le tonus peut très vite reprendre le dessus, quelques semaines seulement après avoir commencé les exercices.

Changer ses habitudes

SAVOIR PLUTÔT QUE VOULOIR

simplement ajouté un peu de « tonus de support » aux muscles de votre épaule. Et c'est tout ce qu'il faut pour commencer un programme d'exercices toniques. En exécutant quelques mouvements supplémentaires pour le tonus de vos muscles chaque jour, vous conserverez leur fermeté et vous les empêcherez de s'atrophier. Avec de tels exercices, vous commencez à désactiver le Producteur de graisse N° 4.

Producteur de graisse N° 5

L'alcool : deux verres ou plus par jour

La bière ? Le vin ? Les cocktails ? Eh bien, peut-être. Peut-être serait-il préférable que vous en considériez d'abord les conséquences.

Lorsque vous buvez de l'alcool, votre organisme brûle moins de gras et ce, à un rythme plus lent que d'habitude. L'alcool a aussi un autre effet sur l'organisme : il accroît votre appétit.

Une étude menée à la clinique Mayo, à Rochester, Minnesota, révèle que lorsqu'une personne boit de l'alcool aux repas, elle consomme en moyenne environ 350 calories de plus. C'est beaucoup. Si vous consommez donc habituellement entre 1 800 et 2 000 calories par jour, vous augmenterez votre apport calorique de plus de 15 % en prenant simplement une bière ou du vin avec le repas.

Dans certaines études, les boissons alcoolisées sont réparties ainsi : environ 4 ml de boisson fortement alcoolisée, de 110 à 140 ml de vin, 80 ml de xérès (sherry) ou 335 ml de bière. Les quantités de ces différentes boissons donnent une quantité équivalente d'alcool. Certaines personnes croient qu'un verre de bière ou un verre de vin contient beaucoup moins d'alcool qu'un whisky ou un gin tonic. A priori, cela semble sensé, puisque la concentration d'alcool est beaucoup plus élevée dans les boissons fortement alcoolisées que dans la bière ou dans le vin.

Mais lorsque l'on compare ces boissons à la bière ou au vin, on réalise rapidement que leur contenu en alcool est comparable. Une mesure de boisson fortement alcoolisée équivaut à environ 40 ml d'alcool. Donc, si une boisson comme un gin tonic ne contient qu'une mesure de boisson fortement alcoolisée et que le reste est une boisson non alcoolisée, vous consommez à peu près la même quantité d'alcool que si vous buviez de la bière ou du vin.

Les effets de l'alcool
Les lipides et l'alcool

Deux boissons alcoolisées, peu importe lesquelles, peuvent avoir un impact sérieux sur la façon dont l'organisme réagit aux lipides alimentaires. Lors d'une étude publiée dans le *New England Journal of Medicine*, des chercheurs ont trouvé qu'environ 80 ml d'une boisson alcoolisée réduisait de plus de 30 % la capacité de l'organisme à détruire la graisse. L'alcool peut augmenter de façon dramatique la réponse du glucose sanguin, de même que les taux d'insuline, ce qui se traduit par une accélération du processus de la production de graisses corporelles. De plus, deux verres d'alcool ou plus peuvent fortement déclencher de hauts taux d'insuline, lesquels stimulent la conversion des glucides en lipides et augmentent la quantité de graisses corporelles.

La consommation de plus de deux verres d'alcool par jour a un effet très important sur l'apport de calories. On estime par exemple qu'une personne qui boit six bières par jour ingurgite 900 calories supplémentaires. Puisque la consommation d'alcool pousse une personne à manger plus, ces calories supplémentaires ne proviennent pas toutes de l'alcool. Une boisson alcoolisée contient sept calories par gramme – ce qui se rapproche des neuf calories par gramme de la graisse. C'est presque le double des calories que vous obtiendriez par gramme de protéines ou par gramme d'hydrates de carbone.

La controverse

Pendant de nombreuses années, les chercheurs ont supposé que les calories en provenance de l'alcool étaient comparables à celles des hydrates de carbone, puisque l'alcool est dérivé des sucres de fruits et de grains et est également hydrosoluble. Mais tel n'est pas le cas, selon le docteur Jean-Pierre Flatt, du Centre médical de l'université du Massachusetts. Le docteur Flatt a découvert que lorsque l'alcool est ajouté au régime alimentaire, il agit dans l'organisme comme si l'on mangeait plus de graisses.

Pourquoi ?

Il semble que l'alcool, alors qu'on le brûle pour de l'énergie à la place des calories du gras, intervient dans la destruction des graisses. C'est essentiellement pour promouvoir le stockage de graisses additionnelles dans les cellules adipeuses de l'organisme, selon une étude menée à l'Institut de la physiologie, à l'université de Suisse, à Lausanne.

Dans cette étude, des chercheurs ont mesuré la dépense en énergie de huit hommes pendant une période de 48 heures. Pour faire le test, ces chercheurs ont utilisé une pièce de calorimétrie indirecte. Ils ont pu calculer les changements dans les taux de glucogène corporel (glucose stocké), de lipides et de protéines, tout en mesurant les quantités d'oxygène consommées, de gaz carbonique produit et d'azote urinaire expulsé.

Le test s'est fait en deux séances. Pendant les premières 24 heures de chaque séance, les hommes ont suivi un régime alimentaire normal contenant 30 % de gras. Leurs dépenses d'énergie ont ensuite été mesurées, en utilisant une pièce de calorimétrie. Les résultats obtenus durant cette séance, période de contrôle, ont établi la base de comparaison.

La deuxième journée de la première séance, on a ajouté 25 % de calories au régime alimentaire des hommes, lesquelles provenaient toutes de l'alcool. La deuxième journée de la deuxième séance, l'alcool a été substitué par un nombre égal de calories. Donc, durant la première séance, l'apport énergétique (calories consumées), était supérieur de 25 % à celui de la période de contrôle, alors que dans la deuxième séance, les hommes consommaient la même quantité de calories que dans la période de contrôle.

Dans les deux cas, la destruction de graisses, ou oxydation des graisses, avait diminué d'environ 50 g, soit 36 %. Les chercheurs ont conclu que l'alcool favorisait certainement un emmagasinage accru des graisses. De plus, en ajoutant de l'alcool au régime de contrôle, le taux des stockage de graisses avait également augmenté. Ces nouvelles données, dit le docteur Flatt, nous prouvent que l'alcool doit être calculé avec les graisses quand on calcule l'apport de graisses dans le régime alimentaire.

« Si votre régime alimentaire est équilibré, chaque dose de 30 ml d'alcool additionnel équivaut à environ 15 g de gras alimentaire », observe le Dr Flatt. C'est ce qui se passe quand vous buvez deux bières, deux cocktails ou deux verres de vin. Si vous répétez cette opération pendant un mois, vous accumulerez environ 550 g de gras ou 560 ml d'huile.

Une étude réalisée en Suisse conseille aux gens qui veulent perdre du poids ou le maintenir sans abandonner leur consommation d'alcool de réduire leur apport en lipides, afin de compenser les calories additionnelles que fournit l'alcool.

Où s'ajoutent ces calories ?

Vous demandez-vous où se logent les excès adipeux provenant de l'alcool ? Des études menées en Suisse et aux États-Unis prétendent que la consommation d'alcool contribue à un gain de graisse dans la région abdominale. Si votre tour de taille dépasse celui de vos hanches, c'est que vous avez un surcroît de graisse abdominale.

Au cours d'études réalisées à la Faculté de médecine de l'université Stanford et à l'université de la Californie, à San Diego, des chercheurs ont découvert que les hommes et les femmes qui consommaient plus de deux verres d'alcool par jour présentaient un rapport taille/hanches plus important que les personnes qui ne buvaient pas.

Quels sont les bienfaits du vin ?

Des études révèlent que si on boit plusieurs verres de vin, on réduit les risques des maladies de cœur... Est-ce vrai ? Les avantages de boire du vin surpasseraient-ils les inconvénients d'accumuler un peu de graisse ?

En réalité, les bienfaits de l'acool doivent être comparés à ses effets indésirables possibles. Une étude parue dans le journal britannique *Lancet* a montré que les avantages de la consommation de vin, par exemple en France, sont souvent contestés, en raison des nombreuses maladies qui découlent d'une surconsommation d'alcool. Des chercheurs du centre médical de l'université de la Californie, à San Diego, reconnaissent que si un verre ou deux de vin par jour protège des maladies de cœur, les personnes les plus en forme et qui vivent longtemps sont celles qui consomment le plus de fruits et de légumes.

Changer ses habitudes

SAVOIR PLUTÔT QUE VOULOIR

Vous pouvez adoptez une tactique qui combat l'accumulation de graisse dès aujourd'hui si vous aimez déguster une bière, du vin ou quelqu'autre boisson alcoolisée avant de dîner, ou prendre du vin en mangeant.

Au lieu de vous verser un grand verre de bière, n'en prenez que la moitié, et sirotez le reste pendant le repas. Si vous pensez prendre du vin avant de vous mettre à table, mesurez 55 ml avant le repas que vous dégusterez lentement en préparant le repas. Buvez ensuite un autre verre de 55 ml pendant le repas.

Quant aux cocktails, la solution est bien simple. Quand vous vous préparez un cocktail, coupez l'alcool de moitié.

En conclusion, si vous choisissez de prendre de l'alcool, faites-le avec modération. Selon une étude menée par la Société Américaine du Cancer auprès de 275 000 hommes d'âge moyen, ceux qui consommaient plus de quatre verres d'alcool par jour était de 30 à 35 % plus susceptibles de mourir prématurément d'un cancer que les hommes qui ne buvaient pas.

Une autre étude menée auprès de 89 000 femmes a révélé que celles qui consommaient de trois à neuf verres d'alcool par semaine étaient de 30 % plus susceptibles de développer un cancer du sein.

L'action néfaste de la cigarette

Pour bon nombre de personnes, fumer et boire vont de pair, c'est-à-dire un verre dans une main, une cigarette dans l'autre. À l'instar des statistiques qui montrent que la cigarette cause le décès de milliers de personnes, certains fumeurs rationalisent cette mauvaise habitude en prétendant que fumer les aide à maintenir leur poids.

Les spécialistes ne sont pas du même avis.

« La cigarette est un outil stratégique terrible du maintien du poids qui est aussi potentiellement dangereux », observe Robert C. Klesges, titulaire d'un doctorat, professeur de psychologie à l'université de Memphis et autorité internationale en recherche sur le poids et la cigarette. « Tous les fumeurs ne fument pas pour garder leur poids, dit-il, mais une grande majorité le fait. »

En fin de compte, cette stratégie échoue. La recherche a montré notamment que, chez certains fumeurs qui tirent des bouffées de fumée, la cigarette favorise le gain de poids.

Des médecins suédois ont rapporté, dans le journal médical *Lancet*, qu'en plus des nombreux effets néfastes de la cigarette, fumer peut engendrer une hausse du glucose sanguin, réaction qui, comme nous l'avons vu précédemment, accélère la production de graisse corporelle. Des chercheurs de l'université Stanford et de l'université de la Californie, à San Diego, ont noté que deux fois plus de fumeurs ont la taille plus épaisse que celle des non fumeurs.

On entend souvent les fumeurs dire qu'ils prennent du poids dès qu'ils cessent de fumer. Alors, que se passe-t-il ?

Bon nombre de fumeurs qui cessent de fumer éprouvent un besoin insatiable de sucre et de graisse. Peut-être prennent-ils du poids au début, mais c'est un bien faible problème comparativement aux bienfaits qu'ils tireront s'ils arrêtent de fumer.

En fait, si vous fumez et que vous pensez arrêter, vous bénéficierez des conseils de La Vie Allégée. Les principes qui s'y trouvent vous aideront à désactiver les producteurs de graisse et à activer les destructeurs de graisse. Ces principes, alliés à des tas de recettes allégées présentées à la fin de ce livre, vous garantiront une réduction de l'excès de votre graisse corporelle tout en vous permettant de cesser de fumer.

Et dans une étude combinant 12 cas contrôlés, parue dans le *Journal of the National Cancer Institute*, des évaluateurs médicaux ont constaté que les femmes qui consommaient un verre d'alcool par jour augmentaient souvent les risques de cancer du sein de 50 %, comparativement à celles qui ne buvaient pas. Récemment, une équipe de chercheurs de l'université Harvard a révélé dans le même journal que plus de deux verres d'alcool par jour peut augmenter de 78 % les risques de cancer colo-rectal chez la femme.

Producteur de graisse Nº 6

Sauter des repas ou des collations

Une des stratégies les plus populaires pour perdre de la graisse est de sauter le petit déjeuner et les collations entre les repas en espérant « sauver des calories ».

Cela semble la tactique la plus évidente, n'est-ce pas ? Si manger moins de graisse est le but, pourquoi pas ne plus en manger du tout ? S'il est préférable de manger moins de calories, vaudrait-il mieux ne plus en manger du tout ?

Eh bien, cela ne marche pas de cette façon. En fait, la tactique de sauter des repas fait ronfler le moteur de la demande interne de votre corps. Si vous remplacez un repas modeste ou une frénésie de nourriture par un grand zéro, votre organisme a besoin de remplir le vide. Il veut fabriquer et stocker plus de graisse corporelle.

Une attaque au métabolisme

Des études ont démontré que sauter des repas peut ralentir le taux de base de votre métabolisme.

Pour brûler le nombre maximal de calories durant la journée, vous voulez que ce taux demeure aussi élevé que possible. Quand vous sautez un repas et que le taux de base de votre métabolisme chute, vous commencez à perdre les bienfaits de sauter un repas.

Parlons d'un jour normal où vous déjeunez et accomplissez les corvées normales de l'après-midi – et vous brûlez en moyenne 200 calories. Comme vous brûlez moins de calories au total, vous brûlez aussi moins de calories provenant de la graisse. Étant donné que la graisse non brûlée n'a pas d'endroit où se loger, cela signifie que c'est votre organisme qui la stocke.

Alors peut-être avez-vous intérêt pour le moment à sauter le déjeuner, mais vous en serez beaucoup moins convaincu pendant l'après-midi. Si vous compensez par la suite le repas sauté en mangeant un dîner plus copieux, vous alimenterez alors vos cellules de graisse. La recherche démontre en effet que le corps est plus efficace quand il stocke de la graisse pendant la soirée plutôt que pendant la journée.

« Il est vrai que si vous consommez la plupart de vos calories faibles en gras très tôt dans la journée – au petit déjeuner et à midi par exemple –, vous demandez vraiment à votre métabolisme de travailler encore plus fort », déclare le Dr Pat Harper, porte-parole de l'Association diététique américaine.

Et si vous sautez le petit déjeuner, vous allez à l'encontre de kilos de problèmes. « La grande majorité des personnes qui pèsent trop lourd ont beaucoup plus tendance que les personnes plus minces à sauter le petit déjeuner et acquièrent finalement la moitié, si ce n'est les trois-quarts, de leurs calories quotidiennes après 6 heures du soir », observe le Dr James Kenney du Centre de longévité Pritikin.

Quand petit et fréquent donnent le ton

Une étude parue dans le *New England Journal of Medicine* a rapporté que de fréquents et petits repas faibles en gras et des collations peuvent être bénéfiques pour vous de beaucoup de façons. Pour trouver l'impact de collations bien préparées, des chercheurs ont choisi au hasard 14 hommes de poids moyen. Ils furent divisés – de nouveau, au hasard – en deux groupes. Les hommes du premier groupe prirent trois grands repas par jour, ceux du second groupe consommèrent le même nombre total de calories avec des pourcentages en général identiques de protéines, de graisse et d'hydrates de carbone dans chaque repas. Mais les personnes du second groupe voyaient leurs repas divisés en 17 collations par jour.

Dans cette étude, les personnes qui mangeaient souvent obtinrent des bienfaits significatifs en seulement deux semaines.

- Les niveaux de cholestérol dans le sang dégringolèrent de 15 %. (Le cholestérol le plus bas diminue le risque de maladies de cœur et d'attaque.)
- Les niveaux de cortisol tombèrent de plus de 17 %. (Le cortisol est une hormone formant et emmagasinant de la graisse, et produite par le corps quand une personne est sous une trop forte tension.)
- L'insuline est descendue à presque 28 %. (L'insuline, comme il est rapporté, pousse les molécules grasses hors du système sanguin et les dépose dans les cellules adipeuses du corps.)

En d'autres termes, ce ne sont pas les petits casse-croûte qui activent vos producteurs de graisse – ce sont les collations sautées. Mais souvenez-vous, nous recommandons toutes sortes de collations allégées que vous trouverez à la page 100 et dans la section des recettes de ce livre.

Changer ses habitudes

SAVOIR PLUTÔT QUE VOULOIR

Prenez un moment tout de suite pour réfléchir aux repas que vous avez sautés ou « sabotés » pendant la dernière semaine. Vous souvenez-vous d'un petit déjeuner que vous avez oublié un certain matin parce que vous étiez pressé de partir ? Avez-vous vous avalé quelques grillés un jour au déjeuner parce que vous ne pouviez pas quitter le bureau ? Avez-vous décidé de ne pas manger un soir et de commander seulement une pizza tard dans la nuit ?

Eh bien, comme vous le réalisez maintenant, chacun de ces repas sautés est une occasion ratée pour vous de désactiver le Producteur de graisse N° 6.

Maintenant, pensez aux repas de la semaine prochaine. Pouvez-vous dire ce que vous allez manger pour le petit déjeuner, le déjeuner et le dîner chaque jour ? Avez-vous des collations faibles en gras dans votre placard et dans votre réfrigérateur ? Dans votre automobile ? Dans le tiroir de votre bureau ? Souvenez-vous bien, chaque fois que vous avez prévu de consommer des repas et des collations faibles en gras, que vous désactivez ce producteur de graisse.

Producteur de graisse Nº 7

La déshydratation cachée

Plus de 75 % de votre corps est composé d'eau. Ce liquide puissant joue un rôle crucial dans les processus de destruction, de production et de stockage de la graisse.

L'eau est une substance qui permet les réactions chimiques, y compris la destruction de la graisse. Quand vous ne buvez pas assez d'eau, votre organisme secrétera l'hormone aldostérone, qui fait que les tissus se fixent à presque toutes les molécules de liquide, selon le Dr Peter Lindner, dans *Fat, Retention and you*. Et plusieurs chercheurs révèlent qu'une diminution d'eau peut faire augmenter les dépôts de graisse.

La réponse est oui et non. Oui, votre alarme de la soif sonnera fort et clairement si vous effectuez un marathon à travers un jour d'été. Mais si vous faites des courses, si vous téléphonez ou si vous travaillez devant votre ordinateur, l'alarme de la soif sera certainement très faible et distante. Vous n'en tiendrez pas plus compte que de tout autre signal.

Signes de déshydratation

« Vous pouvez être victime d'une grande fatigue, de simples maux de tête, d'un manque de concentration et de vertiges à la fin d'une journée de travail tout simplement parce que vous n'avez pas assez bu », déclare le Dr Liz Applegate, conférencière des sciences de la nutrition à l'université de Californie, Davis.

« Cela débute chaque jour dès que vous vous réveillez. Quand vous ouvrez les yeux le matin, votre corps est déjà en train de faire face à un manque d'eau. »

Nous courons parfois à la catastrophe tous les jours sans même nous en rendre compte. La déshydratation arrive quand vous ne buvez pas assez d'eau pour remplacer toute celle que vous avez perdu en transpirant, en respirant et en urinant. La déshydratation réduit le volume du sang, en le rendant plus épais et plus concentré, ce qui peut surmener le cœur et le rendre moins apte à approvisionner les muscles en oxygène et en substances nutritives. Un sang plus épais ne peut pas éliminer aussi bien les déchets accumulés.

« Même une minuscule pénurie d'eau dérange la biochimie de votre organisme », déclare le Professeur Michael Colgan, chercheur en nutrition et chercheur invité à l'université Rockefeller. « Déshydratez un muscle de seulement 3 %, et vous perdez 10 % de sa force de contraction et 8 % de son temps de réaction. L'équilibre hydrique est l'élément le plus important pour vivre longtemps, en bonne santé. »

Comment s'hydrater

La soif cachée comporte un autre effet secondaire : vous pouvez penser que vous avez faim quand en fait vous n'avez pas faim... vous avez simplement soif. Résultat, vous pourriez manger trop de collations ou remplir votre assiette une seconde fois lors d'un repas alors que ce dont vous avez vraiment besoin, c'est d'un grand verre d'eau. Vous terminez en introduisant dans votre corps plus de calories de nourriture (à la fois grasse et non grasse) alors qu'il vous réclame des liquides sans aucune calorie.

Eh bien, la déshydratation n'est pas si radicale. La nourriture et les quelques boissons vous fournissent de l'eau durant la journée. Mais ce n'est pas le montant optimal dont vous avez vraiment besoin pour bien vivre.

Changer ses habitudes

SAVOIR PLUTÔT QUE VOULOIR

Si vous avez déjà regardé un événement cycliste sur une longue distance, vous avez certainement remarqué les bouteilles d'eau utilisées par les athlètes alors qu'ils dévalaient les pentes à 100 km à l'heure.

Ou peut-être avez-vous vu les grandes bouteilles dont se servent les moniteurs de sport ou les joueurs de tennis.

Les magasins de sport vendent à l'heure actuelle aux athlètes toutes sortes de choses pour leur permettre de s'hydrater.

Allez donc dans un magasin et choisissez le plus grand récipient d'eau facile à transporter et facile à ouvrir que vous puissiez trouver. Vous devrez probablement dépenser plus de 25 F, mais c'est un investissement que vous ne regretterez pas quand il vous fera éteindre ce producteur de graisse.

Pourquoi ? Parce que si vous voulez en finir avec la déshydratation cachée, vous avez besoin d'avoir de l'eau tout près de vous tout le temps.

Prendre l'habitude de vivre avec moins d'eau, c'est comme s'habituer à retenir son stress ou sa tension : cela peut miner votre énergie et affaiblir votre santé. Trouver la solution vous prendra un peu de temps, mais ça vaut la peine d'essayer.

Il est bien sûr assez facile de désactiver le Producteur de graisse N° 7. La seule chose que vous ayez à faire, c'est d'activer le Destructeur de graisse N° 3. Il y a des centaines de façons de le faire. Mais pour l'instant vous pouvez arrêter la déshydratation cachée en utilisant l'encadré « Savoir plutôt que vouloir » de la page 69.

Producteur de graisse N° 8

La léthargie totale

En moyenne, combien de temps avez-vous l'habitude de rester assis durant la journée ou la soirée ?

Vous est-il inhabituel de rester assis pendant plus d'une heure, ou deux, ou trois ?

La biologie de l'organisme est telle que le corps doit bouger. Lorsqu'il est inerte, il s'affaire à stocker tout ce qu'il peut. Lorsque vous êtes inactif pendant plus de 60 minutes, il se peut que votre corps transmette un message au cerveau pour désactiver la destruction des graisses et en activer la production. Lorsque vous consommez un dîner copieux, puis que vous vous affaissez au salon pour quelques heures, vous permettez à votre corps de stocker des calories qui se métaboliseront en graisse.

Selon des études menées par des chercheurs du Centre national de la prévention des maladies chroniques et de la promotion de la santé au *Centers for Disease Control (CDC)*, à Atlanta, moins les gens sont actifs, plus ils sont obèses. En vieillissant, la corrélation entre la quantité de temps passé à ne rien faire et les kilos en trop s'accentue. L'activité physique pratiquée tous les jours devient donc essentielle.

Une attaque de léthargie

De nombreuses tentations nous incitent à devenir léthargiques. Après un repas copieux, bon nombre de personnes se déplacent de la salle à manger vers la télé pour regarder leurs émissions préférées. Elles peuvent même y passer des heures. Des études montrent que des périodes prolongées devant le téléviseur le soir ralentissent le métabolisme. Et il n'y a aucun doute que cette léthargie activera la production des graisses corporelles.

En fait, certaines personnes prendront plus de poids en regardant la télévision qu'en mangeant des repas très gras. Au cours d'une étude menée auprès de 6 000 travailleurs d'environ 40 ans, les chercheurs ont trouvé que ceux qui passaient plus de trois heures à regarder la télévision doublaient leurs risques de devenir obèses, c'est-à dire d'accumuler un excès de 20 à 30 % de graisse corporelle.

« La relation néfaste entre le téléviseur et un excès de poids semble s'amplifier au bout de trois heures », déclarent Larry A. Tucker, titulaire d'un doctorat, professeur et directeur de la promotion de la santé à l'université Bringham Young, à Provo, au Utah, et Glen M. Friedman, médecin. Ces chercheurs ont découvert que les hommes qui regardaient la télévision seulement une heure par jour en moyenne semblaient réduire leur risque d'obésité de moitié par rapport aux autres groupes.

Ces découvertes s'appliquent également aux femmes, selon une étude du Dr Tucker et de Marylin Bagwell, R.N., titulaire

Changer ses habitudes

SAVOIR PLUTÔT QUE VOULOIR

Levez-vous dès maintenant, prenez un livre et faites une légère rotation des épaules.

Passez le livre d'une main à l'autre en ouvrant et fermant le poing chaque fois que vous effectuez le transfert.

En faisant cet exercice, admirez une belle plante, une fleur ou un paysage à l'extérieur. Retournez ensuite à votre chaise et asseyez-vous. Ajustez votre siège dans une bonne position de lecture.

Élevez vos pieds. Une fois les jambes allongées, bougez vos pieds dans toutes les directions.

Mission accomplie !

Vous venez de dicter à votre cerveau de réduire les tendances productrices de graisse causées par la léthargie. Pendant une demi-heure ou une heure, vous avez simplement interrompu le Producteur de graisse N° 8.

d'un doctorat. Dans un groupe cible de près de 5 000 travailleuses d'environ 35 ans, les chercheurs ont démontré que les femmes qui regardaient la télévision de trois à quatre heures ou plus par jour couraient 50 % de risques de plus de devenir obèses.

En plus de la hausse de poids qui survient à rester assis, la télévision semble produire une accumulation de graisse additionnelle tout simplement parce que regarder la télévision a un effet dévastateur sur le métabolisme. Dans une étude, publiée dans le *Journal of the American Dietetic Association*, auprès de 800 adultes, des chercheurs ont conclu que la période d'inertie n'est pas entièrement responsable du gain total de poids, même en tenant compte des collations. L'incidence d'obésité dans le groupe qui regardait la télévision quatre heures et plus par jour était quatre fois plus élevée que celle des personnes qui ne la regardaient qu'une seule heure. Le premier groupe avait accumulé un excès de graisse corporelle à un rythme plus accéléré.

Producteur de graisse Nº 9

Les mauvaises nuits

Une perte de poids efficace et la hausse d'énergie dépendent de la qualité du sommeil et de la quantité de repos que reçoit l'organisme durant la nuit.

Les mauvaises nuits peuvent affecter votre santé. Lorsque vous êtes agité en dormant, le profil sommeil/éveil peut nuire au métabolisme de l'organisme durant la nuit. Le lendemain, vous découvrirez qu'il est plus dificile d'être en forme et de faire des choix judicieux.

Si cette situation se perpétue nuit après nuit. vous n'obtenez pas le sommeil dont vous avez besoin. De plus, en quête d'énergie, vous aurez tendance à manger plus. « Les gens mangent plus quand ils sont fatigués », déclare Donald Bliwise, titulaire d'un doctorat, du Centre des troubles du sommeil à l'école de médecine de l'université Emory, à Atlanta. Si vous consommez n'importe quoi pour activer votre taux d'énergie, vous favoriserez sûrement des aliments malsains à forte teneur en gras.

Une étude effectuée sur des animaux de laboratoire et sur des humains, publiée dans le Journal des régimes alimentaires, à l'université Tufts, a montré que l'appétit augmente quand le sujet est privé d'un sommeil réparateur. Ces découvertes pourraient jouer un rôle favorable dans d'autres études sur le contrôle du poids De façon générale, les gens dorment moins et ont un sommeil plus perturbé. La recherche montre que les personnes privées de sommeil ont tendance à augmenter leur consommation alimentaire de 10 à 15 % par jour, selon Allan Rechtschaffen, titulaire d'un doctorat, professeur de psychiatrie et directeur du laboratoire de recherche sur le sommeil à l'université de Chicago.

Changer ses habitudes

SAVOIR PLUTÔT QUE VOULOIR

Comment vous êtes-vous endormi la nuit précédente ? Et la nuit d'avant ? Vous êtes-vous endormi devant la télé ? Vous êtes-vous endormi en lisant ?

Bon nombre de personnes attendent un tel signal avant d'aller se coucher. Cependant, vous sabotez une bonne nuit de sommeil et la qualité de votre repos quand vous vous endormez dans une position inconfortable ou dans une pièce éclairée.

Afin de briser cette tendance et de désactiver le Producteur de graisse N° 9, essayez quelque chose de nouveau. Allez vous coucher quinze minutes plus tôt qu'à l'habitude. N'attendez pas de signal ni de message pour vous diriger vers votre lit. Fermez le téléviseur et les lumières et allez dormir.

Une fois couché, si vous ne vous endormez pas immédiatement, lisez un magazine sur la faune ou la flore sauvage, plutôt que les nouvelles perturbantes du jour. Quand vous sentez le sommeil vous gagner, éteignez la lumière et faites de beaux rêves.

Producteur de graisse N° 10

Le stress mal géré

Combien de fois par jour vous sentez-vous frustré ou en colère ? Combien de fois êtes-vous anxieux ou troublé ? Vous sentez vous souvent coupable de

Changer ses habitudes

SAVOIR PLUTÔT QUE VOULOIR

Prenez une longue respiration, inspirez puis expirez lentement. Vous sentez-vous déjà plus détendu ? Votre rythme respiratoire peut avoir un impact sur la façon dont vous vous sentez.

Vous pouvez vous sentir en détresse.

La respiration est moins profonde chez les personnes en crise. Le taux de gaz carbonique, déchet de premier plan dans le sang, augmente et le taux d'oxygène chute rapidement. Si ce sentiment se poursuit, l'anxiété augmente et le corps essaie de respirer plus profondément afin d'éliminer le gaz carbonique. Entre-temps, le diaphragme se tend et vous perdez toute habileté à respirer profondément.

Et c'est précisément ce type de stress qui active le Producteur de graisse N° 10.

Il est parfois difficile de maîtriser de telles situations. Cependant, de bonnes techniques de respiration sont l'un des outils essentiels pour briser le cycle de tension/détresse. Des spécialistes de la santé confirment qu'une seule grande respiration peut aider à alléger la tension et à accroître la sensation de calme et de contrôle.

choses que vous n'avez pas faites ou d'avoir oublié quelqu'un ?

Ce que vous ressentez sont des symptômes de stress. Habituellement, ils disparaissent rapidement, mais s'ils persistent, ils ajoutent une grande tension. Et votre organisme paie cher dans cette lutte contre vos propres sentiments.

Le comportement des gens envers le stress varie d'une personne à une autre. Certains perçoivent le stress comme un défi qui leur permet de grandir. Cependant, si à un certain moment il vous est difficile de faire face ou de vous adapter au changement, le stress peut devenir synonyme de détresse.

Dans de telles conditions, des réactions très fortes peuvent se manifester. Votre rythme cardiaque accélère, votre tension artérielle monte et la tension musculaire augmente.

Pourquoi éviter le stress ?

Les chercheurs ont confirmé que bon nombre de réactions associées à l'hormone du stress se transforment immédiatement en une accumulation de graisse corporelle. Lorsque nous réagissons au stress, plutôt que d'y faire face ou de le gérer, nous avons tendance à surconsommer des aliments à teneur élevée en gras lipides et en glucides et à ne pas faire d'exercice. Des études ont également prouvé que le stress peut provoquer une réaction de jeûne, c'est-à-dire une tendance inconsciente à stocker de la nourriture dans l'organisme en vue d'une grande famine. De plus, la détresse accélère les processus de production de graisse, ce qui se traduit par un stockage de graisse corporelle.

La graisse corporelle est également favorisée par l'apparition d'hormones qui sont libérées dans des situations de stress, notamment le cortisol et l'épinéphrine. Selon une étude, ces hormones pourraient ordonner à l'organisme de stocker plus de graisse corporelle.

En résumé, il semble que plus on est frustré, impatient ou en colère, plus la détresse peut contribuer à fabriquer les graisses. Si vous éprouvez un haut niveau de stress, le glucose sanguin est acheminé en dehors des voies chimiques habituelles qui le brûleraient. Au lieu d'alimenter les muscles en énergie, le glucose se transforme en graisse et est stocké au niveau des cellules adipeuses.

Des périodes prolongées de stress peuvent vous empêcher de reconnaître les signes du corps et du cerveau qui vous mèneraient vers une vie allégée et vous éloigneraient des aliments à forte teneur en gras.

Rappel : Désactivez les Producteurs de graisse

Producteur de graisse N° 1 : Repas ou collations riches en graisses
Producteur de graisse N° 2 : Vous rassasier même avec des aliments non gras ou faibles en graisses
Producteur de graisse N° 3 : Des repas ou des collations allégées ou sans fibres
Producteur de graisse N° 4 : La disparition du tonus musculaire
Producteur de graisse N° 5 : L'alcool : deux verres ou plus par jour
Producteur de graisse N° 6 : Sauter des repas ou des collations
Producteur de graisse N° 7 : La déshydratation cachée
Producteur de graisse N° 8 : La léthargie totale
Producteur de graisse N° 9 : Les mauvaises nuits
Producteur de graisse N° 10 : Le stress mal géré

Partie 2

Les dix destructeurs de graisse

Il est très facile et très simple d'activer les destructeurs de graisse... quand on sait comment s'y prendre ! En lisant les renseignements qui sont donnés sur ces destructeurs dans les dix chapitres qui suivent, assurez-vous de profiter des conseils donnés dans les encadrés « Changer ses habitudes ». Il est bon de les mettre en pratique. En outre, ils vous aideront à activer facilement les dix destructeurs de graisse.

Lorsque vous activez ces destructeurs, vous soignez à la fois votre corps et votre esprit, notamment la digestion, les muscles, la circulation sanguine, le cœur, le cerveau, ainsi que tout autre système de votre organisme. Ensemble, ils forment un tout complet et intégré. C'est pourquoi si vous ne soigniez que l'un de ces organes, en ignorant les autres parties de votre esprit ou de votre corps, vous mettriez en danger l'équilibre général de votre organisme.

Inversement, lorsque vous activez l'un des destructeurs de graisse et commencez par exemple à ressentir les bienfaits d'une meilleure circulation sanguine, vous améliorez également les résultats obtenus des autres neuf destructeurs. Même si je me répète, je tiens à souligner que le temps et l'énergie nécessaires à activer ces destructeurs peuvent être adaptés à votre style de vie. Que vous soyez une mère au foyer surchargée de tâches, de courses et d'obligations, ou encore une personne à l'agenda débordant de rendez-vous, de réunions qui vous tiennent loin du foyer, il vous est possible d'activer ces destructeurs.

Bien sûr, vous devrez adapter ces destructeurs selon votre âge et votre état de santé. Si vous êtes actuellement suivi par un médecin pour votre nutrition ou les exercices que vous pouvez pratiquer, il faut d'abord revoir ses directives avant d'apporter quelque changement que ce soit à votre mode de vie. Et s'il arrivait qu'un de ces destructeurs vous cause de la douleur, un inconfort ou un dérèglement de l'humeur, consultez votre médecin le plus tôt possible. Le problème est sûrement temporaire, mais il est préférable de s'assurer dès le départ que tout va bien plutôt que d'en ressentir les effets plus tard. Les résultats d'une vie allégée seront plus favorables s'ils sont accompagnés de discernement et des conseils de votre médecin personnel ou d'autres professionnels de la santé. Vous découvrirez que les destructeurs de graisse seront des plus efficaces si vous suivez ces lignes directrices de façon sensée. Bon courage !

Chapitre Quatre

Destructeur de graisse N° 1

Activez votre métabolisme tôt le matin

En activant ce destructeur, vous pouvez augmenter votre taux d'énergie et accélérer le métabolisme des graisses pour le reste de la journée.

Cela vous semble-t-il impossible ? en fait, c'est très facile.

Arrêtez-vous un moment pour y réfléchir : comment commencez-vous votre journée ? Êtes-vous à la course, vous agitant à gauche et à droite ? Êtes-vous plutôt du type lent, presque léthargique ?

Dès la sonnerie du réveil, vous levez-vous en n'allumant qu'une petite veilleuse ? sautez-vous votre petit déjeuner ou avalez-vous en vitesse quelques gorgées de café avant de quitter rapidement la maison ?

Il existe autant de façons de commencer la journée qu'il y a de personnes sur terre. Et comme votre rituel du lever est le même depuis bon nombre d'années, vous y accordez peu d'attention.

Choisissez le destructeur qui vous convient !

Les dix destructeurs de graisse ne sont pas présentés par ordre d'importance ni d'efficacité. Par exemple, le Destructeur N° 7, qui porte sur la musculation, permettra de brûler une quantité plus importante de graisse que tout autre destructeur. Cependant, tous les destructeurs jouent un rôle clé dans l'élimination de la graisse.

Il est peut-être temps d'y penser, car la recherche a montré que l'on peut activer le destructeur de graisse dès que l'on se lève le matin.

Lisez d'abord les renseignements donnés sur chacun des dix destructeurs de graisse, choisissez ensuite celui qui vous convient le mieux. Puis, graduellement, ajoutez les neuf autres.

Lumière – Action !

Dans un instant, nous évaluerons les diverses façons d'activer instantanément votre métabolisme destructeur de graisse et votre énergie. Mais voyons avant tout les raisons pour lesquelles ce destructeur fonctionne si bien.

Dès le moment où vous sortez du lit, votre cerveau donne les instructions nécessaires à votre organisme pour répondre aux exigences physiques présentes et prévues. Si votre rituel matinal se déroule dans la pénombre et au ralenti, votre cerveau reçoit un signal faible. Un tel signal, véhiculé à pas de tortue par votre système nerveux, incite l'organisme à n'activer son métabolisme qu'à un rythme frisant la quasi-inertie.

Supposons maintenant que vous perpétuez cette quasi-inertie tout au cours de la matinée, en vous répétant sans cesse qu'il serait préférable de retourner au lit. Supposons également que vous décidez de sauter votre petit déjeuner, car il y a trop à faire avant de démarrer la journée.

Durant ces quelques heures, vous avez peut-être entravé l'enclenchement du Destructeur de graisse N° 1 et avez peut-être même stimulé les processus de stockage des graisses.

À faire ou à ne pas faire

Vous pouvez toutefois renverser cette tendance grâce au programme de La Vie Allégée. Trois éléments clés vous aideront à activer efficacement votre métabolisme :

1. Montez l'éclairage.
2. Consacrez au moins cinq minutes à des exercices physiques légers.
3. Prenez le temps de savourer un petit déjeuner allégé.

Ensemble, ces trois activités permettent d'ouvrir les « interrupteurs thermiques » de votre organisme et d'en accélérer les rythmes biologiques naturels.

Il s'agit de brûler les calories et non de les bloquer. C'est ce qui donne à votre métabolisme la puissance qu'il n'avait pas.

— Victoria Zak, R.D., et Cris Carlin, R.D., de même que Peter D. Vash, médecin spécialisé dans les troubles de la nutrition au Centre médical de l'UCLA.

Si ces trois étapes font déjà partie de votre rituel matinal, nous vous en félicitons. Ce destructeur de graisse ne vous est pas vraiment utile, bien qu'il existe certaines variations susceptibles d'accélérer votre métabolisme davantage.

Par ailleurs, si vous faites partie de ces gens presque inertes au lever, vous devez faire les changements qui s'imposent afin d'appliquer ces nouvelles techniques dès demain.

Passons en revue chacune des trois stratégies :

Augmentez l'éclairage

Par un matin ensoleillé, sortez-vous pour respirer l'air frais et apprécier la luminosité ? Bon nombre d'entre nous le font en vacances, mais négligent de sortir le reste de l'année.

De tous les signaux qui affectent le cerveau humain, l'un des plus puissants est la lumière. L'organisme dispose de centaines de rythmes biochimiques et hormonaux, tous régularisés par la lumière ou la pénombre. Voici comment ensoleiller vos matins :

Assurez-vous d'un bon flux lumineux. La recherche a montré qu'il existe un lien direct entre la rétine de l'œil – où se trouvent les photorécepteurs – et une petite portion du cerveau qui régit notre capacité d'attention. À Harvard, une équipe médicale a soumis des volontaires à une série de tests sur l'exposition lumineuse dont l'intensité variait de 7 000 à 12 000 lux. Cette intensité est comparable à la quantité de lumière que vous absorberiez si vous alliez dehors dès les premières lueurs de l'aube.

En mesurant les changements du profil électro-encéphalographique aussitôt après une exposition à la lumière, les

Changer ses habitudes

SAVOIR PLUTÔT QUE VOULOIR

Au réveil, pour activer le Destructeur de graisse N° 1, sachez que la puissance de la lumière solaire est préférable à celle de l'ampoule électrique.

Même si vous n'absorbez que les premières lueurs du jour, vous recevez un taux plus élevé de lux du soleil que vous n'en obtenez de l'éclairage de la maison.

Demain matin, ouvrez donc entièrement les rideaux en vous levant. Si le soleil est déjà au rendez-vous, prenez une minute pour en absorber les bienfaits.

Un peu plus tard, trouvez un prétexte quelconque pour sortir quelques minutes. Faites une petite promenade et laissez vos yeux absorber la lumière du jour. Si vous sortez votre chien, faites-le du côté de la rue le plus ensoleillé. Ce bain de lumière matinal est des plus énergisants.

scientifiques ont établi un lien entre la rétine et une partie du cerveau qu'on appelle le noyau supra-optique. Selon les deux scientifiques qui ont mené cette étude de trois ans à Harvard – Richard Kronauer, titulaire d'un doctorat, et Charles Czeisler, médecin –, cette découverte prouverait qu'il y a une relation directe entre l'exposition à la lumière et la partie du cerveau qui, semble-t-il, jouerait un rôle important dans la capacité d'attention et la production d'énergie.

Illuminez votre matin. Dès que votre réveille-matin sonne, allumez d'abord les lampes de votre chambre, puis cherchez dans la maison les autres sources de lumière qui pourraient illuminer votre matin. Faites de la lumière dans toutes les pièces ou vous devrez circuler : la salle de bains, la cuisine, l'entrée, par exemple.

C'est certain, on devrait s'entourer de lumière le matin. Pour bon nombre de personnes, un surcroît de lumière stimule instantanément le cerveau qui, à son tour, stimule l'organisme pour passer de son état de sommeil vers un métabolisme plus actif et une nouvelle journée remplie d'énergie.

Consacrez au moins cinq minutes à des exercices physiques légers

En ce qui me concerne, une séance d'exercices vigoureux tôt le matin ne m'attire pas vraiment.

Heureusement que ce n'est pas nécessaire. Ce qu'il vous faut, c'est cinq minutes d'activité, et non des exercices qui vous renforceront les abdominaux ou les pectoraux, ou qui éprouveront vos limites d'endurance.

Une activité facile sous-entend qu'elle doit rester simple. Des études révèlent que la plupart des gens sont plus sédentaires tôt le matin, ce qui rend le métabolisme paresseux. Alors, si vous pouvez trouver cinq minutes, avant ou après le petit déjeuner, pour vous livrer à une activité physique, vous accélérerez définitivement votre métabolisme.

Prenez goût à l'exercice. Si vous avez décidé de faire vos exercices physiques le matin, ne vous souciez surtout pas de savoir si vous allez vous y tenir longtemps ou n'allez pas laisser tomber. Il y a de fortes chances que vous poursuiviez votre programme. Une étude menée par l'Institut de santé de South-Western, à Phoenix, a révélé que trois personnes sur quatre qui se livraient à une forme quelconque d'exercices le matin poursuivaient toujours leur entraînement un an plus tard.

En fait, il est plus facile de s'habituer à faire des exercices le matin que l'après-midi ou le soir. Des chercheurs de l'Institut de santé ont comparé le comportement de groupes de personnes qui effectuaient leurs exercices le matin plutôt que l'après-midi ou en soirée. Ils ont observé que seulement 50 % des gens qui s'exerçaient l'après-midi, et seulement 25 % de ceux qui s'exerçaient en soirée, avaient persisté pendant plus d'un an.

Si vous accélérez votre métabolisme et rehaussez votre taux d'énergie tôt dans la journée, vous développez cette habitude sans même y penser. Par contre, si vous attendez le soir pour faire de l'exercice, il vous sera beaucoup plus facile de trouver des excuses, telles que : « je suis trop fatigué », ou encore « je manque de temps ».

Démarrez tôt. Devriez-vous faire vos exercices avant ou après le petit déjeuner ?

Cela dépend de vous. Cependant, on a observé que des exercices modérés effectués le matin, avant le petit déjeuner, peuvent enclencher plus rapidement le processus de destruction des graisses corporelles.

Après une bonne nuit de sommeil, la quantité de glucides (glucogène) dans les muscles est considérablement réduite. Donc, lorsque vous faites de l'exercice au saut du lit, l'énergie que vous puisez de vos cellules se présente plutôt sous forme de graisse que de glucogène.

Changer ses habitudes

SAVOIR PLUTÔT QUE VOULOIR

Pour rendre les exercices du matin plus agréables, facilitez-vous la tâche.

Avant d'aller au lit, sortez vos vêtements d'exercice et placez-les à portée de main. Ainsi, le fait de les voir dès le réveil vous rappellera qu'il est temps de bouger.

Choisissez des vêtements qui s'enfilent aisément. Les tenues amples, comme les tenues de jogging, sont un bon choix. L'important, c'est qu'ils soient pratiques et à votre portée quand vous en avez besoin.

Que cela s'applique ou non à tout genre d'exercices, c'est surtout vrai pour les coureurs qui s'entraînent régulièrement avant le petit déjeuner. Une étude menée par Anthony Wilcox, détenteur d'un doctorat à l'université de l'État du Kansas, à Manhattan, a révélé que, dans le cas de ces coureurs, deux tiers des calories brûlées durant les séances d'exercices précédant le petit déjeuner provenaient des lipides. En revanche, dans le cas des coureurs d'après-midi, moins de 50 % des calories provenaient des graisses.

Allez-y à votre rythme. Si vous n'êtes pas matinal ou si vous n'aimez pas faire des exercices le matin, soyez honnête avec vous-même. Au réveil, sortez du lit lentement, habillez-vous à votre rythme, puis augmentez graduellement votre niveau d'activité.

Avant ou après le petit déjeuner, faites une légère séance d'échauffement, puis effectuez quelques minutes d'exercices physiques légers. Ensuite, prenez cinq minutes pour faire le tour du jardin ou des environs.

Munissez-vous des bons outils. Pour démarrer du bon pied, procurez-vous un vélo d'exercices, un simulateur de ski de randonnée ou un rameur. Vous pouvez donc suivre les actualités du matin à la télévision tout en pédalant à un rythme détendu sur votre vélo, en pratiquant l'aviron de façon équilibrée ou en simulant une randonnée de ski de fond.

Pourquoi ne pas essayer des exercices tonifiants modérés pour les abdominaux, comme ceux qui sont illustrés à la page 175 ? En peu de temps, vous apprécierez tellement cette période d'activité que vous voudrez le prolonger de dix, quinze ou même de vingt minutes. Vous en tirerez le plus grand bien, mais n'outrepassez pas vos limites ; l'exercice ne devrait jamais demander un effort qui vous ferait décrocher de votre Destructeur de graisse N° 1.

Prenez le temps de savourer un petit déjeuner allégé

Le petit déjeuner est le repas le plus important de la journée. Même en vitesse, il y a de nombreuses façons de déguster un petit déjeuner.

Comme je l'ai écrit plus haut, ce que vous mangez ou ne mangez pas tôt le matin peut activer les producteurs de graisse et désactiver les destructeurs de graisse pour toute la journée.

La raison est simple : même en mangeant un petit déjeuner faible en gras, très léger, vous activez votre énergie et votre pouvoir de détruire les graisses. Simultanément, vous désactivez le Producteur de graisse N° 6, celui qui accélère son processus chaque fois que vous sautez un repas.

« Souvenez-vous toujours que sauter un repas mène ultérieurement à des épisodes d'alimentation excessive », explique Kathy Stone, R.D., auteur de *Snack Attack*. « Le petit déjeuner joue un rôle essentiel dans le contrôle de l'appétit après le dîner. Cela vous surprend, mais c'est pourtant vrai ! Pourquoi ? Ce que vous mangez le matin affecte la sensation de plénitude que vous ressentez à la fin de la journée. Si vous pensez que le petit déjeuner vous ouvre l'appétit ou que vous vous sentez mieux les jours où vous passez de longues heures sans manger, réfléchissez ! Que se passe-t-il lorsque vous décidez enfin de manger ? Vous perdez simplement le contrôle.

« Nous ne réitérerons jamais assez l'importance du petit déjeuner », dit Peter D. Vash, médecin endocrinologiste et interne à la Faculté du Centre médical de l'université de la Californie, à Los Angeles, qui se spécialise dans l'obésité et les troubles reliés à la nutrition, de même que les diététiciens Cris Carlin, R.D., et Victoria Zak, R.D.

Ces chercheurs appellent le processus de destruction des graisses « interrupteur thermique », et ils ont découvert que c'est la clé d'un bon départ. «Lorsque vous commencez une nouvelle journée, vous devez prendre un petit déjeuner afin d'activer cet interrupteur thermique qui permet de changer votre rythme corporel de l'inactif à l'actif », soulignent-ils.

Sauter un repas est très mauvais. Cette mauvaise habitude s'acquiert vite, bien que vous sachiez qu'il faut prendre un petit déjeuner afin de désactiver le Producteur de gras N° 6. Mais peut-être n'avez-vous tout simplement pas d'appétit le matin ? Et si vous manquez d'appétit le matin, c'est peut-être

Changer ses habitudes

SAVOIR PLUTÔT QUE VOULOIR

Si vous avez l'habitude de sauter votre petit déjeuner parce que vous manquez de temps, reprogrammez votre réveille-matin immédiatement.

Réglez la minuterie 5 à 10 minutes plus tôt, voire 15 ou 20 minutes au besoin. Allouez-vous assez de temps pour consommer votre petit déjeuner.

Vous ne voulez pas vous priver de ces quelques minutes additionnelles de sommeil ?

Eh bien, vous ressentirez plus de bienfaits à prendre un petit déjeuner que de dormir quelques minutes de plus ; surtout si rester au lit signifie que vous devez sauter votre repas du matin. Dix minutes vous suffiront pour boire un verre de jus de fruit ou manger une tranche de pain de seigle, des biscottes ou des céréales.

parce que vous avez appris à neutraliser votre horloge corporelle. Vous retrouverez votre appétit au petit déjeuner dès que vous aurez rétabli un taux métabolique normal et sain.

De plus, « vous aurez faim aux moments opportuns de la journée et perdrez l'envie de vous régaler durant la soirée », observe C. Wayne Callaway, médecin spécialiste en obésité, professeur clinique à l'université George Washington, à Washington D.C., et directeur sortant de la clinique sur la nutrition et les lipides à la Clinique Mayo, à Rochester, au Minnesota. Si vous sautez les petits déjeuners depuis longtemps, il est préférable que vous commenciez avec un simple fruit, notamment une pomme, une banane, une orange ou un demi-pamplemousse. Servez-vous ensuite une tranche de pain de blé complet ou un bretzel tartiné de fromage allégé et buvez une tasse de thé ou de café. Certains matins, vous choisirez peut-être de consommer des céréales complètes, additionnées d'une portion de 225 g de yaourt 0 %. Vous en ressentirez les bienfaits tout au cours de la journée.

Tenez-vous-en aux classiques. L'une des meilleures combinaisons au petit déjeuner est le classique « spécial santé », c'est-à-dire un bol de flocons d'avoine, recouverts de lait demi-écrémé ou écrémé, accompagné d'un fruit. Un autre grand classique, d'ailleurs celui que je préfère, est le Müesli Bircher-Benner, appelé « Petit déjeuner du chef », dont la recette se trouve à la page 87.

Les aliments que vous consommez le matin devraient vous fournir à la fois les protéines et les hydrates de carbone qui permettront de contrer les effets de l'activité hépatique durant

Le « Petit déjeuner du chef » en provenance de Suisse

La clinique Bircher-Benner, à Zurich, en Suisse, est l'une des cliniques les plus réputées en matière de médecine douce. La pierre angulaire du régime santé de la clinique est un petit déjeuner fait d'un plat unique, à base de céréales, qui est depuis longtemps le préféré des montagnards européens.

Le Müesli Bircher-Benner, ainsi que l'on appelle ce mets, est facile à préparer et très nutritif. Plutôt que de cuire les flocons d'avoine, vous les mélangez à de l'eau la veille, puis vous les laissez gonfler tout la nuit. Vous pouvez servir le Müesli avec des fruits frais et du yaourt. Voici comment préparer une portion simple :

110 g de flocons d'avoine à cuisson lente, non cuits.
Fruits frais, à point (pommes, bananes, oranges, baies) ou des fruits non-sucrés en conserve comme les pêches)
Yaourt nature 0 %
1 c. c. de cassonade (optionnel)
Cannelle, vanille ou autre aromate naturel

Placez l'avoine dans un bol et ajoutez assez d'eau pour la couvrir. Recouvrez le bol et placez-le dans le réfrigérateur pour la nuit.

Le matin, tranchez-y vos fruits. Ajoutez à l'avoine le yaourt, la cassonade (si désiré) et les aromates selon votre goût. Bien mélanger.

la nuit. « Le matin, le taux de glucogène dans le foie aura chuté d'environ 75 % », note Lawrence E. Lamb, médecin, consultant médical au *President's Council on Physical Fitness and Sports* et auteur de *Stay Youthful and Fit* et *The Weighting Game : The Truth about Weight Control.*

En fait, le glucogène stocké dans le foie est une substance glucidique qui alimente le corps en énergie. « Si vous voulez protéger vos protéines corporelles, vous devez leur fournir des aliments à base d'hydrates de carbone tôt le matin afin de remplacer ce glucose, ajoute le docteur Lamb. L'action se fera également sentir sur le cerveau, qui exige une certaine quantité de glucose afin de pouvoir exécuter les nombreuses fonctions dont il est responsable. »

Il existe une autre bonne raison de consommer protéines et hydrates de carbone au premier repas de la journée : leur action sur le système nerveux autonome (SNA). Le SNA est un réseau qui active toutes les parties de l'organisme auxquelles vous ne pensez jamais consciemment, notamment les poumons, le cœur, le foie, les intestins et le cerveau. En alimentant ces systèmes tôt le matin, grâce à un petit déjeuner à base d'hydrates de carbone, de protéines et de fibres, vous accélérerez automatiquement l'action des hormones et des neuro-transmetteurs qui vous permettront d'avoir une journée active. Un bon petit déjeuner faible en gras aide donc à équilibrer le taux de destruction des graisses pendant toute la journée.

Les protéines et les hydrates de carbone se trouvent facilement dans les aliments habituellement consommés au premier repas de la journée. Les protéines proviennent des produits laitiers faibles en gras, tels que le lait écrémé, le fromage blanc allégé, le yaourt 0 % ou le fromage à tartiner sans gras. Puisque les hydrates de carbone complexes, riches en fibres, se trouvent dans tout aliment de grains complets, assurez-vous d'avoir une tranche de pain de blé complet, des céréales complètes, ou encore des flocons d'avoine.

Personnellement, je préfère les flocons d'avoine ou le Müesli Bircher-Benner, mais vous trouverez au supermarché une bonne sélection de céréales en boîte. Assurez-vous simplement de choisir des céréales complètes.

Si vous vous rendez au travail en voiture, apportez votre petit déjeuner avec vous et mangez-le en route.

Bien sûr, les céréales sont un peu difficiles à manipuler lorsque l'on conduit, mais il existe bon nombre d'aliments faibles en gras spécialement adaptés pour les personnes qui doivent apporter leur petit déjeuner. Vous pouvez aussi, avant de quitter la maison, ajouter des baies surgelées et une poignée de flocons d'avoine (sans gras) à environ 225 g de yaourt nature 0 %. Mélangez le tout dans un récipient à couvercle hermétique, et vous voilà prêt pour le travail.

Ou encore : partagez un bretzel de blé complet ou de seigle en deux et tartinez-le de fromage allégé. Faites-en un sandwich que vous placerez dans un sac. Vous pourrez ainsi prendre votre petit déjeuner n'importe où en vous rendant au travail.

Prenez rendez-vous. Rendez votre premier repas de la journée plus agréable, plus intéressant. Partagez votre petit déjeuner avec un membre de votre famille, un ami, un collègue, par exemple.

Si vous mangez à la maison, partagez la tâche de la préparation du petit déjeuner. Lorsque vous avez rendez-vous avec un collègue, souvenez-vous que vous n'êtes pas obligé d'aller au bistrot du coin, surtout à la belle saison. Profitez du plein air, allez dans un parc, un jardin public où vous pourrez en plus marcher et prendre un brin de soleil. Vous pouvez aussi donner rendez-vous à un collègue qui partagera avec vous un petit déjeuner allégé avant de commencer la journée.

Oubliez le petit déjeuner copieux... strictement réservé au cultivateur qui se prépare aux moissons. Les petits déjeuners riches en gras (œufs, saucisses, par exemple) ouvrent grande la porte au gras qui envahit les cellules et s'y installe pour rester.

Ne pensez surtout pas que les œufs et les saucisses sont les seuls producteurs de gras que vous pourriez consommer le matin. L'avoine instantanée préparée au micro-ondes, servie avec du lait entier et quelques tranches de pain tartinées de beurre, entre dans la catégorie des producteurs de gras.

Tous les petits déjeuners à forte teneur en graisse font augmenter rapidement le glucose sanguin. La graisse que l'on consomme au petit déjeuner augmente ce glucose deux fois plus que la graisse absorbée au déjeuner. Le processus d'accumulation de graisse serait deux fois plus grand après le petit déjeuner qu'après le lunch.

Chapitre Cinq

Destructeur de graisse N° 2

Les collations riches en fibres, mais faibles en graisses

Je sais que cela est difficile à croire, mais c'est vrai : manger des collations riches en fibres mais faibles en graisses entre les repas augmente votre énergie et accélère votre métabolisme, déclenchant ainsi un processus énergisant qui produit de la chaleur et qui brûle des calories. Ces en-cas réduisent également l'envie de trop manger, surtout le soir.

Durant la journée, quand vous passez quatre ou cinq heures de suite sans manger, votre taux de glucose sanguin chute et votre énergie s'en ressent. Lorsque vous manquez d'énergie, le seul fait de bouger exige de la motivation ; alors que penser des efforts qu'il faut déployer pour faire de l'exercice physique ! C'est pourquoi, au lieu de vous gaver au cours de deux ou trois repas chaque jour, il est plus sensé de manger moins aux repas et de prendre des collations plus souvent, comme l'ont prouvé des études publiées dans le *New England Journal of Medicine* et l'*American Journal of Clinical Nutrition.*

Ces études révèlent que des habitudes alimentaires quotidiennes, qui incluent des repas modérés et des collations légères, peuvent aider à réduire le taux de cholestérol sanguin, à diminuer la graisse corporelle, à favoriser la digestion, à atténuer les risques de maladies cardiaques et à accélérer le métabolisme. Dans l'une de ces études, des chercheurs ont trouvé que les personnes qui mangeaient plus fréquemment avaient un taux de cholestérol plus bas que celles qui ne mangeaient que des repas copieux, sans collations. De plus, les taux de cholestérol chutaient davantage lorsque les personnes qui consommaient fréquemment de la nourriture augmentaient cette fréquence durant la journée.

Les bénéfices d'une bonne planification.

Il existe de nombreuses raisons scientifiques fondées qui expliquent pourquoi il est grand temps pour la plupart d'entre nous de modifier non seulement les aliments que nous consommons, mais aussi la quantité de ces aliments.

Les repas traditionnels copieux, qui stimulent la production excessive d'insuline, stimulent également l'hormone productrice de graisse la plus puissante de l'organisme. Les frites et les hamburgers, ou toute autre variété d'aliments à forte teneur en graisses, favorisent le stockage des graisses. Ces aliments accélèrent aussi la conversion du glucose en graisse corporelle.

En revanche, des repas modérés et des collations (voir la section « Programme nutritif 3 + 4 », à la page 95) privilégient une production plus stable d'énergie soutenue. Ce plan nutritif favorise également la distribution de la graisse et semble produire une réponse insulinique plus petite, plus saine.

Le Programme nutritif 3 + 4 permet, bien sûr, le stockage normal et nécessaire de certaines graisses corporelles, élément vital d'une bonne santé. Cependant, il vise à prévenir le stockage d'un surcroît de graisses corporelles inutiles.

Ce Programme ne touche pas seulement la quantité que vous mangez, mais aussi ce que vous mangez. En le suivant, compte tenu de l'échelle de l'apport calorique indiqué pour chaque repas ou collation, vous satisferez votre appétit tout en alimentant votre système d'énergie au moment opportun.

Une collation, peut-être ?

Il existe encore d'autres bonnes raisons de prendre des collations. Depuis l'Antiquité, on prend instinctivement et traditionnellement des pauses plusieurs fois par jour afin de déguster une boisson ou un aliment agréable. Ces pauses sont aussi l'occasion d'apprécier ce qui nous entoure, d'échanger des propos avec des amis ou de méditer sur l'état actuel des choses. C'est grâce à ces petits moments d'arrêt, simples et sains, que l'on réussit à mieux mener notre vie et à mieux en profiter. Quelle que soit la vitesse à laquelle la terre tourne, une chose demeure : rien ne remplace le plaisir de s'arrêter pour apprécier l'instant présent.

Voici donc certaines lignes directrices qui vous permettront de faire des pauses-collations, même si vous vivez au rythme effréné de notre époque.

Espacez les collations. « La collation faible en graisses consommée durant la journée comporte de nombreux avantages pour la perte de poids », rapporte Dean Ornish, médecin, fondateur et président de l'Institut de recherche en soins préventifs, et professeur clinique adjoint de médecine à l'École de médecine de l'université de Californie, à San Francisco. Des collations faibles en graisses prises au cours de la matinée et dans l'après-midi feront que vous mangerez moins durant les repas principaux et que vous serez moins tenté de vous livrer à des excès de nourriture en soirée, souvent causés par le stress.

Évitez les collations saturées en gras.

Lorsque vous vous procurerez des aliments faibles en gras pour vos collations au supermarché, évitez d'acheter des aliments riches en graisses animales saturées. Écartez également les aliments à base d'huile végétale pure. Rappelez-vous que cette huile contient de l'huile de noix de coco, de l'huile de noix de palme ou de l'huile de palme, qui sont respectivement composées de 86 %, 81 % et 49 % de graisses saturées. L'huile de noix de coco et l'huile de noix de palme sont encore plus saturées en graisses que le bœuf et le lard.

Même si l'étiquette indique « sans cholestérol », lisez la liste des valeurs nutritives finement imprimée sur la bouteille. Vous verrez que, bien que ces trois huiles ne contiennent aucun cholestérol, elles contribuent toutefois à augmenter le cholestérol sanguin.

Changer ses habitudes

SAVOIR PLUTÔT QUE VOULOIR

Les choses ont heureusement changé depuis Adam et Ève ; aujourd'hui, les fruits frais ne sont plus interdits. Les légumes frais non plus. L'important, c'est d'en garder une provision à portée de la main.

Qu'est-il préférable de manger si vous ressentez la faim dans la matinée ou dans l'après-midi ? Des chips ? Du chocolat ou des cacahuètes ? Prévoyez plutôt un endroit où vous pourrez conserver une pomme, une banane, une orange, des bâtonnets de carottes, de céleris ou des radis pour en disposer au moment de la collation.

Ce changement semble bien simple, mais c'est le fait d'avoir des aliments naturels et frais sur votre bureau ou dans votre voiture qui changera vraiment votre attitude.

« N'oubliez pas que c'est quand vous faites des changements qu'il est plus facile d'accéder à un mode de vie allégé réussi », dit Diane Hanson, titulaire d'un doctorat et spécialiste des modes de vie au Centre de longévité Pritikin, à Santa Monica, en Californie.

Portez votre choix sur les collations à portée de la main. Selon le docteur George L. Blackburn, médecin, titulaire d'un doctorat, professeur adjoint de chirurgie à l'École de médecine de Harvard, et chef du laboratoire sur la nutrition et le métabolisme à l'hôpital Deaconess, à Boston, un adulte fait, chaque jour, environ 20 à 30 choix concernant la nourriture. Il est donc impératif d'avoir à proximité des collations faibles en gras afin de faciliter le plus possible les choix d'aliments consommés entre les repas.

Si les seuls aliments à votre portée sont des chips ou du chocolat, vous risquez de consommer entre 50 ou 60 g de graisse, ou 1 000 calories d'un seul coup, simplement parce que vous avez choisi ce qui était le plus facilement accessible. N'hésitez pas à noter les aliments faibles en gras recommandés dans ce chapitre. Puis faites des provisions pour en avoir à votre disposition pour les prochaines collations.

Faites de l'heure du thé le moment de la collation. « La plupart d'entre nous bénéficions d'une collation faible en gras durant la matinée ou au cours de l'après-midi », dit Richard N. Podell, médecin et directeur du Centre Overlook pour la gestion du poids, dans la ville de New York.

À mesure que la journée progresse, ce que vous mangez et quand vous le mangez devient de plus en plus important, puisque le métabolisme ralentit au cours de la journée. Une collation en après-midi permet de rehausser le taux de glucose nécessaire à l'énergie, d'après le docteur Podell. « Manger à ce moment-là

Le Programme nutritif 3 + 4 d'une vie allégée

Naguère, on recommandait de manger trois repas par jour. Mais cette époque est révolue. Aujourd'hui, il est préférable de manger trois repas allégés en graisse ainsi que trois ou quatre collations faibles en gras quotidiennement. La recherche semble démontrer que cette habitude de consommer des repas et des collations allégés fera en sorte de désactiver les producteurs de graisse et d'activer les destructeurs de graisse.

Le tableau ci-dessous vous montre comment ce plan fonctionne. Tous ces repas contiennent moins de 500 calories, dont 20 à 25 % seulement proviennent du gras. Cependant, en plus des trois repas principaux, vous devrez vous offrir au moins deux à quatre collations durant la journée, à des intervalles de deux à trois heures. Ces collations devraient compter moins de calories, donc moins de gras, que les repas principaux. Si vous espacez vos repas et vos collations, comme l'indique le tableau ci-dessous, et que vous respectez le nombre de calories recommandé, vous garderez le nombre de calories qui se transforment en graisse à son plus strict minimum.

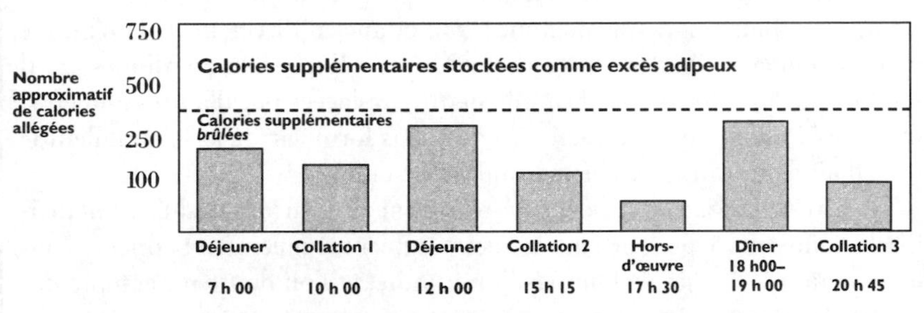

vous aidera à surmonter les effets d'une chute du glucose sanguin en après-midi », note-t-il. De plus, une collation en après-midi permet au glucose sanguin de se stabiliser, ce qui vous permettra de ne pas vous sentir affamé juste avant le dîner.

Du milieu à la fin de l'après-midi, le cerveau vous incite aux aliments à forte teneur en graisse et en sucre. Il est impératif de changer vos habitudes alimentaires, surtout si vous consommez des collations ou des dîners à forte teneur en gras. Un copieux repas, le dîner par exemple, émet un signal qui vous incitera à consommer plus de gras que nécessaire tard le soir.

Les collations riches en fibres

Ne faites pas confiance aux « aliments diététiques »

En temps normal, l'organisme sait quand il faut cesser de manger, c'est-à-dire quand ses besoins en matière de nutriments sont satisfaits. Cependant, les succédanés bloquent les voies de messagerie naturelles entre le cerveau et l'organisme, et créent en conséquence une envie de manger plus, même après avoir consommé une boisson ou un aliment sucré artificiellement.

Des études indiquent que le goût sucré des aliments peut augmenter l'appétit et pousser les gens à manger beaucoup plus qu'ils en ont besoin, voire jusqu'à l'obésité.

L'organisme réagit de la même façon, qu'il s'agisse d'un édulcorant sans calories ou d'un succédané avec calories, tel que le sucrose ou le fructose. Cela peut être en partie attribué à la faim grandissante du foie : à mesure qu'il ingère un excédent de glucose, le foie réduit le taux de glucose sanguin et favorise la transformation du carburant alimentaire en graisse.

« Des études sur les effets des édulcorants n'ont pas prouvé que ces derniers réduisent les calories ou contribuent à la perte de poids, dit Wayne Callaway, médecin, spécialiste en obésité, professeur clinique à l'université George Washington, à Washington, D.C., et ancien directeur de la clinique de nutrition et de lipides à la Clinique Mayo, à Rochester, au Minnesota. Il semble que les calories soient simplement remplacées par d'autres aliments. On a aussi montré que les sucres, même sous forme artificielle, stimulent le goût d'aliments plus gras chez certaines personnes. »

D'autres études, en revanche, ont révélé que l'aspartame, édulcorant artificiel connu sous le nom de Nutrasweet, augmente réellement l'appétit. Tous les résultats à ce sujet ne font pas l'unanimité, et l'on doit tenir compte des autres objections qui se présentent.

« Les édulcorants chimiques présentent également certains risques, observe Neal Barnard, médecin, membre du corps professoral à la Faculté de médecine de l'université George Washington, président du *Physicien's Committee for Responsible Medicine* et auteur de *Food for Life*. Les personnes qui mènent un combat incessant contre leur poids n'obtiennent pas de résultat miracle avec des édulcorants chimiques. »

Allégez les graisses. Généralement, les collations ne devraient pas contenir plus de 5 g de graisse par portion, quoique nous préconisions environ 3 g par portion. Si vous choisissez un aliment faible en gras emballé, lisez attentivement l'étiquette afin d'en connaître les bonnes données nutritives. N'oubliez pas que si votre collation est trop abondante, même si elle est allégée en graisses, vous pouvez déclencher le Producteur de graisse N° 2 et, par conséquent, convertir les calories existantes en graisse corporelle.

Protégez-vous contre une nouvelle génération de cellules adipeuses en évitant une grande consommation de nourriture à la fois. Diminuez le volume de vos repas et étalez-les tout au long de la journée. Cette tactique réduit le signal hormonal qui favorise la division et la multiplication des cellules adipeuses.

— Peter D. Vash, médecin et spécialiste des troubles sur la nutrition au Centre médical UCLA.

Attention aux calories. Bien que la graisse soit votre préoccupation première, vous devez être attentif au nombre de calories que vous consommez. Même si vous mangez des aliments non-gras, les calories peuvent s'additionner facilement si vous mangez rapidement ou si vous vous servez une deuxième ou une troisième fois. Tous les menus de collation suggérés qui se trouvent dans l'encadré « Corne d'abondance de qualité : les collations allégées et énergisantes », à la page 100, comptent moins de 300 calories suivant les quantités indiquées. Cependant, si vous mangez deux ou trois portions à chaque collation, vous dépasserez rapidement votre limite de calories quotidienne. Cela signifie qu'au lieu de désactiver un destructeur de graisse, vous activerez à la place un producteur de gras.

Méfiez-vous des fruits séchés. L'ennui avec les fruits séchés, c'est qu'ils sont savoureux. Si savoureux que l'envie est forte d'en reprendre et de ne plus savoir quand s'arrêter. De plus, ils semblent si sains ! Après tout, ce ne sont que des fruits qui ont été séchés, ça ne peut pas être mauvais pour la santé ?

Eh bien, surprise ! Si vous mangez de 20 à 30 morceaux de fruits séchés, ce qui est très facile vu leur bon goût, vous consommez entre 500 et 1 000 calories élevées en sucres. Bien que le succédané des fruits séchés soit naturel, ces mêmes fruits peuvent activer de façon importante la production des graisses.

« Chez certaines personnes, le fructose provoque une hausse significative des triglycérides (graisses dans le sang) », explique l'interniste John A. McDougall, médecin , fondateur et directeur du Programme McDougall de l'hôpital St. Helena, à Santa Rosa, en Californie. Ces graisses sont les mêmes que celles que l'on

Les bonnes collations

Bon nombre de collations que les fabricants alimentaires considèrent « saines » le sont, mais jusqu'à un certain point.

L'ennui est que certains de ces aliments, même s'ils sont sans gras, déclenchent une réaction insulinique très forte s'ils sont consommés en grande quantité. Et lorsque la réaction insulinique apparaît, le processus de production de graisses se déclenche également dans l'organisme.

Cela veut dire, surtout pour une personne qui mène une bataille de longue date contre l'excès de poids, qu'il faut consommer ces aliments prétendus sains avec modération. Il vaut mieux s'en tenir à une portion et y penser à deux fois avant d'en consommer davantage.

Avaler un paquet complet de galettes de riz allégées ou de chips allégées, par exemple, peut en fait ralentir la destruction de la graisse et accélérer le processus de production.

Afin d'éviter une réaction insulinique potentielle qui se déclencherait à la consommation des aliments indiqués ci-dessous, je recommande que vous les consommiez moins fréquemment que ceux qui figurent dans l'encadré « Corne d'abondance de qualité : les collations les plus énergisantes qui combattent les graisses », à la page 100. Et si vous adoptez ces collations faibles en gras à l'occasion, assurez-vous de ne pas dépasser les quantités suggérées ci-dessous.

- Galettes de riz allégées – un maximum de trois
- Pop-corn allégé – moins d'une tasse
- Baguette ou autre pain blanc – un maximum de deux tranches de 1 cm chacune
- Chips allégées – une poignée
- Chips de maïs sans gras – une tasse que l'on peut consommer avec de la salsa (sauce tomate épicée)
- Petits grillés de blé complet – maximum de trois
- Biscuits sans gras à la farine blanchie enrobés de sucre, de même que d'autres biscuits sans gras – maximum de trois
- Jus de carottes frais – un petit verre ou 225 ml
- Fruits séchés – environ 50 g

trouve dans les tissus adipeux. Les fruits stimulent également la production d'insuline qui transforment ces graisses en tissu adipeux. »

Même les jus de fruits peuvent se révéler un problème s'ils sont consommés en grande quantité. « La transformation d'un

Les restes de table à conserver

Certaines de mes collations préférées sont les restes des délicieux repas faibles en gras.

Si vous êtes à la maison, les restes de ces excellents repas de la veille sont au réfrigérateur. Si vous devez les emporter au travail, vous n'aurez besoin que d'un petit contenant de plastique et d'une fourchette.

En outre, vous bénéficierez non seulement d'un délicieux repas allégé, qui se garde bien, mais pourrez en apprécier les restes lors d'une collation. (Les recettes se trouvent toutes dans la Section 4 de ce livre.) Vous choisirez les recettes qui vous plaisent le plus, bien sûr, mais en voici quelques-unes qui sont parmi mes préférées.

- Potage de châtaignes grillées au riz sauvage (page 326)
- Salade aux quatre haricots à la vinaigrette balsamique (page 323)
- Salade de pâtes mexicaine (page 327)
- Muffins au pain d'épices (page 332) et autres muffins de grains entiers
- Pains pitas à la pâte de lentilles (page 340)
- Gaspacho épais à saveur piquante (page 300)
- Galettes de babeurre au fromage et aux piments forts (page 302)
- Chili aux légumes (page 336) ou Chili au poulet à la façon du Sud (page 338)
- Pain à l'ancienne à la semoule de maïs (page 339)
- Frittata aux tagliatelles et aux brocolis (page 304)
- Salade de poulet aux pêches et aux noix de pecan (page 310) ou Salade de poulet aux grains de blé complet (page 311) sur Pain vite fait au blé concassé (page 313)
- Salade de pâtes à la grecque (page 319)
- Scones aux framboises et aux groseilles (page 403)
- Parfait à la citrouille (page 420)
- Croustade aux pommes (page 418)
- Tranche de pain de grains complets tartiner d'une mousse de concombre au yaourt (page 425)

fruit en compote ou en jus altère et élimine les fibres, augmentant ainsi la vitesse de l'absorption et la quantité d'hydrates de carbone dans la circulation sanguine, dit le docteur McDougall. Les compotes de fruits, telles que les compotes de pommes, augmentent le taux d'insuline davantage que le fruit entier. »

Corne d'abondance de qualité : les collations allégées et énergisantes

L'un des avantages du Programme nutritif 3 + 4 est que bon nombre de collations faibles en gras s'y trouvent. Au début, vous devrez peut-être changer vos habitudes d'achat, voire trouver de nouveaux commerces où vous trouverez des aliments sains, pour remplir votre garde-manger d'une bonne variété de produits allégés en gras. Les choix sont très étendus.

Voici quelques suggestions susceptibles de vous aider à dresser une liste, mais ce n'est qu'un aperçu de tout ce que vous pourrez trouver dans la section des fruits et légumes, sans compter que chaque saison offre de nouveaux choix.

Les quantités citées ci-dessous correspondent à une collation d'une portion. Dans le cas des légumes et des fruits frais, les quantités ne sont pas arrêtées car il est presque impossible d'en manger en excès.

Souvenez-vous, toutefois, avant de prendre votre collation, de vous renseigner sur les autres destructeurs de graisse. Peut-être avez-vous soif (Destructeur de graisse N° 3), ou votre corps est peut-être en manque d'exercice ou de lumière (Destructeur de graisse N° 4).

Si vous décidez de prendre une collation, assurez-vous de manger les quantités préconisées ci-dessous et de bien les planifier selon le Programme nutritif 3 + 4. Aussi longtemps que vous mangerez les quantités indiquées, vous serez assuré que le Destructeur de graisse N° 2 est activé.

- Une tranche épaisse de pain de grains complets tartinée d'un fromage allégé et de confitures naturelles. Il existe plusieurs variétés de pain dans le commerce ou chez le boulanger.
- Un bretzel avec du fromage à tartiner allégé, ou encore du fromage à tartiner allégé et un morceau de fruits frais.
- Un muffin anglais de blé complet avec des confitures de fruit naturelles et du fromage à tartiner.
- Un muffin anglais de blé complet tartiné de mayonnaise allégée et d'une mince tranche de fromage suisse allégé.
- Un muffin de grains complets.
- Une barre de céréales de type muesli à base de flocons d'avoine faible en gras.
- Un à trois petits pains de seigle suédois avec de la confiture de fruits naturelle et un fromage à tartiner allégé.
- Un bretzel de grains entiers avec une cuillerée à café de moutarde de Dijon, une cuillerée à café de mayonnaise allégée et deux tranches de blanc de dinde.

- Un bretzel de grains entiers tartiné d'une cuillerée à café de moutarde de Dijon, d'une cuillerée à café de mayonnaise allégée et deux tranches minces d'un fromage partiellement écrémé comme un fromage suisse.
- Un à trois biscuits de grains entiers complets.
- Un à trois craquelins de seigle ou de grains entiers tartinés d'une pâte de haricots allégée.
- 225 g de yaourt nature à 0 % de matière grasse, additionné de fruits frais ou en conserve non sucrés ou surgelés.
- Environ 110 g de flocons d'avoine complète à l'ancienne avec du lait écrémé ou du yaourt.
- 225 g de yaourt à 0 % de matière grasse, sucré au jus de fruits.
- 225 g de soupe à la tomate, additionnée de lait écrémé, avec deux craquelins au seigle.
- Une tasse de gruau additionnel avec du lait écrémé et une cuillerée à café de sucre naturel.
- 55 g de ricotta allégée nappée de flocons d'avoine de type muesli.
- 120 g de yaourt surgelé à 0 % de matière grasse.
- 110 g de fromage blanc allégé, nappé de fruits frais surgelés sans sucre ou en conserve.
- 225 g de pudding tapioca fait avec du lait écrémé.
- 225 g de soupe aux légumes, aux haricots ou aux lentilles, allégée en gras ou sans gras.
- Une variété complète de fruits et de légumes frais, coupés en morceaux, avec trois craquelins de grains entiers, servis avec un assaisonnement allégé.
- Un morceau de gâteau des anges avec des baies non sucrées (pour la recette, voir la page 409).
- Une tranche de pain de seigle ou de pain complet avec une cuillerée à café de mayonnaise allégée et 50 g de thon en conserve.
- 225 ml de jus d'orange avec un muffin de grains entiers. (Si vous l'achetez au magasin, lisez l'étiquette afin de vous assurer qu'il est allégé).
- Une branche de céleri remplie d'une cuillère de fromage à tartiner allégé ou de fromage blanc.
- Une pomme ou d'autres fruits frais avec trois craquelins de grains entiers.
- Des fruits coupés ou des dés que l'on mélange à 110 g de yaourt nature à 0 % de matières grasses ou de fromage blanc allégé.

Rejetez les mauvais sucres. Des études suggèrent que les succédanés synthétiques peuvent renforcer votre goût des aliments sucrés. « Les succédanés artificiels peuvent ralentir la perte de poids en augmentant l'appétit », souligne le docteur McDougall.

L'on croit que, consommés en grande quantité, les succédanés artificiels contribuent à réduire le taux de cérotonine, élément chimique qui signale au cerveau que l'estomac est rassasié. Simultanément, ces succédanés peuvent augmenter le taux d'insuline, en provoquant une réduction de la destruction des graisses.

Éviter les succédanés ne signifie pas pour autant les abandonner complètement. Vous pouvez, à l'occasion, consommer une boisson ou un aliment sucré artificiellement ou utiliser de très petites quantités de sucrose ou de sucre raffiné. Bon nombre des recettes que vous trouverez dans la Section 4 sont délicieusement sucrées bien que l'ajout des succédanés soit très faible. En revanche, évitez les fausses graisses. Les substituts de graisse sont constamment à l'étude, mais il est actuellement impossible de prévoir la prochaine percée scientifique. De toute façon, si vous suivez le Programme de La Vie Allégée, ces substituts vous sont tout à fait inutiles. Toute imitation de graisse pourrait augmenter votre appétit pour des aliments riches en gras.

Évitez les fausses graisses. Les substituts sont constamment à l'étude et l'on ne sait pas quand il y aura une percée dans ce domaine.

« Les fausses graisses sont une bénédiction pour certains fabricants », révèle Neal Barnard, médecin, membre du corps professoral de la Faculté de médecine de l'université George Washington, à Washington, D.C., président du *Physician's Committee for Responsible Medicine* et auteur de *Food for Life*. Toutefois, ces substituts ne sont pas une solution au problème d'excès de poids. Non seulement ils ne semblent pas être inoffensifs, mais il se trouve que ces additifs poussent à la consommation d'aliments gras plutôt que d'aider à les éliminer.

Des collations vivifiantes. Manger des repas et des collations réduites et nutritives contribue à stabiliser les taux de glucose sanguin qui, pour leur part, optimisent les taux de glucose qui eux-mêmes optimisent la mémoire, l'apprentissage et le rendement, selon le psychologue chercheur en chronobiologie, Ernest Lawrence Rossi, titulaire d'un doctorat.

Le docteur Rossi souligne aussi que le fait de prendre une pause-collation permet à l'esprit et au corps de se synchroniser. « Les déchets oxydants et la polymérisation des radicaux libres qui se sont effectués dans les tissus avant les périodes de grand rendement ou de stress se sont évacués des cellules. Le stockage de molécules messagères, essentiellement vitales à la communication entre l'esprit et le corps, est renfloué et les réserves d'énergie sont restaurées. »

Les petites gâteries. L'une des merveilleuses collations à privilégier dans la nouvelle génération des produits légers est le chocolat faible en gras ou sans gras. Puisqu'il est disponible, pourquoi ne pas vous gâter à l'occasion ?

Par un glacial après-midi d'hiver, préparez une tasse de cacao dégraissé chaud, avec du lait écrémé. Ou alors, en été, ajoutez du cacao dégraissé à un verre de lait écrémé très froid. Pour les inconditionnels du chocolat, une portion de brownies au chocolat ou de biscuits au chocolat seront très appréciés.

Donc, si vos papilles gustatives réclament une glace au chocolat, vous pourrez toujours choisir une glace au chocolat allégé : une bonne façon de déguster la saveur du chocolat sans avoir à en absorber le gras. (Pour plus d'idées sur les desserts à base de chocolat sans gras, consultez les délicieuses recettes confectionnées par ma femme, Leslie, au chapitre 20).

Prenez le temps de déguster. En fin de compte, si vous voulez brûler l'excès des graisses corporelles, améliorer votre mémoire et votre rendement tout au long du jour jusqu'à tard dans la soirée, faites vos pauses-collation au milieu de la matinée, de l'après-midi et de la soirée.

Arrêtez vos activités, et prenez quelques minutes pour ralentir votre rythme. Regardez le paysage, faites une promenade et trouvez un coin tranquille propice à revitaliser votre énergie tout en savourant des aliments et des boissons que vous aimez.

Aussi simple que cela puisse paraître, peu d'entre nous prennent la peine de faire des arrêts de cette sorte de nos jours. Et nous payons cher chaque jour, non seulement dans notre destruction des graisses, mais aussi dans notre efficacité personnelle, nos relations, notre disposition, et notre satisfaction envers la vie.

Les collations riches en fibres

Chapitre Six

Destructeur de graisse N° 3

L'eau et autres boissons qui combattent la graisse

Depuis un bon nombre d'années, les médecins conseillent de boire huit verres d'eau par jour pour conserver une bonne santé. C'est un conseil fort sensé, puisque nos modes de vie et le milieu dans lequel nous vivons semblent taillés sur mesure pour nous déshydrater.

Les maisons et les bureaux sont chauffés à l'air forcé l'hiver et sont souvent climatisés à un faible taux d'humidité l'été. La température de l'air des voitures et des transports en commun est bien souvent contrôlée, et cet air est habituellement beaucoup plus sec qu'il ne doit l'être pour assurer le confort. Nous passons nos journées dans nos maisons, nos bureaux ou nos voitures, et nous buvons beaucoup moins d'eau que nous n'en perdons.

Chose étonnante, l'organisme ne doit perdre qu'une très faible quantité de liquide, soit de 1 à 2 % de son contenu total en eau, pour entraîner la déshydratation. En général, une personne perd, chaque jour, au moins 500 ml d'eau en respirant, encore 500 ml par la sudation invisible et environ 1,2 l par le mouvement intestinal, ce qui totalise environ 2 l par jour. D'autres facteurs contribuent aussi à la perte de liquide corporel. Les boissons à base de caféine, ou autres boissons qui agissent comme diurétiques, entraînent une sudation invisible, de même qu'une miction plus fréquente. De plus, une humidité additionnelle s'évapore lorsque vous transpirez durant l'exercice ou un travail physique dur.

Quant à l'apport hydrique, il existe des sources d'approvisionnement que vous ne soupçonnez probablement pas. Bon nombre d'aliments contiennent une importante quantité d'eau. La nourriture que vous consommez quotidiennement vous procure en moyenne plus de 750 ml de liquides. En outre, l'organisme recycle lui-même une certaine quantité de ses fluides. De plus, lorsque vous brûlez de l'énergie, l'une des substances que produit votre métabolisme est l'eau, soit environ 125 ml par jour.

Vous perdez donc plus de deux litres d'eau par jour, mais n'en remplacez que 750 ml par le biais de votre métabolisme ou des aliments que vous consommez. Il vous faut donc boire au moins six verres d'eau par jour pour équilibrer la perte des liquides corporels, bien que l'on préconise huit verres pour un meilleur état de santé.

Comment bien s'hydrater

Il y a bien sûr divers types de liquides. Vous pouvez garder un verre de 225 ml à la portée de la main et le remplir d'eau toutes les deux heures. Vous pouvez également remplacer l'équivalent de huit verres d'eau par d'autres liquides comme le lait écrémé, les jus de fruits non sucrés ou une grande variété de boissons non caféinées.

La chaleur, l'humidité, l'exercice et le régime alimentaire déterminent ensemble la quantité de liquide dont a besoin l'organisme. Votre corps nécessitera plus de huit verres d'eau par jour pour rester hydraté, surtout si vous vous promenez en pleine chaleur sur les plages de la Méditerranée. Une personne qui mange des viennoiseries en collation doit boire plus de liquide que celle qui mange des oranges, par exemple. Enfin, bien que les besoins en matière d'hydratation changent selon le milieu où vous vivez et les aliments que vous consommez, il n'en reste pas moins que l'organisme doit toujours être approvisionné en liquide pour bien fonctionner.

Mais savez-vous que cet approvisionnement, en plus de protéger votre énergie, agit aussi comme destructeur de graisse ? En revanche, la sudation invisible dont nous avons parlé plus haut contribue, elle, à activer le Producteur de graisse N° 7. En vous désaltérant, vous désactivez ce mécanisme de production pour activer à sa place un tout nouveau destructeur de graisse. Car boire de l'eau ou toute autre boisson qui combat les graisses favorise non seulement la destruction de la graisse, mais combat également la tension et la fatigue.

Comment mieux rassasier sa faim

Bon nombre de gens perçoivent leur besoin d'hydratation comme de la faim et se gavent d'en-cas à forte teneur en graisse. Ces gens ont soif, ils n'ont pas faim.

Boire un verre d'eau glacée, puis attendre quelques minutes, est un bon moyen de distinguer si vous avez faim ou soif. Vous découvrirez souvent que vous n'aviez pas vraiment faim, mais, si cela était le cas, mangez alors une légère collation allégée en graisse. Le plus important est d'apprendre à apaiser votre soif ou votre faim, c'est-à-dire à boire quand vous avez vraiment soif et à manger quand vous avez vraiment faim.

« Boire de grandes quantités d'eau est décidément le meilleur moyen d'éliminer les moments de faim tyranniques et de réduire l'appétit », dit Georges L. Blackburn, médecin, titulaire d'un doctorat et professeur adjoint de chirurgie à la Faculté de médecine de Harvard, et chef du Laboratoire sur la nutrition et le métabolisme à l'hôpital Deaconess, à Boston. Le fait de boire de l'eau en grande quantité toute la journée vous remplit l'estomac, vous aide à vous sentir rassasié et réduit votre appétit. Une recherche menée par Wayne Miller – titulaire d'un doctorat et directeur de la Clinique de perte de poids à l'université Indiana, à Bloomington –, et ses collègues, a révélé qu'une consommation suffisante d'eau durant la journée se traduit par un maintien de la perte de poids.

D'autres études ont montré qu'une augmentation de l'apport hydrique dans le cadre d'une vie active contribue à réduire les dépôts de graisse. Lorsque l'organisme est bien hydraté, ses voies sanguines disposent des liquides nécessaires au transport des lipides, ou acides gras, d'une région à une autre. Boire de l'eau favorise également les processus physiologiques qui libèrent les acides gras des cellules adipeuses dans les voies sanguines vers les muscles afin qu'ils les détruisent.

Certaines études semblent également suggérer que plus l'eau est froide, plus grande est sa capacité à détruire les graisses. « Vous pouvez accélérer la destruction de calories en buvant de l'eau glacée », dit Ellington Darden, détenteur d'un doctorat, spécialiste en science de l'exercice et directeur de la recherche pour le compte de Nautilus Sports/Medical Industries. Quatre litres et demi d'eau glacée exigent un apport de 200 calories pour les amener à la température interne du corps, qui peut, elle aussi, brûler des calories à l'occasion. Une partie de votre énergie corporelle est simplement soumise à un processus de réchauffement interne.

Des études sur les bienfaits de la destruction des graisses grâce à l'eau glacée n'ont été menées que sur trois groupes de 100 femmes âgées de 20 à 65 ans. Pourtant, les avantages semblent bien évidents sur le plan biologique. Selon l'équipe de recherche qui a mené ces études, les bienfaits favoriseraient autant les hommes que les femmes.

Toutefois, quelle que soit la température de l'eau, il est certain que boire plus d'eau est un choix judicieux quand il s'agit de régulariser son poids et de se maintenir en santé pour la vie. « L'eau est probablement la méthode la plus simple et la plus puissante pour éliminer les graisses », suggère le Dr Darden.

D'autres bienfaits

En plus de détruire les graisses, l'eau apporte de nombreux autres bienfaits à l'organisme. Même si cela nous semble évident, il est important de noter que l'eau contrecarre les effets de la déshydratation et, ce faisant, neutralise l'action destructrice de cette dernière sur l'organisme et la production de la graisse.

« Si vous ne buvez pas assez d'eau, votre corps réagira en retenant l'eau qu'il contient », déclare le Dr Darden. En retour, cette réaction contrarie la fonction rénale qui accumule alors les déchets. L'organisme doit se fier au foie pour se débarrasser des impuretés. Résultat : l'une des fonctions principales du foie est atteinte, c'est-à-dire que le métabolisme des graisses stockées en énergie agit au ralenti.

Alimenter son réservoir interne est également essentiel pour rester en bon état d'alerte et contribuer au stockage de l'énergie. « Une insuffisance hydrique peut altérer la concentration des électrolytes comme le sodium, le potassium et le chlorure, et peut également avoir un effet grave sur les taux d'énergie ou le fonctionnement du cerveau », rapporte le neuro-chirurgien Vernon H. Mark, médecin et auteur de *Brain Power*. Certains chercheurs en médecine du sport confirment cette observation. « Même un organisme légèrement déshydraté peut engendrer une résorption cervicale qui, bien que modeste, serait critique et endommagerait la coordination neuro-musculaire, la concentration et la pensée », déclare Robert Goldman, président de l'Académie nationale de la médecine du sport. En buvant beaucoup d'eau, vous prévenez ainsi la déshydratation et diminuez votre niveau de fatigue.

Agrémentez vos boissons

Que sait-on sur les boissons à base de caféine ? La consommation occasionnelle d'une tasse de café, de thé noir ou d'une boisson à base de caféine ne pose pas vraiment de problème. Il est toutefois important de savoir que la caféine contenue dans de telles boissons agit comme diurétique, entraînant une augmentation de la miction et incitant ainsi une plus grande perte de liquides.

De plus, selon une étude publiée dans le *New England Journal of Medicine*, des quantités même modérées de caféine consommées au travail durant la semaine peuvent dérégler votre organisme les week-ends si vous vous abstenez soudainement de consommer de telles boissons ces jours-là.

Les effets à long terme de la caféine sur la santé ne sont pas connus. Les résultats d'une étude menée à l'Université de Genève, en Suisse, révèlent que l'ingestion modérée de caféine chez certains adultes peut accélérer leur métabolisme. Chez d'autres, toutefois, la caféine pourrait augmenter les symptômes de stress, et ouvrir ou couper davantage l'appétit.

De façon générale, il n'est pas prouvé que la caféine active le métabolisme d'une personne. « La caféine stimule de façon négative, car elle provoque la libération d'insuline et peut en fait favoriser le stockage des aliments consommés en graisses », dit Judith Rodin, détentrice d'un doctorat, ancien professeur de psychologie et de psychiatrie à l'université Yale et actuellement présidente de l'université de la Pennsylvanie, à Philadelphie. Bon nombre de femmes consomment des boissons gazeuses de régime durant leur journée au travail, se privant de nourriture ou mangeant très peu. Cette pratique leur ouvre encore plus l'appétit. En outre, elle prépare leur organisme à stocker au maximum, en tant que graisses corporelles, toute nourriture consommée. » Et si vous buvez du thé ou du café, évitez donc les crèmes, les laits complets et les succédanés de crème ou de café en poudre.

Versez-vous un verre

Regardez les tables autour de vous. Y voyez-vous des verres ou une bouteille d'eau ?

Si la réponse est non, il vous faudra développer de bonnes habitudes quotidiennes, afin d'activer le Destructeur de gras N° 3. Voici quelques conseils qui vous aideront à faire démarrer cet important destructeur en vue d'une vie allégée.

Déshydratez vos voies respiratoires. Respirez par le nez et notez l'effet que vous ressentez. Y a-t-il un léger resserrement de vos voies nasales ?

Si vous remarquez un tel signe, c'est qu'il est temps de boire quelque chose. La sécheresse autour de la bouche et des yeux est un autre signe vital qui indique que vous êtes en train de vous déshydrater.

Peut-être avez-vous l'habitude de prendre un bonbon ou une pastille lorsque vous avez la gorge sèche. Peut-être mettez-vous aussi des gouttes dans vos yeux lorsqu'ils sont secs ou qu'ils picotent, ou encore utilisez-vous un vaporisateur à solution saline pour lubrifier vos voies nasales asséchées. Avant d'essayer l'une de ces méthodes, je vous conseille de boire un grand verre d'eau ou toute autre boisson qui pourrait combattre la déshydratation. Il y a de fortes chances pour qu'un apport hydrique dans l'organisme vous permette de soulager la sécheresse que vous ressentez autour des yeux, dans la bouche ou dans le nez, sans avoir besoin d'autres remèdes.

Ajoutez un zeste d'agrume à votre eau. Agrémentez votre boisson. Bien sûr l'eau naturelle, pure, énergisante et destructrice de graisses est bonne à boire, mais il existe de nombreuses façons de l'agrémenter. Vous pouvez ajouter le zeste d'agrumes naturels comme le citron ou l'orange ou encore quelques gouttes d'un aromatisant à la menthe, qui est tout aussi savoureux.

Évitez les sucres. Naturels ou synthétiques, les sucres pourraient diriger votre appétit et votre métabolisme dans le mauvais sens. Si vous prenez une boisson gazeuse, un jus de fruits ou quelque autre boisson, lisez bien l'étiquette. Les édulcorants, à prendre avec modération, sont soit artificiels (aspartame ou saccharine, par exemple), soit naturels (tels le fructose, contenu habituellement dans le sirop de maïs, ou le sucrose, communément appelé sucre en poudre). Les boissons à teneur élevée en sucre, bus ou consommés en grande quantité, contribuent habituellement à l'obésité.

Essayez les eaux gazeuses. L'eau minérale carbonique pure ne désaltère pas davantage que l'eau naturelle, mais bon nombre de gens la préfèrent. Toutes les saveurs, citron, baies et menthe, qui agrémentent l'eau naturelle, sont davantage rehaussées dans de l'eau carbonique et créent une boisson gazeuse naturelle sans ajout de sucre.

Essayez aussi le thé. Si l'idée d'un thé glacé vous plaît, j'aimerais

Changer ses habitudes

SAVOIR PLUTÔT QUE VOULOIR

Comment pouvez-vous savoir combien de bouteilles d'eau vous avez bues si vous en gardez une à vos côtés durant la journée ? Voici un truc facile qui vous donnera l'asssurance d'absorber la quantité d'eau recommandée : placez des élastiques autour du contenant ou de la bouteille et retirez-en un à chaque fois que vous la remplissez.

Si vous avez par exemple un contenant de 500 ml, vous savez que vous devez le remplir quatre fois pour obtenir la dose quotidienne d'eau recommandée. Commencez donc la journée en plaçant quatre élastiques autour de la bouteille et retirez-en un à chaque fois que vous la remplissez. Vers 10 heures, vous devriez avoir enlevé le premier élastique et à midi, le deuxième. À un moment donné, dans l'après-midi ou dans la soirée, vous devriez remplir la bouteille deux fois et retirer les deux derniers élastiques avant d'aller au lit. Le matin suivant, bien sûr, il faut recommencer. Placez tous les élastiques autour de la bouteille et répétez l'exercice.

vous en recommander plusieurs variétés. L'une d'elles est le thé vert (ou thé chinois), non sucré ou additionné d'une cuillèrée à café de sucre au maximum par verre de 225 ml.

Procurez-vous au supermarché ou dans un magasin d'alimentation naturelle des thés noirs parfumés déthéinés qu'apprécient vraiment les fins gourmets. Parmi ces thés parfumés, on y trouve des thés de Ceylan à la mangue, à la pêche et au gingembre, au citron et à la menthe, et bien d'autres encore. Ces thés parfumés sont délicieux sans sucre et glacés. Si vous préférez un thé plus sucré, ajoutez une cuillèrée à café de sucre par verre de 225 ml. Le thé glacé est généralement une tradition d'été, vous pouvez cependant en boire en hiver. Tout comme l'eau glacée, le thé présente les avantages de destruction de la graisse corporelle.

Décaféinez votre café. Le café glacé décaféiné a un goût savoureux avec du lait écrémé et une cuillerée à café ou moins de sucre. De nos jours, vous avez également le choix parmi de nombreuses variétés de café.

Chapitre Sept

Destructeur de graisse N° 4

Les exercices-minute à faire en tout temps et la gymnastique de faible intensité

Je le sais, vous êtes trop occupé... vous n'êtes pas en forme... vos genoux, votre dos, vos bras, vos hanches ou vos pieds vous font souffrir. De plus, de jour en jour, votre vie vous semble de plus en plus remplie.

Devez-vous vous occuper de vos enfants ou de vos parents ? Avez-vous une carrière exigeante ? Devez-vous effectuer d'innombrables tâches ménagères ? Avez-vous certaines responsabilités envers vos amis ou votre entourage ? Si oui, il vous reste peu de temps à consacrer à l'exercice.

Mais toutes ces activités quotidiennes vous empêchent-elles de faire de l'exercice ? Ou est-ce plutôt le temps que vous passez devant le téléviseur ?

L'un des meilleurs conseils pour lutter contre la sédentarité de la plupart des gens est le suivant : « Fermez le téléviseur, abandonnez votre fauteuil préféré, sortez et bougez un peu », déclare Steven N. Blair, P.E.D., président du Collège américain

Ajoutez des années à votre vie

La principale raison d'activer le Destructeur de graisse N° 4 demeure la satisfaction qui en découle. Vous brûlerez non seulement plus de graisses corporelles, mais vous vous sentirez mieux sur tous les plans en intégrant à votre vie de tous les jours ces quelques exercices-minute.

Savez-vous quels sont les bienfaits des exercices minutes sur la durée de votre vie ? Eh bien, consultez les graphiques illustrés ci-dessous, tirés d'une étude importante parue dans le *Journal of the American Medical Association.*

Afin de bien représenter les deux sexes, les chercheurs ont étudié les statistiques de taux de mortalité de trois groupes de personnes qui avaient participé respectivement à des programmes de conditionnement physique léger, modéré ou avancé. Les personnes du groupe de conditionnement léger étaient presque sédentaires. Elles restaient la plupart du temps assises et bougeaient peu. Les personnes s'adonnant à des exercices modérés devaient effectuer environ 200 minutes d'activité physique légère chaque

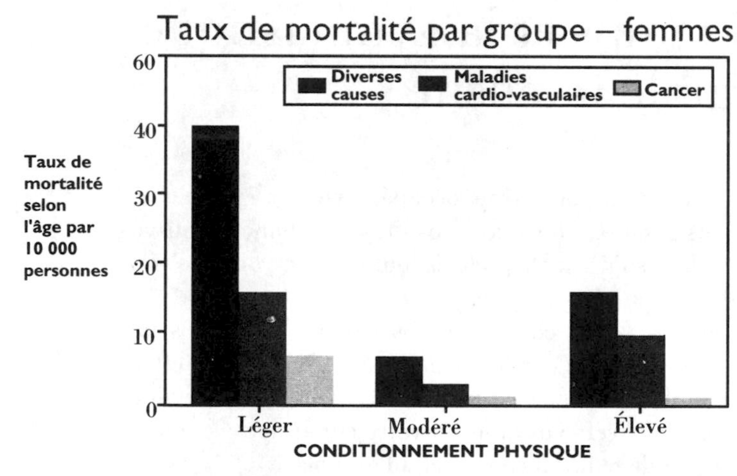

de la médecine du sport et directeur d'épidémiologie à l'Institut Cooper sur la recherche en aérobic, à Dallas, aux États-Unis. Des études ont montré que toute forme d'exercice

semaine, soit un peu moins de trente minutes par jour. Les participants aux exercices « avancés » étaient très actifs. Ils suivaient régulièrement des classes de gymnastique, ou faisaient de la course ou un sport quelconque presque tous les jours.

Comment comparer les taux de mortalité de chaque groupe à l'étude, voilà l'une des premières questions que se posaient les chercheurs. Ils ont également étudié certaines causes précises de décès, notamment les maladies cardio-vasculaires et le cancer, afin de pouvoir évaluer si les données étaient également comparables. Les graphiques ci-dessous illustrent les taux de mortalité selon l'âge, par groupe de 10 000 personnes.

Chez les femmes, par exemple, le taux de mortalité selon l'âge était d'environ 40 par 10 000 pour celles qui s'adonnaient à un programme d'exercices légers, et de 5 par 10 000 chez celles qui pratiquaient tous les jours des exercices modérés.

Chez les hommes, les taux de mortalité entre les groupes s'adonnant à des programmes de conditionnement léger ou modéré se comparaient à ceux des femmes, ce qui prouve bien qu'un programme d'exercices modérés joue un rôle important sur le plan de la longévité.

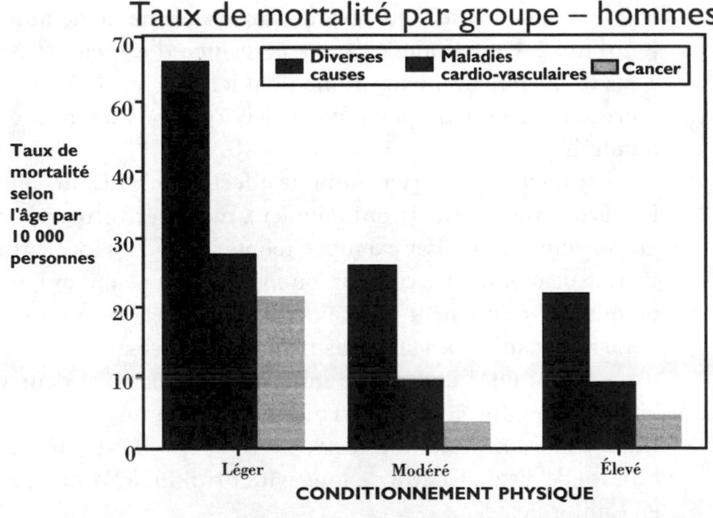

favorise une meilleure santé et brûle des calories. « Toute activité qui augmente le taux métabolique et brûle davantage de calories est favorable pour la santé », rapporte le docteur Blair.

Si l'exercice pouvait être contenu en une seule capsule, il serait le médicament le plus bénéfique et le plus prescrit au monde.

– Robert Butler, médecin, président du Service de gériatrie et du développement des adultes, Centre médical Mount-Sinai, Ville de New York.

L'exercice sans peine

La plupart d'entre nous adoptent face à l'exercice une attitude assez radicale. Nous croyons qu'une activité doit être tout à fait désagréable pour que nous en retirions quelques bienfaits. « Je déteste l'exercice », disait Mark Twain. Et, après de nombreuses séances d'exercices épuisants, bon nombre de personnes seraient du même avis.

Voilà malgré tout une bonne nouvelle : pratiquer de l'exercice de façon modérée n'exige pas une volonté de fer.

C'est vrai ! Vous n'avez pas à sortir tous les jours ni à exécuter des mouvements complexes. Heureusement, car une séance d'exercices complète peut prendre près de deux heures de votre journée, surtout si vous devez vous rendre à un club de sport.

Je parie qu'il ne vous reste pas une seule heure de libre aujourd'hui ! Faut-il alors sauter la séance d'exercice ? Non ! Vous trouverez sûrement un moment ici et là au cours de votre journée pour faire un peu d'excercices qui vous seront presque autant bénéfiques.

Les quelques exercices-minute effectués ici et là au cours de la journée vous permettront de mieux maîtriser votre apport de graisse alimentaire. Par exemple, monter à pied les escaliers plutôt que de prendre l'ascenseur, ou marcher un peu plutôt que de prendre la voiture peut vous aider à désamorcer ces désirs insatiables de manger des aliments riches en graisses.

« Des études ont même montré que l'exercice peut vous aider à prendre goût aux fruits et aux légumes », souligne Diane Hanson, titulaire d'un doctorat et spécialiste sur les habitudes de vie au Centre de longévité Pritikin, à Santa Monica, en Californie.

De plus, lorsque vous effectuez des exercices-minute durant la journée, vous activez automatiquement le Destructeur de graisse N° 4. Chaque minute d'activité vous permet de brûler lentement, mais sûrement, l'excès d'adiposité corporelle, tout en favorisant une meilleure santé. Vous réduisez ainsi les risques d'obésité, de maladies cardiaques et d'hypertension artérielle.

Un dosage équilibré

Des études révèlent que vous pouvez réduire substantiellement les risques d'ostéoporose, de cancer du sein et de cancer du colon en combinant les exercices-minute effectués certains jours à des exercices de faible intensité que vous pratiquerez les autres journées. Même à petite dose, l'exercice fait chaque jour, même s'il ne dure pas longtemps, permet d'atténuer la dépression, l'anxiété et la douleur.

« L'inertie n'est pas une condition naturelle de l'être humain », déclade le psychologue Keith Johnsgard, titulaire d'un doctorat, et auteur de *Exercice Prescription for Depression and Anxiety*. S'ils ne font pas d'exercices, les gens prennent du poids, leurs muscles s'atrophient, leur système cardio-vasculaire s'affaiblit, et, pire encore, ils se sentent dépressifs et anxieux. »

De plus, il est démontré que les personnes qui négligent d'inclure un programme concret d'activités dans leur vie quotidienne réduisent leur espérance d'une vie longue et saine.

« Des milliers de décès chaque année sont souvent attribués à l'inertie physique », rapporte un groupe de spécialistes lors d'une étude au *Centers for Disease Control and Prevention* (CDC), à Atlanta et à l'*American College of Sports Medicine*. Des activités physiques régulières et de l'exercice favorisent la perte de graisse corporelle sans qu'il soit nécessaire de limiter son apport calorique.

Certaines études révèlent que de l'exercice pratiqué régulièrement peut aider à perdre du poids de manière efficace et soutenue. Dans l'une des études menée à l'École de la santé publique du service social et administratif des sciences de la santé de l'université de la Californie, à Berkeley, 90 % des personnes qui avaient perdu des kilos et maintenu leur poids par la suite rapportaient qu'elles faisaient régulièrement de l'exercice, contre seulement 34 % des « récidivistes », c'est-à dire celles qui ont repris les kilos perdus et même davantage après avoir suivi un régime minceur.

L'exercice peut également aider à réduire l'apport de graisse alimentaire en éliminant les besoins insatiables de nourriture

La plupart des personnes obèses d'âge moyen ne font qu'environ 50 minutes par semaine d'exercices, alors qu'elles devraient en faire au moins 200.

– George L. Blackburn, médecin, titulaire d'un doctorat, professeur adjoint de chirurgie à la Faculté de médecine de Harvard et chef de laboratoire en nutrition et métabolisme à l'hôpital Deaconess, à Boston.

riche en graissses. Des études indiquent que l'action de la lipase lipoprotéinique, enzyme principale dans le stockage des graisses, est inhibée par l'exercice, ce qui permet de réduire l'excès d'adiposité corporelle.

« Dans le cas des personnes très sédentaires, une simple augmentation de l'activité physique permet de réduire autant les risques de maladies que le fait l'arrêt de la cigarette», déclare le docteur Blair, l'un des spécialistes consultés. Même si elles ne deviennent actives que plus tard dans leur vie, les personnes qui entreprennent des exercices destructeurs de graisse semblent vivre plus longtemps que les gens inactifs.

Espacez les séances

Même si certains spécialistes de médecine préventive préconisent depuis longtemps de faire de l'exercice régulièrement, des études montrent que la situation n'a pas vraiment évolué. En effet, moins d'une personne sur dix satisfait aux normes, et 70 % de celles qui commencent un programme d'exercices abandonnent durant la première année. De plus, après l'âge de quarante ans, les gens deviennent en moyenne plus sédentaires et ce rythme ralenti se perpétue d'année en année.

Cependant, il est plus facile de faire de l'exercice pendant une courte durée et en espaçant les séances. Vous devriez également vous récompenser après chaque séance d'exercice-minute.

En plus de détruire les graisses, les exercices-minute soulagent le stress qui, comme nous le verrons, rend plus difficile le combat contre les graisses. Une activité physique de 5 à 10 minutes seulement aura un effet direct sur votre habileté à gérer le stress quotidien. Et, si vous êtes moins stressé. votre organisme aura tendance à stocker moins de graisse.

Certaines études ont démontré que les gens actifs physiquement réagissent en général plus calmement face aux situations stressantes ou aux tracas de la journée. En d'autres mots, en intégrant des exercices-minute à vos journées, vous aurez tendance à être moins bouleversé et stimulerez ainsi moins les hormones productrices d'anxiété et de stress qui favorisent le stockage des graisses abdominales.

Des études réalisées à l'Institut de physiologie circadienne de la Faculté de médecine de Harvard ont prouvé que chaque fois que vous utilisez vos muscles, même brièvement, vous augmentez votre énergie et votre vivacité. Les quelques exercices-minute intégrés ici et là durant la journée vous permettront donc de relancer votre métabolisme.

Changer ses habitudes

SAVOIR PLUTÔT QUE VOULOIR

Se tenir debout brûle plus de calories que de rester assis. Donc, levez-vous !

Maintenant ?

Oui, maintenant.

Il n'y a aucune raison de rester assis en lisant un livre. En effet, des études ont prouvé que les gens sont plus alertes et plus énergiques quand ils sont actifs, quelle que soit leur activité. Lire en marchant est l'une des maintes façons de garder son corps en mouvement.

Enfin, si vous devez écrire une lettre ou travailler à l'ordinateur, réorganisez votre aire de travail afin d'alterner le temps passé debout et le temps passé assis. Si minime soit-il, ce petit exercice, répété durant la journée, vous sera très bénéfique.

Saisissez l'occasion

Les gens actifs qui ont décidé d'intégrer les exercices-minute à leur quotidien ont à leur disposition de nombreuses façons d'activer le Destructeur de graisse N° 4. Voici quelques conseils qui vous permettront d'intégrer le conditionnement physique au programme de La Vie Allégée.

La marche. Débutez en faisant de courtes marches tous les jours, afin de prendre goût à un style de vie plus actif. Si aucun moment ne vous semble opportun pour sortir, réfléchissez aux suggestions qui suivent :

- Avant ou après un repas
- Après une longue réunion d'affaires
- À la fin de votre journée de travail
- Une heure ou deux après le dîner, alors qu'il est encore trop tôt pour aller dormir

Les flexions. Si vous vous affaissez confortablement dans votre fauteuil chaque fois que vous répondez au téléphone, il est temps de changer cette mauvaise habitude. Pendant que vous parlez, promenez-vous dans la pièce, regardez dehors ou faites des flexions. Rester assis est dorénavant inutile, surtout si votre appareil est muni d'un long fil ou si vous avez un téléphone portatif. Vous pouvez ainsi transformer un simple moment en un passe-temps destructeur de graisse.

Les tâches quotidiennes. Nombreux sont ceux et celles qui regrettent ne pas avoir assez de temps pour se rendre au club de sport ou à la piscine à cause des tâches ménagères qui les occupent. Eh bien, voyez le bon côté. Ces tâches sont d'excellents destructeurs de graisse.

« Vous pourriez perdre près d'un demi kilo de graisse par semaine en augmentant vos activités », souligne Janet Walberg-Rankin, titulaire d'un doctorat et professeur adjoint de physiologie de l'exercice à l'Institut polytechnique de Virginie et à l'université d'État, à Blacksburg. Comme activité, elle suggère par exemple de tondre la gazon, de fendre du bois ou de nettoyer le grenier.

S'il vous est difficile d'accomplir toutes les tâches de la journée, depuis passer l'aspirateur jusqu'à laver le plancher ou ramasser les feuilles, considérez le temps passé à exécuter chaque tâche comme un exercice-minute. Il est vrai que certains exercices brûlent les calories plus rapidement que d'autres. Cependant, souvenez-vous que vous combattez les graisses chaque fois que vous bougez.

Prenez le temps. « Ce n'est pas l'intensité de l'exercice qui améliore la santé, déclare John Duncan, titulaire d'un doctorat et physiologue spécialisé en exercice à l'Institut Cooper. Ce sont plutôt les minutes que vous consacrez chaque semaine à l'exercice. »

Si votre objectif est de 30 minutes par jour, vous n'avez pas à transpirer toute la séance sur un appareil de résistance. « Nous étions convaincus qu'une personne devait marcher très vite afin d'accélérer sa capacité VO_2 (capacité aérobique) pour en tirer quelque avantage, observe le Dr Duncan. Maintenant, nous savons qu'un changement métabolique survient à une intensité d'exercices plutôt modérés. Cette transformation pourrait favoriser un meilleur état de santé, même si les bienfaits cardio-vasculaires sont à peine perceptibles. »

Et puis, les enfants. Même si vous ne vous intéressez pas à l'activité physique, pensez au bien-être de vos enfants et de vos petits enfants. Selon une étude présentée au congrès annuel de l'Institut national de la santé sur l'activité physique et l'obésité, les enfants de parents actifs sont au moins six fois plus dynamiques que ceux de parents inactifs.

Prenez le temps de jouer

Se trouver du temps pour faire de l'exercice, c'est comme chercher à égayer davantage sa vie. Plus facile à dire qu'à faire, n'est-ce pas ? Afin d'y parvenir, il faut être à la fois non seulement artiste et stratégiste, mais aussi opportuniste. Les moments que vous pouvez vous offrir vont et viennent rapidement. Lorsque vous les laissez passer, ce sont les cellules de votre organisme qui en paient le prix.

Voici quelques bonnes idées pour agrémenter vos temps de loisirs :

Monter les escaliers à pied. Chaque fois que vous avez le choix, monter les escaliers à pied plutôt que de prendre l'ascenseur ou l'escalier roulant. Vous brûlez dix fois plus de calories en grimpant les escaliers qu'en étant assis. Si cela signifie que vous devez prévoir quelques minutes de plus pour aller à votre bureau ou pour vous rendre au guichet d'enregistrement de l'aéroport, prévoyez ce temps supplémentaire. Accordez-vous ce temps, même si vous devez partir plus tôt qu'à l'habitude.

Gardez vos distances. Faites-vous vos courses au supermarché ? Garez-vous votre voiture à proximité du magasin ? Au lieu de garer le plus près possible de l'entrée, allez tout au bout du stationnement. Cela ne vous prendra pas beaucoup plus de temps pour arriver au magasin (n'ayez crainte, vous ne raterez pas les soldes), et cette longue marche activera votre métabolisme et brûlera vos calories.

Descendez un peu plus loin. Quand vous prenez un taxi, demandez au chauffeur de vous laisser à quelques pâtés de maisons de votre destination. Si vous prenez l'autobus, arrêtez-vous un ou deux arrêts avant et parcourez la distance qu'il reste en marchant à grands pas pour brûler un peu de graisse.

Faites en sorte que chaque minute compte. Quand vous faites la queue, par exemple, vous pouvez renforcer et détendre vos muscles fessiers. Quand vous êtes au téléphone et que l'on vous a mis en attente, profitez de l'occasion pour répéter quelques techniques de respiration abdominale, par exemple l'exercice de vide abdominal de la page 183 et celui de la respiration transpyramidale de la page 184. « Ces petits

Changer ses habitudes

SAVOIR PLUTÔT QUE VOULOIR

En Amérique du Nord surtout, des tonnes d'équipements d'exercice inutilisés – appareils pleins de promesses d'un futur moins riche en gras – sont rangées dans des sous-sols sales, stockés dans des greniers ou entassés dans des placards.

Si votre maison possède de telles richesses, prenez le temps de dépoussiérer le rameur ou l'appareil de marche et sortez-les de leur cachette.

Rien à redire à ce sujet : la stratégie des exercices-minute vous profitera mieux quand l'équipement de mise en forme de votre maison se trouvera dans un endroit bien en vue. Si vous voulez vous installer quelques minutes sur votre rameur ou votre vélo d'appartement pour ramer ou pédaler, vous ne voulez surtout pas gaspiller du temps en essayant de les sortir de votre placard.

Installez tout de suite votre équipement de mise en forme dans une partie de votre maison. Le décor est-il inadéquat ? Eh bien, personnalisez-le en lui donnant un nom comme Coin de vie nouvelle, par exemple, c'est vraiment ce qu'il représente.

(suite)

mouvements ne remplacent pas un entraînement vraiment bon, mais permettent de renforcer les muscles d'une façon étonnamment facile », observe Charles Kuntzlemann, titulaire d'un doctorat en éducation, directeur du programme national de *Fitness Finders*, cabinet-conseil de forme physique et de bien-être, à Spring Harbor, au Michigan.

Gaspillez quelques mouvements. Pour un adepte de la lutte contre le gras, les pauses publicitaires de la télévision ne sont pas conçues pour vous permettre d'aller vous chercher des collations – mais pour faire des étirements. Levez-vous, étirez-vous, bougez. Si vous êtes installé à l'étage supérieur et que vous avez une petite tâche ménagère à faire en bas, ou le contraire, profitez de la pause publicitaire pour vous en acquitter. Ou bien gardez une corde à sauter près de votre télévision et servez-vous en durant la pause. Cette simple et brève activité vous permettra d'éviter l'accumulation de gras.

Rencontrez vos amis et faites des exercices d'assouplissement. Encouragez vos amis à faire de l'activité physique avec vous lors de vos rencontres. Si vous les voyez généralement pour déjeuner ou prendre un verre, imaginez d'autres façons de les rencontrer tout en pratiquant de l'exercice. Peut-être l'ami avec lequel vous déjeunez d'habitude a-t-il envie de rejouer au tennis – et vous également. Certaines personnes de votre entourage ont peut-être envie de faire une partie de ping-pong, de basket, de football ou de volley. Si vous n'avez qu'une heure pour déjeuner, vous pourriez prévoir de déjeuner rapidement avec un ami et de faire ensuite une longue marche avec lui.

> ## Changer ses habitudes
>
> **SAVOIR PLUTÔT QUE VOULOIR**
>
> Si vous avez à la portée de main un équipement approprié pour des exercices-minute, vous pourrez pédaler, faire du ski ou marcher vers en meilleure santé et ce, dans le confort de votre propre maison. Vous pouvez même faire ces exercices en regardant la télévision.

Essayez un coup de balai rapide. Il est souvent plus agréable de faire les corvées du ménage petit à petit plutôt que d'entreprendre un gros ménage de la cave au grenier ! Quand le temps s'y prête, nettoyez l'un après l'autre votre allée, votre patio, votre balcon ou votre bureau pendant quelques minutes. Ramasser les feuilles à l'aide d'un râteau et arracher quelques mauvaises herbes sont d'autres corvées extérieures que vous pouvez accomplir en quelques minutes – et elles apporteront les plus grands bienfaits à votre humeur et à votre métabolisme.

Changez vos habitudes de nuit. Il est généralement facile de sortir quelques minutes tard dans la soirée pour flâner sous les étoiles. Invitez votre femme ou votre enfant, ou votre ami, à venir avec vous ; vous lui permettrez de rattraper la journée. Ou écoutez votre musique préférée dans la soirée et remuez les pieds. (Le simple fait de tapoter les pieds brûle davantage de calories que de rester inerte.)

Pédalez gaiement. Que vous fassiez de l'exercice sur une bicyclette ordinaire ou un vélo d'appartement, vous brûlerez vos calories en pédalant.

Allez promener votre chien. Si vous êtes l'heureux propriétaire d'un chien très actif, vous savez très bien que votre jeune chien a toujours envie de sortir. N'attendez pas qu'il insiste pour aller faire une promenade avec lui, prenez-en l'initiative ! Plus vous ferez marcher votre chien, moins vous aurez à perdre du poids.

Ou, si vous n'avez pas de chien mais que votre voisin en a un, étonnez-le donc en lui proposant de promener son chien deux fois par jour. Ce n'est pas une mauvaise idée : votre voisin deviendra votre ami pour la vie et vous rallongerez votre vie en faisant plus d'exercice.

Secouez-vous les jambes

« Je suis tout simplement trop occupé pour faire de l'exercice », pouvez-vous dire.

Et c'est certainement très près de la réalité, si ce que vous entendez par exercice est de vous rendre en voiture à votre club de sport, d'enfiler votre tenue de jogging, de marcher pendant une heure, de vous doucher, de vous rhabiller, de retourner à la maison, toujours en voiture, puis de vous replonger dans les millions de tâches qu'il vous reste à faire.

Mais vous n'êtes pas trop occupé pour entreprendre un programme d'exercices bien équilibré. En fait, voici votre chance d'arrêter, d'entrevoir vos lendemains et de prévoir quoi faire pendant vos moments de répit.

- Vous avez besoin de cinq minutes d'activité physique facile dans la matinée. Allez-vous vous lever plus tôt pour faire cette activité ou la ferez-vous après le petit déjeuner ?
- Prévoyez de faire une marche de cinq minutes avant de déjeuner. Décidez l'heure à laquelle vous devrez vous arrêter pour manger et avoir le temps de faire cette marche.
- Vous voudrez faire une marche d'au moins 5 minutes après le déjeuner. C'est essentiel.
- Prévoyez de faire cinq minutes d'exercices faciles d'étirement ou de tonus musculaire (voir Destructeur de graisse N° 7 à la page 175) quand vous serez de retour à la maison.
- Demandez à votre conjoint, à un membre de votre famille ou à un ami s'il aimerait sortir avec vous après le dîner en marchant d'un pas assez rapide pendant 10 minutes.

Au bout d'une semaine environ, votre énergie et votre endurance auront augmenté à un point tel que vous vous sentirez plus productif et efficace pendant la journée. Les exercices-minute ne vous auront pas vraiment pris beaucoup de temps. En fait, ils vous permettront d'avoir un meilleur rapport temps/qualité en augmentant votre efficacité et en améliorant votre pouvoir de concentration.

Sortez pour déjeuner. Choisissez pour aller déjeuner un endroit qui se trouve au moins à cinq minutes de votre bureau, et allez-y à pied. Puis, après avoir mangé, retournez à votre lieu de travail par une route détournée, vous bénéficierez ainsi encore d'une marche de dix minutes.

Remplissez les temps d'attente. Attendez-vous que la machine à laver termine son dernier cycle ou que la baignoire se remplisse ? Utilisez ce temps pour monter et descendre les escaliers. Si vous avez un rameur, prenez place et donnez quelques coups de rame réguliers. Si vous avez à votre disposition un appareil de marche, montez dessus et avancez. Vous n'êtes pas obligé d'aller vite ni de pratiquer l'exercice longtemps. N'importe quel exercice rythmique est une bénédiction pour votre corps.

Mettez-vous au travail. Si vous n'effectuez aucune activité musculaire pour brûler les hydrates de carbone que contiennent les repas et les collations faibles en gras ou allégés, les substances neurochimiques de votre cerveau et de votre corps réagiront en convertissant rapidement les hydrates de carbone en graisse corporelle. Et certaines études démontrent que vous pouvez doubler les bienfaits des calories brûlées pour chaque minute active d'exercice que vous dépenserez, surtout si vous commencez vos activités 15 ou 30 minutes après avoir mangé une collation ou un repas complet.

Une étude révèle que votre taux de métabolisme augmente d'environ 10 % après un repas ou une collation ; c'est le résultat des processus chimiques qui sont activés pour permettre à la nourriture d'être digérée. Il est évident que ce pourcentage peut être dépassé – et dans certains cas doublé – si vous faites 5 à 20 minutes d'activité physique modérée, par exemple une marche, pendant que s'amorce le processus de la digestion.

« En oxygénant son corps une demi-heure après avoir mangé, les aliments peuvent brûler plus vite, dans un sens, avec moins de calories disponibles pour le stockage du gras », explique Bryant A. Stamford, titulaire d'un doctorat, scientifique en exercice et directeur de la promotion de la santé et du programme de bien-être à l'université de Louisville, au Kentucky.

Les études démontrent aussi qu'une simple marche de dix minutes peut déclencher un sentiment de bien-être pendant deux heures en augmentant les niveaux d'énergie et en diminuant la tension.

Prenez l'air

Les petits moments d'activité physique sont tous salutaires. Cependant, pour que le destructeur N° 4 puisse brûler le plus de gras possible, vous avez aussi besoin d'un second élément : des mouvements de gymnastique d'intensité faible.

Le programme d'exercices le plus efficace pour rester en bonne santé – qui permet également de bâtir vos défenses contre les effets du vieillissement – consiste à faire des exercices de faible intensité plusieurs fois par semaine, selon le Dr Kenneth H. Cooper, médecin spécialisé en médecine préventive, fondateur et président de l'institut Cooper sur la recherche en aérobic, à Dallas, aux États-Unis. D'après le Dr Cooper, vous avez besoin de maintenir ce niveau d'exercice « pendant au moins 30 minutes trois fois par semaine, ou pendant 20 minutes continues quatre fois par semaine. »

L'un des premiers signes d'une mise en forme améliorée durant une séance de gymnastique est que les battements du cœur au repos restent toujours bas, car il est prouvé que le cœur bat plus lentement lorsque la forme physique progresse. On estime que le cœur de nombreux non athlètes atteint environ 75 à 80 battements par minute, alors que celui des meilleurs athlètes dans les sports d'endurance peut avoir 30 à 45 battements par minute. Ce changement se produit parce que le cœur qui a été renforcé par les exercices réguliers, devient plus puissant et plus efficace.

Le cœur des personnes qui ont développé une bonne forme cardio-vasculaire en pratiquant de la gymnastique régulièrement a généralement 45 à 50 battements par minute quand il est au repos, selon le Dr Cooper. Leur cœur pompe au moins la même quantité de sang que le ferait le cœur d'une personne en mauvaise forme physique et qui bat jusqu'à 80 fois par minutes au repos. Le résultat : à la fin d'une journée, le cœur d'une personne en mauvaise forme physique doit battre 50 000 fois plus que le cœur d'une personne en bonne forme physique. Dans une année, cela représente une surcharge de travail de plus de 18 millions de battements.

Qu'entend-on par aérobic ?

Dans les années 1960, quand j'ai commencé à étudier la science de l'exercice, la forme d'entraînement que nous favorisions était la « forme physique cardio-vasculaire. » Quelques années passèrent et on lui donna le nom « d'exercice cardiorespiratoire. » De nos jours, on parle « d'endurance cardiovasculaire », communément connue sus le nom « d'aérobic ».

Mais de quoi parlons-nous réellement ? Bien que le nom ait changé au cours des trente dernières années, qu'en advient-il de la mise en forme.

À vrai dire, l'endurance cardio-vasculaire est un peu différente de l'aérobic, même si les bienfaits qu'on en retire sont semblables. Quand vous développez une endurance cardio-vasculaire, vous entraînez essentiellement votre cœur, vos poumons et votre système sanguin à fonctionner au maximum ou à des niveaux très élevés. Pratiquer la gymnastique de façon régulière signifie que vous améliorez votre apport d'oxygène, de même que son transport et son utilisation par l'organisme, en vous exerçant régulièrement.

De nombreuses personnes ont commencé à découvrir l'aérobic quand le Dr Cooper la rendit populaire. Sous la supervision de son équipe de recherche, plus de 1,25 millions d'heures d'exercices, comptant plus de 52 000 participants, ont été enregistrées et estimées sur une période de vingt ans.

Les exercices d'aérobic permettent d'augmenter de façon salutaire et confortable vos taux respiratoire et cardiaque pendant un laps de temps assez soutenu, généralement au moins 20 minutes, sans nécessairement perturber l'équilibre entre votre apport et votre utilisation d'oxygène. Autrement dit, vous accélérez le rythme de vos activités jusqu'à ce que vous respiriez plus difficilement et que votre cœur batte plus vite. Cependant, étant donné que ce rythme a été atteint progressivement , la concentration d'oxygène dans le sang demeure virtuellement la même.

À l'opposé, les activités qui exigent des explosions d'énergie soudaines et excessives – comme le sprint – sont anaérobiques. Avec ce genre d'activités, vous « donnez votre maximum », mais pendant un laps de temps très court, ce qui a pour effet de réduire la quantité d'oxgène en circulation dans votre système sanguin. À ce moment-là, vos systèmes nerveux et musculaires sont privés d'oxygène à court terme jusqu'à ce que vous cessiez les exercices.

Le Dr Cooper a développé l'aérobic en tant qu'élément fondamental d'une bonne santé précisément parce que ce genre de conditionnement donne à votre corps les outils nécessaires pour supporter l'exercice, élaborer les tissus musculaires et brûler les graisses. Selon le Dr Cooper, l'exercice aérobique augmente la quantité de sang dans votre organisme et la quantité d'hémoglobine qui transporte l'oxygène dans le système circulatoire.

Votre sang devient, en un mot, plus riche : il peut apporter davantage d'oxygène à chacune des cellules et éliminer davantage de gaz carbonique et d'autres déchets qu'il ne pouvait le faire avant que vous ne vous adonniez régulièrement aux exercices aérobiques. Les cellules de vos muscles améliorent également leur capacité à dispenser l'oxygène et à éliminer les déchets plus efficacement.

Le cœur de l'aérobic

Afin de ménager votre cœur et de brûler des graisses, vous avez besoin d'adopter le programme du Dr Cooper : faire de l'exercice aérobique pendant au moins 30 minutes trois fois par semaine ou pendant 20 minutes quatre fois par semaine.

Vous pouvez atteindre ce but certains jours simplement en prolongeant de 10 minutes votre marche de 20 minutes. Ou peut-être déciderez-vous d'exécuter de façon continue pendant 20 à 30 minutes certains exercices que vous préférez plusieurs fois par semaine. C'est de cette façon que vous bénéficierez de l'aérobic de faible intensité.

Nous suivons chez nous un programme d'exercices d'aérobic de faible intensité qui nous détend beaucoup, trois fois par semaine pendant une demi-heure, juste après le repas du soir. Quand il fait beau en été, nous nous promenons tout simplement d'un bon pas.

Où trouvez-vous du temps de libre quand vous devez élever une famille ?

Je ne peux parler que de ma propre expérience. Nous avons deux filles de cinq ans et de deux ans qui aiment les aires de récréation dans un parc tout près de chez nous. Nous les laissons, ma femme et moi, s'y amuser pendant que nous marchons autour du parc, tout en les gardant bien en vue. Parfois la plus âgée des deux nous emboîte le pas. Même la cadette aime nous suivre, et il m'arrive de la prendre sur mes épaules. (Ça, c'est toute une séance d'entraînement.)

Quand notre fils de 16 ans est à la maison, il sort souvent avec nous. Il aime beaucoup courir ou jouer au basket pendant que nous faisons notre marche.

Les bienfaits de l'aérobic

Les exercices aérobiques vous permettent d'absorber plus d'air et d'éliminer plus de gaz carbonique chaque fois que vous respirez. En plus de renforcer votre cœur et d'améliorer votre circulation sanguine, vous y découvrirez d'autres bienfaits, selon Kenneth H. Cooper, médecin spécialisé en médecine préventive, fondateur et président de l'Institut Cooper sur la recherche en aérobic, à Dallas, aux États-Unis. En voici quelques uns.

- Les vaisseaux sanguins s'assouplissent et sont donc moins aptes à accumuler les dépôts adipeux qui sont véhiculés par le sang. Il y a donc moins de résistance dans les vaisseaux et moins de pression sur le cœur.
- Le nombre de capillaires, c'est-à-dire les petits vaisseaux sanguins qui forment un réseau entre les cellules de l'organisme, augmente. Peut-être à cause d'une circulation sanguine améliorée ou d'un facteur chimique, l'organisme crée spontanément de nouveaux capillaires dès que vous augmentez votre niveau d'exercices aérobiques
- La capacité pulmonaire est améliorée. Des études ont associé le phénomène de « capacité vitale » à une plus grande longévité.
- La force du muscle cardiaque et l'irrigation sanguine du cœur sont aussi améliorées. À chaque battement, le cœur pompe plus de sang, augmentant ainsi ce que les médecins appellent le débit systolique.
- Le sang accumule plus de HDL, le « bon cholestérol ». Simultanément, le rapport cholestérol total / HDL diminue, ce qui indique que votre taux de cholestérol est nettement amélioré.
- Vu l'amélioration de votre taux de cholestérol, les risques d'athérosclérose sont réduits.

Il y a deux ou trois soirs, après avoir fait notre courte marche aérobique, nous sommes passés à des exercices qui favorisent le tonus musculaire pendant 15 à 20 minutes, ceux indiqués dans le Destructeur de graisse N° 7, à la page 175. Nous faisons parfois ces exercices dans la salle de séjour en regardant la télévision tandis que les enfants regardent une vidéo ou s'amusent.

Nous avons de la chance d'avoir chez nous une bonne variété d'appareils d'exercice, et je vous recommande fortement d'avoir tout l'équipement que vous pouvez vous permettre d'acheter. Une vélo d'appartement, un trampoline, une machine pour faire du ski de randonnée ou un escaladeur sont des appareils faciles à utiliser et efficaces. J'ai passé de nombreuses heures très « énergisantes » qui m'ont permis de brûler beaucoup de graisse et cela, dans la même pièce, avec toute la famille.

Quel que soit l'exercice que vous faites, votre but est de rendre ce temps amusant. Cela signifie souvent qu'il faut prévoir des activités dans la maison pour que nos filles et jeunes adolescents s'amusent également, et nous avons la chance de passer ensemble beaucoup de moments très agréables.

Nous ne passons pas toute la semaine de la sorte. Pendant plusieurs jours, nous nous reposons. Mais au moins trois fois par semaine, nous effectuons des exercices aérobiques une bonne demi-heure, accompagnés parfois d'exercices excellents pour le tonus des muscles. Pendant les autres soirées, nous essayons toujours de passer un peu de temps activement après le dîner, simplement parfois dix minutes en faisant un jeu de « poursuite » avec nos filles ou tout autre jeu très dynamique.

Puisque cet exercice après l'heure du repas permet de prévenir les désirs insatiables d'aliments riches en gras, nous avons moins tendance à retourner dans la cuisine, en nous demandant pourquoi nous avons encore faim longtemps après avoir mangé.

Profitez de votre temps d'activité

N'importe quel exercice aérobique ou de tonus musculaire a une grande valeur, et pour plusieurs raisons. Tout d'abord, comme je l'ai mentionné auparavant, l'exercice aérobique pendant 30 minutes après le repas du soir active la destruction de la graisse avant l'heure du coucher, juste au moment où votre métabolisme commence à chuter. Tandis qu'une activité physique donne une recharge immédiate et thermique (qui produit de la chaleur) à votre métabolisme, votre corps revient à un état de quasi-repos une heure plus tard environ. Cependant, des études démontrent que le changement dans votre métabolisme provient de la combinaison « nourriture-exercice », surtout quand ces deux actions ont lieu dans cet ordre à une demi-heure d'intervalle. Dans certains cas, votre corps continue de brûler des calories à un taux plus élevé que la normale pendant plus de dix heures.

Leslie et moi-même avons remarqué que le temps de la soirée que nous consacrons à une activité renforce vraiment les liens de notre famille. Passer ce temps actif ensemble a également amélioré notre amour pour la vie, peut-être en permettant d'aligner nos rythmes biologiques ultradiens. De plus, cette activité supplémentaire produit un autre bienfait que l'on retrouve dans le Destructeur de graisse N° 10 – permettant à chaque membre de la famille d'approfondir chaque nuit son sommeil de façon notable.

Lignes directrices pour fonceurs

Que se passerait-il si vous travailliez le soir, l'exercice du matin serait-il plus profitable ou plus pratique pour vous ?

Réponse : il vous serait impossible de vous joindre à votre famille et de partager avec elle les activités du soir. Mais pour votre bien, vous devriez inclure ces périodes d'activité. Vous en auriez des bienfaits très significatifs et peu importe l'instant que vous choisirez pour être plus actif et pour faire l'exercice.

Quels que soient les exercices pratiqués lors de la séance d'aérobic de faible intensité, vous devez toujours en tirer profit, non seulement pendant que vous exécutez les mouvement, mais aussi durant le moment de grand bien-être qui s'ensuit, quand vous vous sentez éveillé et rafraîchi. Cependant, pour profiter au maximum de votre aérobic de faible intensité, il est essentiel d'en augmenter graduellement l'intensité et d'éviter surmenage et blessure éventuelle.

Voici quelques lignes directrices pour vous permettre de réussir vos séances d'aérobic.

Commencez doucement. Précédez chaque séance d'au moins cinq minutes d'exercices d'échauffement, mouvements qui miment ceux de la période aérobique, mais effectués plus lentement. Si vous vous étirez, faites-le doucement, sans sauter, après avoir bien réchauffé vos muscles. Sinon vous pourriez endommager vos articulations.

Suivez le rythme. Pratiquez de l'exercice rythmé vous convenant. Utilisez tous vos muscles principaux, comme les cuisses. Commencez graduellement. Soyez à l'écoute de votre corps. Arrêtez au moindre signe de douleur.

Faites le test de parole et trouvez votre propre rythme. Choisissez un exercice d'intensité qui vous permet de travailler longuement tout en étant capable de parler sans chercher votre respiration. Cet exercice est connu sous le nom de test de parole.

Êtes-vous en forme ?

De nombreux spécialistes vous recommanderont de passer un examen médical avant de commencer un programme d'exercices. Et certains médecins peuvent vous dire que vous devriez passer un test de tolérance à l'exercice ou un test d'efforts gradués.

De tels examens sont-ils vraiment nécessaires ?

La réponse, selon de nombreuses autorités médicales, est que cela dépend de nombreux facteurs.

L'Institut national du cœur, du poumon et du sang de Bethesda, au Maryland, estime que si une personne a peu de chances de souffrir de maladies cardiaques et ne présente aucun symptôme, elle n'a pas vraiment besoin de voir un médecin avant de commencer un programme d'exercice modéré.

L'Association américaine du cœur a simplement établi que « les personnes sédentaires plus âgées préféreraient… peut-être vouloir l'avis d'un médecin. »

Cependant, lorsque vous consultez d'autres autorités, les réponses deviennent un peu plus compliquées. Le collège américain de la médecine des sports (ACSM) déclare que vous pouvez commencer des programmes d'exercices sans subir le test, si vous êtes en bonne santé, si vous avez moins de 45 ans et si vous ne présentez pas de facteurs importants de risques coronariens. Mais la liste des facteurs de risque est longue.

L'ACSM déclare que vous pourriez avoir besoin de tests si vous avez dans votre famille des cas de personnes souffrant d'hypertension, de maladies cardiaques ou cardio-vasculaires avant l'âge de 50 ans, des cas d'hypertension allant au-dessus de 145/95 ou un rapport de cholestérol total /HDL élevé (au-dessus de 5 pour les hommes ou de 4,5 pour les femmes). L'organisation recommande des examens si vous avez un électrocardiogramme anormal, si vous fumez ou si vous souffrez de diabète. L'ACSM déclare également que les personnes les plus à risque (plus de 35 ans et présentant au moins un facteur de risque de maladie coronarienne) et les personnes de tout âge qui ont des symptômes suggestifs de maladie métabolique, pulmonaire ou coronarienne devraient passer un test de tolérance à l'exercice, supervisé par un médecin.

De plus, même si vous n'êtes pas une personne à risque selon les facteurs énoncés ci-haut, vous devriez commencer le programme d'exercice lentement et procéder graduellement, « Soyez attentif au développement de signes inhabituels ou de symptômes », déclare l'ACSM.

De plus, de nombreux médecins recommandent que vous découvriez votre fréquence cardiaque cible et que vous demeuriez dans cette zone durant l'exercice aérobique. De cette façon, aussi longtemps que votre cœur battra à un certain rythme à la minute, vous serez assuré de profiter pleinement des bienfaits de l'exercice en toute sécurité.

Pour trouver votre fréquence cardiaque cible, vous devez savoir à quel taux votre coeur bat le plus vite (PHMR), ce qui peut être déterminé avec un simple calcul mathématique (voir l'encadré « Comment calculer votre fréquence cardiaque cible »). Cette fréquence, déterminée à partir du calcul, est un niveau d'intensité aérobique sensible qui se situe généralement de 60 à 75 % du PMHR.

Pour donner toute sa puissance à ce destructeur de graisse, certaines autorités suggèrent de faire de l'exercice qui vous situerait vers le début de la zone permise. Cela est basé sur la théorie selon laquelle quand vous amenez votre fréquence cardiaque vers le sommet de la fréquence cible et vos muscles à des niveaux de haute intensité, vous utilisez davantage de glucose sanguin pour l'énergie plutôt que de stimuler votre système à métaboliser le gras stocké et à le brûler pendant que vous faites de l'exercice.

Pour mesurer vos battements de cœur, vous pouvez prendre votre pouls trois fois : peu de temps après

Comment calculer votre fréquence cardiaque cible

La fréquence cardiaque maximale prévue (PMHR) est le nombre maximal de battements de cœur que vous atteignez pendant l'exercice. Quand nous vieillissons, notre cœur perd un peu de sa puissance et de son élasticité, même si nous sommes en parfaite santé. Le PMHR diminue donc au même rythme que nos années de vie.

Pour calculer le PMHR, soustrayez simplement votre âge de 220. Si vous avez 45 ans, par exemple, votre PMHR est de 220 moins 45, soit 175. Votre cœur ne pourrait pas battre plus rapidement que cela, même en période intense d'exercice.

Les limites les plus basses et les plus hautes de fréquence cardiaque cible sont 60 % et 75 % respectivement du PMHR. Vous pouvez calculer ces limites en multipliant le PMHR par 0,60 et 0,75. La zone cible se trouve au milieu. Pour les personnes âgées de 45 ans dont le PMHR est de 175, la limite plus basse de leur fréquence cardiaque cible se situe à 105, et la plus haute, à 131. Si le pouls s'établit entre 105 et 131 pendant l'exercice, la fréquence cardiaque cible de cette personne est normale.

Changer ses habitudes

SAVOIR PLUTÔT QUE VOULOIR

Avez-vous un petit ventilateur électrique quelque part – par exemple celui que vous utilisez seulement en été ?

Placez le tout de suite près de l'endroit où vous faites de l'exercice ou près de votre équipement d'exercice. Quand vous avez des activités à l'intérieur, démarrez-le.

Selon certains chercheurs, l'ennui mental peut être partiellement relié à la chaleur. Avec un petit vent frais, vous semblerez plus revigoré et éveillé pendant que vous utiliserez un appareil d'exercices ou que vous ferez de l'aérobic de faible intensité.

Si vous ne possédez pas de petit ventilateur, vous pouvez en trouver de toutes sortes dans la plupart des magasins d'appareils ménagers. Les ventilateurs à clips qui s'accrochent au bord d'un bureau ou d'une fenêtre sont particulièrement commodes et facilement ajustables.

avoir commencé une séance d'exercice, de nouveau au milieu d'une séance d'aérobic et à la fin, durant la période de détente. Placez le bout des doigts juste au-dessus de la paume de la main, sur le poignet, ou sur le point de pouls de votre cou (juste endessous de la courbe de votre mâchoire) et sentez le pouls battre.

Pour avoir un aperçu de votre pouls actuel, comptez le nombre de battements que vous sentez pendant 15 secondes (appelez le premier battement 0, pas 1). Puis, multipliez par 4 pour avoir le nombre de battements par minute.

Mieux encore, vous pouvez utiliser un moniteur de fréquence cardiaque qui fait tout pour vous : il mesure votre pouls et vous fournit instantanément le résultat. Il existe maintenant un modèle de moniteur électronique que vous devez appliquer sur votre poitrine. Un poignet électronique fournit une lecture visuelle, avec quelques signaux sonores. Ce moniteur peut vous donner une lecture continue de votre fréquence face à différentes variables physiologiques comme le stress, l'intensité d'un exercice et la qualité de la forme physique.

L'avantage d'un moniteur de fréquence cardiaque est que vous n'êtes pas obligé de vous arrêter durant l'exercice pour mesurer votre pouls, ce qui aurait pour effet d'interrompre le rythme de l'exercice et d'interférer sur votre concentration. Une fois en votre possession, le moniteur vous guide automatiquement au moyen d'une lecture visuelle et de quelques signaux sonores vers la zone optimale.

Donnez-vous un peu de temps. Si cela convient à votre

emploi du temps, prévoyez 20 à 30 minutes d'aérobic de faible intensité trois ou quatre fois par semaine. Mais souvenez-vous, les jours où vous n'avez pas ce temps de disponible, remplacez-le par de petites marches, ou montez à pied plusieurs escaliers le matin et de nouveau après le déjeuner.

N'essayez pas d'aller trop vite. Voici une constatation qui peut vous surprendre. Les pensées compétitives pendant l'exercice peuvent augmenter le stress nocif. Selon une étude réalisée à l'université Shippensburg de Pennsylvanie, les taux des hormones du stress, comme la norépinephrine, qui normalement augmentent en quantité modérée durant des activités vigoureuses, grimpent de façon dramatique quand vous vous dépassez les limites.

Les personnes devraient « abandonner l'esprit de compétition durant les séances », déclare Kenneth France, titulaire d'un doctorat, psychologue à l'université Shippensburg, qui étudia les effets de la pensée sur les taux de norépinephrine. Ce dernier avait concentré son étude sur des athlètes en provenance d'un grand nombre de disciplines, mais qui s'adonnaient à des exercices identiques. On donna aux athlètes une série de mots clés, comme calme, détendu, sérieux, suivis par des mots plus compétitifs comme plus vite, plus dur, meilleur. Le Dr France constata que les deux types de signaux mentaux produisaient des changements égaux au niveau du pouls, mais que les mots plus agressifs provoquaient une hausse des taux de norépinephrine dans l'urine de deux fois plus élevés. « La performance peut même s'améliorer quand on ne se met pas de pression additionnelle », conclut-il.

En résumé, ayez du plaisir à faire de l'exercice – peu de gens réagissent de la sorte lors d'exercices difficiles. Commencez à penser que vous vous offrez un cadeau en faisant de l'exercice. De plus, si cela vous dit, invitez des amis à se joindre à vous pendant les séances, ce sera plus agréable.

Augmentez le tempo. À mesure que votre forme physique s'améliorera, songez à marcher plus vite – pas tout de suite, mais graduellement. Selon le Dr Stamford, il se peut que vous puissiez doubler vos séances d'aérobic si vous voulez brûler davantage de gras.

Tout d'abord, l'exercice doit être assez vigoureux pour provoquer une libération substantielle d'adrénaline. « L'une des fonctions de l'adrénaline consiste à augmenter la quantité des acides gras libres dans le système sanguin pour permettre à l'organisme de les utiliser comme carburant pour l'activité, observe le Dr Stamford. L'un des premiers sites touchés est celui ou se stockent les graisses, soit la région abdominale. » (Il se peut que les cellules adipeuses soient particulièrement sensibles à l'adrénaline.) Vous pouvez probablement déclencher le processus à la suite d'une marche rapide. « Accélérez simplement le pas ou faites du jogging ici et là afin d'augmenter votre taux d'adrénaline », remarque le Dr Stamford.

Ce niveau d'activité, cependant, doit ensuite être suivi d'un exercice aérobique prolongé, mais moins intense, qui brûlera les molécules de graisse libérées. La marche ou d'autres mouvements rythmés peuvent être efficaces.

Le même principe s'applique en ajoutant d'autres activités, comme le jardinage par exemple. Vous pourriez commencer d'abord par biner ou déterrer, puis passer à une autre activité plus aérobique comme râcler le terrain.

Apprenez à détendre vos muscles. À la fin de chaque séance aérobique, continuez de bouger jusqu'à ce que votre fréquence cardiaque revienne graduellement à la normale. Cette période de refroidissement est brève, mais critique pour la santé et nécessaire parce qu'elle permet au corps de retourner graduellement à son état de pré-exercice.

N'arrêtez jamais de faire de l'exercice rapidement. Après avoir effectué un exercice d'échauffement, vous pourriez être tenté de vous asseoir et de parler avec un ami. Mais n'oubliez pas de respecter une période de refroidissement d'au moins cinq minutes. Si vous n'êtes pas branché à un moniteur cardiaque, mais que vous prenez vous-même votre pouls, apprenez à le vérifier en bougeant un peu plutôt que de rester debout immobile.

Chapitre Huit

Destructeur de graisse N° 5

Un déjeuner contre les graisses

Le déjeuner est le carrefour de votre journée, le moment où la matinée se termine et où l'après-midi commence – soit avec un regain d'énergie de l'esprit et du corps, soit, pour de nombreuses personnes, avec les premiers signes du déclin de l'après-midi.

Dans de nombreux pays industrialisés, la vitesse est de mise : saisir une bouchée rapide..., manger en vitesse..., se hâter de retourner au travail.

De nos jours, le déjeuner est un repas auquel on s'attarde de moins en moins. On le déteste, on l'engloutit ou on le saute complètement.

Mais cette approche porte un coup dur au milieu du programme de La Vie Allégée. Des travaux de recherche ont en effet conclu qu'un bon repas à l'heure du déjeuner est important « à la fois pour votre santé et votre efficacité au travail », déclare le Dr Etienne Grandjean, directeur du Département d'ergonomie à l'Institut fédéral suisse de technologie de Zurich et expert en productivité du travail.

Si vous observez la réaction de votre métabolisme après avoir sauté un repas, vous réalisez que sauter le déjeuner peut être une faute que vous paierez cher. Cela donne souvent un appétit vorace en fin d'après-midi et de folles envies d'aliments riches en graisses, selon le Dr Wayne Callaway, spécialiste de l'obésité, professeur clinique à l'université George Washington à Washington, et ancien directeur de la Clinique de la nutrition et des lipides à la Clinique Mayo, à Rochester, au Minnesota. « Les personnes qui sautent le petit déjeuner ou le déjeuner ont tendance à se gaver le soir, au lieu de manger modérément », note le Dr Callaway.

Bien manger – la meilleure revanche

Si vous suivez un régime de vie allégée, il est essentiel non seulement que vous déjeuniez, mais également que vous preniez l'habitude d'éviter lors de ce repas les aliments riches en gras ou composés de gras. La plupart des problèmes du déjeuner proviennent du fait que ce que vous pensez être un bon choix au premier coup d'œil pourrait en fait dissimuler beaucoup de graisse. Et en plus des problèmes évidents de prise de poids, l'une des principales raisons d'éviter des déjeuners riches en gras est qu'ils provoquent de la fatigue.

« Les matières grasses semblent ralentir d'autres processus, comme la pensée ou le mouvement, déclare Judith J. Wurtman, détentrice d'un doctorat et chercheur en nutrition au Service des sciences cognitives du cerveau et de l'Institut de technologie à Cambridge, au Massachusetts. Cela rend les personnes très léthargiques. Pendant le long processus de la digestion suivant un repas riche en graisse, une quantité plus grande de sang se dirige vers l'estomac et les intestins et sort du cerveau.»

Les femmes, comme je l'ai remarqué, doivent surveiller leur consommation de graisses animales parce que les calories de gras supplémentaires peuvent augmenter la production d'œstrogène, hormone qui facilite la production de graisse. Les hommes ainsi que les femmes doivent éviter de consommer des hydrates de carbone simples lors du repas de midi, mais inclure davantage de légumes frais, de légumineuses et de grains complets.

Tous ont bon goût

Le défi du déjeuner consiste à manger des aliments qui soient vivifiants, distincts, agréables au palais et, en même temps, faibles en gras et relativement riches en protéines énergisantes.

Les scientifiques experts en nutrition se sont rendu compte que la plupart des personnes refusaient de modifier leurs goûts alimentaires pour être en meilleure santé. En effet, si vous leur offrez un excellent hamburger végétarien, nourrissant et rempli de fibres qui aurait le goût de la paille, elles le mangeraient une ou deux fois parce qu'elles sauraient que c'est bon pour leur santé. Mais rapidement, des études le démontrent, elles retourneraient très vite à leur bon vieux hamburger.

Cette situation ne se produirait pas, cependant, si le hamburger végétarien offrait une gamme de saveurs et de textures qu'elles n'auraient jamais expérimenté auparavant. Dès que vous le préféreriez aux autres hamburgers saturés de gras, vous perdriez à tout jamais l'idée de revenir en arrière.

Le facteur goût est donc primordial pour apprécier les déjeuners allégés – ainsi que tous les autres repas et collations. Étonnamment, « le cerveau s'intéresse davantage à ce qui arrive à la langue plutôt qu'au corps », explique Harvey Weingarten, titulaire d'un doctorat et président du Service de psychologie de l'université McMaster, à Hamilton, en Ontario.

Cette réflexion nous amène aux repas savoureux allégés que j'aime le plus – tout comme les autres membres de ma famille, même notre fils de 16 ans difficile à satisfaire. Vous trouverez certaines de ces recettes préférées au chapitre 18, et elles ont toutes été conçues pour activer le Destructeur de graisse N° 5.

Nous avons imaginé ces déjeuners dans le but de bien parfumer la nourriture que nous mangeons en y mettant moins de graisse et aucune culpabilité. « Il existe un dicton énonçant que soit on mène une vie sensuelle et riche et on meurt jeune, soit on s'empêche de vivre et on mange une nourriture qui nous ennuie à mourir », déclare Dean Ornish, médecin, fondateur et président de l'Institut de recherche en médecine préventive à Sausalito, en Californie, professeur adjoint de médecine clinique à la Faculté de médecine de l'université de la Californie,

Définition d'un bon repas

Quel rôle doit jouer votre déjeuner dans votre vie de tous les jours ? Selon ce que vous mangez, vous pouvez avoir à la fin du repas un surcroît d'énergie, ou vous pouvez vous trouver plus calme et plus concentré.

La meilleure façon d'accroître son taux d'énergie est de prendre un déjeuner qui serait non seulement faible en gras, mais relativement riche en protéines. Les aliments riches en protéines peuvent aider à penser plus vite, à avoir plus d'énergie, à accentuer l'attention au détail et à réagir plus rapidement à la vitesse. Parmi les choix possibles, figurent les blancs de poulet ou de dinde cuits au four ou sur le gril, le poisson, une salade de haricots ou de lentilles, une soupe ou un plat cuit en cocotte, du yaourt à 0 % ; ou un verre de lait écrémé avec un fruit. Équilibrez votre menu avec des hydrates de carbone complexes provenant de fruits, de légumes, de pains complets, ou, comme accompagnement, d'un plat de haricots ou de lentilles.

Si vous voulez calmer votre énergie plutôt que de l'augmenter, mettez l'accent sur les hydrates de carbone complexes. La recherche révèle que des repas et des collations faibles en gras et en protéines, mais riches en hydrates de carbone complexes, peuvent rendre l'esprit calme et concentré et peut faciliter la relaxation. Vous pouvez obtenir cet effet en mangeant une salade de pâtes faible en gras servie avec des fruits, des légumes ou du pain complet, un muffin ou des petis grillés de seigle recouverts de tous vos fruits préférés en conserves. De très petites quantités de ces aliments riches en hydrates de carbone – 28 g à 42 g pour de nombreuses personnes – suffisent généralement pour rendre calme et concentré. (Il y a des exceptions, cependant. Peut-être avez-vous besoin de 56 g à 70 g d'aliments riches en hydrates de carbone pour le déjeuner si vous avez un excès de poids de 20 % ou davantage. Et les femmes, dans les jours précédant leurs règles, ont également besoin de la même quantité.

Note : Certaines personnes ont des besoins insatiables d'hydrates de carbone et, au lieu d'être calmées par eux, les trouvent énergisants. Pour ce petit groupe, le « bourdonnement de sucre » est réel. Mais, contrairement à la croyance populaire, les hydrates de carbone ne causent généralement pas d'hyperactivité ni de hausse d'énergie ou d'agressivité chez les personnes normales et en bonne santé.

« Les fruits murs et les légumes (sauf les pommes de terre, le maïs et le pop-corn) semblent ne pas affecter l'humeur de l'esprit, déclarent les chercheurs. C'est parce que ces aliments n'affectent pas directement la vivacité ou le calme et qu'ils peuvent par conséquent être mangés avec des aliments riches en protéines ou en hydrates de carbone. »

Renforcer vos stratégies

En général, se tenir à l'écart du duo lipide/glucide.

« C'est typiquement américain », observe le Dr Bryant Sanford, scientifique spécialisé dans l'exercice et directeur du Programme de promotion de la santé et du bien-être à l'université de Louisville, au Kentucky. « Nous aimons combiner des sucres simples et des graisses au même repas – un hamburger, des frites et un coca-cola, par exemple. »

Mais quand votre corps tressaute en absorbant des sucres simples contenus dans un soda (3 dl contiennent une moyenne de 10 cuillères à café de sucre), il libère en réponse un afflux d'insuline.

Le Dr Stamford décrit l'insuline comme « une hormone pro-gras qui " fractionne " les cellules grasses, les rendant prêtes à stocker du gras. » Dès que vous buvez un soda riche en sucre ou une boisson aux fruits qui élève le taux de glucose sanguin, l'insuline se déverse dans votre organisme afin de contrôler le taux de sucre dans le sang. « Alors vient ici le gras contenu dans les hamburgers et les frites, et, surprise – la flèche pointe vers le stockage », déclare le Dr Stamford.

Ce n'est pas seulement les sodas sucrés qui peuvent produire cet effet. Tous les aliments élevés en glycémie, y compris le de sucre de table, peuvent produire une réponse d'insuline qui a comme résultat un stockage rapide de graisse.

à San Francisco, dont le programme d'exercice physique et de réduction du stress accompagné d'un régime très faible en gras a démontré qu'il réduisait les maladies cardiaques. « Ce n'est pas du tout vrai ! Le fait est qu'il n'est pas nécessaire de manger un repas ennuyeux. »

15 manières de supprimer les graisses de votre déjeuner

Que se passe-t-il si vous ne retournez pas chez vous à l'heure du déjeuner – ou si vous n'avez pas le temps de préparer le matin l'un des déjeuners du programme de La Vie Allégée ?

Chaque fois que vous prenez une pause pour déjeuner, vous pouvez faire un bon choix qui vous satisfera et qui activera votre destructeur de graisse. Il existe certainement près de votre bureau des restaurants où vous pourrez manger des plats savoureux contenant peu de graisses et de calories. En voici quelques exemples :

1. Passer à l'eau minérale. « Je voudrais une boisson gazeuse de régime » est devenu l'appel de clairon d'une société qui ne parle que de perte de poids. Mais une bouteille de Coca Cola diététique n'est pas ce que vous pouvez choisir de mieux pour votre déjeuner. Tout ce sucre, sous n'importe quelle forme, stimule votre appétit et la boisson elle-même fait peu pour étancher votre soif.

Et quel effet produit le simple fait de goûter sur l'organisme ?

Soyez persuadé que n'importe quel cuisinier serait horrifié de voir quelqu'un boire un soda au goût de sucre prononcé et de noyer les saveurs subtiles et fascinantes d'un repas bien préparé avec une dose énorme de sirop très sucré.

Comme boisson pour le déjeuner, buvez autre chose. Demandez de l'eau glacée ou gazeuse et ajoutez alors quelques gouttes de citron. Ou si vous aimez le goût du lait, buvez donc du lait écrémé pendant votre repas. Votre organisme a grand besoin de ce calcium supplémentaire pour lui permettre d'arrêter la résorption osseuse causée par l'ostéoropose. (Mesdames, notez bien : vous êtes spécialement sujettes à l'ostéoporose et chaque verre de lait écrémé est une dose de prévention faible en calories et riche en calcium.)

Voilà seulement deux options, vous en avez beaucoup plus à votre disposition. Vérifiez-le Destructeur de graisse N° 3 de la page 105.

2. N'emportez pas de pommes chips en pique-nique. Pour certaines personnes, déjeuner sans pommes chips, c'est comme aimer sans baisers. L'une de vos plus grandes déceptions est de penser que vous pouvez en manger « seulement quelques-unes ». Si vous mangez dans un restaurant et que des pommes chips non mentionnées sur le menu sont la garniture de votre plat, ne les mangez surtout pas. Il est évident qu'elles sont très riches en gras, et même si elles ne l'étaient pas, il est inutile que vous en mangiez à votre repas de midi.

Si vous mangez chez vous ou emportez votre « lunch » au bureau, emportez plutôt avec vous quelques petits grillés faibles en matière grasse. Vous pouvez à l'occasion avoir une portion de chips allégées.

3. Ne consommez pas de sauces grasses. Refusez les sauces mystérieuses et les fromages traditionnels riches en matière grasse.

4. Attention au gras de la soupe. « À la soupe ! » est l'appel pour un dîner qui peut solliciter vos envies de matières grasses et comporter de nombreuses calories. En fait, la soupe est l'entrée la plus nourrissante et celle qui peut le plus vous couper l'appétit, selon Barbara Rolls, titulaire d'un doctorat et chercheur sur la perte de poids à l'université Johns Hopkins, à Baltimore. Mais il est évident qu'on ne doit pas vous servir une spécialité de soupe au poulet baignant dans un bouillon gras ou une soupe épaisse de palourdes préparée avec beaucoup de crème.

Pour profiter des avantages de la soupe – lutte contre le gras et suppression de l'appétit – il vous faut consommer une soupe à base de bouillon léger ou de légumes. Un bon exemple : la soupe de tomates préparée avec du lait mi-écrémé ou écrémé. Ou, pour varier, essayez le gaspacho frais.

Par chance, de nombreux fabricants de soupes ont répondu à l'appel des produits allégés, et vous avez maintenant à votre disposition dans les supermarchés un vaste choix de soupes préparées exclusivement à base de légumes. Évitez seulement d'acheter des soupes qui sont à base de bœuf, de porc ou de crèmes.

5. Soyez frais. Un bon buffet de crudités propose un vaste assortiment de salades fraîches et d'accompagnements provenant du jardin. Vous pouvez trouver en plus des échalotes, des épinards, des germes de luzerne et de soja, des radis, des carottes, du chou rouge et des concombres.

Si vous voulez acheter seulement des salades que vous connaissez bien et ignorer complètement les autres sortes, vous vous priverez de saveurs délicieuses nouvelles sur le marché. Avez-vous déjà entendu parler du radicchio, des bettes, du chou frisé, du chou-navet ou de l'arugula ? (Les buffets de crudités des restaurants n'offrent pas tous ces variétés, bien sûr, certains seulement). Et avant de commencer à verser dessus de l'assaisonnement, ajoutez-y des saveurs sans aucune matière grasse avec des herbes qui vous ouvriront l'appétit et qui ajoutent beaucoup d'intérêt à une salade – de la coriandre, du cresson, de l'aneth, du persil frais, du fenouil ou de l'ail. Pour donner une saveur d'oignon et d'épices fortes, ajoutez des oignons rouges, des oignons ordinaires, des oignons verts, des radis ou des piments forts.

Les champignons sembleront moins appétissants dans un buffet de crudités au bout d'un certain temps. Prenez-en

Changer ses habitudes

SAVOIR PLUTÔT QUE VOULOIR

Les effets amincissants du chaud. En pensant à votre prochain déjeuner, comment le rendre plus épicé. En plus de préparer un menu allégé, vous aideriez votre producteur de graisse à s'activer en ajoutant à votre menu au minimum un aliment épicé ou très épicé.

Par exemple, vous pouvez ajouter un soupçon de moutarde forte ou de poudre de chili dans vos soupes ou vos sandwichs. Ou, si vous aimez la saveur du tabasco, versez-en jusqu'à ce que votre palais chante « Olé ! »

Imaginez maintenant dans quel restaurant vous mangerez la prochaine fois. Au lieu du restaurant traditionnel, allez plutôt manger dans un restaurant mexicain, indien ou chinois, où la cuisine est préparée avec du curry, des piments forts et d'autres ingrédients très épicés.

Ces épices activeront davantage votre métabolisme après le repas, selon certaines études médicales canadiennes. D'autre part, les saveurs sont si intenses que le repas lui-même émet un signal de trop-plein.

seulement s'ils sont frais. Vous courez le même risque avec les tomates. Elles pâlissent et ramollissent souvent quand elles sont coupées depuis longtemps. Mais les tomates toutes fraîches parfument agréablement un buffet de crudités.

Les poivrons frais rehaussent bien la saveur des tomates, parsemez donc votre salade de poivrons verts, rouges ou jaunes et de piments (piments rouges grillés).

6. Ne vous servez pas de graisse comme assaisonnement. Une salade du jardin peut faire partie d'un festin, mais quand vous versez dessus un assaisonnement à salade, vous ajoutez, 25 g au moins de gras !

De nombreux restaurants servent maintenant des assaisonnements de salade allégés. Si vous cherchez des bouteilles d'assaisonnements à salades, vous trouverez un grand choix de saveurs sans gras que vous apprécierez particulièrement.

Vous pouvez aussi vous passer complètement d'assaisonnement et presser simplement sur votre salade un jus de citron ou de citron vert. Essayez donc : vous découvrirez que le citron aspergé sur votre salade ajoute sa propre fraîcheur piquante, particulièrement si vous avez déjà mis dans votre salade des herbes fraîches, différentes sortes de poivre et autres petits extras venant de votre jardin.

7. Consommez des produits laitiers chaque jour. De nombreux produits laitiers ont beaucoup plus de matière grasse qu'il n'est nécessaire de consommer. Dites simplement non au lait entier (plein de matière grasse), au fromage à tartiner et à tous les fromages riches en gras. Vous pouvez manger plein d'autres choses : fromages faibles en gras ou allégés – j'aime particulièrement le gouda ou le gruyère allégé.

8. Étendez-le en fines couches. Utilisez de la moutarde, de la sauce forte ou de l'assaisonnement à salade sans gras à la place de beurre ou de margarine dans votre sandwich. Si vous aimez la mayonnaise, préparez-la sans matière grasse et vous perdrez ainsi 11 g de gras par cuillère à café !

9. S'il vous plaît, n'oubliez pas les pâtes. Vous pouvez faire plaisir à votre palais en mangeant des pâtes fraîches. Vous ferez un festin faible en gras. Ce qui est important, c'est de choisir votre sauce avec prudence. Choisissez-en une à base de tomates ou de vin, et non pas une sauce préparée avec de l'huile ou du fromage. Et si vous préparez une salade de pâtes froides, ayez la main légère avec les ingrédients : choisissez un assaisonnement sans matière grasse, ne mettez pas d'olives et optez pour du fromage allégé.

10. Ne coulez pas avec les sous-marins ! Vous pouvez trouver des sandwichs contenant peu de matière grasse. Il vous suffit de choisir avec soin les ingrédients qui les composent. Goûtez surtout un pain complet à la place d'un petit pain régulier. (Et tenez vous éloigné des croissants, qui contiennent chacun 12 g de gras alors que deux tranches de pain complet n'en contiennent que 1,4.)

Parlons maintenant des garnitures. Commandez votre sandwich avec du blanc de dinde tranché à la place de jambon ou de saucisse. Utilisez seulement de la mayonnaise allégée. Évitez les olives, le fromage et l'huile. Voilà un exemple de danger : un sandwich à la salade de thon de 15 cm avec une mayonnaise contient 36 g de gras !

Que vous achetiez votre sandwich ou que vous le prépariez vous-même, remplissez-le de beaucoup de laitue, tomates et autres légumes frais pour le rendre plus croquant, très parfumé et rempli de fibres. Quelques autres suppléments faibles en gras sont les poivrons verts, les piments forts, les germes, les cornichons et les oignons. Au lieu d'utiliser du beurre, ajoutez de la moutarde épicée et un petit peu de vinaigre.

11. Soustrayez le gras, et ajoutez des légumes à la pizza. La pizza constitue un repas léger rapide et très apprécié si vous ne commandez pas des garnitures très grasses et si vous utilisez du fromage allégé. Les olives sont presque uniquement composées de matière grasse, et la plupart des garnitures de viandes de pizzas – saucisse, pepperoni, jambon et bœuf haché – sont excessivement grasses. Si vous ne voulez pas de ces garnitures, ajoutez des légumes supplémentaires et un peu de piment frais.

12. Investissez vos pesos dans de la nourriture faible en gras. Si vous mangez mexicain, choisissez des burritos de haricots ou des coquilles de tacos avec des haricots non gras, du fromage allégé, des légumes supplémentaires et beaucoup de salsa. Éliminez les nombreuses conserves grasses qui peuvent saboter votre régime de vie allégée plus rapidement qu'un piège à souris. Les nachos et les salades de tacos sont deux des pires amasseurs de graisse : une simple salade de tacos contient jusqu'à 55 g de gras et 800 calories !

13. Pas de bœuf dans les hamburgers. Si vous avez une grande envie de manger un hamburger, essayez le plus possible de choisir certaines sortes de hamburger. Vous réduirez ainsi le gras si vous choisissez un hamburger de blanc de poulet cuit sur le grill ou un hamburger de blanc de dinde haché, par exemple. Mais vous devez les faire cuire sur le gril, et non pas frits dans la graisse, et sans garniture riche en gras. Pour parfumer votre hamburger, assaisonnez-le avec une sauce épicée ou une sauce de volaille.

14. Méprisez les frites. De nos jours, de nombreux restaurateurs racontent que les frites ont moins tendance à stocker la graisse parce qu'elles peuvent être frites dans des huiles végétales « plus salutaires ». C'est vrai, ces huiles contiennent moins de gras saturés, mais elles peuvent avoir un taux élevé de triglycérides, dont il est démontré qu'ils augmentent le risque de cholestérol élevé et d'autres problèmes liés au cœur.

La meilleure politique : éviter les frites, quelle que soit l'huile dans laquelle elles sont frites. Remplacez-les par des pains complets ou une salade de haricots faible en gras.

15. Ne mangez pas de dessert supplémentaire. Quand votre bouche réclame du sucre, choisissez raisonnablement votre dessert. Vous trouverez d'excellentes suggestions au chapitre 20 de ce livre.

Vous pouvez manger un « brownie » de blé complet non gras ou plusieurs biscuits. Vous pouvez également choisir une barre de céréales non grasse ou un petit yaourt nature 0 % de matière grasse aux fruits frais ou en conserve.

Mangez ces desserts très lentement, en savourant le goût. Puis brossez-vous immédiatement les dents (ce qui aide à enlever l'envie d'autres choses sucrées) avant de vous replonger dans votre travail de l'après-midi.

Ou essayez ce choix de dessert qui peut complètement satisfaire votre désir d'une douceur d'après-dîner. Après votre repas, sucez tout simplement un bonbon à la menthe. Mâchez lentement, puis jetez-la quand la saveur a disparu. Vous serez alors arrivé au cœur de l'après-midi et votre tiraillement d'envie de dessert aura disparu.

Chapitre Neuf

Producteur de graisse N° 6

Les inhibiteurs de stress

Il y a toujours quelque chose. Les factures. Les conducteurs lents. La circulation dense. La queue à faire. Ces quelques irritations mineures peuvent se transformer en de véritables cauchemars si vous vous sentez stressé.

J'ai déjà parlé du grand stress que provoque parfois un producteur de graisse, notamment le Producteur de graisse N° 10, à la page 73. Je vous ai appris comment vous pouvez réduire la production de graisse de votre organisme en déterminant vos propres « points chauds » de stress et en cherchant les manières de le tenir le plus possible à distance. Ces actions sont un bon début.

Et maintenant, vous passez à la prochaine étape en activant le Destructeur de graisse N° 6. Vous y trouverez une série de techniques qui vous permettront d'éliminer le stress sur-le-champ. Ces techniques vous feront surmonter les tracas quotidiens et soulageront les moments de tension et de colère qui vous rendent psychologiquement et physiquement inaptes à supporter un niveau de stress élevé. À cette plus grande énergie s'ajoutera une plus grande efficacité à brûler le gras, et cela vous rendra suffisamment alerte pour activer les autres destructeurs de graisse tout le long de la journée.

Brûler du gras et non pas en griller

Une étude présentée à la Conférence internationale sur l'obésité, en 1994, a révélé que le rendement métabolique d'une personne sera meilleur si elle réduit son stress. En effet, les personnes anxieuses, en colère ou remplies de haine métabolisent généralement le gras plus lentement que les autres.

« Les personnes très coléreuses se débarrassent plus lentement du gras alimentaire, déclare la psychologue Catherine Stoney, de l'université Brown, à Providence, Rhode Island. Être à la merci de ses hauts niveaux de colère est malsain », note-t-elle.

Les personnes dont le rythme métabolique est lent semblent souvent hostiles et anxieuses, démontrent les études. Elles présentent habituellement un niveau de stress quotidien plus grand et refoulent parfois leur colère.

Chaque fois que vous devez faire face à de fortes pressions, votre organisme réagit en sécrétant de l'adrénaline, hormone dont l'action est très rapide et qui stimule la libération du gras des cellules à travers tout le corps. Cette poussée d'adrénaline est malheureusement suivie d'une période de tension ou de tristesse.

« Pendant une situation de stress, l'adrénaline agit de telle sorte que les cellules adipeuses de l'organisme déversent leur contenu dans le système sanguin », déclare Redfort Williams, médecin et directeur du Centre de recherche de la médecine du comportement au Centre médical de l'université Duke, à Durham, en Caroline du Nord. « Une fois en circulation, ces molécules libres peuvent fournir à l'organisme l'énergie supplémentaire dont il a besoin pour réagir à toutes situations. »

En avez-vous vraiment assez ?

Si nous retournions à l'ère néanderthalienne, nous remarquerions que notre réaction au danger et au stress se manifes-

Une analyse des tendances : votre réaction aux aliments

Des études laissent entendre que les aliments que vous consommez peuvent avoir une influence sur la production des substances chimiques libérées par votre cerveau, qu'on appelle neurotransmetteurs. Ces substances chimiques affectent à leur tour l'énergie mentale, la concentration, l'attitude, le caractère, le comportement et le rendement, selon un groupe de chercheurs qui ont dirigé des études à l'université Harvard, à l'Institut de la technologie du Massachusetts, à Cambridge, et à l'Institut national de la santé à Bethesda, au Maryland.

Le choix de bons aliments et de bonnes combinaisons alimentaires, qui peuvent vous aider à mieux gérer vos émotions et votre état d'esprit, entraîne des réactions différentes pour chaque personne. Par conséquent, il est important d'observer avec soin les réactions de votre corps.

Une bonne façon d'y parvenir consiste à tenir à jour un registre des aliments que vous consommez. Durant les quelques semaines qui suivront, prenez des notes sur votre état d'esprit et votre humeur 10 à 15 minutes avant un repas et une collation. Vous sentez-vous en forme et motivé ? Calme et concentré ? Tendu et irritable ? Notez bien toutes vos observations dans votre journal.

Puis, une heure après avoir mangé, réévaluez votre état d'esprit et vos émotions, et écrivez rapidement vos observations en faisant preuve d'honnêteté.

Au bout de deux semaines, analysez votre comportement et dressez une liste des choix alimentaires qui vous sont favorables. Consultez cette liste afin de maintenir vos habitudes quotidiennes de nourriture. Continuez de noter vos observations sur votre journal pendant encore deux semaines, en le relisant occasionnellement afin de faire le point. Au bout d'un mois, vous saurez identifier les aliments qui vous donnent les meilleures réactions en termes d'énergie et d'une sensation complète de bien-être.

terait par une distribution d'énergie dans nos corps velus. Forts de cette énergie, nous jetterions des pierres aux bêtes sauvages ou nous nous sauverions loin des mammouths laineux en perdant tout contrôle. Cette réaction aurait probablement été très appropriée il y a des milliers d'années pour ceux qui devaient fuir ou faire face au danger. Mais à notre époque et dans la plupart des situations de défi quotidiennes, nos cellules adipeuses demeurent stagnantes, sauf quand le cortisol, ou l'hormone du stress, entre en jeu.

Comme nous l'avons décrit précédemment, le cortisol est sécrété au début de chaque période de tension. Nous savons que le cortisol ralentit le métabolisme des aliments gras. Les graisses demeurent stockées (en cas d'urgence) pendant que le cortisol stimule la destruction des hydrates de carbone en réponse aux besoins de carburant de l'organisme.

Une étude réalisée à l'université Yale révèle que les hommes et les femmes obèses, qui logent une grande partie de leur graisse dans la région abdominale, produisent davantage de cortisol que les autres. Une étude de l'université Wake Forest, à Winston-Salem, en Caroline du Nord, qui portait sur des singes mâles stressés – aussi bien ceux qui étaient soumis à des exercices que ceux qui menaient une vie sédentaire – démontre que ces animaux avaient davantage de graisse logée autour de l'abdomen que ceux qui ne souffraient pas de stress. Les chercheurs en concluent qu'un syndrome chronique de stimulation du stress joue un rôle important dans la répartition des graisses abdominales.

Pendant des périodes de tension et de stress (mais tout de même pas dans des situations physiques critiques), une importante quantité de graisse de réserve qui se loge dans le système sanguin se réfugie dans l'abdomen. Par conséquent, dans les situations de stress persistantes, de nombeux effets peuvent se manifester sur le cerveau et l'organisme, notamment le ralentissement de la destruction des graisses.

Par bonheur, des études préliminaires semblent confirmer que des techniques de respiration, de méditation et d'autres méthodes de gestion du stress contribuent à maintenir le niveau de cortisol assez bas. Et ces mesures pourraient aider votre organisme à dominer le stress envahissant.

Comptez sur de petits changements

Trouver de nouveaux moyens simples et pratiques qui vous permettent d'éliminer le stress de votre vie peut affecter directement votre niveau d'énergie et votre faculté de détruire la graisse, en plus de vous aider à activer plus facilement les autres destructeurs de graisse durant la journée. Les études montrent bien que c'est en gérant judicieusement les petits stress que l'on parvient à établir des changements majeurs et durables dans notre vie.

« Il existe des méthodes simples et rapides qui sont à la portée de tous », déclarent les autorités en gestion du stress Ronald G. Nathan, Thomas E. Staats et Paul P. Rosch, auteurs du livre *The Doctor'Guide to Instant Stress Relief.* Ces méthodes donnent-elles des résultats immédiats ? Nous le croyons. »

En d'autres mots, des stratégies doivent être élaborées dès les premiers signes de stress afin d'en combattre les effets. « La réaction au stress survient en quelques secondes », ont remarqué les chercheurs. Un soulagement immédiat est essentiel afin d'éviter que le stress – ou la détresse – ne vous envahisse.

Maître chez vous

« Votre arsenal de techniques de réduction de stress doit être très vaste. Une des modifications dont bénéficie l'organisme grâce à la méditation, au biofeedback, au yoga ou à n'importe quelle autre technique de relaxation consiste à inhiber la production de cortisol provoquée par le stress », déclare Herbert Benson, médecin, professeur adjoint de médecine à la Faculté de médecine de l'université Harvard, président de l'Institut médical de Harvard et président de l'Institut médical du corps et de l'esprit à l'hôpital Deaconess, à Boston.

Ces changements se classent sous la rubrique de modification du comportement. L'association médicale américaine, l'association diététique de Californie et le congrès international sur l'obésité ont tous conclu que la modification du comportement est essentielle pour une perte de poids durable et pour une vie en bonne santé.

Les meilleurs neutraliseurs de stress en 30 secondes

Voici quelques techniques de gestion du stress reconnues scientifiquement et que nous avons testées. Elles sont toutes rapides et s'effectuent en moins de 30 secondes. En les mettant en pratique, vous en tirerez des bienfaits importants.

Gérer son stress par la respiration

Vous serez surpris d'apprendre que de nombreuses personnes, face à une situation de stress, cessent de respirer plusieurs secondes ou davantage. Cela a pour effet de réduire l'apport d'oxygène au cerveau et de mettre la personne dans un état de détresse, d'anxiété et de colère, de frustration et de panique. À ces symptômes peuvent s'ajouter un raisonnement erroné accompagné d'une perte de contrôle générale.

Ainsi, chaque fois que vous vous sentez envahi par le stress – tension des muscles, respiration irrégulière, mains fraîches ou sudation nerveuse –, l'une des meilleures méthodes pour retrouver votre calme est de changer votre manière de respirer.

La démarche est plutôt simple : il s'agit de continuer à respirer lentement, profondément et régulièrement. Au moment où la crainte, la colère et le stress se manifestent et que votre cycle inspiration-expiration en est affecté, concentrez-vous d'abord sur ce cycle afin de le régulariser. Et en même temps, dites-vous à vous-même « Un esprit alerte, un corps serein. »

« C'est le mouvement respiratoire interne des milliards de cellules de votre organisme qui vous permet de produire de l'énergie biologique », observe Sheldon Saul Hendler, médecin, titulaire d'un doctorat, professeur adjoint de médecine à l'université de Californie, à San Diego, et auteur de *The Doctor's Vitamin and Mineral Encyclopedia*.

Qu'est-ce qui produit cette énergie biologique ? Le Dr Hendler attire l'attention sur une substance chimique complexe spécifique, l'adénosine triphosphate (ATP), qu'il appelle « la petite monnaie de la vie ». L'ATP ressemble à un ressort hélicoïdal qui « s'entrouvre » pour libérer l'énergie lorsqu'elle se lie au glucose, forme de carburant cellulaire. En d'autres termes, pour transformer le carburant en énergie, l'organisme a absolument besoin d'une quantité adéquate de cette substance chimique complexe qui permet la transformation ; cette substance chimique complexe se nomme ATP.

« Sans ATP, il n'y a pas d'énergie ni de vie, déclare le Dr Hendler. C'est l'ATP que nous utilisons pour agir. Le corps et le cerveau sont extrêmement sensibles à la moindre chute d'ATP. Cette sensibilité s'exprime en termes de crainte, d'anxiété, de douleur et de peine, de confusion et de fatigue intermittente. La production d'ATP, explique le Dr Hendler, est directement liée à la respiration interne des cellules, et la respiration est indiscutablement l'élément vital le plus important qui soit. De plus, bien respirer est sans conteste un atout pour une vie saine. »

Chacun de nous respire environ 20 000 fois par jour. Avec tout cet air qui entre dans nos poumons, il semble naturel de penser que nous absorbons plein d'oxygène. Mais il est prouvé que la population en général respire très mal, c'est-à-dire juste assez pour ne pas chuter dans l'inconscience. Les neurologues ont signalé que même si nous sommes techniquement « en vie », l'apport d'oxygène à notre cerveau reste insuffisant.

Selon certains experts, la capacité vitale des poumons diminue d'environ 5 % tous les dix ans, surtout à la suite d'une perte d'élasticité des tissus pulmonaires. Des études effectuées au Centre de recherche de gérontologie de l'Institut national sur le vieillissement, à Baltimore, démontrent que lorsqu'on vieillit, la quantité d'oxygène absorbée par les poumons diminue, phénomène que l'on pourrait cependant mieux maîtriser, en partie ou totalement, en adoptant de bonnes habitudes respiratoires, une bonne posture et un bon programme d'exercices aérobiques.

Des études réalisées par l'Institut national sur le vieillissement révèlent que la circulation sanguine d'un jeune homme de 20 ans exige en moyenne presque quatre litres d'oxygène par minute. Par contre, la respration superficielle et la perte d'élasticité des poumons d'un homme de 75 ans n'exige qu'un litre et demi

Changer ses habitudes

SAVOIR PLUTÔT QUE VOULOIR

Que devez-vous faire pour passer d'une respiration superficielle à une respiration diaphragmatique en permanence ?

Pratiquez-la, tout d'abord – et par la suite elle deviendra une habitude. Mais vous devez commencer consciemment. Concentrez-vous sur chaque étape du processus.

1. Assis ou debout, mettez les épaules droites, mais détendues, le cou bien étiré et la tête bien levée.

2. Placez vos mains bien à plat sur le ventre, sous votre cage thoracique.

3. Inspirez doucement par le nez. Tandis que votre abdomen gonfle légèrement vers le bas et en avant (le bas du dos restant bien plat), vous sentirez vos côtes flottantes de déplacer vers les côtés. Puis, en terminant l'inspiration, vous sentirez un épanchement confortable de votre cage thoracique.

4. Expirez lentement par la bouche, en sentant une vague de relaxation inonder votre abdomen, votre cage thoracique, votre gorge et votre visage.

Vérifiez que vos mains sont bien placées sur votre diaphragme.

(suite)

Changer ses habitudes

SAVOIR PLUTÔT QUE VOULOIR

Toucher l'extérieur des côtes accroît les résultats.

En répétant l'exercice vous deviendrez de plus en plus conscient de la sensation exacte d'une bonne respiration.

d'oxygène par minute. Ce phénomène est classique, mais est-il inévitable ? Des études suggèrent qu'un homme de 75 ans en bonne santé a besoin d'autant d'oxygène qu'un jeune homme de 20 ans.

En général, les gens passent leur vie à ne respirer que superficiellement. Cela signifie que nous inspirons beaucoup moins d'air en donnant à nos cellules beaucoup moins d'oxygène que les personnes qui respirent à partir de leur diaphragme.

Durant la respiration diaphragmatique, le muscle effectue un mouvement descendant et crée ainsi une pression de vide naturelle qui soutire l'air dans la partie inférieure des poumons. Ce mouvement est rapidement suivi par une légère expansion de l'abdomen et des côtes inférieures. Lorsqu'on a inspiré à capacité, la cage thoracique et les parties supérieures des poumons sont remplies d'air.

En gonflant la partie supérieure du poumon, une grande partie du corps demeure sous oxygénée, ce qui freine la dégradation des graisses et la production d'autres formes d'énergie corporelle. La respiration diaphragmatique, en revanche, remplit presque complètement vos poumons d'air. Et cette distinction est d'une importance majeure, car plus vous laissez pénétrer d'air dans vos poumons, plus grande est la quantité d'oxygène en circulation dans votre système sanguin.

Dès son expulsion du cœur, le sang est véhiculé à travers différentes régions des poumons à des vitesses variables. On estime que le sang s'écoule dans la partie supérieure de vos poumons à un taux d'environ une cuillère à soupe par minute, dans la partie médiane à un taux de plus d'un litre par minute et dans la partie inférieure à un taux d'environ quatre litres par minute.

La respiration diaphragmatique vous paraîtra au début plus difficile que la respiration superficielle, vous aurez tout simplement à changer vos habitudes respiratoires. En réalité, certains tests ont prouvé que la respiration très douce à partir du diaphragme exigeait seulement à peu près 1 % de la consommation d'énergie en cours du corps pour faire entrer et sortir l'air. En comparaison, la respiration superficielle de la cage thoracique prend au moins deux fois plus d'énergie pour effectuer le même travail.

Ainsi, vous entraîner à respirer à partir du diaphragme est d'une importance capitale pour combattre le stress et rester en bonne santé. Voilà encore une autre bonne raison d'utiliser votre diaphragme : en se contractant, ce muscle creux pousse doucement les organes internes vers le bas en les massant. Certains chercheurs ont démontré que ce type de respiration peut favoriser une meilleure circulation sanguine et les fonctions d'élimination du système digestif.

Utilisez les mots clés

Les scientifiques du comportement recommandent d'utiliser un mot clé qui vous permettra de passer d'un état de stress et de tension à un sentiment de grand calme.

Le mot clé peut être un ordre que vous vous donnez à vous-même, comme « détendez-vous » ou « sortez un peu ». D'autres mots clés qui ont un sens particulier sont cependant plus efficaces, comme « plage » ou « montagne » ou « vacances d'été ». Personnalisez ces associations en substituant ces mots par des noms de choses ou d'endroits que vous préférez.

Au début, essayez de visualiser mentalement l'image qui va de pair avec le mot clé choisi. Voici une liste qui vous permettra de vérifier si vous

Changer ses habitudes

SAVOIR PLUTÔT QUE VOULOIR

Vous pouvez vous entraîner tout de suite à réagir au signal d'un mot clé. Quand vous aurez implanté ce mot dans votre subconscient, vous pourrez l'utiliser n'importe quand et n'importe où pour vous aider à combattre le stress producteur de graisse du gras.

1. Asseyez-vous sur un siège très confortable, respirez lentement et profondément. Faites disparaître de votre esprit pendant quelques minutes toutes vos pensées anxieuses ou reliées à votre travail.

2. Fixez votre attention sur votre respiration. Concentrez-vous sur l'air qui entre et qui sort de vos narines et de votre cage thoracique. Commencez à considérer les sensations de votre corps – l'air ou les vêtements sur votre peau, le poids de vos épaules et de vos bras, la texture et le soutien de l'endroit où vous êtes assis.

3. Imaginez que vous êtes dans un endroit et dans des circonstances particulières du passé en train de penser, de sentir, de regarder, d'entendre ou même de travailler à plein rendement de la façon la plus détendue. Concentrez-vous sur une époque où vous

(suite)

Changer ses habitudes

SAVOIR PLUTÔT QUE VOULOIR

vous sentiez en sécurité, aimé, respecté et en pleine forme.

4. Quand vous verrez vraiment cette image et ce, dans un très grand calme, répétez dans votre esprit le mot (ou les mots) qui suggèrent ou décrivent cet endroit. Ce mot devient votre signal.

avez vraiment visualisé pour vaincre le stress, les paysages, les sons, les goûts, les sentiments, les températures et les émotions que le mot pourrait suggérer. Si quelque chose manque, retournez à cet endroit et imaginez-le de nouveau, en fournissant plus de détails, jusqu'à ce que le mot clé devienne une expérience totale, sensuelle, émotionnelle et mentale.

- Étiez-vous totalement détendu ?
- Êtes-vous envahi par un sentiment de tranquillité, de compassion, de joie, de découverte ou d'émerveillement ?
- Quel effet produit sur vous cette harmonie intérieure, le fait d'être en contact avec votre esprit ?
- Étiez-vous à l'intérieur ou à l'extérieur ? Au soleil ou à l'ombre, en plein air, sous la pluie ou sous la neige ?
- Comment était le temps ? Avez-vous remarqué des courants d'air ?
- Quels vêtements portiez-vous et comment les sentiez-vous sur votre peau ?
- Que voyiez-vous de l'endroit où vous étiez allongé, assis ou debout ?
- Y avait-il un goût sucré dans votre bouche ? Des odeurs de forêt ou de fleurs dans l'air ?
- Comment ressentiez-vous les muscles de votre corps ?
- Comment était le rythme de votre respiration ?
- Quels étaient les sons autour de vous et ceux plus éloignés ?
- Où concentriez-vous votre esprit ? De quelle manière particulière vous y êtes-vous pris pour vous sentir relié à la nature et au monde qui vous entourent ?

Chaque fois que vous utilisez votre mot clé, le pouvoir de rappel instantané du mot devient plus fort. Il devient un outil automatique. Quand le stress augmente ici et là tout le long de la journée, vous pouvez penser à ce mot clé – et peut-être le dire tout haut – et retrouver rapidement les sentiments de détente et d'harmonie personnels.

Si vous avez été tourmenté par des appels téléphoniques pendant la journée, par exemple, la prochaine fois que le téléphone sonnera, vous pourrez attendre un peu avant de répondre et prononcer tout haut votre mot clé, le mot devient votre « tranquillisant instantané ». Vous vous sentirez plus calme et plus sûr de vous-même très rapidement, et quand vous décrocherez le téléphone, ce calme se ressentira dans votre voix.

Détendez votre visage et vos mains

Certaines parties du corps ont de grandes « aires » correspondantes dans le cerveau et sont la clé des sentiments comme le calme, la vigilance et la vivacité pour répondre rapidement et de façon appropriée à n'importe quelle situation. Deux de ces aires musculaires sont le visage et les mains.

Il faut créer ici une « onde de détente » totale, en commençant par les muscles de votre visage, puis ceux autour de vos yeux. Laissez ensuite cette onde descendre le long de votre cou, sur vos épaules et dans tout votre corps pour enfin laisser s'évader par le bout des doigts et des orteils.

Pour connaître comment fonctionne cette onde onde, mettez-vous debout, relâchez vos épaules et laissez pendre vos bras de chaque côté de votre corps. Fermez les yeux et imaginez qu'une chute d'eau vous lave, en s'écoulant d'abord sur votre visage, puis le cou, les épaules, les bras, les mains, le long de votre corps

En rationalisant les interrupteurs de stress

Passer rapidement à une autre activité est parfois la seule solution au stress. Voici quelques tactiques qui vous aideront sûrement. Elles vous paraîtront peut-être simples, mais vous serez enchanté de leur efficacité.

- Mettez-vous debout et faites quelques simples exercices d'étirement.
- Oubliez le téléphone. La prochaine fois qu'il sonnera, mettez votre répondeur. Si vous n'en avez pas, débranchez le téléphone. Si vous attendez un appel urgent, la personne rappellera.
- Appréciez votre chance. Fermez simplement les yeux et prenez quelques secondes pour visualiser les choses que vous possédez, les personnes, ou les souvenirs que vous estimez.
- Buvez à petites gorgées un verre de tisane glacée et ne pensez qu'à son goût.
- Asseyez-vous et écrivez cinq événements qui vont ont plu durant la semaine ou le mois passé.
- Souvenez-vous de votre moment romantique le plus merveilleux.
- Enlevez vos chaussures, faites des cercles avec vos pieds et remuez vos orteils.

jusqu'aux orteils. En coulant sur vous, cette cascade d'eau fait disparaître toute tension.

Pensez à autre chose

« Changer vos pensées peut vous donner un nouveau contrôle sur la façon de réagir au stress », note Frank Ghinassi, tituaire d'un doctorat et professeur de psychiatrie à la Faculté de médecine d'Harvard. Ce que vous faites avec votre esprit et votre énergie dirigés dans les premiers moments d'une situation de stress permettra d'en déterminer le résultat.

Quand vous éloignez vos pensées de la situation, vous guidez votre esprit vers un état de vivacité relâchée. Vous lui évitez de la sorte de subir les effets normaux du stress – la colère ou la paralysie.

Laissez-moi vous expliquer : rappelez-vous le jour où la sécurité de quelqu'un (peut-être la vôtre) était menacée et où vous avez réagi de manière excessive à la pression. Vous réalisez que si vous étiez resté plus calme et plus souple – si vous aviez été capable de penser plus clairement durant les premiers moments de la situation –, vous auriez réagi à la menace d'une façon plus efficace.

C'est la clé d'un soulagement rapide au stress : apprenez à remplacer les vides menaçants par un calme vigilant au tout début de chaque situation stressante ou effrayante. Avec de la pratique, vous distancerez ce vide entre le stimulus et la réponse et vous utiliserez votre imagination créative pour trouver de nouvelles solutions. Voici quelques techniques qui vous aideront à atteindre un tel état d'esprit.

- Concentrez-vous de préférence sur ce que vous pouvez contrôler.
- Détournez votre esprit de la situation, de cette manière vous ne serez pas de nouveau perturbé et soucieux ou en proie à des peurs imaginaires.
- Gardez le silence quelques minutes de plus en gardant l'esprit ouvert, au lieu de répondre instantanément.
- Demandez-vous : « Ma réaction blessera-t-elle l'autre personne ? »

Quand vous aurez appris à vous protéger des réactions aveugles, vous éviterez non seulement de créer une situation de stress chargée de tension, mais vous éviterez également de vous blesser.

Remplacez la détresse par de l'activité physique

Une étude, réalisée à la Faculté de médecine de l'université de Pennsylvanie, à Philadelphie, a démontré les bienfaits directs de l'exercice sur le stress quotidien. Si vous êtes physiquement actif, il est probable que vous réagissez à des situations de stress de façon beaucoup moins émotive.

Ainsi, la prochaine fois que vous vous sentirez stressé, pourquoi pas ne pas vous lever et vous promener un peu ? Peut-être réduirez-vous de la sorte les effets négatifs du stress en vous donnant un regain d'énergie physique et mentale.

« L'exercice a un impact très fort sur la manière dont nous nous percevons », déclare Robert Motta, titulaire d'un doctorat et directeur du programme de doctorat en psychologie communautaire à l'université Hofstra, à Hempstead, New York. Certaines études appuient les idées du Dr Motta et montrent que l'exercice pratiqué régulièrement améliore l'humeur et aide à maîtriser mieux le stress.

Dans une étude réalisée à l'université Stanford, des chercheurs ont examiné les effets psychologiques de l'activité physique de 357 adultes, âgés de 50 à 65 ans et plus, sur une période d'un an. Ils ont comparé des groupes de personnes qui participaient à des classes d'exercices physiques de différents types à ceux qui faisaient leurs exercices chez eux. L'étude a montré que toutes les personnes qui pratiquaient des exercices quels qu'ils soient avaient réduit leurs niveaux de stress et d'anxiété contrairement à ceux qui étaient demeurés sédentaires. Et ceux qui pratiquaient régulièrement des activités physiques avaient davantage réduit leurs symptômes d'anxiété et de dépression.

Selon Richard Dienstbier, psychologue de la santé de l'université du Nebraska, à Omaha, des études démontrent qu'un des facteurs essentiels de la gestion du stress est « la tolérance mentale et la tenacité ». Ces qualités sont grandement influencées par un ensemble de changements physiologiques qui surviennent au niveau du système de stimulation des glandes corticosurrénales et de l'hypophyse. Ces changements interviennent pendant ou après un programme d'exercice physique régulier, et surtout dans le cas de gymnastique aérobique.

« Lorsque le profil physiologique qu'on appelle tenacité est atteint à force de pratiquer régulièrement de l'exercice physique ou d'autres méthodes qui vous gardent en bonne santé, déclare le Dr Dienstbier, la personne tiendra compte du niveau d'énergie améliorée et des sentiments d'anxiété et de dépression atténués en jugeant les niveaux de succès ou d'échec possible dans de nouvelles situations. En sachant que les niveaux d'énergie seront suffisants pour accomplir la plupart des tâches, le travail individuel aura de fortes chances de réussir. Cette prédiction apportera très vite des changements hormonaux associés à l'énergie. D'autre part, la personne qui ne fait pas preuve de tenacité développera beaucoup plus d'anxiété que d'énergie, et son état empirera vraisemblablement avec, comme résultat direct, une hausse des niveaux de cortisol. »

Étant donné que le cortisol est une substance chimique puissante, générée par l'organisme, qui peut entraîner le stockage des graisses, vous devez désactiver le producteur de graisse chaque fois que vous faites de l'exercice pour combattre le stress.

Utilisez votre temps d'arrêt !

Quand vous adoptez une respiration douce au début de chaque situation de stress, attendez un moment avant de parler, surtout si vous sentez que vous allez vous mettre en colère. Cette simple stratégie apporte souvent une différence significative dans vos relations avec les autres, en particulier votre conjoint, votre ami le plus proche, en somme la personne qui doit supporter votre réaction.

« Notre recherche a prouvé qu'une dispute suffit souvent à faire oublier les heures de gentillesse que vous offrez à votre partenaire», déclare Clifford Notarius, titulaire d'un doctorat, professeur de psychologie à l'université de Denver et directeur du Centre de mariage et d'études familiales, ainsi que Howard Markman, titulaire d'un doctorat et professeur de psychologie à l'université catholique de Washington, D.C. Ils sont les auteurs de *We Can Work It Out*. Ces auteurs attirent surtout l'attention sur les petites sautes d'humeur qui peuvent parfois tout faire basculer.

« Écouter son partenaire plutôt que fuir ou hurler en plein milieu d'une discussion apporte souvent des changements significatifs dans le soulagement du stress et la réussite du mariage », observent-ils.

Changez de point de vue

Chaque fois que vous sentez qu'un sentiment de colère ou de haine vous envahit, détournez votre attention. Demandez-vous : « Est-ce vraiment une attaque réfléchie ? » Essayez de reformuler la provocation et de voir les choses du point de vue de l'autre personne.

- Il n'y a aucune raison d'être bouleversé par cette situation.
- Peut-être est-il en colère pour quelque chose d'autre.
- Si cette dispute dégénère, restez calme.

Enfin, assurez-vous de faire face à des effets d'opposition. Détendez vos muscles. Ralentissez votre respiration. Faites preuve d'humour le plus possible.

« Mais la situation n'est pas drôle ! » dites-vous. Eh bien ! Elle peut le devenir si vous imaginez le ridicule de la situation. Si vous vous trouvez dans une circulation dense, par exemple, et que la personne devant vous a changé de file sans vous le signaler, vous pouvez libérer votre colère en vous disant à vous-même « Quel clown ! » Puis imaginez un clown au visage énorme, sans corps, aux lèvres rouges et le nez appuyé sur votre roue. Quand vous aurez visualisé l'image de Bozo le clown essayant de se frayer un chemin, vous serez plus enclin à rire tout bas plutôt que de vous sentir offensé.

La colère est-elle maintenant disparue?

Si elle se prolonge malgré vos tentatives pour voir le ridicule de la situation, vous pourriez vous imaginer en train de poser une bombe. Votre travail consiste à désamorcer la bombe de la colère lentement et calmement, puis d'agir sans que votre action soit agressive. Dans les conversations, par exemple, vous pouvez vous référer à une petite liste de « mots clés » conçus pour diminuer la colère que vous pourriez éprouver envers votre conjoint, vos enfants, votre patron, des confrères difficiles ou des voisins irritants.

C'est bien sûr plus difficile si vous êtes au bout de votre colère, et de nombreuses personnes estiment que la seule bonne défense est une vive offense. Mais avant de vous venger, faites une pause et faites preuve d'humour.

Que se passerait-il si votre conjoint arrivait à la maison après une dure journée de travail et libérait ses frustrations en hurlant après vous ou les enfants ? Au lieu de vous mettre en colère et d'être émotionnellement déstabilisé, essayez de rire. Imaginez votre épouse ou votre époux comme un ourson en peluche irritable, mais que vous avez envie de caresser et qui a besoin d'une étreinte, d'un baiser ou d'un mot aimable.

Vous pouvez prendre l'air maussade de votre conjoint moins au sérieux parce que vous n'êtes pas la cible de cette colère. Votre partenaire a vraiment besoin de votre support et de votre attention et non d'une confrontation.

En réponse à des grognements et à des commentaires désagréables, prenez une profonde inspiration et dites, sur un ton aussi doux que possible : « Je peux dire que vous avez eu une journée très difficile. » Et puis, vous pouvez ajouter, en lui donnant une tape rassurante dans le dos ou en lui serrant le bras : « Je suis heureux que tu sois à la maison maintenant, ici, avec nous. » Le résultat : l'atmosphère de votre soirée entière sera bien meilleure que si vous aviez répondu « Penses-tu être seul à avoir eu eu une journée difficile... ! »

Si un état grognon est un trait de caractère chronique, alors d'autres stratégies peuvent être envisagées. Mais si cela arrive à l'occasion, votre bonne volonté à être compatissant et à avoir du plaisir peut être contagieuse. L'humour et les plaisanteries accompagnés de mots aimables permettent à votre partenaire de se calmer.

Cachez la balance de votre salle de bains

Je sais. Il peut sembler difficile de croire que la balance de la salle de bains peut être votre ennemie lorsque vous suivez un régime allégé. Mais si vous vous pesez le matin et que cela vous rend coupable, en colère, découragé ou démoralisé, alors cette balance devient pire que votre ennemie, car elle sabote tout le travail que vous êtes en train d'entreprendre pour lutter contre le gras.

Pensez à ce qui se passe quand vous montez sur cette balance qui vous accuse. La plupart du temps, elle donne seulement les mauvaises nouvelles – vous n'avez pas perdu de poids ou, pire, vous avez repris quelques kilos. Naturellement, les chiffres sont justes, mais ce n'est pas toute l'histoire.

« Les chiffres sur votre balance ne disent habituellement que la moitié de la vérité », déclare Wayne L. Wescott, consultant au YMCA national, au conseil américain de l'exercice et à l'académie nationale de médecine du sport. « Votre balance peut vous dire que vous avez grossi de 4 kilos au cours des dix dernières années, quand en réalité vous avez perdu 1,5 kilos de muscle et pris 2,5 kilos de graisse. » Si cette situation se produit, les balances vous donnent l'illusion que vous avez seulement 4 kilos de trop, quand en fait vous avez besoin de vous débarrasser de 7 kilos de graisse.

D'autre part, les nouvelles pourraient être bien meilleures que ce qu'affiche la balance. Si vous avez suivi le programme de La Vie Allégée, par exemple, votre balance peut dire que vous avez seulement perdu 3 kilos au bout de trois mois. Mais en fait, vous avez pu prendre 3 kilos de muscles et perdre 6 kilos de graisse, ce qui apporte un changement dans l'apparence de votre corps. Ou bien la balance peut montrer que vous avez pris du poids, alors que le poids est seulement du muscle, qui pèse généralement davantage que la graisse.

Non seulement les balances ne font pas la différence entre le muscle et la graisse, mais elles ne la font pas non plus entre le poids d'eau et le poids de graisse. Et un kilo ou deux en plus peuvent être simplement de l'eau qui peut disparaître en un jour ou deux.

Des 70 % de personnes qui suivaient un régime et qui se pesaient régulièrement, la plupart ignoraient que le poids corporel était composé d'eau, de graisse, d'os et de tissus. La proportion de ces composants peut varier d'heure en heure, de jour en jour, même quand une perte de graisse ne se manifeste pas.

Rien ne sert alors de se peser chaque jour, ni même chaque semaine. Quand vous êtes une adepte de La Vie Allégée, vous pouvez généralement gagner du poids (d'après la balance) et perdre de la graisse, ce qui changera les proportions de votre corps. Vous serez en meilleure forme et aurez augmenté votre énergie.

« Vous vous concentrez sur un changement de style de vie plus sain. Plus vous penserez à la balance, pire sera le dénouement », déclare Robert Forey, titulaire d'un doctorat, membre de la Faculté du Collège Baylor de médecine, à Houston, et coauteur de *Living without Dieting*.

Si vous êtes pointilleux et que vous vérifiez vos résultats comme le ferait un mathématicien, vous pouvez constater les

Neutralisez vos saboteurs

Prenez quelques minutes une fois par mois environ et utilisez une méthode éprouvée pour changer l'habitude de se parler à soi-même. Cette pratique est appelée la technique de la double colonne.

1. Divisez un morceau de papier en deux. Étiquetez la colonne gauche « Saboteur » ou « Façon négative de se parler à soi-même », la colonne de droite « Entraîneur » ou « Voix de la Vérité ».

2. Dans la colonne de gauche, notez les remarques négatives sur vous-même que vous avez remarquées au cours des dernières heures. Apportez une attention spéciale à votre voix intérieure qui inclut « devrais » et « ne devrais pas ». Notez également ce qui vous semble une humiliation.

3. En face de ces remarques négatives, dans la colonne de droite, écrivez les remarques positives. Ce sont les remarques que vous pouvez utiliser pour vous entraîner vous-même à ne plus adopter des modèles de pensée négatifs et à vivre dans une nouvelle disposition d'esprit.

Pour commencer, faites la liste des entrées sous quelques catégories générales. Une catégorie, par exemple, pourrait être la perte de poids.

Sous « Saboteur » vous pourriez écrire : « Je ne devrais pas recommencer à trop manger de ces aliments riches en gras. ». Votre colonne « Entraîneur » devrait répondre : « C'est parfaitement possible de manger de temps en temps quelques aliments riches en gras, et ce, parce que la plupart du temps, je mange les aliments les plus faibles en gras et les plus riches au goût, et que je commence à les aimer. »

Ou votre « saboteur » pourrait dire : « J'ai essayé et ai échoué si souvent avant, pourquoi les choses seraient-elles différentes maintenant ? » Et votre « entraîneur » répond : « Peut-être que les choses que j'ai essayées auparavant n'étaient pas efficaces, ou peut-être n'étaient-elles pas bonnes pour moi. Il ne s'agit pas simplement de perdre du gras. Je travaille dans le but d'améliorer mon poids et ma santé. »

En revoyant cette liste, faites en sorte que les remarques de l'« Entraîneur » constituent une partie de vos pensées et de vos sentiments, jusqu'à ce que vous deveniez positif et vous sentiez valorisé tous les jours, sur tous les plans.

progrès de votre régime d'une autre manière qu'en vous pesant. Mesurez votre taille, vos hanches, vos cuisses et vos bras ; toutes ces parties de votre corps se modifieront quand vous perdrez votre excédent de graisse. Mesurez-les tous les mois ou tous les deux mois pour vous rassurer de l'efficacité de votre régime.

Les dix destructeurs de graisse

Vous pourrez également constater que vous maigrissez en essayant vos vêtements. Vous pourrez enfiler régulièrement un jean très serré pour suivre l'évolution de votre régime.

Éloignez donc de votre vue la balance de votre salle de bains. La vie quotidienne vous apporte suffisamment de stress et vous n'avez certainement pas besoin d'une nouvelle dose de culpabilité à cause d'un simple appareil de mesure.

Dans un état de stress, pensez avant de manger !

« Environ 85 % de mes patients ont des raisons psychologiques pour trop manger et consommer des aliments riches en gras », déclare Maria Simonson, directeur de la Clinique de santé, de poids et de stress, à Baltimore. Et l'une des principales raisons est le stress. Le stress vous fait manger plus facilement que n'importe quelle autre chose.

« Certaines personnes stressées consomment des plats sucrés ou crémeux comme les pommes de terre en purée avec plein de beurre », déclare le Dr Simonson.

« Avant de manger, déclare le Dr Simonson, demandez-vous : “ Que se passe-t-il ? Quelle chose m'a rendu triste ? Est-ce que je mange cela parce que j'ai faim ou parce que je suis triste ? ” »

Éteignez le téléviseur

Les personnes qui regardent la télévision pendant de longues périodes – plus de deux heures d'affilée – se retrouvent dans de plus mauvaises dispositions après l'avoir regardée, conclut une étude réalisée par l'Institut national de la santé mentale de Rockville, au Maryland. En observant plus de 1 200 personnes de plus de 13 ans, les chercheurs ont pu en apprendre davantage sur ce qui arrive aux personnes qui regardent la télévision pour échapper au stress ou pour essayer de se sentir mieux.

Dans de nombreux cas, la stratégie échoue. Leur humeur vacille. Et plus la mauvaise humeur est grande, plus il est difficile de vaincre le stress. Et ces personnes ont un regard vide, ce qui n'a rien à voir avec les heures passées à regarder la télévision.

L'écran a un effet mesurable sur le métabolisme également. Dans une autre étude, des chercheurs de l'université d'État de Memphis ont suivi un groupe de jeunes filles qui regardaient un épisode d'un feuilleton télévisé et ont constaté

Changer ses habitudes

SAVOIR PLUTÔT QUE VOULOIR

Quand vous lirez ce qui suit, commencerez-vous à penser à ce que vous auriez dû manger comme dessert la veille au soir ou à la collation riche en gras que vous n'auriez pas dû prendre aujourd'hui ?

S'il en est ainsi, vous pourriez jouer le rôle d'un fabricant de gras appelé culpabilité. Une toute petite dose peut faire monter votre niveau de stress et, comble d'ironie, ce stress, plutôt qu'une indulgence riche en gras, peut être le plus grand coupable qui contribue au gras.

Au lieu de vous inquiéter d'une défaillance ou deux, tournez plutôt la situation à votre avantage. Soyez plus aimable envers vous-même.

Oui, à l'occasion, vous avez mangé de petites quantités d'aliments « interdits ». S'il vous arrive de trop manger sans automatiquement vous réprimander après, vous serez enclin à manger moins, à récupérer plus vite, et à garder actifs vos interrupteurs de destructeurs de graisse. Ainsi :

- Pardonnez-vous de ne pas être parfait ; souvenez-vous, tout le monde a des hauts et des bas.

(suite)

que le taux de leur métabolisme était de 16 % plus bas qu'à l'état de repos. En d'autres termes, elles brûlaient moins de calories en regardant la télévision qu'en étant simplement assises à rien faire.

Même si l'on ne peut pas encore exactement déterminer l'effet exact d'inertie que cause la télévision sur les adultes, le message de base semble clair.

La meilleure façon de vous détendre ? Activez votre destructeur de graisse en restant plus actif dans la soirée. Si vous avez l'habitude de regarder la télévision jusqu'à ce que vos yeux se ferment, la première chose à faire est de diminuer le temps de télévision. Ou bien de le combiner à une certaine énergie, en faisant par exemple du vélo d'apartement.

Tout en regardant la télévision, vous pouvez tricoter, raccommoder, repasser ou plier du linge. N'importe laquelle de ces activités augmente le métabolisme de votre corps et permettra de contrebalancer votre humeur et les effets de baisse d'énergie produits par l'écran de télévision.

Reprenez contact avec un flirt ou un ami

Quand les pressions dans votre vie augmentent, il est très important d'entretenir des rapports étroits avec les personnes que vous aimez le plus. Tenez-vous à l'écart de la pression et écrivez un petit mot à un ami. Ou bien téléphonez à vos amis les plus chers et dites-leur un mot gentil. Tous ces renforcements d'amitié peuvent vous protéger de votre détresse passée.

« Si vous regardez les facteurs qui peuvent vous aider à perdre du poids de façon permanente, le support social arrive en tête de liste, déclare le Dr Foreyt. Je peux même dire que ce facteur est absolument crucial. »

Changer ses habitudes

SAVOIR PLUTÔT QUE VOULOIR

■ Devenez plus actif. Sortez et faites une petite marche de cinq minutes.

■ Continuez à manger vos repas et vos collations habituels. Si vous essayez de manger moins et compensez en mangeant davantage, vous êtes tout simplement en train de rendre confus le métabolisme de votre corps.

Dites-vous des mots aimables

Il est stupéfiant de réaliser qu'un métabolisme élevé peut aussi bien refléter l'attitude mentale d'une personne que sa condition physique.

Qu'est ce que cela veut dire, au juste ? Simplement que lorsque nous sommes en proie à une grande détresse, notre façon de penser peut avoir des effets directs et indirects sur notre faculté d'énergie et celle de détruire le gras.

Voici plusieurs exemples : beaucoup d'entre nous sont tentés de croire que nous pouvons trouver des solutions à notre détresse émotionnelle si nous y pensons et en parlons suffisamment. Mais penser ou parler de nos difficultés et de nos insuffisances, le fait de se sentir trop gros ou trop âgé, par exemple, peut continuer d'alimenter les sentiments de détresse.

Le fait de se parler à soi-même ou de s'auto-suggestionner peut faire augmenter la détresse si vous vous adressez des commentaires négatifs ou de sévères critiques.

Nous vivons avec cet esprit négatif qui bavarde tous les jours de notre vie, chaque jour. C'est une tendance humaine naturelle, et malheureusement, la plupart d'entre nous ont appris à insister sur nos messages d'auto-défaite.

Nous éprouvons souvent des difficultés à être aussi compatissants ou rationnels envers nous-mêmes que nous le sommes avec un ami ou une personne que nous aimons. Peut-être parce que nos parents critiques, nos professeurs, nos patrons et nos proches nous ont laissé croire par inadvertance que nous étions porteurs de nombreuses choses négatives.

Selon plusieurs enquêtes de conversations entre parents et enfants, les chercheurs ont constaté que la plupart des parents

Changer ses habitudes

SAVOIR PLUTÔT QUE VOULOIR

La démarche la plus simple et la plus importante que vous devez entreprendre pour vivre différemment est de reconnaître et de guider votre voix intérieure.

Voici deux moyens à mettre en œuvre immédiatement pour transformer en voix valorisante toute voix qui vous semblerait critique à votre égard.

1. Quand vous remarquez que votre voix intérieure devient négative – et vous démoralise –, arrêtez-vous tout de suite et prononcez une phrase qui pourrait vous aider.

2. Puis entreprenez une démarche qui vous apportera une plus grande force intérieure et vous rendra fier de vous.

Une voix intérieure négative est souvent déclenchée à la suite d'un commentaire critique d'un ami sur votre apparence ou d'un regard furtif sur votre physique dans un miroir. Si vous avez mis tous vos efforts pour perdre du poids ou changer votre apparence, vous pouvez être impatient ou douter de vous-même si vous n'obtenez pas les résultats finaux que vous espériez ou quand vous

(suite)

donnent à leurs enfants une douzaine de critiques pour chaque compliment ou remarque positive. Dans une classe du secondaire, la moyenne du rapport critiques-compliments faite par les professeurs aux élèves est de 18 pour 1. Pour des situations de travail, une enquête réalisée à l'univesité Stanford révélait que les commentaires négatifs des patrons surpassaient ceux qui étaient positifs de 4 pour 1 et allaient même jusqu'à 8 pour 1.

Les voix critiques continuelles se répercutent dans votre subconscient. Elles peuvent vous faire terriblement de tort, spécialement quand elles vous mettent dans des types de comportement d'auto-sabotage.

« Si vous trouvez que votre voix intérieure – cette petite voix qui vous harcèle –, vous critique énormément et vous juge, vous avez besoin de recycler votre manière de penser », déclare Joyce D. Nash, psychologue clinique dans la baie de San Francisco et auteur de *Now That You've Lost It : How to Maintain Your Best Weight*. « Vous avez besoin d'apprendre à votre petite voix à être plus objective et plus compréhensive, comme le ferait un entraîneur envers son équipe. Quand vous permettez à votre voix intérieure d'être négative, vous lui permettez de vous saboter, de vous voler votre motivation et de vous empêtrer dans des émotions douloureuses. »

Des personnes déclarent : « Quand je me sens mal, je suis tout tendu, j'arrête de faire de l'exercice et je ne peux pas dormir » ; « Quand je suis triste, je me mets en colère après d'autres personnes, je me punis moi-même en m'asseyant devant la télévision et en mangeant sans cesse. »

Certains psychologues ont découvert que quand des personnes sont stressées par quelque chose et réagissent en se gavant de nourriture, le sentiment d'échec qui en résulte n'est en général pas réel. La raison est que la plupart des personnes ne sont même pas au courant de la quantité de calories ou de gras qu'elles ont mangée en trop. Elles éprouvent un sentiment d'échec parce qu'elles réalisent qu'elles ont commis une faute.

Changer ses habitudes

SAVOIR PLUTÔT QUE VOULOIR

avez subitement envie de consommer des aliments riches en gras.

Essayez tout de suite de détecter le bruit d'une voix intérieure négative qui serait dans votre tête. Prochaine étape : la démentir. Puis choisissez un Producteur de graisse à désactiver et un Destructeur de graisse à activer.

Un sens de l'échec peut conduire à de nombreuses formes de détresse émotionnelle, depuis un sentiment de manque d'attrait jusqu'à un effondrement de son estime de soi, révèle Marcia Germaine Hutchison, professeur adjoint de psychologie, au Collège Lesley à Cambridge, au Massachusetts. En conséquence, elle dit que la détresse peut conduire chaque fois à « une mauvaise posture – courbure des épaules, inclinaison de la tête –, qui n'est pas seulement peu attrayante mais signe de mauvaise santé. De plus, cette mauvaise posture peut vous empêcher de respirer correctement et de garder votre énergie et notre métabolisme à leur meilleur niveau. »

L'une des façons les plus simples de sortir de cet état d'esprit négatif, de commencer à être constructif et à se supporter soi-même consiste à choisir plusieurs changements rapides et pratiques dans ses habitudes quotidiennes. En désactivant les Producteurs de graisse et en activant les Destructeurs de graisse, par exemple, vous prenez des mesures immédiates et actives pour réévaluer votre énergie et votre faculté de brûler des calories. Il est prouvé de manière scientifique que votre humeur aura tendance à rester plus positive quand vous contrôlerez ces interrupteurs.

Ces mesures en quelques instants modifieront votre pensée et vous donneront une dose de support émotionnel. Essayez le

Changer ses habitudes

SAVOIR PLUTÔT QUE VOULOIR

Éprouvez-vous des difficultés à envisager vos problèmes de colère, de stress ainsi que les problèmes que vous devez affronter jour après jour ?

Demandez-vous à vous-même « Est-ce pire que d'en mourir ? » suggère Robert S. Eliot, cardiologue, chercheur de la maladie du stress et auteur de From Stress to Strength.

Quand vous laissez de façon chronique le stress prendre le meilleur de vous, vous risquez non seulement de perdre votre calme mais également de raccourcir votre vie. Des chercheurs savent très bien qu'une colère mal gérée et un sentiment de haine peuvent contribuer à une pression artérielle élevée et au risque d'une crise cardiaque dont l'issue serait fatale. Et il existerait même un lien entre la colère et certaines formes de cancer. Et votre stress peut détruire toutes vos relations d'amitié.

Et pourquoi donc vos frustrations se transforment-elles en grandes colères ? Pourquoi donc attendre quelqu'un qui arrive toujours en retard ? Et les longues

(suite)

plus possible de vous préserver contre les « si seulement » qui nous embrouillent généralement. De nombreuses personnes qui ont eu des hauts et des bas à la suite de régimes vivent sans arrêt avec des formulations de « si seulement », comme : « Si seulement je pouvais perdre 7 kilos » ou : « Si seulement j'avais plus de volonté, je pourrais changer. »

La plupart du temps, quand nous disons : « Si seulement j'étais mince », ce que nous voulons vraiment dire est : « Je me déteste comme je suis. »

Pour avancer dans la vie, vous avez besoin tout d'abord d'oublier que c'est la société dans laquelle nous vivons aujourd'hui qui vous a contraint à penser à quoi vous devriez ressembler. Il est en effet assez difficile d'être trop gros dans notre culture qui vante la minceur sans ajouter le problème d'être dur envers vous-même.

Il est absolument essentiel d'établir une distinction entre avoir un corps et être ce corps. Rappelez-vous que le meilleur de vous-même en tant qu'être humain se trouve dans votre tête et dans votre cœur. Vous devez être reconnaissant à votre corps de vivre. Mais en le remerciant, ne pensez surtout pas que vous êtes votre corps.

Regardez le bon côté de la vie

Il existe des raisons scientifiques puissantes qui expliquent que les personnes qui rient facilement – spécialement d'elles-mêmes – sont généralement plus actives, plus énergiques et beaucoup plus capables de se sortir de situations stressantes. Et la recherche médicale a démontré que les personnes qui possédaient cette sorte d'humour sont moins enclines à dévorer des aliments pour lutter contre le stress et à éviter de faire de l'exercice.

« Pour vous aider à rire de vous-même, vous devez vous enlever de la tête que vous n'êtes pas parfait », déclare Mark Therrien, directeur de Innerplay, organisation se trouvant à Lakewood, Wisconsin, qui encourage la méthode d'humour et de jeu. Lors de ses présentations devant l'Association américaine de diététique et devant d'autres organisations, Mark Therrien explique le rôle important joué par l'humour dans un programme de perte de poids : « L'attitude de pardon vous permet de regarder vos fautes, d'apprendre d'elles... et de rire d'elles. De plus, l'action de rire brûle des calories. »

Changer ses habitudes

SAVOIR PLUTÔT QUE VOULOIR

files d'attente ? Les conducteurs qui avancent doucement ? Les distributeurs de billets qui refusent de coopérer ? Les enfants difficiles ? Allez-y énumérez toutes vos frustrations.

Réviser vos priorités sur la « grande question » vous permettra plus facilement de suivre le courant et de diminuer vos colères et vos tensions.

En vérité, avoir le sens de l'humour ne veut pas dire raconter des histoires drôles. C'est percevoir les absurdités de chaque jour de la vie et en rire, même lors de chagrins, de bagarres et de périodes difficiles à traverser. Cela signifie vous prendre moins au sérieux, surtout lorsque vous effectuez un travail sérieux. En bref, vous devez rire plus souvent et de façon plus forte que la plupart des gens ne le font.

Le corps et le cerveau sont extrêmement sensibles à des « éclats de rires joyeux ». Un sens de l'absurde et le rire qui s'ensuit distraient l'esprit et vous laissent un sentiment de relaxation.

Certains scientifiques énoncent une théorie selon laquelle le rire stimule la production de neurotransmetteurs et d'hormones qui affectent les niveaux hormonaux de l'organisme. Ces substances chimiques du corps sont liées à des sentiments de joie, rendent le chagrin plus facile à supporter le chagrin et renforcent la réponse immunitaire.

Voulez-vous vous sentir plus léger ? Voici deux idées suggérées par des experts de l'humour et des psychologues.

Cultivez l'humour cosmique. La gaieté spontanée est quelque chose qui arrive naturellement avec le sens de la relaxation et du plaisir. Commencez à chercher autour de vous les situations les plus ridicules et les plus incongrues. Écrivez de petites histoires sur les choses les plus amusantes que vous voyez ou entendez et utilisez-les pour rendre plus épicées les discussions de famille de fin de journée.

Commencez une bibliothèque familiale sur l'humour. Qu'est-ce qui vous fait rire ? Que ce soient des dessins animés, des lettres d'amis, des affiches, des biographies, des films anciens ou nouveaux, des comédies, des encyclopédies de bons mots ou des histoires humoristiques, enrichissez votre collection d'humour. Et n'oubliez pas d'enregistrer sur des cassettes des histoires traitant de comédies ou d'humour qui vous feront bien rire au début ou à la fin de la journée.

Chapitre Dix

Destructeur de graisse N° 7

Un raffermissement rapide : comment tonifier vos muscles facilement

Placez le bout des doigts de votre main gauche sur les muscles supérieurs de votre bras droit. Tendez les muscles de ce bras. Placez ensuite le bout de vos doigts contre votre abdomen et resserrez vos muscles abdominaux.

Qu'avez vous ressenti en tendant ces parties de votre corps ? Les muscles restaient-ils fermes ? Ou étaient-ils seulement un petit peu relâchés, même en les resserrant aussi fort que possible ?

Votre corps possède plus de 400 muscles que vous utilisez chaque jour. Vous avez peu de pouvoir sur certains muscles involontaires, tels que la poignée de fibres qui compose la majeure partie du muscle cardiaque, ou sur l'agilité des muscles intestinaux à pousser les aliments et les déchets à travers le système digestif. Cependant, un bon nombre de vos muscles volontaires qui contrôlent la posture et le mouvement, par exemple ceux qui se trouvent dans vos épaules, la partie supérieure de vos bras, votre poitrine, votre dos, votre taille, vos cuisses et vos mollets, sont sous votre contrôle.

Tous ces muscles volontaires ont une chose en commun. Ils ont besoin d'être fortifiés et équilibrés les uns par rapport aux autres – et de rester ainsi. Et cette partie vous revient. Si vous ne maintenez pas continuellement l'équilibre et l'alignement de votre corps, il est presque sûr que vos muscles commenceront à s'atrophier et perdront leur capacité à jouer le rôle qui leur incombe. De plus, un métabolisme réduit sera l'une des conséquences de cette atrophie graduelle de vos muscles.

La garantie de votre corps

Un bon tonus des muscles de votre corps joue un rôle vital dans la répartition de la graisse : voilà l'une des plus importantes découvertes des dix dernières années dans le domaine de la forme physique. Les muscles agissent comme des fours destructeurs de gras 24 heures par jour, en fournissant au métabolisme une recharge très importante.

« Pour lutter efficacement contre les graisses, vous avez besoin d'être une bonne machine qui détruit les calories 24 heures par jour et avoir du tissu musculaire adéquat est la seule façon d'y parvenir », observe Bryant A. Stamford, titulaire d'un doctorat, scientifique dans le domaine de l'exercice et directeur du Programme de la promotion de la santé et du bien-être à l'université de Louisville, au Kentucky.

Beaucoup d'entre nous semblent avoir accepté le fait que nous devons livrer une bataille constante contre la graisse superflue au niveau de la taille – et, trop souvent, nous considérons ce simple combat comme le Waterloo de notre campagne. Cependant, pour rester mince et en forme, vous devez vous attarder non seulement à l'abdomen, mais aussi à tous les autres muscles importants de votre corps.

En voici la raison : votre corps possède au départ une garantie innée. Si vous utilisez tous vos muscles sans exception à l'âge adulte, ils resteront fermes, souples et bien équilibrés toute votre vie.

La perte musculaire commence en effet vers vingt-cinq ans. Si vous êtes sédentaire, vous perdrez à peu près une livre de muscle par an à partir de cet âge. Et même si vous avez fait

> *De toutes les calories brûlées par l'organisme, 50 à 90 % sont brûlées par les muscles – même quand vous dormez.*
>
> – *Covert Bacley, auteur de The New Fit or Fat*

régulièrement de l'exercice pendant de nombreuses années, des activités aérobiques comme la marche, le jogging ou la bicyclette par exemple, vous avez perdu un peu de muscle depuis ce temps.

Ce muscle est appelé masse maigre. Il faut le distinguer du tissu du gras, qui n'a pas de muscle du tout. Si votre masse maigre diminue progressivement, votre métabolisme au repos le fera également. En conséquence, votre corps a besoin de moins en moins de calories pour fonctionner, et les calories en trop sont plus facilement stockées en tant que graisse corporelle.

Opter pour un bon tonus

En tonifiant vos muscles, vous augmentez en fait le taux de votre métabolisme et brûlez ainsi plus de gras, même quand vous êtes au repos. Et différentes sortes d'exercices tonifient les muscles de plusieurs façons.

Les meilleurs exercices sont ceux qui demandent un entraînement en résistance, c'est-à-dire n'importe quelle sorte d'entraînement qui consiste à soulever des poids, même de quelques kilos. (Une grande distinction : je ne parle pas ici du type de musculature que possède Arnold Schwarzenegger.)

Selon les lignes directrices les plus récentes du Collège américain de la médecine du sport, 15 minutes d'exercices pour raffermir les muscles, trois ou quatre fois par semaine, en utilisant les poids ou les appareils à contrepoids suffisent pour constater un raffermissement notable et progressif des muscles.

« Un exercice en résistance des muscles peut être l'arme la plus simple et la plus efficace à employer si vous avez plus de quarante ans et que vous prenez du poids », selon William Evans, titulaire d'un doctorat, directeur du Centre de recherche physiologique Noll à l'université d'État de Pennsylvanie, à University Park, aux États-Unis. Des muscles forts et bien tonifiés permettent d'avoir une excellente circulation du sang, apportent davantage d'oxygène à votre corps, font davantage brûler les graisses et augmentent votre métabolisme tout entier, vous aidant à brûler les couches rebelles de graisse corporelle.

Parler du maintien de votre corps est toujours un sujet d'actualité. Certains scientifiques déclarent qu'il n'est jamais trop tard pour devenir plus fort – et le rester. « Il existe un mythe selon lequel nous perdons la faculté de répondre à l'exercice quand nous devenons plus vieux, et que nous ne pouvons donc pas être plus forts ou rendre nos muscles plus fermes, observe le Dr Evans, ancien directeur du Laboratoire de physiologie humaine au Centre de recherche de nutrition humaine sur l'âge Jean-Mayer USDA à l'université Tufts, à Boston. Ce n'est pas la vérité. »

Selon le Dr Evans, savoir bien tonifier ses muscles permet de rendre n'importe quelle personne de plus de soixante-cinq ans plus forte qu'elle ne l'a jamais été dans sa vie. « Nous pouvons tripler la force des muscles des personnes âgées. Nous pouvons rendre une personne de quatre-vingt-dix ans plus forte qu'une personne de cinquante ans, déclare le Dr Evans. La personne la plus âgée qui fait de l'exercice chez nous a cent ans. »

L'engouffrement des calories et le développement des muscles

Comme nous l'avons vu, l'exercice aérobique brûle des calories chaque fois que nous avons besoin du Destructeur de graisse N° 4.

Mais, mis à part l'aérobic, quand vous développez et maintenez la masse musculaire maigre en faisant des exercices de résistance, les nouvelles fibres musculaires actives consomment des calories 24 heures par jour, suffisamment pour se suffire à elles-mêmes.

Certains médecins ont comparé le rôle important joué par les exercices aérobiques pour développer la masse musculaire maigre avec celui de l'entraînement en résistance. Ils ont conclu que ces deux actions étaient nécessaires. Pour établir une comparaison entre les deux, une étude s'étalant sur 8 jours et portant sur 72 hommes et femmes a été dirigée par Wayne L. Westcott, titulaire d'un doctorat, consultant au YMCA national et au Conseil américain sur l'exercice de l'Académie nationale de la médecine du sport. Lors de cette étude, le Dr Westcott a observé pendant huit semaines un groupe de personnes ne pratiquant que l'aérobic. Dans ce groupe, les personnes ont perdu en moyenne un kilo et demi de graisse et une demi-livre de muscle. Un second groupe de personnes combinait de courtes séances d'entraînement en résistance et d'aérobic. Ces personnes ont perdu en moyenne 5 kilos de graisse et ont pris 1 kilo de muscles ! Plusieurs études complémentaires rapportèrent des résultats similaires.

« Des exercices de raffermissement des muscles sont aussi vitaux pour les femmes que pour les hommes, déclare Barbara Drinkwater, titulaire d'un doctorat et ancienne présidente du Collège américain de la médecine du sport. Il est sain que les femmes acceptent maintenant leurs muscles comme faisant partie d'un corps humain normal. »

L'entraînement en force musculaire apporte également d'autres bienfaits aux femmes, selon une étude publiée dans la revue *Archives of Internal Medicine*. Des chercheurs ont montré que des exercices d'entraînement en force musculaire, destinés aux femmes préménopausées, étaient associés à la diminution des taux du « mauvais » cholestérol (LDL).

Le triomphe de la résistance

Les principes de base de l'entraînement en force musculaire sont simples : si vous faites travailler vos muscles en leur faisant exécuter des exercices de résistance, ils deviendront plus forts quand ils auront à faire face à un défi. Parce que les muscles répondent immédiatement à la résistance à laquelle ils ont à faire face, le tonus agit immédiatement, et se prolonge tant que vous continuez à faire des exercices d'entraînement. Ainsi, chacun de nous a la capacité, tout au long de sa vie, de développer davantage de force et de tonus avec un entraînement en résistance.

Je veux insister de nouveau – cette perception est tellement faussée – sur le fait que l'entraînement en force musculaire ne signifie pas que vos muscles deviendront énormes. Et cela ne signifie pas non plus que vous aurez des douzaines d'heures à passer à faire des exercices sur des appareils de musculation. Vous pouvez commencer par n'importe quel type d'exercice de renforcement qui vous intéresse. Puis, une fois que vous aurez choisi quelques exercices de base, écoutez votre corps, maintenez une bonne posture et commencez par des mouvements de résistance légers, doux et bien contrôlés. Vous sentirez et vous constaterez rapidement les résultats.

Tous les exercices qui tonifient les muscles dans ce chapitre vous permettront d'activer le Destructeur de graisse N° 7. Vous augmenterez naturellement l'efficacité et le rendement de ce programme si vous adoptez un enchaînement d'exercices variés en respectant les répétitions recommandées. À cet effet, j'ai fait un résumé d'un programme léger compréhensif, en ajoutant mes recommandations dans « Horaire hebdomadaire de mise en forme », à la page 201.

Mais, souvenez-vous, chacun de ces exercices, quelle que soit sa combinaison ou sa périodicité, vous permettra de tonifier vos muscles et brûlera vos calories superflues. Ils sont tous essentiels. Certains exigent un poids dans chaque main ou à chaque cheville, et une chaise, d'autres ne réclament rien du tout. Il n'est pas nécessaire de porter des vêtements d'exercice ni de se rendre à un club de sport quelconque. Pas besoin d'équipement cher non plus. Si les exercices sont pratiqués dans l'ordre, vous ferez travailler presque tous les muscles les plus importants de votre corps.

Être prêt à commencer est simple. Pas besoin d'un long échauffement, mais une marche de cinq minutes au préalable vous fera le plus grand bien. Le mieux est de commencer tout simplement dans votre propre salon, salle de séjour ou bureau. Choisissez la partie de votre corps que vous voulez amincir et raffermir tout d'abord. Voici les parties du corps dont je parle dans les sections qui suivent :

- Abdomen
- Bas du dos
- Poitrine, épaules et haut du dos
- Partie supérieure des bras
- Cuisses et fesses
- Partie inférieure des jambes

Votre règle modèle

Si vous n'avez jamais tonifié vos muscles auparavant, il est facile de suivre une séance d'exercices. Mais il vaudrait mieux connaître au préalable certaines règles générales. Elle sont importantes pour permettre d'éviter des blessures, pour bénéficier au maximum de l'effet tonifiant de la régénération des muscles, et de l'élimination des graisses que vous apportera chaque séance d'exercices.

1. Faites précéder chaque séance de raffermissement des muscles de quelques mouvements d'échauffement doux et agréables qui activent la circulation du sang et assouplissent les muscles et les articulations.

2. Si vous utilisez des poids, vous devriez connaître votre répétition-maximum (1-RM) de chaque exercice et utiliser des poids qui ne pèsent que 80 % de cette unité. Le 1-RM est le plus gros poids que vous pouvez soulever en un seul mouvement ou en contractant un muscle. C'est un poids si lourd que vous ne pouvez le soulever une seconde fois sans vous être reposé un instant.

La quantité de ce poids varie d'une personne à l'autre, et il varie également à mesure que vous êtes accoutumé aux exercices. Une fois que vous connaissez votre 1-RM, n'oubliez pas de continuer à le vérifier toutes les deux ou quatre semaines.

Certains spécialistes vous recommandent de choisir un niveau de résistance qui est de 80 % celui de votre 1-RM pour développer de la force sans vous blesser un muscle ni le froisser. Quand vous vérifierez votre 1-RM au bout de deux ou quatre semaines, et que vous constaterez qu'il a augmenté, n'hésitez pas à calculer de nouveau le niveau de 80 %. Ainsi, vous pourrez soulever des poids plus lourds.

3. Écoutez votre corps. Si vous ressentez une douleur pendant un mouvement particulier, arrêtez-le immédiatement. Continuez le mouvement si la douleur diminue, mais réduisez auparavant la grosseur du poids que vous soulevez.

Vous pouvez ressentir une légère brûlure pendant que vous faites l'exercice, et un petit endolorissement se produit souvent le jour suivant quand vous recommencez l'exercice. Mais si vous ressentez une véritable souffrance, ou si le malaise persiste dans une partie quelconque de votre corps, vous devriez consulter votre médecin avant de continuer.

4. Pendant chaque exercice de raffermissement, adoptez une bonne posture et des mouvements doux et contrôlés, et maintenez votre respiration aussi régulière et aussi profonde que possible.

Changer ses habitudes

SAVOIR PLUTÔT QUE VOULOIR

Vous pouvez commencer à tonifier la section médiane de votre corps avant chaque repas. C'est pratiquement aussi facile que de respirer si vous utilisez la technique suivante.

L'exercice de vide abdominal est une simple technique de respiration qui est utilisée depuis des années par des spécialistes de la forme physique pour raffermir et amincir les parties médianes du corps. Essayez-la immédiatement.

1. Inspirez et expirez normalement plusieurs fois. Puis, dans la respiration finale, évacuez chaque dernier gramme d'air de vos poumons.

2. Avec cette inspiration finale, laissez votre abdomen monter et descendre autant de fois que possible.

3. Tenez cette position d'inspiration forcée pendant environ cinq secondes, puis expirez.

4. Répétez cet exercice encore une fois ou deux.

Le bas de votre abdomen possède deux muscles clés : le transversal et le pyramidal. Ces deux muscles montent et descendent quand vous vous forcez à inspirer.

(suite)

Maintenir une position équilibrée pendant chaque mouvement évite à votre dos de se voûter ; ne faites pas non plus des mouvements de torsion ou de rotation qui ne font pas partie de l'exercice.

Des mouvements doux sont essentiels. Chaque exercice comporte une partie concentrique (soulèvement) et une partie excentrique (retour). « Si la composante excentrique dans cet exercice n'existait pas, votre muscle ne grossirait pas beaucoup, » déclare Maria Fiatarone, médecin et professeur de médecine à la Faculté de médecine d'Harvard. D'autres spécialistes partagent cette opinion. « Des mouvements lents et contrôlés sont ceux qui sont le plus aptes à développer vos muscles et à brûler le gras », déclare le Dr Westcott. Par conséquent, soyez sûr de faire chaque exercice lentement et prudemment du début à la fin. Cela permet aussi d'éviter les blessures.

Ne retenez jamais votre respiration pendant que vous faites un exercice, cela pourrait faire augmenter votre tension artérielle et nuire à votre santé.

5. Quand vous aurez bien assimilé l'exercice, commencez deux séries de cinq ou dix répétitions (une répétition est le mouvement complet d'un exercice) de chaque exercice. Les exercices prennent un total d'environ cinq minutes pour chaque partie de votre corps.

Par exemple, en utilisant 80 % de la résistance de votre 1-RM pour un exercice donné, entreprenez une première série de cinq ou dix répétitions. Un repos de quelques secondes entre chaque répétition serait bon pour vous.

Quand vous utilisez des poids, vous saurez si votre niveau de résistance est adéquat quand, au bout de cinq à dix répétitions, vos muscles sont trop fatigués pour continuer sans un peu de repos. À la fin de la première répétition, reposez-vous pendant une minute entière ou deux afin de laisser vos muscles récupérer. Puis entreprenez une seconde série de quatre à dix répétitions et reposez-vous de nouveau. Et finalement, si vous avez la capacité, le désir et quelques minutes de temps supplémentaires, faites une troisième série de répétitions.

Changer ses habitudes

SAVOIR PLUTÔT QUE VOULOIR

Effectuez quelques-uns de ces exercices avant chaque repas, et vous commencerez à sentir que ces muscles reprennent de la force et du contrôle à mesure que vous les tonifiez. Cela ne se produira pas immédiatement, mais quand vous prendrez l'habitude de faire l'exercice, ces deux muscles se « réveilleront » et recommenceront à travailler.

6. Prenez une période de détente pendant au moins plusieurs minutes après chaque séance d'exercices. N'arrêtez pas brusquement et ne restez pas assis après avoir terminé. Restez en mouvement jusqu'à ce que vous soyez revenu à votre fréquence normale et laissez votre rythme cardiaque et votre circulation sanguine retourner graduellement au niveau où ils étaient avant l'exercice.

Les abdominaux : comment avoir l'estomac plat

C'est entendu, oublions d'abord la taille.

Sans l'ombre d'un doute, un abdomen mince et tonifié est le premier symbole de succès d'une vie allégée. Quand les muscles abdominaux sont forts et équilibrés, ils applatissent l'estomac et permettent à vos organes internes de rester en place.

Cependant, vous ne pouviez pas réaliser à quel point il est agréable pour votre dos d'avoir des muscles abdominaux bien tonifiés, ou abdominaux, comme on les appelle le plus souvent. Raffermir les abdominaux soulage le dos à un point stratégique – l'angle lombo-sacré du bassin. La douleur du bas du dos débute souvent ou s'aggrave dans cette partie. Pour cette raison, les exercices de raffermissement qui brûlent les calories permettent souvent de prévenir également des problèmes de dos dans le futur.

Quelle est la meilleure manière d'avoir l'estomac plat ? Je suis persuadé que de nombreuses personnes songent aux traditionnels redressements assis et levés de jambes, les deux exercices abdominaux les plus populaires. Eh bien, le problème est qu'ils n'amincissent pas la taille, même si vous effectuez ces exercices depuis longtemps. C'est vrai : vous pourriez en faire 5 000 par mois sans remarquer un brin de différence dans votre taille.

En fait, ces exercices traditionnels causent souvent ou aggravent une douleur de la partie inférieure du dos en tirant sur la partie antérieure de la colonne vertébrale, ce qui cause une inclinaison du bassin. Quand cela se produit, votre dos oscille vers l'intérieur et la partie inférieure de votre abdomen est poussée vers l'extérieur. La posture que vous finirez par adopter mettra en vedette un ventre rond.

D'une certaine manière, c'est une bonne nouvelle d'apprendre que les redressements assis et les levers de jambes n'ont aucune efficacité pour resserrer la taille et nous tonifier l'abdomen. Cela veut dire que nous n'avons pas à les faire !

Les exercices abdominaux ci-après, de même que la technique de vide abdominal décrites dans ce destructeur sont ceux que j'ai trouvés les plus efficaces. Et comme vous le verrez, un certain nombre d'entre eux peuvent être faits avec des variations. Vous avez le choix de les faire tous chaque jour ou d'en répéter seulement quelques-uns. Mais je vous recommande d'essayer chacun d'entre eux au début afin de découvrir lesquels vous préférez et d'avoir une idée sur ceux qui semblent vous profiter le plus.

Exercice de respiration transpyramidale

Cet exercice, plus complet que la technique de vide abdominal, vous permettra de tonifier et de renforcer vos muscles abdominaux. On l'appelle l'exercice de respiration transpyramidale à cause des deux muscles qu'il touche : le transverse et le pyramidal. Les spécialistes le nomment souvent exercice de contractions volontaires, mais peu importe son nom, « c'est sans conteste l'exercice le plus important pour aplatir l'abdomen », déclare Lawrence E. Lamb, médecin consultant au President's Council on Physical Fitness and Sports et auteur de *Stay Youthful and Fit and The Weighting game : The Truth about Weight Control.*

1. Allongé sur le dos, les épaules détendues, fléchissez vos genoux afin que vos pieds reposent bien à plat sur le sol. Placez vos mains de chaque côté des hanches, vos doigts couvrant l'abdomen. L'index de chaque main devrait pointer vers le nombril sans nécessairement le toucher.

2. Respirez profondément, puis expirez. Remarquez le mouvement de votre abdomen en expirant. Après l'expiration, vous devriez sentir que votre abdomen s'est contracté vers l'intérieur, près de la colonne. Cette sensation confirme également que vos muscles transversaux et pyramidaux travaillent.

3. Maintenant, inspirez. Remarquez la façon dont vos abdominaux se décontractent vers l'extérieur.

4. Répétez l'exercice en exagérant vraiment les mouvements de rentrée du ventre durant l'expiration et de sortie du ventre durant l'inspiration. (Le mouvement à l'expiration est celui qui tonifie le mieux les muscles de l'abdomen.)

5. À la fin de chaque expiration, resserrez les abdominaux inférieurs afin d'accentuer davantage le mouvement vers l'intérieur. La prochaine fois que vous inspirerez, relâchez consciemment vos muscles vers l'extérieur et sentez bien le mouvement des doigts.

C'est une bonne idée d'apprendre à exécuter ce mouvement quand vous êtes allongé au sol dans une position

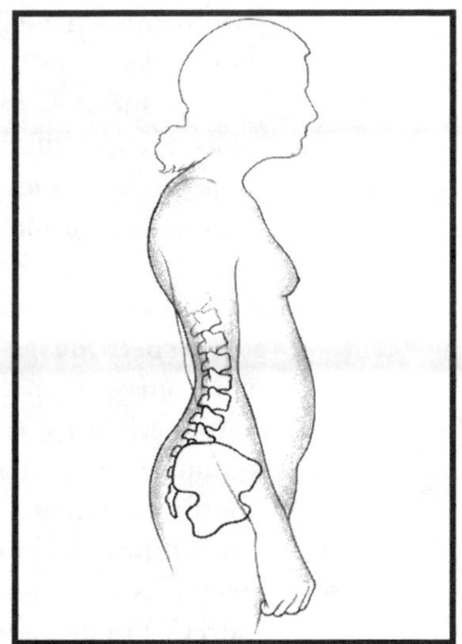

En faisant des redressements assis et des levers de jambes, vos muscles abdominaux pourraient tirer sur la partie inférieure avant de la colonne vertébrale et pousser l'abdomen inférieur vers l'extérieur.

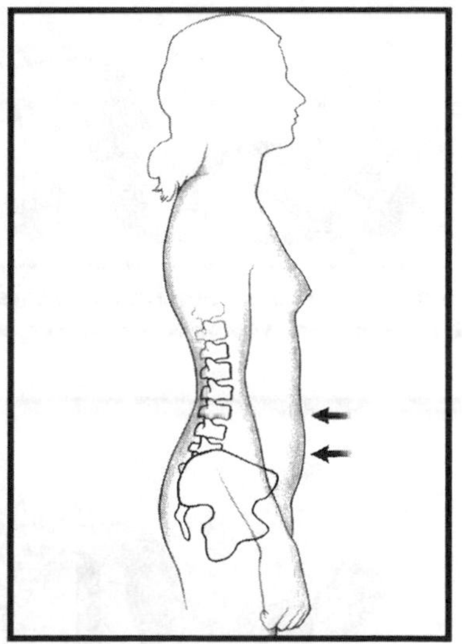

En faisant ces exercices, vous rentrez vos abdominaux et aplatissez ainsi votre ventre.

confortable. Une fois l'exercice bien maîtrisé, vous pourrez effectuer les mouvements debout ou assis.

Variations : Si vous faites ces exercices en position assise, vous devriez utiliser une chaise à dossier très droit. Expirez lentement. Vers la fin de l'expiration, essayez d'expirer davantage en utilisant la force de vos abdominaux inférieurs. Au début, vous utiliserez peut-être vos mains pour guider le mouvement durant l'expiration.

Répétitions : Travaillez progressivement jusqu'à ce que vous puissiez répéter ces exercices dix fois par jour, sans nécessairement les effectuer tous en même temps. Pratiquez-les n'importe où – un ou deux dans votre lit avant de vous lever le matin, quelques-uns avant chaque repas ou d'autres quand vous faites des courses ou en rentrant chez vous le soir. Ces exercices peuvent être exécutés debout, vous pouvez donc les faire à la cuisine devant votre plan de travail ou au bureau avant de vous asseoir.

Redressements abdominaux

Ces exercices ont plusieurs noms et ce sont les mouvements les plus simples et les plus efficaces pour tonifier votre abdomen supérieur. Voici comment les exécuter.

1. Allongez-vous sur le dos, les genoux fléchis, les mollets bien à plat sur le siège de la chaise et les pied dégagés, comme le montre l'illustration. (Si vous trouvez que la chaise n'est pas à une hauteur adéquate pour votre confort, vous pouvez simplement fléchir un peu les genoux et mettre vos pieds à plat sur le sol). Croisez les bras sur votre poitrine.

2. En laissant la partie médiane et inférieure de votre dos bien au sol, soulevez lentement

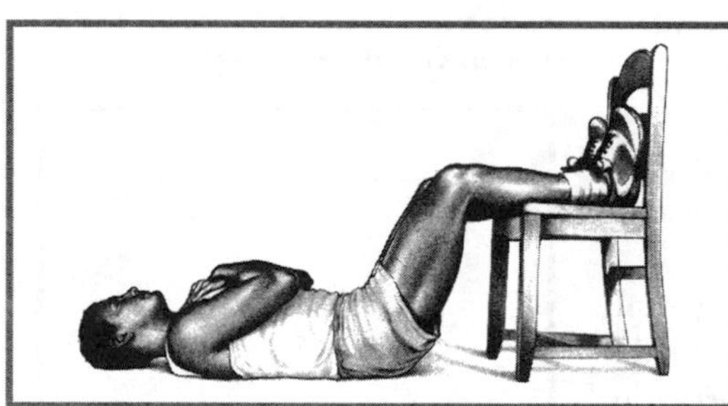

Au début du redressement, votre torse devrait être détendu et vos bras croisés sur la poitrine.

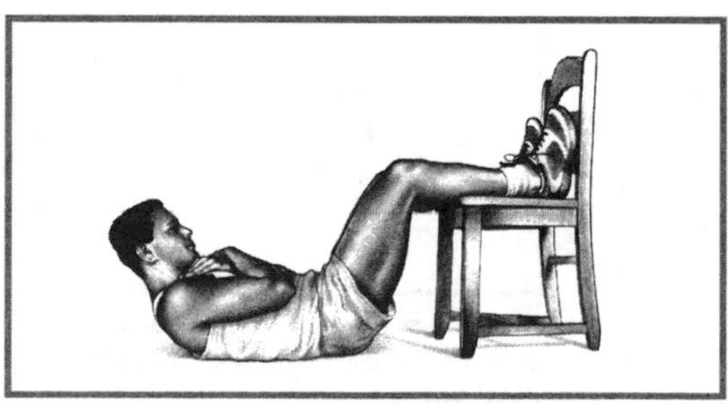

En soulevant la tête et les épaules, vous ressentirez l'étirement des abdominaux.

votre tête et vos épaules du plancher à un angle de 30 à 45 degrés. Gardez le ventre plat durant le mouvement. Faites en sorte qu'il ne gonfle pas lorsque vous soulevez le torse.

3. Faites une pause d'une seconde avant de retourner lentement le torse à sa position de départ.

Lorsque vous effectuez cet exercice, faites en sorte de garder vos jambes et vos pieds bien dégagés. Peut-être pensez-vous qu'il serait préférable de placer les pieds sous un fauteuil en vue d'un meilleur soutien, mais je vous le déconseille. Vos abdominaux n'en bénéficieraient pas vraiment. Vous travailleriez plutôt les fléchisseurs de la hanche, ce qui ajouterait une très grande pression sur la partie inférieure du dos.

Faites en sorte également de garder les bras croisés sur votre poitrine, comme l'indique l'illustration. En soulevant brusquement les bras, vous pourriez vous blesser le cou.

Répétitions : Au début, allez y de façon progressive. Exécutez quelques mouvements, puis reposez-vous et voyez comment vous vous sentez. Si vous ne ressentez aucun inconfort ou aucune douleur, augmentez le nombre de mouvements jusqu'à 25 ou plus au cours des semaines qui suivront.

La bonne position des redressements d'expiration consiste à s'allonger au sol, détendu, en respirant normalement.

Redressement d'expiration

Cet exercice combine le redressement abdominal et l'exercice de respiration transpyramidale, en un seul mouvement qui renforcera vos muscles abdominaux. Regardez les illustrations, puis suivez les directives suivantes.

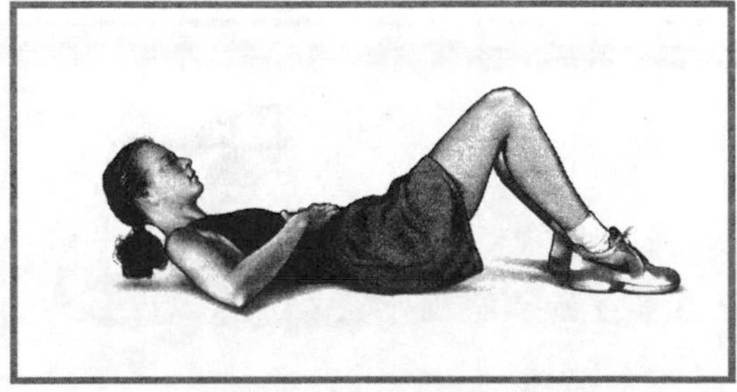

Lorsque vous expirez en soulevant le cou et les épaules, le mouvement met de la pression sur les abdominaux.

1. Allongez-vous sur le dos, les genoux fléchis et les pieds bien à plat sur le sol. Placez vos doigts sur l'abdomen, les index pointant vers le nombril.

2. Exécutez le redressement

comme l'indique l'illustration, en ne soulevant que la partie supérieure du torse.

3. À la fin du mouvement, expirez lentement.

4. Attendez une seconde ou deux avant de revenir doucement à la position de départ.

Répétitions : Répétez cinq ou six fois.

Redressement et torsion d'expiration

Cet exercice, ainsi que le suivant (rotation opposée du tronc), raffermissent vraiment la taille. Voici comment exécuter le mouvement.

1. Allongez-vous sur le dos, les genoux fléchis, les pieds bien à plat au sol et la tête appuyée dans le creux de vos mains.

2. Imaginez ensuite que votre abdomen s'enfonce dans la partie inférieure de votre dos. essayez de retenir cette image pendant l'exécution du mouvement.

3. Commencez par un redressement abdominal régulier, en laissant toutefois la partie inférieure de votre omoplate au sol lorsque vous soulevez la tête et les épaules.

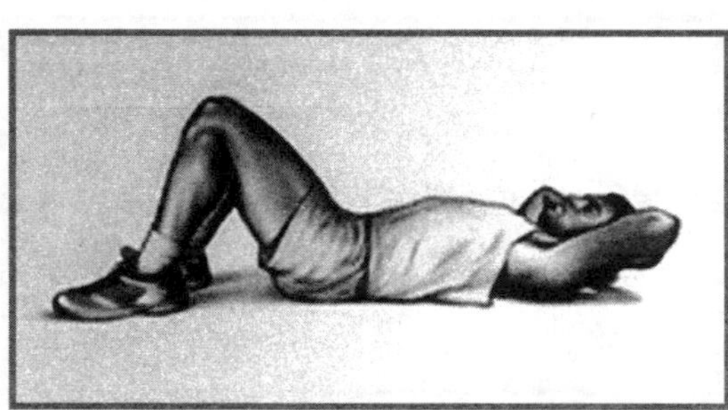

Reprenez la position de l'exercice de respiration transpyramidale pour exécuter le présent exercice.

Soulevez un coude et amenez-le vers le genou opposé – en expirant et détendant vos muscles du dos.

4. Effectuez ensuite un exercice de respiration transpyramidale, en expirant pour fléchir les muscles abdominaux lorsque vous amenez lentement le coude vers le genou opposé, comme le montre l'illustration. En effectuant le mouvement, gardez le coude et le dos détendus, afin d'assurer une torsion souple à partir de la taille, et non du bras ou de l'épaule.

5. Retournez à la position de départ.

6. Répétez en amenant l'autre coude et la cage thoracique dans la direction du genou opposé.

Répétitions : Répétez cinq fois de chaque côté. Même si vous augmentez le nombre de répétitions, faites en sorte que les mouvements soient toujours lents et réguliers.

Rotations opposées du tronc

Voici un autre exercice excellent pour une bonne forme abdominale. Ce mouvement implique les obliques internes et externes, muscles de rotation de la partie médiane du corps, qui permettent de tonifier l'abdomen.

En effectuant ces exercices, vous raffermirez également les muscles transversaux du rachis, c'est-à-dire les muscles multifide, rotateurs et spinaux, de même qu'un important muscle de la partie inférieure du dos, le carré des lombes. L'étendue des mouvements de l'exercice favorise à la fois la souplesse et la force de la taille et du bas du dos, combinaison idéale pour prévenir les blessures et les douleurs du dos.

1. Allongez-vous sur le dos, les bras en croix comme le montre l'illustration. Les bras doivent être perpendiculaires au corps afin de former un T .

2. Fléchissez les genoux, qui sont collés ensemble, en ramenant les talons vers vos fesses.

Lorsque vous commencez les rotation opposées du tronc, vos talons doivent être rapprochés le plus possible de vos fesses.

3. En conservant le même angle, inclinez lentement vos jambes d'un côté jusqu'à ce que votre jambe extérieure repose entièrement sur le sol.

4. Ramenez lentement vos jambes à la position de départ. Afin de bien étirer vos obliques internes et externes, vos épaules et vos bras doivent garder contact avec le sol pendant l'exercice.

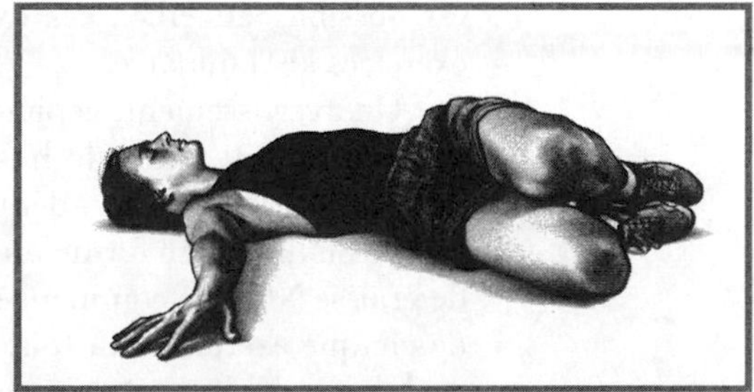

Afin d'en tirer les meilleurs bienfaits, essayez de maintenir le même angle quand vous abaissez vos genoux au sol.

5. Répétez le mouvement en abaissant les jambes de l'autre côté de votre corps.

Variations : Si vos épaules se soulèvent du sol alors que vous abaissez les jambes, vous voudrez peut-être demander à un ami de vous aider à les maintenir immobiles. Si vous trouvez encore l'exercice difficile, abaissez moins les jambes ou demandez à un partenaire de soutenir vos jambes durant le mouvement. Avec l'aide d'un partenaire, vérifiez, pour chaque côté, les niveaux de souplesse et de force actuels.

Un spécialiste en médecine de réadaptation suggère une autre petite variation qui facilite davantage l'exercice. « En abaissant doucement les jambes au sol, ramenez un peu vos genoux vers les épaules », explique René Cailliet, médecin, président du service de la médecine de réadaptation à la Faculté de médecine de l'université de la Californie du Sud, à Los Angeles.

En vous sentant devenir plus en forme, essayez de rentrer vos talons davantage vers votre corps et d'élever vos genoux plus haut. Cette variation rend l'exercice plus difficile à exécuter, puisque les genoux sont à un angle de 90 degrés par rapport au sol.

Répétitions : Commencez avec quelques mouvements, puis augmentez le nombre progressivement jusqu'à ce que vous en atteigniez de six à dix par répétition. En gagnant de la force, fléchissez davantage les genoux.

Tonus musculaire du bas du dos

Votre posture et la force de votre dos peuvent annoncer de combien débordera votre ventre et, également, si vous pouvez ou non exécuter agréablement et en toute sécurité d'autres exercices sans vous blesser ou ressentir une fatigue provoquée par les excès de tension. Voici quelques exercices simples, chacun d'eux recommandé par au moins un spécialiste en médecine sur les problèmes de dos. Ces exercices vous permettront de vous étirer doucement et de renforcer votre dos. Si cela vous est possible, effectuez ces exercices les mêmes jours que les exercices abdominaux.

Un avertissement, cependant : il est préférable d'amorcer ces exercices de tonus du bas du dos seulement après une période d'échauffement adéquate, par exemple une marche rapide ou une autre forme d'exercice aérobique du Destructeur de graisse N° 4. Ne commencez que par une ou deux répétitions de chaque exercice à la fois. Si vous avez des antécédents de problèmes de dos, ou avez actuellement mal au dos, consultez votre médecin avant d'entreprendre un programme d'exercice.

Lever simple de genou vers la poitrine

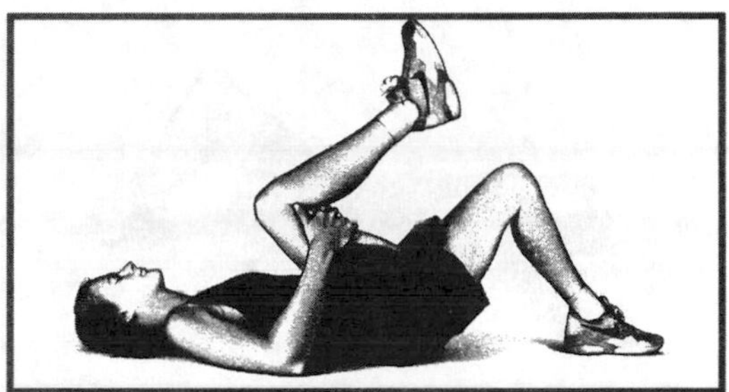
Lorsque vous faites des levers de genou vers la poitrine, vous devriez ressentir un étirement le long du dos et de la hanche.

Cet exercice facile vous permet d'étirer les muscles et les tissus conjonctifs de votre dos et de vos hanches.

1. Allongez-vous sur le dos, les deux genoux fléchis et les pieds bien plats au sol.

2. Levez une jambe et fléchissez le genou jusqu'à ce que vous ne puissiez retenir votre cuisse de vos mains.

3. Tirez doucement le genou vers votre poitrine et comptez lentement jusqu'à cinq. Détendez-vous.

4. Relâchez votre jambe et revenez lentement à la position de départ.

5. Répétez avec l'autre jambe.

Répétitions : Répétez six à dix fois pour chaque jambe.

Étirements du bas du dos en position assise

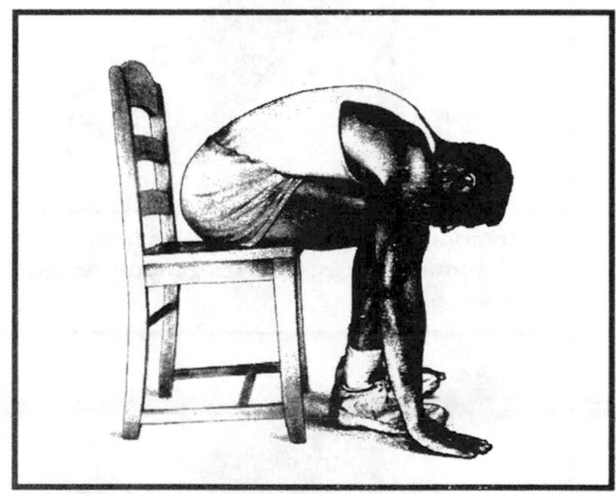
Si vous ne pouvez pas toucher le sol avec la paume de vos mains, étirez-vous le plus loin possible, cependant sans sautiller.

L'avantage de ces étirements est que vous pouvez les faire presque partout – à la maison, au bureau et où bon vous semblera. Cependant, n'essayez pas de les exécuter rapidement, où que vous soyez, puisqu'ils étirent vraiment au maximum le bas du dos. Des mouvements soudains pourraient léser vos muscles.

1. Asseyez-vous droit sur une chaise, les pieds plats au sol et les genoux écartés.

2. Inclinez-vous vers l'avant lentement et doucement, jusqu'à ce que vous puissiez placer la paume de vos mains sur le sol.

3. Retenez cette position pendant cinq secondes.

Répétitions : De six à dix fois.

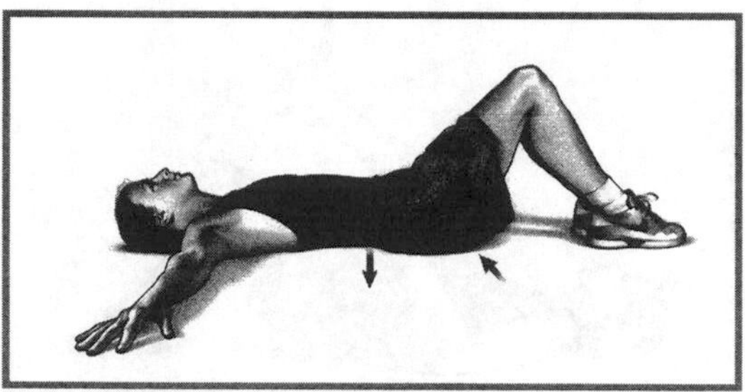

En pressant le creux du dos contre le sol, vous déplacez la position de votre bassin, ce qui vous permet de mieux aligner votre dos.

Inclinaison du bassin

Cet exercice de détente, simple à exécuter, raffermit les structures de la partie intérieure de la colonne. Il permet également un étirement du dos.

1. Allongez-vous sur le dos, les bras allongés en T, les genoux fléchis et les pieds bien à plat au sol, comme le montre l'illustration.

2. Pressez doucement le creux de votre dos contre le sol.

3. Restez quelques secondes dans cette position.

Répétitions : De six à dix fois.

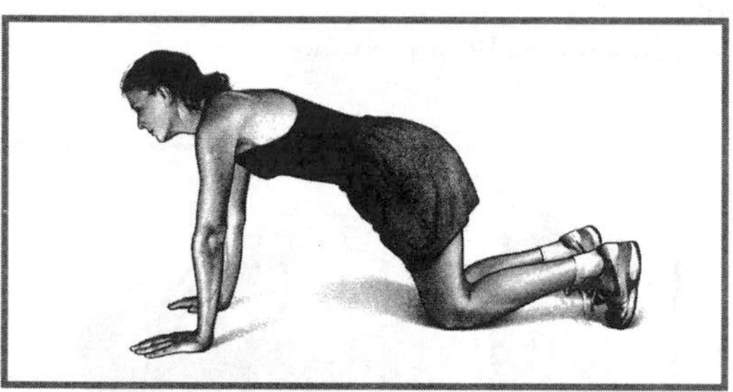

À la traction complète des bras, les bras sont complètement étirés, mais les genoux restent fléchis au sol.

Abaissez lentement votre corps vers le sol. Vous sentirez un étirement dans vos épaules et la partie supérieure du dos

Tonus musculaire de la poitrine, des épaules et de la partie supérieure du dos

Les muscles de la partie supérieure du dos et des épaules sont étroitement liés. Il semble donc logique de les travailler simultanément. Trois exercices précis – les tractions modifiées (pompes), les étirements des épaules et de la poitrine et les croisés des bras – servent surtout à raffermir et à tonifier tous les groupes musculaires. Il est préférable de faire ces trois séries d'exercices si l'on veut obtenir les meilleurs résultats.

Tractions modifiées « pompes »

Cette variation d'un exercice bien connu raffermit les muscles de vos bras, de vos épaules et de votre dos. Même si vous ne pouvez pas élever vos genoux du sol au début, vous y parviendrez sûrement avec le temps.

1. Allongez-vous, la face contre le sol et les genoux collés.

2. Placez la paume de vos mains à plat sur le sol de chaque côté de votre poitrine, à la hauteur des épaules, environ.

3. Supportez le poids de la partie supérieure de votre corps sur vos bras, en laissant les genoux en contact avec le plancher pendant que vous soulevez lentement votre corps. Pendant ce mouvement, gardez votre dos le plus droit possible.

4. Revenez doucement à la position de départ.

Variations : Afin d'augmenter l'effet de raffermissement sur la partie supérieure de vos bras et de votre dos, placez vos mains sous vos épaules avant d'effectuer les tractions. Pour un même résultat sur la poitrine, déplacez vos mains un peu vers l'extérieur afin que l'écart soit légèrement plus grand que la largeur des épaules.

Répétitions : De six à 25 fois.

Étirement des épaules et de la poitrine

Vous aurez besoin de poids dans l'exécution de cet exercice. Les altères ajustables se vendent avec des pièces qui pèsent respectivement 200 g, 500 g et 1 kg. Si vous ne possédez pas d'haltères, commencez l'exercice en tenant un livre, par exemple. Vous pouvez toujours mettre de l'eau dans une bouteille de plastique munie d'une poignée résistante. Remplissez la bouteille jusqu'au poids désiré et fermez-la hermétiquement.

1. Asseyez-vous droit sur une chaise, les bras de chaque côté de votre corps, en tenant vos haltères.

2. En gardant les coudes droits, élevez lentement vos bras devant vous, puis vers le ciel.

3. Faites une pause lorsque vos bras sont presque complètement allongés au-dessus de votre tête.

4. Revenez lentement à la position de départ.

5. Après avoir terminé l'exercice sur un côté, recommencez de l'autre côté avec les haltères.

Répétitions : De six à dix fois. Si vous ne pouvez pas exécuter six répétitions parfaites sans être trop fatigué pour lever

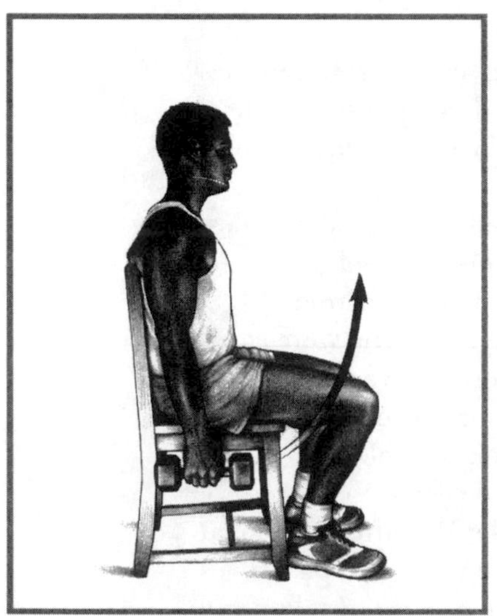

En commençant les étirements des épaules et de la poitrine, vos bras devraient être détendus, le long de votre corps.

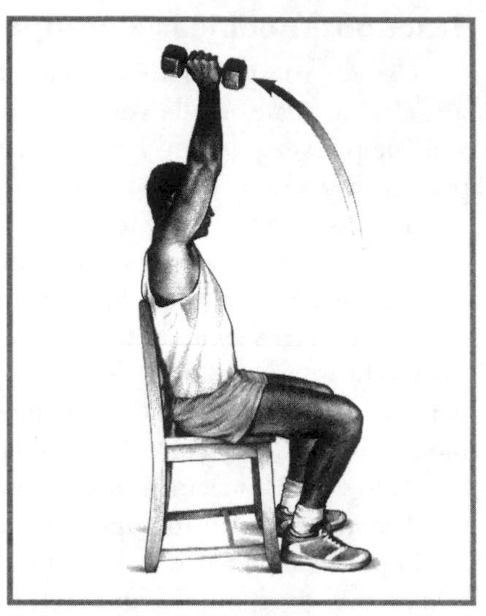

Assurez vous de bien allonger vos bras en levant les haltères, utilisant ainsi les muscles de l'épaule et de la partie supérieure du bras.

l'haltère, c'est que cette dernière est trop lourde. Échangez-la pour une autre plus légère. En revanche, si vous pouvez exécuter facilement dix répétitions, augmentez le poids de votre haltère.

Croisé des bras

Voici un autre exercice avec des haltères qui fera travailler sérieusement les muscles de la partie antérieure de vos épaules et de votre poitrine. Vous pouvez utiliser des livres de poids égal ou des bouteilles remplies de la même quantité de liquide, si vous ne possédez pas d'haltères.

1. Allongez-vous sur le dos, les genoux fléchis et les pieds dans une position confortable. Pressez le creux de votre dos contre le plancher. Tenez une haltère dans chaque main, comme le montre

Au début des croisés, vos avant-bras doivent être droits, perpendiculaires au sol, la paume tournée vers votre poitrine.

l'illustration, les coudes pliés à une angle de 90 degrés.

2. Étendez vos bras vers l'extérieur, à la même hauteur que les épaules, la paume des mains tenant toujours les haltères vers le ciel.

En gardant les coudes légèrement fléchis, soulevez vos bras très lentement en formant un arc jusqu'à ce que les mains se joignent au-dessus de la tête.

4. Dégagez lentement les haltères et renversez le mouvement jusqu'à ce que vous reveniez à la position de départ.

Répétitions : De six à dix fois.

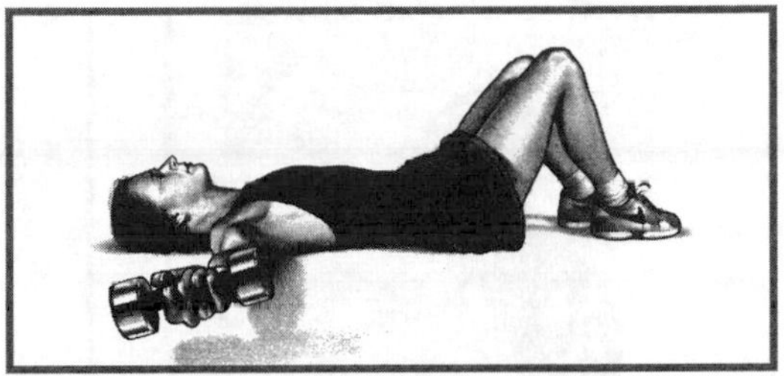

Abaissez doucement les haltères vers le sol, en essayant de conserver la tension qui se fait sentir dans vos épaules et votre poitrine.

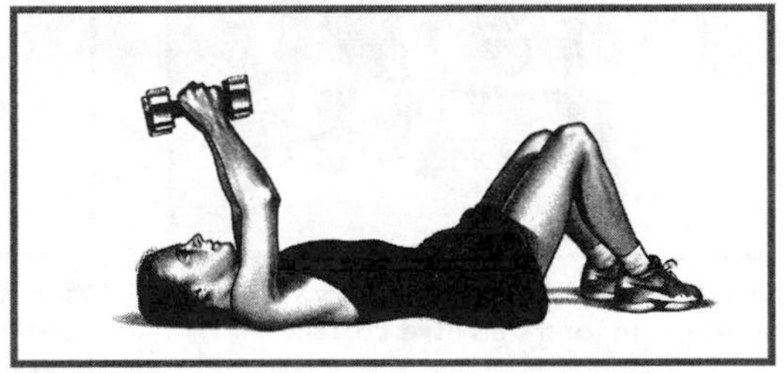

Soulevez lentement les haltères au-dessus de votre poitrine, tout en maitenant la tension que vous sentez dans vos épaules et votre poitrine.

Tonus musculaire des bras

Les deux exercices qui suivent vous permettront de travailler à la fois les muscles antérieurs et postérieurs du bras. Vous devrez utiliser des haltères ou d'autres formes de poids durant l'exécution des mouvements. Comme dans tout exercice qui exige l'utilisation d'haltères, vous devrez également expérimenter avec lesquels vous travaillerez afin de trouver le poids qui vous convient au début. Vous pourrez ajuster la pesanteur à mesure que vos muscles se tonifient.

Fléchissements des bras

Cet exercice simple et populaire permet de raffermir les biceps de la partie antérieure du bras et de tonifier les muscles de l'avant-bras.

1. Asseyez-vous sur une chaise ou sur un banc.

2. En tenant une haltère dans une main, soulevez l'avant-bras jusqu'aux épaules en pliant le coude. À la fin du mouvement, la paume de vos mains devrait faire face à votre

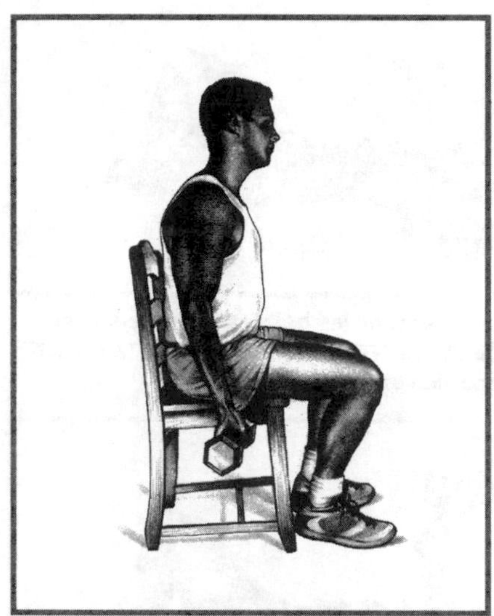

Au début de l'exercice, les bras sont allongés le long de votre corps.

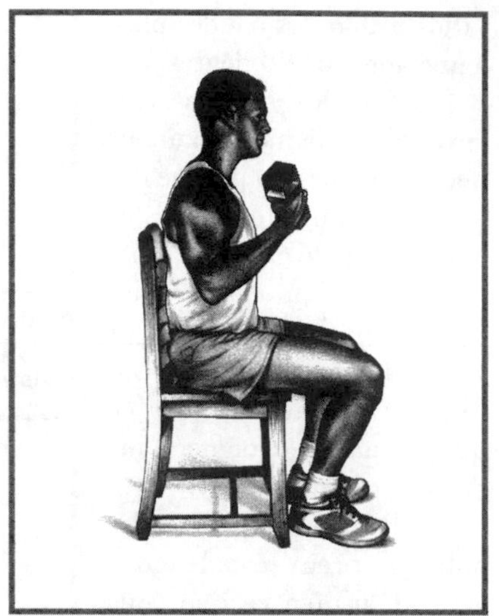

Vous devriez ressentir une tension dans vos biceps lorsque vous pliez le bras qui tient l'haltère vers votre poitrine.

poitrine, comme le montre l'illustration.

3. Revenez lentement à la position de départ.

4. Après avoir terminé les répétitions, effectuez le même nombre avec l'autre bras.

Variations : Vous pouvez exécuter ce mouvement en exerçant les deux bras à la fois ou encore en plaçant les bras de façon à ce que les paumes soient vers le sol.

Il existe également une autre variation isométrique, qui consiste à exercer une pression contre un objet fixe plutôt que de se servir d'haltères. Le Dr Stamford suggère cette variation, qui s'effectue facilement depuis votre bureau. Assis dans une position normale, poussez simplement contre le rebord du pupitre et exercez des pressions de six secondes. Selon le Dr Stanford, répété de cinq à dix fois, cet exercice isométrique vous aidera à tonifier vos muscles.

Répétitions : De six à vingt-cinq fois.

Extension arrière du bras

Cet exercice simple permet de tonifier les triceps de la partie postérieure de vos bras. Vous aurez besoin d'une chaise ou

Au début du mouvement, votre bras devrait être collé contre votre torse et l'avant-bras , en position de pendule.

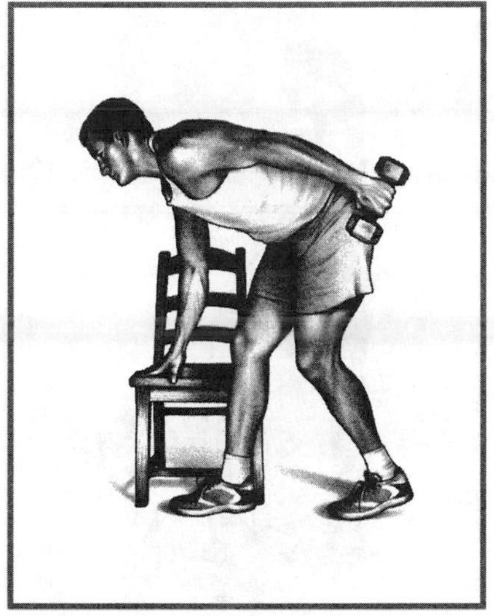

Lorsque vous redressez le bras à l'horizontale vers l'arrière, vous devriez ressentir une tension des triceps.

d'un banc afin d'appuyer l'autre bras durant l'exercice.

1. Placez-vous de côté, le pied droit légèrement vers l'avant et le pied gauche derrière. Prenez l'haltère de la main gauche et pliez le coude à la taille. Placez votre main droite sur la chaise. Votre torse devrait être quasiment parallèle au sol, le dos le plus droit possible comme le montre l'illustration.

2. Élevez votre bras gauche vers l'arrière, c'est-à-dire celui qui tient l'haltère, jusqu'à ce qu'il soit parallèle au torse. Le coude doit être fléchi à un angle d'environ 90 degrés et est presque collé contre le torse, et l'avant-bras doit pendre vers le sol si vous êtes dans une bonne position

3. Étendez lentement votre bras vers l'arrière, en soulevant l'haltère, jusqu'à ce qu'il soit un peu plus haut que les fesses.

4. Revenez lentement à la position de départ.

5. Tournez-vous, prenez l'haltère dans l'autre main, placez la main gauche sur la chaise et repétez l'exercice avec votre bras droit.

Répétitions : Alternez et exécutez de six à dix répétitions de chaque côté.

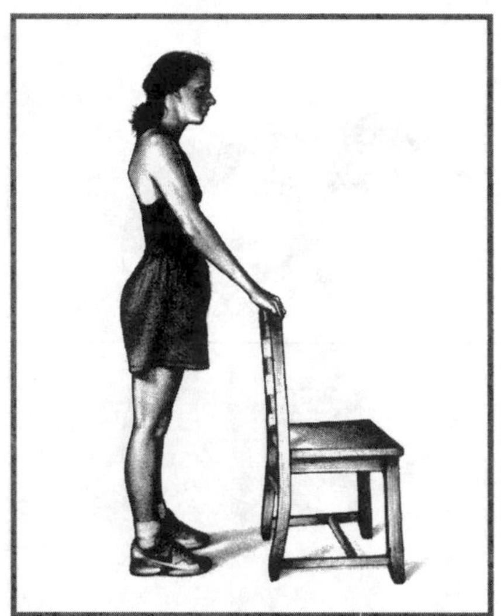

Tenez-vous très droit, sans vous incliner contre la chaise pour vous soutenir, quand vous commencerez les fléchissements de genoux modifiés.

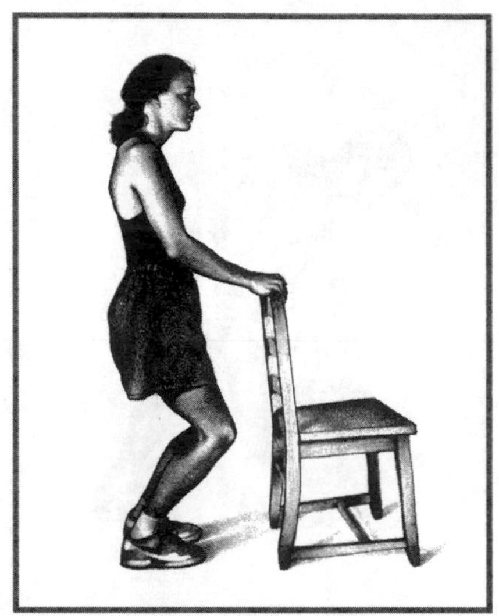

En fléchissant les genoux, gardez le corps bien droit, aligné à la verticale avec les talons.

Tonus musculaire des cuisses et des fesses

Vous pouvez choisir deux ou trois des exercices suivants selon le temps que vous avez à votre disposition. Faites attention de bien exécuter les exercices choisis lentement et sûrement. En les effectuant, vous ressentirez une tension dans la zone exercée. Vous pouvez choisir les exercices qui répondent le mieux à vos besoins en matière de tonus musculaire.

Fléchissements de genoux modifiés

Cet exercice de raffermissement des jambes est facile à effectuer n'importe où. Bien que les cuisses et les fesses en profitent le plus, les autres muscles des jambes en bénéficient également. Pour des résultats favorables, il est préférable de s'appuyer sur une chaise, un bureau ou un plan de travail afin d'avoir un bon soutien. comme le montre l'illustration.

1. Commencez en position debout, les pieds plats au sol, et les épaules bien dégagées.

2. En vous tenant sur la chaise, fléchissez lentement les genoux jusqu'à ce que vos cuisses soient presque parallèles au

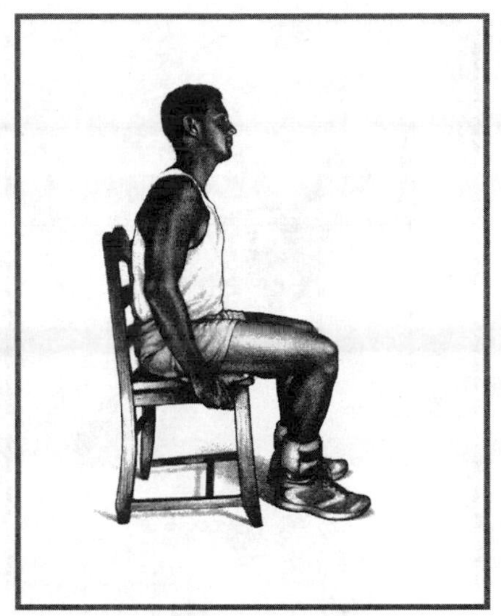

On peut exécuter le mouvement d'extension des jambes à partir d'une chaise ou d'un banc.

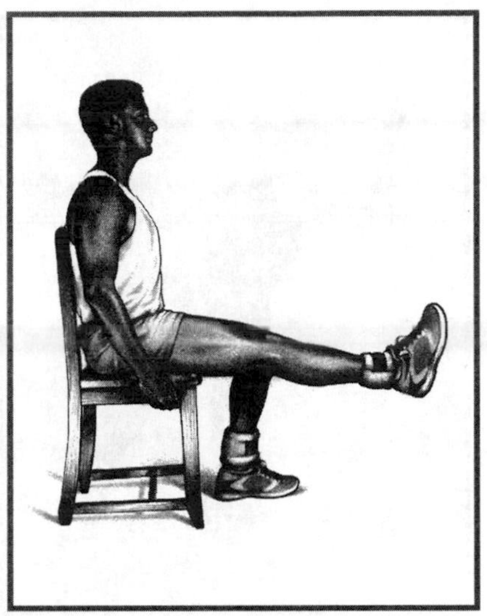

Vous ressentirez de la tension le long de votre cuisse en élevant la jambe en position horizontale.

sol, un peu comme si vous étiez assis sur la chaise.

3. Revenez à la position de départ.

4. Terminez le mouvement en soulevant les talons jusqu'à ce que vous soyez sur la pointe des pieds.

Répétitions : De six à 25 fois.

Extension des jambes en position assise

Vous pouvez utiliser des haltères de cheville pour exécuter cet exercice. On les trouve dans les magasins de sport. Choisissez des haltères bien rembourrées et faciles à ajuster autour du mollet, près de la cheville. Pour les personnes aux jambes fortes, on suggère d'utiliser deux haltères par jambe.

1. Mettez vos haltères, asseyez-vous sur une chaise ou un banc le dos droit et les pieds bien à plat sur le sol. Tenez le siège des deux mains.

2. Soulevez le genou un peu pour dégager le pied. Soulevez, puis allongez la jambe jusqu'à ce qu'elle soit entièrement parallèle au sol. Conservez la position et comptez jusqu'à quatre ou cinq.

3. Retenez la tension de vos muscles en abaissant lentement la jambe vers la position de départ.

La bonne position pour l'extension latérale des jambes : la jambe exercée est droite et soulevée.

Inclinez-vous contre le soutien en élevant davantage la jambe latéralement, en portant ainsi de la tension sur la cuisse.

4. Faites le même nombre de répétitions avec l'autre jambe. ***Répétitions :*** De six à 25 fois.

Extension latérale des jambes

Vous aurez besoin d'un soutien quelconque en effectuant cet exercice . Vous pouvez vous tenir sur le cadre d'une porte ou encore sur le coin d'un bureau ou d'une table. À mesure que vos jambes prendront de la force, vous pourrez porter des haltères ajustables aux chevilles et en augmenter le poids quand vos cuisses auront raffermi davantage.

1. En vous appuyant contre votre soutien, soulevez la jambe opposée latéralement vers l'extérieur jusqu'à ce que vous ressentiez une tension le long des muscles externes de votre cuisse.

2. Gardez cette position pendant quelques secondes.

3. Abaissez lentement la jambe, mais sans toucher le sol.

4. Répétez le mouvement.

5. Après avoir terminé le nombre de répétitions requises pour cette jambe, changez de côté et refaites l'exercice complet de l'autre côté.

Horaire hebdomadaire de mise en forme

En lisant ce chapitre, vous vous demanderez sûrement comment vous parviendrez à faire tous les exercices suggérés. Chaque personne bâtit son horaire selon ses disponibilités. Cependant, afin de vous faciliter la tâche, voici un exemple d'horaire qui vous permettra de bien tonifier vos muscles.

Tous les jours

Une série d'exercices abdominaux, à faire partout

- Exercice de respiration transpyramidale : 10 répétitions

Lundi, mercredi, vendredi

Une série d'exercices pour raffermir le dos

- Tractions modifiées : de 6 à 25 répétitions
- Étirement des épaules et de la poitrine : de 6 à10 répétitions
- Croisé des bras : de 6 à10 répétitions

Une série d'exercices pour raffermir les bras

- Fléchissement des bras : de 6 à 25 répétitions
- Extension arrière du bras : de 6 à10 répétitions chaque bras

Mardi, jeudi, samedi

Une série d'exercices pour raffermir le dos

- Redressements abdominaux : 25 répétitions
- Redressement d'expiration : 5 ou 6 répétitions
- Redressement et torsion d'expiration : 5 répétitions de chaque côté
- Rotations opposées du tronc : de 6 à10 répétitions

Une série d'exercices pour raffermir le bas du dos

- Lever simple de genou à la poitrine : de 6 à10 répétitions
- Étirements du bas du dos en position assise : 6 à10 répétitions
- Inclinaison du bassin : 6 à10 répétitions

Une série d'exercices pour raffermir les cuisses et les fesses

- Fléchissements de genoux modifiés : de 6 à 25 répétitions
- Extension de jambes en position assise : de 6 à 25 répétitions chaque jambe
- Extension latérale des jambes : de 6 à 25 répétitions
- Lever des fesses : de 6 à10 répétitions

Une série d'exercices pour raffermir les mollets

- Étirements des mollets en position debout : de 10 à 50 répétitions

Au début du lever des hanches, vous devriez être allongées sur le sol, le torse détendu.

Resserrez les fesses afin de soulever les hanches du plancher.

Répétitions : De six à vingt-cinq.

Lever des hanches

Cet exercice simple et efficace tonifie les muscles des fesses grâce à des contractions volontaires. Vous n'aurez pas besoin d'haltères pour cet exercice.

1. Allongez-vous sur le dos, les bras étendus en T, les paumes vers le sol. Fléchissez les genoux, les pieds bien à plat sur le sol. Dégagez un peu les genoux et les pieds.

2. Soulevez lentement vos hanches et le bas du dos, tout en gardant la tête, les épaules, les bras, les mains et les pieds bien au sol.

3. Cambrez bien le bas du dos et resserrez les fesses. Retenez quelques secondes.

4. Revenez lentement à la position de départ.

Répétitions : De six à dix fois.

Tonus musculaire du mollet

Un seul exercice vous permettra de bien tonifier les muscles de vos mollets – l'étirement des mollets en position debout. Cet exercice est exécuté sans haltères. Vous aurez quand même besoin d'une petite planche de bois pour la pointe du pied et de deux chaises comme soutien corporel.

Étirement des mollets en position debout

Afin de vous placer dans la bonne position, mettez les chaises dos à dos en les espaçant suffisamment pour pouvoir vous soutenir confortablement, comme le montre l'illustration. Placez-vous entre les deux chaises, les bras étirés et les mains appuyées sur les dossiers. Placez ensuite les orteils et la pointe du pied sur la planche, comme le montre l'illustration. Vos talons devraient être parallèles à la hauteur de la planche afin que vos pieds soient totalement dégagés du sol. gardez votre dos très droit et fléchissez légèrement les genoux.

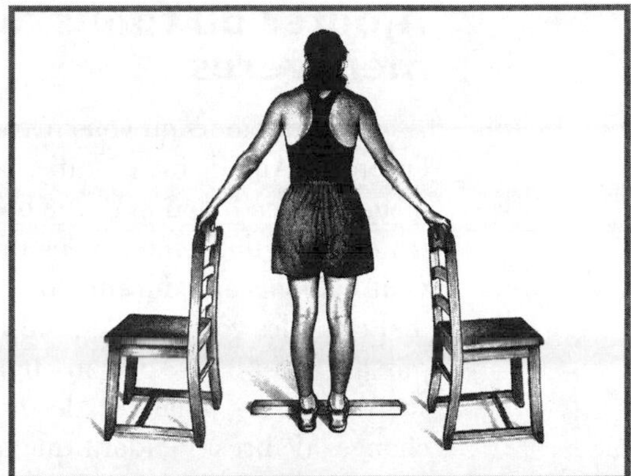

Avant de commencer les étirements des mollets, abaissez les talons au sol. Gardez votre dos droit, les genoux légèrement fléchis et les orteils qui pointent devant vous.

1. Abaissez vos talons le plus près du sol possible tout en étant confortable. Ils ne doivent pas nécessairement toucher le sol, mais vous devriez ressentir une tension dans vos mollets. Effectuez l'exercice de façon à ce que vos talons ne soient pas inclinés latéralement.

2. Soulevez-vous très lentement sur la pointe des pieds jusqu'à ce que vos talons aient vraiment dégagé le dessus de la planche.

3. Revenez lentement à la position de départ, en ramenant vos talons le plus près du sol.

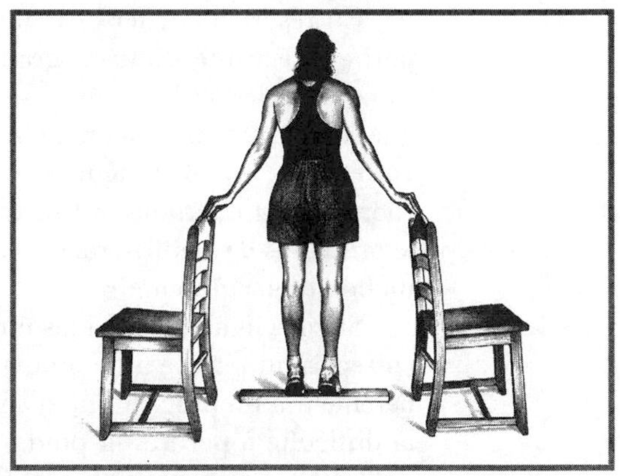

En vous élevant sur la pointe des pieds, vous ressentirez une tension dans les muscles du mollet.

Variations : Pour une version plus difficile de cet exercice, essayez l'étirement une jambe à la fois.

Afin de tonifier davantage les muscles des mollets, exécutez le mouvement de variation suggéré, mais en gardant les genoux droits. Cela vous permettra d'étirer un autre groupe de muscles. (Effectuez les répétitions jusqu'à ce que vous vous sentiez trop fatigué pour continuer.)

Vous pouvez également varier l'exercice en fléchissant les genoux lorsque vous revenez à la position de départ et en raidissant les jambes lorsque vous êtes en pleine extension.

Répétitions : De dix à cinquante fois.

Ajouter du tonus durant les tâches ménagères

Il y a des jours où vous n'avez pas une minute pour faire de l'exercice. Afin de bien tonifier vos muscles, planifiez vos tâches ménagères en fonction d'une bonne mise en forme. Vous pourrez donc graduellement vous raffermir en poussant, tirant, levant et bougeant durant vos activités quotidiennes. Essayez d'alterner les côtés et d'équilibrer vos mouvements en accomplissant ces tâches. Si vous tenez un porte-documents ou un sac de courses, changez de main. Si vous portez un enfant, changez de bras. Pendant que que vous êtes debout devant un plan de travail, déplacez votre poids d'une jambe à l'autre.

Tondre la pelouse, nettoyer les plates-bandes ou déblayer la neige sont d'autres excellentes activités tonifiantes pour les muscles.

En résumé, gagner et maintenir du tonus musculaire fait partie intégrante d'un programme de conditionnement physique complet, et les bienfaits sont beaucoup plus importants que d'avoir un corps jeune. Grâce à des muscles sains et forts, votre corps est plus vigoureux, mieux équilibré et davantage coordonné. Les études ont même prouvé que l'on peut ralentir le processus de vieillissement, voire le renverser, en maintenant un bon tonus musculaire.

Si vous figurez parmi les milliers de personnes qui ont déjà entrepris un régime alimentaire allégé et qui s'adonnent régulièrement à un programme d'aérobic, mais qui ont toujours de la difficulté à perdre du poids, devenir plus fort signifie alors qu'il faut augmenter sainement votre métabolisme afin de brûler davantage de graisse corporelle, 24 heures par jour, même en dormant.

Chapitre Onze

Destructeur de graisse N° 8

Un second souffle

C'est la fin de l'après-midi. Une petite marche et un bon tonus musculaire ont permis à votre énergie mentale et physique de rester à un niveau relativement stable. Vous avez mangé au moins une collation allégée depuis l'heure du déjeuner.

Mais l'après-midi décline. Vous trouvez que votre énergie commence à s'affaiblir. Peut-être pensez-vous lui redonner du tonus. Pourquoi ne pas prendre une autre collation, qui ne fait pas partie du programme de La Vie Allégée ? Une boisson gazeuse sucrée, peut-être ? Une tasse de café qui vous apportera une secousse de caféine ?

Écoutez bien. Ce moment de tension et de fatigue entre la moitié et la fin de l'après-midi porte un nom. Les chronobiologistes l'appellent le point de rupture. Et on peut lutter contre lui et le vaincre de multiples façons et presque sans effort.

Le sentiment d'extrême fatigue

Cet événement curieux, l'extrême fatigue de l'après-midi, peut vous frapper quel que soit votre travail. Si vous travaillez dans un bureau et que la fin de la journée approche, vous pouvez ressentir cette lassitude juste avant de rentrer à la maison. Si vous êtes en train de faire des courses ou de promener vos enfants, votre énergie peut « s'évaporer » au moment même où vous garez votre voiture dans le garage ou pendant que vous préparez le dîner.

Tandis que vous écoutez vos messages sur le répondeur téléphonique ou que vous rangez les provisions que vous venez d'acheter, vous pouvez être envahi par une grande fatigue et vous demander comment vous supporterez les prochaines heures de la soirée.

Les comportements métaboliques, anciens et inhérents à votre organisme, sont comme le mouvement des vagues lors du reflux. Le changement, qui affecte à la fois votre vivacité et votre pouvoir destructeur de graisse, survient habituellement entre 15 h 30 et 17 h 30. En outre, soumis à un tel stress, le corps passe à une période de production et de stockage de graisse qui peut durer toute la nuit.

Vous devez faire face à un défi : redonner à votre énergie et au métabolisme de votre corps un grand tonus qui lui permettra de réduire ou même d'éliminer ce ralentissement. Vous avez besoin d'un second souffle.

Mettre un second vent dans les voiles

Une part du défi consiste à faire une transition entre le temps accordé au travail et celui accordé à la famille. Et pour la plupart d'entre nous, le rythme du travail effectué au bureau est très différent de celui adopté à la maison. De plus, le travail de la journée exige souvent davantage de concentration que les activités de la soirée.

Cette transition est souvent difficile. Nous arrivons à la maison fatigués et distraits, si bien que nous passons souvent une grande partie de la soirée dans l'ambivalence. Nous ne prenons pas vraiment soin des enfants. Nous préparons des dîners riches en matière grasse et nous mangeons beaucoup trop par compensation. Nous oublions pour la plupart de faire de l'exercice au moment précis de la journée où notre corps a besoin d'une recharge d'énergie pour détruire la graisse et empêcher les kilos de s'accumuler.

Vous ne devez pas consommer un grand repas le soir ni être victime de la léthargie de fin de journée. En effectuant quelques ajustements dans votre routine de travail avant de rentrer chez vous et en mettant en application quelques tactiques simples une fois à la maison, vous pourrez complètement éviter cette lassitude et effectuer une transition plus douce qui activera le Destructeur de graisse N° 8.

J'ai trouvé des moyens simples et pratiques qui me permettent d'aller de l'avant et de reprendre mon souffle de fin de journée. Les voici :

Rendre plus douce votre transition à la vie de maison

Si vous travaillez dans un bureau, il serait intéressant d'organiser vos dernières minutes de travail pour réduire la pression avant de retourner à la maison. Vous avez besoin d'une courte période de décompression et nous vous conseillons de conserver pour la fin de votre journée de travail les tâches les moins difficiles. Voici quelques idées.

Ne téléphonez qu'aux personnes optimistes. Parmi les quelques messages restants sur votre répondeur, choisissez de rappeler les personnes qui sont généralement les plus compréhensives, les plus positives et les plus optimistes. Vous couurez ainsi la chance de finir la journée avec un sourire et une bonne dose de camaraderie, ce qui est très bénéfique.

Mettez de l'ordre dans vos affaires. Avant de partir, jetez un coup d'oeil à votre bureau. Est-il en ordre et prêt à affronter la journée du lendemain ? Prenez une minute pour rincer votre tasse à café. Jetez la pelure d'orange. Ramassez les miettes du muffin sur votre bureau. Et tout en mettant de l'ordre dans vos messages et dans vos papiers, notez les choses importantes que vous aurez à faire en arrivant le lendemain ; sinon, elles vous resteront en tête et vous gâcheront toute la soirée.

Secouez vos membres. Pourquoi autant de personnes sont-elles aussi exténuées à la fin d'une journée de travail, puis rentrent chez elles tout autant exténuées. Aucune loi n'édicte que vous devez terminer la journée ainsi. Étirez donc vos muscles quelques instants et détendez votre esprit. Si vous effectuez des mouvements physiques doux, une quantité plus abondante de sang circulera à travers votre organisme et vous permettra de vous dépêtrer du travail le plus épineux.

Arrêtez-vous et demandez-vous pourquoi vous vous sentez si oppressé ou si tendu. Puis relâchez ces parties de votre corps en exécutant doucement et lentement les mouvements de relaxation des exercices suivants :

Rotation du cou. Asseyez-vous dans une position de relaxation et inclinez lentement et doucement votre menton vers la poitrine, puis tournez graduellement la tête vers la droite, vers l'arrière, puis vers la gauche, revenant d'un mouvement lent, non tendu et continu à la position de départ.

Haussement des épaules. Soulevez les deux épaules simultanément, le plus haut possible, puis relâchez-les complètement. Ce mouvement vous permet d'inspirer automatiquement quand vous levez les épaules et d'expirer confortablement quand vous les relâchez.

Rotation du torse. En position debout, levez les deux coudes à la hauteur de la poitrine, puis pivotez votre torse lentement d'un côté, puis de l'autre, en effectuant un mouvement doux et continu. Ne sautez pas et ne forcez pas.

Rotation des poignets. Levez vos avant-bras devant vous et gardez-les fermes. Formez des cercles avec vos mains en partant de vos poignets comme si vous palpiez de vos doigts l'intérieur de globes creux.

Plié des genoux. Les mains sur les hanches ou en tenant le bord de votre bureau pour être bien en équilibre, fléchissez les genoux jusqu'à la position accroupie, puis relevez-vous. Essayez de garder le dos bien droit durant l'exercice – ce mouvement doit être effectué lentement et, surtout, ne forcez pas.

Commencez frais et dispos. Quand vous rentrez à la maison, changez d'abord votre état d'esprit, puis celui de votre corps. Tandis que vous vous dirigez vers la porte ou que vous faites quelques pas dehors après avoir quitté votre bureau, inspirez profondément et expirez lentement en vous imaginant déjà à la maison. Visualisez l'affection de votre famille qui vous attend et commencez à vous détendre en pensant à l'amour, au rire, à la bonne chère et au plaisir des sens. Laissez derrière vous vos soucis de travail. Le pouvoir de cette détente mentale est tel que, dans de nombreuses occasions, il permet à la journée de décanter et conduit votre esprit et votre caractère vers le rythme plus lent de la maison. Le retour à la maison vous semblera moins hâtif et votre arrivée moins précipitée.

Abandonnez et laissez aller. Que vous rentriez directement à la maison ou que vous alliez chercher les enfants et faire quelques courses, utilisez cette période de transition pour vous détendre et pour ralentir votre rythme. Nous traînons tous un peu les pieds vers la fin d'une journée de travail. Imaginez que vous avez encore votre énergie du matin et commencez à penser aux choses que vous devrez faire en quittant le bureau. Et si vous en dressez la liste, vous serez assuré de n'avoir rien oublié.

Admirez la nature. À un certain moment entre la fin de la journée de travail et le moment d'arriver à la maison, prenez quelques minutes pour admirer la nature – une fleur, une plante, un arbre ou des nuages qui se forment dans le ciel. Cette pause peut être une excellente antidote à la fatigue mentale et vous rendre plus positif, selon une étude de l'université de Michigan, à Ann Arbor, menée par Rachel Kaplan, titulaire d'un doctorat. Un regain d'énergie et une meilleure santé figurent parmi les bienfaits physiques décrits dans ce travail de recherche.

Et ne négligez pas cette étape, même si vous travaillez à la maison

Nous devrions tous avoir recours à une période de transition. Si vous

Changer ses habitudes

SAVOIR PLUTÔT QUE VOULOIR

Le printemps est enfin arrivé, ce qui signifie pour des millions de gens qui travaillent de 9 h à 5 h qu'il fait encore jour quand ils sortent du bureau.

Mais que se passerait-il si vous travailliez tard et qu'il faisait déjà nuit dehors ? Ou si vous étiez dans les profondeurs de l'hiver des climats moins tempérés et que la promesse d'une lumière du jour après le travail n'était qu'un souvenir brumeux ?

Vous pouvez encore vous entourer de lumière à la fin de la journée même si ce n'est pas la lumière du jour totale.

Et vous en avez réellement besoin, ont découvert des chercheurs de l'école de médecine de Harvard. Leurs études démontrent que l'un des moyens les plus efficaces de donner une recharge rapide à la vivacité du cerveau et à sa vigueur toute entière est d'allumer la lumière.

Demain, lorsque votre travail vous absorbera complètement, ouvrez quelques lumières supplémentaires. Si le soleil n'est pas encore couché quand vous ferez quelques pas à l'extérieur, prévoyez

(suite)

Changer ses habitudes

SAVOIR PLUTÔT QUE VOULOIR

de marcher une minute pour en absorber quelques rayons.

Qu'elle provienne d'une source électrique ou de l'énergie solaire, la lumière est depuis toujours un moyen puissant pour retrouver votre bonne humeur et votre énergie de fin d'après-midi au moment où elles sont sur le point de s'estomper.

travaillez à la maison, vous avez besoin de vous changer les idées à la fin de la journée, même si vous ne changez pas de lieu de travail. Arrêtez-vous complètement. Faites quelques pas à l'extérieur pour profiter des plaisirs de la nature avant de « passer du travail à la maison ».

Prenez le temps de vous revitaliser à la maison

De nos jours, nous passons notre temps à courir : nous courons à la maison après le bureau pour préparer le dîner, nous feuilletons vite le journal, nous mangeons rapidement, pour enfin nous effondrer devant la télévision ou nous précipiter à nouveau pour achever les tâches de la journée, comme les courses de dernière minute, les devoirs parentaux, la comptabilité générale ou le réglement des factures.

Ce qui manque, c'est un bref moment de détente qui soulagerait du stress et de la tension, et vous ferait commencer la soirée avec davantage d'énergie et d'entrain. Et le temps de pause est plus qu'un luxe ; c'est une nécessité qui vous permettrait d'activer le Destructeur de graisse N° 8. Voici quelques stratégies pour le mettre en action.

Allez, debout ! Votre femme et vous-même méritez quelques minutes de relaxation personnelle. Après avoir embrassé vos enfants, prenez le temps nécessaire pour changer de vêtements et vous sentir plus à l'aise, interlude relativement calme souvent fort appréciable. Essayez de vous détendre un peu de la frénésie de la journée. Pour vous, c'est peut-être une douche chaude ; pour votre épouse, une série d'exercices de relaxation. Ce temps de détente personnelle peut être court, mais il est essentiel.

Si vous avez de jeunes enfants, pensez à embaucher un étudiant une heure ou deux par jour pour s'occuper d'eux. Cela vous donnerait un peu de répit et vous permettrait de faire une petite promenade avec votre épouse, de prendre l'air quelques minutes sur votre balcon, de faire un peu de jardinage ou encore de vous retrouver seul avec votre femme.

Le rire est thérapeutique. L'humour est l'une des plus simples et plus efficaces manières d'informer le cerveau humain de changer de vitesse et de libérer son attention pour la soirée qui arrive. Racontez chez vous au moins un fait drôle ou cherchez un moyen de taquiner quelqu'un.

Est-ce que cette démarche vous demande trop d'effort ? Eh bien, forcez-vous un peu Si vous riez, le niveau de tension à la maison s'atténuera et votre mariage sera certainement beaucoup plus heureux. Quand les psychologues ont étudié le rôle de l'humour dans les relations de 50 couples mariés, ils constatèrent que ce facteur entrait en ligne de compte pour 70 % d'entre eux. Bon nombre de couples étaient plus heureux parce qu'ils avaient trouvé les moyens de créer et perpétuer la bonne humeur.

En d'autres termes, vous devez développer vos talents de clown et changer votre façon de voir les choses chaque jour, en leur trouvant un côté drôle. Essayez de vous faire rire ainsi que de faire rire d'autres personnes, et restez toujours proches de vos buts et de vos rêves.

Ce qui est permis avant le dîner

Il semble évident que pour activer la destruction de graisse, il vous faut bouger. Mais que faites-vous de ces amuse-gueule alléchants avant le dîner ?

Mais l' amuse-gueule ne produit-il pas de la graisse au lieu de la brûler ?

De nos jours, vous rendez service à votre métabolisme en réinventant les doux plaisirs des amuse-gueule faibles en gras. Certains scientifiques révèlent que si vous demeurez actif tard dans l'après-midi et tôt dans la soirée, et que vous consommez quelques morceaux d'aliments allégés très savoureux, vous développerez davantage d'énergie et serez plus en forme. En fin de compte, vous mangerez moins au dîner et, par conséquent, vous stockerez moins de nourriture en tant que gras.

Et qui aurait pensé que les amuse-gueule consommés en collation en fin d'après midi pourraient modérer votre comportement ?

C'est vrai. Il est prouvé que les faibles niveaux de glucose sanguin et les simples tensions causées par la faim peuvent contribuer à des émotions négatives et à des discussions nerveuses de fin de journée, selon le psychiatre William Nagler, de la Faculté de médecine de l'université de la Californie, à Los Angeles, et coauteur de *The Dirty Half Dozen : Six Radical Rules to Make Relationships Last.* Voici quelques façons satisfaisantes de calmer la faim et de donner en même temps une rapide montée d'énergie qui détruit la graisse.

Favorisez les aliments allégés. Les petits grillés de seigle et le pain de seigle noir sont habituellement des produits faibles en gras et en calories – mais peut-on vraiment manger un petit grillé ou une tranche de pain sans y tartiner fromage ou confiture ? Si vous tartinez vos petits grillés craquelins ou votre pain d'un fromage allégé ou d'une trempette de haricots, ils auront une belle apparence et une bonne saveur et n'activeront aucun producteur de graisse. Ajoutez quelques légumes riches en fibres comme le brocoli, les carottes et le céleri dans l'assiette et vous aurez encore plus de croquant. Vous pouvez même manger un ou deux grillés complets allégés sans gras et boire 250 ml de lait écrémé ou de yaourt 0 %, tant que leur douceur ne vous incite pas à en consommer plus.

Un autre bol de soupe ? Le meilleur de tous les amuse-gueule est probablement une assiette de soupe à la tomate accompagnée de plusieurs grillés de seigle. Selon certains scientifiques de l'université Johns Hopkins de Baltimore, une soupe servie en début de repas peut diminuer les envies de gras et la consommation totale des calories. Plus encore, les personnes qui prennent de la soupe en début de repas consomment 25 % moins de gras dans les autres plats du repas que celles qui prennent des entrées riches en gras.(Si vous achetez des soupes de tomate en boîte, achetez celles qui ont une formule faible en gras et faites-les avec du lait écrémé).

Laissez tomber le fromage. Le pire des amuse-gueule, bien sûr, est le fromage très riche et les grillés servis à volonté dans bon nombre de restaurants. Vous pouvez cependant, consommer ces grillés de seigle complet et du fromage allégé comme le gouda et le gruyère. Cependant, une étude réalisée à l'université John Hopkins de Baltimore révèle que la soupe à la tomate a comme principale propriété de réduire l'appétit tout en plaisant aux papilles gustatives, alors que le fromager et les grillés font peu pour atténuer l'appétit au dîner. Et si vous pensez aux traditionnels fromages et grillés riches en gras, vous consommerez trop de graisse avant votre repas – et ferez donc très peu pour contenir votre appétit.

Chapitre Douze

Destructeur de graisse N° 9

Changer ses habitudes : dînez tôt et profitez de votre soirée

Imaginez que vous vous fixez comme objectif de devenir le plus obèse possible et ce, en un temps record, en augmentant ainsi au maximum vos risques de maladie cardiaque ou d'autres affections majeures. Vous consommeriez un repas des plus copieux et des plus riches en gras très tard dans la soirée. Ensuite, il ne vous resterait plus qu'à vous asseoir au salon et à grignoter des collations également riches en gras jusqu'à l'heure du coucher.

Cela vous semble-t-il ridicule ? Sûrement, mais c'est pourtant ce régime qu'adoptent en soirée bon nombre de personnes. Sans conteste, cette habitude peut rendre obèse. De plus, on a prouvé qu'un tel régime affecte la vivacité d'esprit et le bien-être des relations personnelles.

Le repas du soir se prend habituellement au moment où le métabolisme fonctionne au ralenti. À l'approche de la nuit, l'organisme diminue la destruction des graisses et favorise ainsi le processus de stockage. Heureusement, cet état peut être modifié, et peut même être reporté jusqu'à l'heure du coucher.

Ainsi, vous ressentirez de maintes façon les effets salutaires d'un tel ralentissement en activant le Destructeur de graisse N° 9. D'abord, votre vivacité d'esprit et votre capacité de gérer votre vie personnelle et familiale seront nettement meilleures. Vous serez souvent plus actif et vous resterez de bonne humeur toute la journée. Une fois votre métabolisme activé, vous aurez moins tendance à vous affaisser devant le téléviseur après le dîner. Dans le cas des victimes qui pratiquent de si mauvaises habitudes, le Destructeur de graisse N° 9 est une bouée de sauvetage qui leur sauvera la vie.

Du nouveau sur les repas

Il existe sept moyens faciles et pratiques de changer vos habitudes de soirée. D'abord, il faut fixer l'heure de votre dîner, facteur important dans la gestion du métabolisme. Deuxièmement, vous devez prendre conscience des quantités de graisse, d'hydrates de carbone, de protéines et de calories totales que vous consommez durant ce repas.

Le troisième facteur à considérer est la façon de commencer votre repas. En effet, des études portant sur la biochimie du système nerveux révèlent que vous pouvez mieux activer le Destructeur de graisse N° 9 en mangeant d'abord des protéines. Le quatrième moyen consiste à changer l'ambiance et la rapidité de votre repas en apportant quelques modifications à vos habitudes. Ainsi vous mangerez moins et, par conséquent, vous consommerez moins de graisse. Le cinquième facteur concerne le dessert : vous devriez le manger plus tard. Cela vous permettra de mettre en pratique le sixième facteur qui est de vous lever et de bouger durant la soirée. Le septième et le dernier moyen est de terminer sa soirée avec un dessert léger et allégé.

Voyons maintenant comment ces modifications vont activer le Destructeur de graisse N° 9.

Dîner tôt

Depuis déjà quelques années, les chercheurs estiment que l'incidence cardiaque est moins élevée chez les Français que chez les Nord-Américains, en partie parce qu'ils boivent plus de vin au repas. En se concentrant davantage sur leur recherche, les scientifiques ont réalisé que d'autres facteurs entraient en jeu. D'une part, ils ont découvert que les Français mangeaient leur repas principal plus tôt dans la journée que les Nord-Américains et qu'après ce repas, ils s'adonnaient à plus d'activités physiques.

Selon le scientifique et médecin R. Curtis Ellison de la Faculté de médecine de l'université de Boston, le Français moyen prend son principal repas à midi, consommant ainsi 57 % de ses calories totales quotidiennes avant 14 h. Le Dr Ellison a également remarqué qu'après leur repas principal, les Français pratiquaient plus d'activités physiques jusqu'à tard dans la soirée.

En revanche, les Nord-Américains ne prennent que 38 % de leurs calories totales quotidiennes avant 14 h. La plupart d'entre eux prennent leur repas le plus copieux et le plus riche en graisses le soir. Ces repas n'entraînent pas seulement la léthargie, mais provoquent également un autre problème. « Les personnes qui mangent tard le soir ont tendance à sauter leur petit déjeuner », explique Dallas Clouatre, titulaire d'un doctorat et auteur de *The Complete Guide to Anti-Fat Nutrients*.

La recherche a également prouvé que les repas copieux riches en graisses activent immédiatement les processus de formation et de stockage de graisses dans l'organisme. Dans une étude réalisée à l'université du Minnesota, à Minneapolis, des chercheurs ont démontré que des personnes qui consommaient 2 000 calories par jour prenaient ou non du poids selon l'heure où elles mangeaient. Celles qui ingéraient la plupart de leurs calories tôt dans la journée perdaient du poids, alors que les personnes qui consommaient les mêmes repas plus tard dans la journée gagnaient du poids de façon significative. La moyenne de poids entre ces deux groupes était d'environ 1 kg par semaine.

Même si vous ne consommez pas votre plus gros repas à l'heure du déjeuner, vous devriez prendre l'habitude de dîner tôt. L'idéal serait entre 17 h 30 et 18 h. À l'occasion, manger entre 18 h 30 et 19 h ne pose pas de problème réel. Cependant, si vous dînez après 19 h, essayez au moins de consommer de petites quantités de nourriture et de manger lentement.

Le repas du soir devrait contenir beaucoup de légumes et de grains, comme le montrent toutes les recettes de Leslie dans

Changer ses habitudes

SAVOIR PLUTÔT QUE VOULOIR

Prenez immédiatement un bloc ou un bout de papier et écrivez en haut de la page: « Liste d'aliments consommés en soirée ». Durant les deux prochaines semaines, inscrivez-y tout ce que vous mangerez entre 17 h et l'heure où vous irez vous coucher.

À la fin de la première semaine, essayez de vous souvenir de tout ce que vous avez consommés chaque jour, dans la période déterminée, sans vous reporter à votre registre. Comparez ensuite deux listes au registre actuel.

Répétez l'exercice au bout de la deuxième semaine. En tenant à jour une liste, vous serez non seulement plus conscient de la nourriture que vous consommez, mais vous souviendrez aussi des repas que vous avez pris. Cet exercice vous permettra de reconnaître les aliments riches en graisses qui doivent être éliminés de votre régime et l'apport lipidique réel de ces mêmes aliments.

la Partie 4. Si vous mangez tard, consommez donc plus de légumes et de grains que des aliments riches en protéines et en graisses.

Et les fins de semaine ? Prenez votre repas principal à midi si vous le pouvez, sinon au plus tard vers 18 h. Si vous allez à un spectacle ou au cinéma, prévoyez de manger avant la représentation et de prendre une légère collation plus tard dans la soirée.

Comment alléger et rendre plus savoureux votre dernier repas

« Afin d'activer le Destructeur de graisse N° 9, vous devez limiter votre dîner à environ 500 ou 600 calories allégées et satisfaisantes », rapportent des chercheurs sur le sujet. « La plupart d'entre nous, toutefois, sont inconscients de la quantité de nourriture consommée de 17 h à la fin de la soirée, explique Albert F. Smith, titulaire d'un doctorat et psychologue de la cognition, spécialisé dans l'étude de la mémoire à l'université d'État de New York, à Binghampton. Généralement, nous ne nous souvenons pas de ce que nous avons mangé et en quelle quantité », dit-il.

« Le changement le plus important et le plus significatif dans nos habitudes de vie est sûrement la tenue d'un registre alimentaire », déclare Kelly D. Brownwell,. titulaire d'un doctorat et directeur adjoint de la Clinique sur les désordres de poids et de nutrition à l'université Yale. Une étude publiée dans le *Journal of the American Dietetic Association* révèle que des pertes de poids substantielles sont souvent

Réduction automatique des graisses

L'une des façons les plus simples de couper les graisses est de réduire la portion des aliments riches en gras et d'augmenter la quantité des aliments allégés. Voici quelques conseils qui vous permettront de manger plus allégé à chaque repas.

- N'utilisez que de délicieux assaisonnements faibles en gras, de même que des vinaigrettes allégées sur vos salades.
- Pochez, ou faites cuire au four ou à l'étuvée les légumes et autres aliments plutôt que de les frire.
- Augmentez votre consommation de légumes frais cuits légèrement à l'étuvée.
- Comme plat d'accompagnement, mangez des aliments à base de grains ou du pain complet.
- Faites cuire ou sauter légèrement dans un peu de bouillon de volaille ou un peu d'huile. Utilisez des plats de cuisson anti-adhésifs.
- Accentuez le goût des recettes en assaisonnant avec du poivre, du basilic, de l'origan, des poivrons forts, de l'ail, des oignons, de l'échalote, du curry, du gingembre, du raifort, de l'estragon ou d'autres herbes ou épices. (Grâce à un bon assaisonnement, vous ne cherchez pas la saveur des aliments gras.)
- Ne buvez que du lait écrémé ou demi-écrémé.
- Choisissez du yaourt 0 %, du fromage blanc et d'autres fromages allégés.
- Mangez moins de viande rouge et de porc. Choisissez plutôt les haricots, les pois, les légumineuses, les pâtes, les riz, les pommes de terre et les légumes.
- Choisissez des poissons frais ou en boîte plutôt que de la viande.
- Dépiautez votre volaille. Choisissez un blanc de dinde ou encore une cuisse ou de la dinde hachée dépiautée. Prenez aussi des blancs de poulet ou d'autres volailles.
- Adonnez-vous à la gastronomie internationale, comme la cuisine italienne, japonaise, mexicaine, chinoise, grecque ou méditerranéenne qui comprend des fruits, des légumes, des grains et des légumineurses servis sans ou avec peu de viande.
- Mangez des aliments de blé complet, notamment le pain, les biscottes ou les grillés, les bretzels, les tortillas et les pâtes
- De temps en temps, mangez un muffin de grain complet, des crèpes ou des céréales de type muesli.

associées à un registre des activités. En moyenne, ceux et celles qui ont tenu régulièrement un registre sur leur alimentation ont perdu plus de poids.

Afin d'apprécier tous vos dîners allégés, vous devez les rendre plus savoureux. Malheureusement, nous n'avons pas toutjours le temps de préparer de la grande gastronomie tous les soirs. Quelle est donc la solution ?

Voici, en réponse, quelques conseils pour préparer des repas délicieux sans passer des heures dans votre cuisine.

Apprenez les raccourcis. Il est utile de connaître les raccourcis des sauces rapides ou des soupes très faciles. Par exemple, vous pouvez remplacer le riz brun (préparation : 45 minutes) par un délicieux couscous (préparation : 5 minutes). Vous pouvez réduire de 50 minutes la préparation des patates douces. Et 10 minutes vous suffiront pour préparer des plats du chef, par exemple la pizza maison et d'autres repas express allégés. Référez-vous au chapitre 14 pour avoir des idées sur la façon d'épargner du temps en cuisinant. Grâce à ces suggestions, votre dîner sera plus agréable, plus alléchant et plus faible en gras.

Gâtez-vous un peu. Voir, sentir ou goûter un aliment savoureux peut activer le métabolisme et inciter l'organisme à brûler plus de calories que ne le ferait un aliment fade. Des chercheurs en médecine du Québec, au Canada, ont effectué plusieurs tests sur des animaux et des humains pour leur permettre de comparer les effets de repas identiques. Ils ont découvert que l'odeur et le goût des aliments savoureux semblaient stimuler l'effet thermique alimentaire, c'est-à-dire la quantité de calories brûlées durant les processus de digestion, d'absorption et de transformation.

Quels sont vos repas, vos plats d'accompagnement, vos légumes frais, vos fruits, vos soupes, vos pains ou vos pâtes préférés ? Arrêtez-vous aux saveurs qui vous plaisent le plus et cherchez à créer des recettes qui accentueront le goût des plats tout en diminuant graduellement les graisses, les sucres et le cholestérol.

Intéressez toute la famille. Faites de vos repas une histoire de famille. Si vous vous êtes d'abord attardé aux saveurs, puis à réduire la teneur en graisses de vos repas, passez ensuite à des habitudes de vie allégée et saine.

Mettez-y du piquant. Vous brûlerez plus de calories en assaisonnant vos plats, surtout avec des herbes ou des épices fortes. Par exemple, on a prouvé que les plats assaisonnés de poudre de chili ou de moutarde forte accélèrent le rythme métabolique de l'organisme et brûlent ainsi plus de calories. Dans une étude, des chercheurs ont comparé des groupes de personnes qui avaient consommé des repas préparés avec trois grammes de chili et trois grammes de moutarde à d'autres qui mangeaient des plats non assaisonnés. Même si les repas étaient identiques, les personnes qui avaient consommé le repas épicé avaient augmenté leur rythme métabolique de 25 %.

Cet effet bénéfique ne s'applique pas à toutes les épices. Le gingembre, notamment, ne semble pas augmenter le rythme métabolique. Cependant, de nombreux mets épicés produisent les mêmes effets que des plats assaisonnées au chili et à la moutarde.

Commencez votre repas avec des aliments à forte teneur protéinique

Pensez-y ! L'une des raisons principales du dîner consiste à vous procurer assez d'énergie pour pratiquer vos activités de la soirée. Cependant, les repas types riches en graisses ont un effet néfaste sur l'organisme. En effet, si vous commencez la soirée avec une salade qui baigne dans l'huile, des nachos nappés de fromages riches en gras et du pain à l'ail, vous absorberez une quantité importante de graisse alimentaire qui pourra vous faire sombrer dans une période prolongée de fatigue mentale et physique.

Contrairement à ce que pensent bon nombre de personnes, cette période n'est pas un moment de détente. En fait, pendant cette période, le stockage des graisses est accéléré. Pire encore, le gras des calories consommées durant le repas peut freiner vos bonnes intentions de pratiquer des activités physiques en soirée, voire inhiber vos élans sexuels.

Certaines études estiment que si vous commencez la soirée par un plat riche en hydrates de carbone, une grosse tranche de pain par exemple, vous stimulez la production d'une substance chimique cérébrale appelée la sérotonine. Cette substance déclenche un mécanisme de détente naturelle proche de la somnolence. Certains soirs, c'est peut être l'effet que vous cherchez, mais, à la longue, l'effet calmant de la sérotonine peut réduire l'énergie destinée aux activités physiques et, d'un point de vue biologique, affecter la profondeur de votre sommeil.

Le dîner vous semblera plus énergisant si vous mangez en petite quantité au début du repas des aliments riches en protéines. Certains neuropsychologues et chercheurs en nutrition s'entendent sur le fait que commencer le repas avec des protéines semble inciter la libération naturelle des neurotransmetteurs (substances chimiques messagères), connus sous le nom de catécholamines. Ces messagers permettent au cerveau de transmettre une sensation de vivacité et d'énergie qui dure plus de trois heures après le repas.

À cet effet, il existe de nombreux aliments riches en protéines mais faibles en graisses. J'ai déjà mentionné mes plats préférés tels que les soupes à la tomate, préparée avec du lait écrémé ou demi écrémé. Un petit bol de soupe aux lentilles ou aux haricots est une autre bonne idée, de même qu'une salade de légumineuses.

Le yaourt 0 % ou le fromage blanc allégé avec quelques tranches de fruits frais, ou un verre de lait écrémé, sont d'autres bonnes options. Si vous préférez une tasse de café décaféiné ou de thé léger, ajoutez-y du lait écrémé pour les protéines. Vous pouvez aussi préparer votre repas avec comme plat principal une petite portion de haricots ou de lentilles, un blanc de volaille ou de dinde dépiauté, ou encore du poisson.

Donnez le ton

Une fois le repas prêt, sachez que bon nombre de facteurs peuvent avoir un effet sur la quantité de nourriture que vous consommerez, de la musique de fond au temps alloué pour manger. Voici quelques conseils qui vous permettront de créer le climat idéal à une soirée allégée.

Mettez de la musique douce. Des études ont révélé que les gens qui écoutaient de la musique douce mangeaient plus lentement, contrairement à ceux qui écoutaient du *rock and roll*. « Ces derniers semblent avaler la nourriture », déclare Maria Simonson, titulaire d'un doctorat en sciences et directrice de la Clinique sur le stress, l'embonpoint et la santé à la faculté de médecine de Johns Hopkins, à Baltimore. La musique douce durant les repas modère les élans et l'appétit.

Évitez le bruit. « Le bruit joue également un rôle sur l'appétit », prétendent certains scientifiques de l'université d'Ulster, en Irlande du Nord. Plus haut est le son, plus grande sera la quantité de nourriture consommée. D'autres études démontrent que le bruit, de la musique forte aux éclats de rire, favorise l'ingestion d'une plus grande quantité d'aliments. Si vous mangez à l'extérieur, choisissez plutôt un restaurant au cadre agréable et calme.

Mangez lentement. Manger allégé veut dire également manger lentement. Bon nombre de personnes qui mangent rapidement consomment en plus grande quantité. Cet excédent de nourriture pourrait se métaboliser en graisse corporelle. Des chercheurs ont remarqué que certaines personnes obèses avaient tendance à manger rapidement, en cachette ; elles grignotent souvent de façon machinale et continuent de manger même rassasiées.

Une étude réalisée par Theresa Spiegel – titulaire d'un doctorat – et ses collègues, à l'université de la Pensylvanie, à Philadelphie, a montré qu'une personne profite davantage du processus destructeur de graisse lorsqu'elle mange lentement et que la durée de son repas est plus longue. Ces chercheurs ont observé que les personnes qui prolongeaint leur repas d'environ quatre minutes brûlaient davantage de graisse corporelle que celles qui mangeaient très vite.

Détendez-vous. Plutôt que de manger à un rythme effréné, adoptez des habitudes plus détendues aux repas. « Votre système digestif vous en saura gré », déclarent les chercheurs. La salive produit une enzyme connue sous le nom de alpha-amylase qui favorise le processus de la digestion. Des études montrent que le stress tend à inhiber l'action de l'alpha-amylase, alors que les techniques de relaxation ont un effet contraire. Si vous mangez alors que vous êtes dans un état de stress, vous ne bénéficierez pas pleinement du processus de digestion des hydrates de carbone complexes et de celui d'autres aliments.

Faites une pause. Dans une étude de l'université de la Pensylvanie, le Dr Spiegel et ses collègues ont montré que les personnes qui attendaient 15 minutes avant de manger une deuxième assiette se sentaient plus rassasiées que celles qui en reprenaient immédiatement. Si vous avez encore faim après un premier service, prenez donc quelques minutes de répit avant de demander une deuxième portion.

Attendez pour le dessert

En repensant vos habitudes alimentaires, il serait préférable de ne pas excéder au dîner 500 ou 600 calories. Il est prouvé que les calories en trop le soir ont tendance à se transformer en graisses.

L'une des mesures préventives à cet égard est de quitter la salle à manger avant le dessert. Avec un peu de pratique, cette nouvelle habitude deviendra plus facile. En remettant à plus tard votre dessert, vous laissez la chance à vos papilles gustatives de vouloir savourer une bonne collation en soirée.

Attendez une heure ou deux et pratiquez quelques activités physiques pendant ce temps. Vous aurez ainsi l'occasion de vous amuser avec votre famille ou de vous adonner à votre passe-temps préféré, et votre système digestif aura déjà amorcé son processus.

Allons... debout !

Vos activités – quinze à trente minutes après votre dîner – envoient un message clair et précis à l'organisme, qui, à son tour, active le métabolisme et se prépare à l'étape du sommeil profond. Vous ne voulez pas rester assis et inerte à regarder la télévision. Plutôt que de brûler les graisses et de donner un surcroît d'énergie, l'inertie provoque le stockage des graisses et encourage la fatigue et la mauvaise humeur.

Selon une étude réalisée à l'institut Cooper sur la recherche en aérobic, à Dallas, l'exercice destructeur de graisse le plus efficace après un repas est la marche lente mais soutenue. Vous en retirerez aussi d'autres bienfaits. Un exercice de faible intensité comme la marche favorise la dissipation des substances chimiques néfastes du stress et renforce l'esprit contre les pressions afin d'atténuer les réactions aux moments difficiles. « De plus, une marche après le dîner peut vous permettre de dormir plus profondément », souligne Peter Hhauri, titulaire d'un doctorat et directeur du programme sur l'insomnie au centre des désordres du sommeil de la Clinique Mayo à Rochester, au Minnesota.

D'autres études confirment que la marche est un exercice qui permet d'activer les destructeurs de graisse. « On sait que les hydrates de carbone sont le carburant de prédilection pour les exercices de haute intensité », déclare John Duncan, titu-

Les bienfaits de la marche

Selon des études menées par des chercheurs du Service de la science de l'exercice de l'université de la Caroline du Sud, à Columbia, la marche après un repas est une façon très efficace de brûler de l'énergie. Ces chercheurs ont suivi quatre groupes de femmes sur une période de trois heures et ont remarqué que les femmes qui avaient mangé, puis fait de l'exercice, accusaient une plus grande dépense d'énergie que les femmes des trois autres groupes qui avaient fait de l'exercice sans manger, qui avaient mangé sans faire d'exercices ou qui avaient fait de l'exercice avant de manger.

Le scénario « nourriture-exercice » semble augmenter la dépense en énergie des personnes étudiées d'environ 30 % par rapport aux autres. Les chercheurs en ont conclu que marcher après avoir mangé permettait d'activer, grâce à l'exercice, le processus de thermogenèse postprandiale, c'est-à-dire la production de chaleur corporelle que l'on obtient en faisant de l'exercice après un repas. La thermogenèse plus élevée permet ainsi à l'organisme de brûler plus de calories.

D'autres chercheurs ont confirmé que l'effet combiné d'une marche après un repas peut activer jusqu'à 50 % la production de la chaleur qui permet de brûler les graisses. Comme l'explique le physiologiste Melanie Roffers, titulaire d'un doctorat et ancien collaborateur à l'édition du magazine *Selfcare*, « l'exercice pratiqué à cette période de la journée augmente le taux métabolique qui était alors à la baisse ».

laire d'un doctorat et physiologiste de l'exercice à l'institut Cooper. La marche effectuée après un dîner allégé vous permettra alors de brûler les graisses stockées plutôt que les hydrates de carbone.

Faire une marche après le dîner est très bénéfique. Selon le magazine *Prevention*, marcher après un repas peut vous aider à brûler 15 % de plus de calories que si vous marchiez la même distance à la même heure et à la même vitesse sans avoir mangé. « La consommation de nourriture active le système nerveux sympathique », affirme Bryant A. Stamford, titulaire d'un doctorat, scientifique spécialisé en exercice physique et directeur du programme de bien-être et de santé à l'université de Louisville, au Kentucky. « L'exercice physique effectué après un repas active davantage le processus destructeur, vous brûlez donc plus de calories. »

Des études ont également démontré que des exercices légers en soirée peuvent aussi inhiber les moments de faim tyrannique. Et si une telle attaque survient, vous serez davantage en mesure d'opter pour des aliments allégés plutôt que de manger à l'excès, surtout après avoir fait des exercices de faible intensité.

Voulez-vous profiter pleinement d'une marche après votre dîner ? Les conseils qui suivent vous permettront d'activer vraiment le Destructeur de graisse N° 9.

Dix minutes ou plus. Une marche de dix minutes, quinze à vingt minutes après le dîner, permet de vous étirer les muscles et d'activer votre métabolisme. Si vous avez le temps, marchez de vingt à trente minutes à un rythme qui vous convient. Cette simple activité accentue les bienfaits de destruction des graisses toute la nuit.

Portez de bons souliers de marche. Vous n'apprécierez pas votre marche ni ne parcourez la distance voulue si vous être mal chaussé. Vous devez porter de bonnes chaussures de marche. Mettez-les avant le dîner afin d'être prêt à partir une fois le repas terminé.

Invitez quelqu'un. Si vous partagez cette activité avec votre bien-aimé, vous aurez la chance de discuter, voire de vous tenir par la main. Prenez-en l'habitude. Ce court moment vous permettra de vous rapprocher l'un de l'autre et de resynchroniser vos rythmes biologiques amoureux. (Ce sont les cycles cérébraux et physiques qui doivent être en harmonie totale afin que votre partenaire et vous puissiez vous détendre ensemble et vous témoiger votre affection et votre attirance sexuelle.)

Marchez en équipe. Certaines soirées, invitez d'autres membres de la famille, ou des amis, à se joindre à vous. La marche du soir favorise les discussions et la bonne humeur, en plus de consolider les liens.

Fixez votre horaire. Vous retirerez de nombreux bienfaits en fixant un programme de marche régulier. Des études révèlent que les personnes qui marchent à la même heure tous les soirs sont plus susceptibles de continuer l'exercice à long terme.

« Votre corps réagit favorablement aux bonnes habitudes, explique Frederick C. Hagerman, titulaire d'un doctorat, professeur de biologie à l'université de l'Ohio, à Athens, et conseiller en physiologie pour l'équipe olympique américaine.

Les desserts allégés

Voici quelques-uns des desserts allégés que vous trouverez facilement au supermarché. Lorsque vous achetez des gâteaux ou des tartes, des yaourts, de la glace, des flans ou d'autres desserts, vérifiez bien sur l'étiquette leurs valeurs nutritives afin de vous assurer que le produit que vous achetez est faible en graisses et en calories. Et, par la suite, savourez chaque bouchée.

Produits de boulangerie

- Gâteau des anges
- Tartes aux fruits à la pâte allégée, contenant plus de fruits et peu de sucre
- Brownies multigrains sans blé allégés
- Biscuits complets sans ou avec peu de gras

Yaourt, glace et flans

- Glace allégée sans ou avec peu de sucre
- Yaourt 0 % (vous pouvez y ajouter des fruits ou des céréales de type muesli)
- Yaourt glacé allégé sans ou avec peu de sucre
- Flan au tapioca préparé avec du lait écrémé

Fruits

- Presque tous les fruits
- Compote de pommes non sucrée
- Jus d'orange non sucré

Tentez le plus possible de respecter l'horaire que vous vous êtes fixé. »

Prenez un dessert ou une collation allégée durant la soirée

La plupart des gens aiment manger le soir. Mais c'est aussi la période la plus dangereuse pour faire des excès alimentaires riches en graisses ou grignoter sans arrêt devant la télévision. Cependant, il existe d'autres alternatives intéressantes qui les aideront à changer leurs mauvaises habitudes.

Le fait de dîner tôt, d'avoir mangé légèrement et d'avoir activé son métabolisme en faisant une marche après le repas permet de s'asseoir avec la famille pour parler, de jouer à des jeux, d'écouter de la musique ou de regarder la télévision. De plus, vous pouvez enfin prendre un délicieux dessert ou l'une de vos collations préférées.

Vous trouverez au chapitre 20 de nombreuses recettes de desserts que ma famille préfère, ainsi que les valeurs nutritives de chacune d'elles. Ou encore, reportez-vous à la liste des desserts allégés que nous avons dressée pour consultation rapide à la page 227.

Comme vous le constaterez, vous trouverez un grand choix de desserts. Quelle que soit la collation que vous choisissiez en soirée, n'excédez pas 300 calories, surtout si vous l'avez achetée au supermarché. Lisez bien les étiquettes et soyez conscient de la portion recommandée afin de ne pas en dépasser les quantités.

Savourez ensuite lentement chaque bouchée. Et n'oubliez pas de vous brosser les dents après avoir mangé. Il est important de savoir que se brosser les dents signale à l'organisme que vous avez terminé de manger. Cette action peut vous enlever l'envie de consommer d'autres aliments gras plus tard dans la soirée.

Chapitre Treize

Destructeur de graisse N° 10

Un sommeil plus profond qui active le métabolisme et un réveil plus énergique

Même si vous dormez assez pour désactiver les producteurs de graisse, il existe maintes façons d'activer les destructeurs de graisse pendant votre sommeil. Le saviez-vous ?

Oui, bien sûr ! Un sommeil de meilleure qualité peut favoriser l'élaboration de nouveaux muscles et, par conséquent, augmenter votre faculté de détruire les graisses.

De plus, il existe des moyens simples et précis qui rendront votre sommeil plus profond. Vous en tirerez non seulement un repos favorable à une bonne santé, mais découvrirez comment ces techniques peuvent activer les mécanismes destructeurs des graisses.

Le repos qui tonifie les muscles

En réalité, une perte de graisse importante ainsi qu'une grande accumulation d'énergie exigent que l'organisme puisse récupérer pendant le sommeil.

« On peut définir cette récupération comme la réaction chimique essentielle pour que l'organisme puisse produire une perte de graisse importante et pour l'élaboration des muscles, explique Ellington Darden, titulaire d'un doctorat, scientifique spécialisé en exercice et directeur de recherche du Nautilus Sports/Medical Industries. L'habileté à récupérer rapidement relève d'un repos profond adéquat. »

Vous brûlez davantage de calories de gras lorsque vous raffermissez vos muscles, même pendant votre sommeil. Mais la manière dont vous brûlez ces calories diffère selon que vous êtes actif ou au repos.

Le tissu musculaire ne se raffermit pas vraiment durant une séance d'exercices ; en fait, il se décompose. Mais dès que vous vous êtes au repos, les fibres reprennent un certain tonus et, par conséquent, augmentent leur capacité métabolique. Et plus profond est votre sommeil, meilleur est le processus.

Même si vous faites de l'exercice et tonifiez vos muscles durant la journée, sachez que vos muscles ne se raffermiront pas automatiquement, à moins que vous ne leur donniez un temps de repos réel

Il existe plusieurs moyens d'action simples pour dormir plus profondément la nuit, et pour transformer ce sommeil en un allié qui vous permettra de lutter contre les graisses et de rétablir votre énergie. (Pour acquérir plus rapidement un sommeil profond et salutaire, essayez donc le programme sur cassette audio du Dr Emmet E. Miller, *Easing into Sleep*, ou bien lisez *No More Sleepless Nights*, de Dr Peter Hauri et Dr Shirley Linde. Vous pouvez aussi contacter l'*American Sleep Disorders Association*, 604 Second Street SW, Rochester, MN 55902, afin de recevoir des informations médicales sur les traitements disponibles et sur les centres accrédités de désordres du sommeil).

Enlevez vos couvertures

« Votre corps brûlera davantage de calories chaque nuit si vous dormez au frais, suggère le Dr Darden. Je suis convaincu que la plupart des gens s'enterrent sous trop de couvertures quand ils dorment. Cette mesure empêche leur thermostat corporel de réagir et de fournir la chaleur naturelle du corps. »

Plus l'organisme doit fournir de chaleur, plus il devra brûler de graisse pour y parvenir. Le Dr Darden conseille alors d'éliminer une ou deux couvertures, surtout si vous avez tendance à dormir trop couvert. « Évitez d'augmenter la température de votre couverture électrique ou d'utiliser des draps de flanelle durant les mois d'hiver. Et quand l'été arrive, éliminez complètement les couvertures ou ne vous couvrez que d'un simple drap », suggère le Dr Darden.

Réchauffez-vous avant de dormir

Avant d'aller au lit, faites l'exercice d'après-dîner que j'ai recommandé dans le Destructeur de graisse N° 9. Des chercheurs dans le domaine ont fait de fascinantes découvertes sur les résultats d'une séance d'exercices en soirée en vue d'un sommeil plus profond.

Voici ce qu'ils ont trouvé : l'inactivité est l'une des premières causes d'insomnie. De plus, des travaux de recherche montrent que la qualité de votre sommeil est proportionnelle à votre condition physique. Mais ce n'est pas seulement l'exercice lui-même qui est bénéfique, c'est l'élévation de la température corporelle.

« Votre température corporelle diminuera d'autant plus au moment d'aller dormir si vous l'avez augmentée trois à six heures avant d'aller vous coucher, expliquent le Dr Hauri, directeur du programme d'insomnie au Centre des désordres du sommeil de la clinique Mayo, à Rochester, au Minnesota, et le Dr Linde, cochercheur. Lorsque le " creux " biologique chute davantage, le sommeil devient plus profond, avec moins de réveils », notent-ils.

Vu le rôle important que joue la température corporelle, il semble évident que tout ce que vous pourriez faire pour réchauffer votre corps plusieurs heures avant d'aller au lit aurait un effet bénéfique. Cette conclusion est appuyée par le travail de recherche de James A. Horne, titulaire d'un doctorat et scientifique spécialisé dans l'étude du sommeil à l'université Loughborough de Grande-Bretagne. Selon le Dr Horne, les personnes dorment mieux après avoir pris un bain chaud ou une douche environ trois heures avant l'heure du coucher. S'il vous arrive de sauter la période d'échauffement de votre séance d'exercices, essayez alors une douche ou un bain chaud qui augmentera votre température corporelle deux heures avant d'aller au lit.

Ne vous couchez pas affamé

Des études ont montré que les régimes-chocs ou hypocaloriques perturbent la température corporelle. Vous mettrez peut-être davantage de temps à vous endormir dans un tel cas. Selon une étude publiée dans l'*American Journal of Clinical Nutrition*, la faim trouble la phase récupératrice du « sommeil lent », type de sommeil profond qui génère des ondes cérébrales longues.

Certaines personnes qui suivent un régime minceur essaient souvent une forme de sous-alimentation, en se disant à elles-mêmes : « si je me prive de manger après 17 heures, je perdrai sûrement plus de poids. » Mais un jeûne nocturne, même s'il est tentant, peut désactiver votre destructeur de graisse. En fait, rester de longues périodes sans manger perturbe le métabolisme, bien que l'effet soit moins néfaste que si vous vous bourriez d'aliments riches en gras en regardant la télévision.

Si vous savez comment activer le Destructeur de graisse N° 9, vous avez déjà à votre répertoire bon nombre de collations et de desserts allégés que vous pouvez manger entre 20 h et 21 h. Évitez bien sûr les boissons à base de caféine comme le thé, le café et les boissons gazeuses, qui vous maintiendront éveillé ou vous feront dormir d'un sommeil agité.

De plus, vous voudrez sûrement établir un lien entre ce que vous mangez et la qualité de votre sommeil. Selon des chercheurs de l'Institut de technologie du Massachusetts, à Cambridge, et d'autres institutions, il s'agit de choisir des collations riches en hydrates de carbone, mais faibles en lipides et en protéines.

Qu'arrive-t-il si vous restez debout tard dans la soirée et que vous avez faim avant d'aller au lit ? Pouvez-vous manger quelques heures après votre collation ou votre dessert du milieu de la soirée ?

Naturellement. Mais restez fidèle à de petites portions de nourriture allégée en graisses et en protéines, et cependant riches en hydrates de carbone. Prenez deux petits grillés et un fruit à peine mûr, par exemple. Ou prenez deux biscuits faibles en gras et riches en fibres avec un petit verre de jus d'orange. Les aliments consommés tard dans la soirée peuvent avantager un sommeil plus profond, tout en augmentant les substances chimiques messagères du cerveau qui favorisent un état de relaxation et calment les émotions.

Un sommeil plus profond – sans réveil en vue

Pour vraiment bien dormir, il ne suffit pas d'atteindre un niveau de repos profond qui stimule le métabolisme, surtout si ce n'est que pour une courte période. Ce dont vous avez réellement besoin, c'est d'un sommeil profond qui durera pendant toute la période au repos.

Selon une recherche réalisée par le Centre de désordres du sommeil de la clinique Mayo, il y a au moins une modification que vous pouvez apporter à votre mode de vie pour favoriser un tel repos. « Pour la plupart des gens, la chambre devrait être un lieu sacré, déclare le Dr Hauri. Faites sonner votre réveil si vous le devez, mais placez-le dans un endroit où vous pourrez l'entendre sans le voir. »

Ce geste est spécialement important pour les personnes qui souffrent d'insomnie, selon le Dr Hauri. Si vous voyez votre réveil, vous vous réveillerez plusieurs fois pendant la nuit pour fixer les chiffres du cadran. « On dort mieux sans pression du temps », déclare le Dr Hauri.

Mettez vos problèmes de côté

Le stress et le sommeil ne vont pas de pair. Ni le travail et le sommeil, ni les problèmes de famille et le sommeil.

Afin de vraiment vous reposer, et surtout si vous souffrez d'insomnie, dites à votre famille que votre chambre est un refuge de relaxation et que personne ne peut y entrer. La chambre est une pièce réservée pour dormir et pour entretenir des relations sexuelles positives. Rien de plus. N'ayez jamais dans votre chambre de discussions enflammées ni de « remue-méninges », et n'y faites jamais entrer d'ordinateur. Cette pièce doit être uniquement associée au repos.

Les associations avec le travail et le stress peuvent être plus fortes que vous ne l'imaginez, une fois que ces forces éveillées

Changer ses habitudes

SAVOIR PLUTÔT QUE VOULOIR

Prenez une minute pour voir s'il se trouve dans votre chambre un rappel subtil des tensions d'affaires ou personnelles de la journée.

Est-ce que les chiffres de votre réveil brillent dans votre direction ? Si oui, tournez-le réveil de l'autre côté.

Votre carnet de chèques est-il rangé sur la commode à côté de la pile de factures ? Transportez donc tous vos tracas financiers dans une autre pièce.

Avez-vous un porte-documents ouvert sur la chaise, un texte à l'écran de votre ordinateur qui doit être révisé ou un article de magazine d'affaires que vous devez terminer ?

Retirez immédiatement tous ces objets de votre chambre. Ainsi, quand vous irez vous coucher ce soir, vous vous endormirez dans la partie la moins stressée de la maison.

envahissent la paix et l'intimité de votre chambre à coucher. Si vous trouvez qu'il vous arrive souvent d'être au lit sans pouvoir dormir et que vos problèmes et vos tensions vous envahissent dès que vous posez la tête sur l'oreiller, le lieu même pourrait en être la raison. Même le noir peut vous enlever votre agréable sensation de relaxation, si vous revivez une situation de stress qui s'est produite pendant votre journée.

Adaptez vos réveils de fins de semaine à ceux de la semaine

C'est une tendance générale que de vouloir « faire la grasse matinée » pendant la fin de semaine. Cependant, ces quelques heures de sommeil additionnelles sabotent vraiment le sommeil profond. Faire la grasse matinée déstabilise en fait l'horloge biologique de votre corps et crée un type de perturbation semblable à celui que produit le décalage horaire.

Selon certains chercheurs spécialisés dans le sommeil, l'énergie d'une personne qui n'a pas contrôlé son sommeil aura tendance à baisser plutôt qu'à augmenter. En plus de vous sentir épuisé et moins en forme après trop de sommeil, vous pourrez également éprouver davantage de difficulté à vous endormir la nuit suivante.

Même si vous avez mal dormi ou que votre sommeil a été écourté pour une raison quelconque, il est important que vous vous leviez à peu près à la même heure chaque jour pour permettre la synchronisation des rythmes biologiques de votre corps.

Vous pouvez bien sûr faire la grasse matinée à l'occasion. Mais si vous la faites, il serait important de limiter le temps supplémentaire passé au lit à une heure au maximum. Ouvrez les rideaux et exposez-vous à la lumière du jour dès votre réveil et commencez immédiatement à activer le Destructeur de graisse N° 1 – en faisant un exercice léger et un superbe petit déjeuner faible en gras. Toutes ces actions permettent de stabiliser votre rythme sommeil/réveil.

Vous sentez-vous particulièrement chancelant certains matins ?

Réveillez-vous si possible au moins une minute ou deux plus tôt et étendez-vous sur votre lit, plissez les yeux et bougez les bras et les jambes. Laissez votre corps s'adapter petit à petit à être entièrement réveillé. La façon dont vous passez ces premières minutes éveillé peut avoir une influence significative sur votre énergie et votre performance tout le long de la journée.

Liste de rappel : Activez les destructeurs de graisse

Destructeur de graisse N° 1 : Activez votre métabolisme tôt le matin
Destructeur de graisse N° 2 : Les collations riches en fibres, mais faibles en graisses
Destructeur de graisse N° 3 : L'eau et autres boissons qui combattent la graisse
Destructeur de graisse N° 4 : Les exercices-minute à faire en tout temps et la gymnastique de faible intensité
Destructeur de graisse N° 5 : Un déjeuner contre les graisses
Destructeur de graisse N° 6 : Les inhibiteurs de stress
Destructeur de graisse N° 7 : Un raffermissement rapide : comment tonifier vos muscles facilement
Destructeur de graisse N° 8 : Un second souffle
Destructeur de graisse N° 9 : Changer ses habitudes : dîner tôt et profitez de votre soirée
Destructeur de graisse N° 10 : Un sommeil plus profond qui active le métabolisme et un réveil plus énergique

Partie 3

Une cuisine bien adaptée et des repas allégés à l'extérieur

Vrai ou faux : délicieuse et bonne pour la santé, la cuisine allégée nous demande trop de temps.

Faux ! Et les maints conseils contenus dans ces chapitres le prouvent.

Oui, il est vrai que certains aliments comme le pain fait maison, le traditionnel riz brun et les haricots secs demandent un long temps de cuisson. Mais la plupart des plats peuvent être cuisinés de façon allégée sans vous prendre toute la soirée.

Mais que cherchez-vous exactement ?

C'est vrai, nous avons tous de nos jours des emplois du temps très chargés et voulons donc préparer notre dîner très vite en rentrant le soir. Mais, comme Leslie et moi l'avons découvert, cuisiner rapidement à la maison ne signifie pas forcément cuisiner gras. Il ne faut pas plus de temps pour préparer de nombreux « plats santé rapides » que de faire réchauffer dans le four les plats préparés ou d'aller chercher au restaurant le plus proche un « plat à emporter ».

Comme vous pourrez le constater, nous avons ajouté au répertoire des recettes allégées un certain nombre de « trucs culinaires ». Ces trucs, Leslie et moi les avons élaborés pour réduire le temps de préparation et de nettoyage de tous nos plats allégés, et pour passer le moins temps possible dans la cuisine.

Chapitre Quatorze

Des repas-minute : le « fast-food » allégé à la maison

Planifier, voilà la clé de la réussite de la cuisine allégée. Un garde-manger toujours approvisionné en ingrédients nécessaires à la préparation des vos repas vous donnera le sentiment d'avoir bien en main votre cuisine et la nutrition de votre famille. (Vous trouverez quelques conseils à ce sujet au chapitre 17). Il s'agit de planifier les menus de la semaine afin de ne faire vos courses qu'une seule fois et éviter ainsi les sauts de dernière minutes au supermarché. Organisez-vous : ainsi, si vous décidez de mettre un jour au menu du poisson frais, vous saurez quel jour vous devrez vous arrêter chez le poissonnier en quittant le bureau.

Pour ceux et celles qui aiment cuisiner – et ma femme, Leslie, en fait partie – la préparation d'un repas est tout aussi intéressante que de savourer le délicieux plat allégé qui sort du four. Mais ce n'est pas vrai chaque jour. Nous voulons souvent passer le moins de temps possible dans la cuisine et manger malgré cela un plat qui ait du goût. Pour cette raison, le programme de La Vie Allégée doit stimuler notre appétit constamment afin que nous continuions de le suivre. Il est essentiel d'avoir à notre disposition une collection de recettes qui nous permettent de varier un peu nos menus quotidiens.

Voici quelques tactiques pour préparer rapidement des repas allégés à la maison. Elles vous épargneront du temps et vous permettront de cuisiner plus facilement.

Chaque fin de semaine, prenez dix minutes pour planifier les repas. Vous économiserez temps et argent si vous consacrez quelques minutes chaque fin de semaine à planifier les plats principaux de la semaine.

Ainsi, vous simplifiez non seulement vos listes de courses, mais éliminez le problème de la plupart des gens face aux repas : « Qu'allons-nous manger ce soir ? », question qui surgit toujours quand rien n'est prévu au menu.

Vous pourriez même prendre quelques minutes de votre fin de semaine pour cuire à l'avance haricots et autres légumineuses. Ou faire la pâte du pain qui peut être congelée, puis dégelée, levée et cuite plus tard dans la semaine quand vous voudrez servir du pain maison frais et délicieux.

Déléguez les responsabilités de la cuisine. Si vous avez des enfants, partager les tâches de la cuisine fait gagner du temps et renforce les liens familiaux. Dès que les enfants sont assez grands, ils peuvent mettre ou desservir la table, laver la vaisselle et même aider à préparer les repas. Dans de nombreux foyers, ce partage du temps est un rite simple, journalier et très enrichissant pour toute la famille.

Ce qui satisfait beaucoup Leslie, c'est de préparer un repas allégé rapide et de savoir que son travail dans la cuisine s'achève quand le repas est servi. Les autres tâches sont prises en charge par nos enfants : ils aident à mettre la table et la desservent. Pour ma part, je remets toute la cuisine en ordre et je lave les plats.

Tenez à jour une liste d'ingrédients. Dès qu'un ingrédient semble s'épuiser dans vos réserves, inscrivez-le immédiatement sur une liste que vous garderez bien en vue. Vous vous rendrez ainsi la vie plus facile et éviterez les visites de dernière minute chez le marchand du coin ou au supermaché, en prenant note de chaque aliment qui est « en baisse » avant qu'il ne soit épuisé.

Une cuisine bien adaptée

Ajoutez des notes personnelles aux recettes. Chaque fois que vous modifiez une recette, écrivez les changements en marge. Si vous remplacez un ingrédient, ajustez le temps de cuisson, ou changez l'assaisonnement, notez les modifications sur le champ. Ainsi, vous vous souviendrez la fois suivante comment préparer ce plat.

Réduisez le temps de cuisson. Utilisez votre four à micro-ondes pour décongeler ou faire réchauffer les aliments. Ce four est votre meilleur allié pour réduire le temps de préparation et de cuisson, surtout dans le cas des aliments qui cuisent lentement, comme les plats mijotés, les sauces, la courge, certaines sortes de haricots et les légumineuses.

Une cocotte-minute est un autre ustensile de cuisine indispensable. Il n'existe aucun moyen plus rapide pour cuire les légumineuses. Deux heures de cuisson à feux doux dans une cocotte ordinaire équivalent à 30 minutes de cuisson dans une cocotte-minute. Et le temps de cuisson nécessaire pour d'autres plats, notamment le riz brun, les sauces, les soupes et le chili, peut être réduit d'un tiers dans une cocotte-minute. La cuisson est plus rapide et les aliments ne perdent pas leur saveur.

D'un repas, faites-en deux : doublez la recette. Chez nous, nous doublons souvent la recette des soupes, du chili, des plats mijotés et d'autres plats qui se congèlent bien. Après avoir servi le repas, nous mettons les restes refroidis dans des contenants fermés hermétiquement et les plaçons au congélateur. Voilà : un dîner surgelé complet prêt à être utilisé.

Et puis ces jours où nous n'avons pas le temps de cuisiner, nous décongelons et réchauffons ces plats de manière traditionnelle ou au four à micro-ondes. Nous servons également une petite salade et du pain frais, et le tour est joué. Nous trouvons que ces plats allégés ont bien meilleur goût – et sont beaucoup moins coûteux – que n'importe quel plat surgelé acheté au supermarché.

Congelez vos pains préférés. Gardez une ou deux miches de votre pain complet favori ou un paquet ou deux de petits pains dans le congélateur pour une décongélation rapide. Vous pourrez ainsi organiser un repas en quelques minutes.

Faites tremper les légumineuses à l'avance. Un grand nombre de recettes de haricots et d'autres légumineuses délicieuses et excellentes pour la santé exigent une préparation à l'avance, comme un simple trempage toute la nuit. Cette

Informations nutritionnelles

Les informations nutritionnelles affichées sur les aliments vous donnent les faits et, avec un peu de pratique, vous saurez d'un simple coup d'œil s'il s'agit d'un aliment allégé.

Les portions

Consommez-vous vraiment la quantité indiquée sur l'étiquette ? Si oui, vous n'avez pas besoin d'une calculatrice pour connaître la teneur en graisses et le nombre de calories de vos aliments. Mais si vous mangez deux fois plus, souvenez-vous de doubler les quantités indiquées sur chaque portion.

Calories et gras total

Il est préférable de se fier aux quantités absolues plutôt qu'aux poucentages. Celles-ci aident davantage à orienter les choix alimentaires en fonction du nombre de calories et du pourcentage de gras que vous vous allouez chaque jour.

Gras saturés et cholestérol

Pas plus de 10 % des calories totales devraient provenir du gras saturé. Dans le cas du cholestérol, l'American Heart Association recommande jusqu'à 300 ml par jour.

Sodium

Même si ce facteur n'affecte pas directement un régime allégé, une trop grand quantité de sel peut être dangereuse pour la santé de certaines personnes sujettes à l'hypertension artérielle.

Fibres alimentaires

Plus vous en consommerez, mieux vous vous porterez. Les aliments riches en fibres facilitent la digestion. De plus, étant très nourrissantes, vous consommez en général moins de nourriture et par conséquent moins de gras et moins de calories.

Information nutritionnelle
Par portion (227 g)

Quantité par portion	
Calories 240	Calories provenant du gras 25
	% de l'apport quotidien recommandé*
Gras total 3 g	5 %
Gras saturé 1,5 g	8 %
Cholestérol 15 mg	5 %
Sodium 135 mg	6 %
Potassium 500 mg	14 %
Total des glucides 46 g	15 %
Fibre alimentaire 1 g	4 %
Sucres 44 g	
Protéines 9 g	
Vitamine A 4 %	Vitamine C 10 %
Calcium 35 %	Fer 0 %

*Les pourcentages de l'apport quotidien recommandé sont basés sur un régime de 2 000 calories.

méthode permettra notamment d'accélérer la cuisson des haricots.

Les haricots en boîte sont un bon substitut de dernière minute. Leur seul inconvénient : ils sont très salés à cause de leur saumure. Pour réduire leur teneur en sel, il suffit de bien les égoutter et de les rincer dans un tamis.

Profitez davantage des salades vertes – en passant moins de temps à nettoyer. Vous aimez les salades, mais vous privez d'en manger à cause du temps que vous mettez à les préparer !

Quand vous rapportez à la maison des salades du marché, lavez-en suffisamment pour plusieurs repas. Ensuite, comme les salades sèches durent plus longtemps que les humides, essorez-les bien dans une essoreuse à salade. Enveloppez-les délicatement dans un linge de cuisine en coton, placez-les dans un contenant en plastique et réfrigérez-les jusqu'à leur utilisation. Ainsi, vous réduirez le temps de nettoyage de vos salades et elles resteront fraîches trois ou quatre jours.

Stockez les ingrédients de sauces rapides et de soupes. Quand vous devrez renouveler votre stock de bouillon de volaille ou de légumes en conserve, achetez-en un grand nombre et placez-les dans votre garde-manger. Les conserves prennent une minute à ouvrir, et n'importe quel bouillon ajoute une saveur instantanée à beaucoup de plats.

Les plats express

À l'époque où l'on favorisait une alimentation riche en gras, de nombreuses mamans avaient un plat pour chaque jour de la semaine : pâté de viande le lundi, poulet le mardi, pâtes et sauce à la viande le mercredi, par exemple. Les plats ne variaient pas, et les recettes étaient fiables et faciles à préparer.

De nos jours, on fait davantage attention au gras et, par conséquent, la façon dont on prépare les repas a également changé. Mais, il y a encore beaucoup à dire sur les plats express fiables. Les exemples qui suivent sont des substituts aux plats principaux d'antan riches en gras, aux plats d'accompagnements et même aux desserts. Et comme nous adorons les nouvelles saveurs, nous ne nous lassons jamais de ces plats, car nous y ajoutons toujours de nouvelles épices pour les rendre encore plus agréables. Ils sont rapides, faciles à préparer et délicieux. De plus, ils sont très faibles en gras.

Pizza et Pita

De nombreux supermarchés vendent maintenant des pains pitas traditionnels de blé complet, ainsi que des pains plats italiens, les « focaccia » de grains complets. Vous les rangerez facilement dans votre congélateur, ils sont plats et prennent peu d'espace. Vous pouvez facilement les utiliser pour faire vos propres pizza allégées, beaucoup mois grasses que celles achetées en magasin.

En fait, la pizza allégée prend moins de temps à faire que d'aller l'acheter. Prenez du pain pita, par exemple. Chauffez le four à 175 °C et enfournez la pita jusqu'à ce qu'elle soit légèrement croustillante. Ajoutez de la sauce tomate et des légumes hachés. Assaisonnez, puis mettez au four jusqu'à ce que la garniture soit suffisamment chaude. Vous pouvez en varier le goût en y ajoutant du fromage allégé. La pizza maison est plus économique, plus savoureuse et beaucoup moins riche en gras que la pizza traditionnelle.

Au menu : les pâtes

Les pâtes sont un des dîners rapides les plus populaires de notre famille. Nous avons toujours à notre disposition plusieurs variétés de pâtes pour en renouveler le goût : spaghetti traditionnels de grains complets, tagliatelles, macaronis et toutes autres sortes que nous trouvons dans les magasins spécialisés. Nous varions toujours les sauces.

Une simple sauce tomate, achetée toute prête ou préparée à partir d'une recette de ce livre, est facile à modifier et à rendre succulente en la parfumant différemment. Nous ajoutons parfois des restes : poulet cuit ou fruits de mer, tofu, haricots cuits, légumes, herbes fraîches, oignons et ail. Et avec un peu de lait écrémé, vous pouvez transformer une traditionnelle sauce tomate en une sauce rosée crémeuse.

L'heure du pilaf

Le riz pilaf est fait d'ingrédients simples, à la fois allégés et nutritifs. Vous pouvez donc préparer en un rien de temps un repas exotique très savoureux.

Nous aimons faire sauter de l'oignon et de l'ail et nous ajoutons du riz brun ou de l'orge, du bouillon de volaille dégraissé ou du bouillon de légumes, ainsi que quelques herbes fraîches ou séchées. Le plat prend environ dix minutes à cuire. Nous garnissons ensuite de pelures d'orange ou de citron rapées.

Option orientale

Un autre repas express merveilleux et rapide consiste à faire cuire ou réchauffer du riz brun, à y ajouter des nouilles chinoises, des légumes variés sautés et peut-être même du poulet, des fruits de mer, du tofu ou des légumineuses. Ajoutez également de la sauce de soja comme assaisonnement ou marinade rapide.

Volaille délicieuse rapidement cuite au four

Vous pouvez faire cuire sur le gril des blancs de volaille ou de dinde dépiautés en quelques minutes seulement. En un rien de temps, vous avez la base d'un repas rapide allégé.

Les plats d'accompagnement pour ce repas se préparent tout aussi rapidement : cinq minutes pour le couscous (un délicieux plat de semoule de blé dur) et à peu près le même temps pour cuire les légumes à la vapeur. Servez avec une salade nappée d'un assaisonnement allégé ou non gras et du pain complet. Voilà un repas très réussi préparé en moins d'une demi-heure.

Connaissez-vous les sandwiches aux haricots ?

Faites chauffer des haricots frits, faits maison ou en conserve (mais allégés), et étendez-les sur un pain pita de blé complet. Voici l'un des plats express allégés le plus apprécié chez nous. Nous mettons dans nos sandwiches la pâte de haricots allégée, de la sauce salsa, des tomates, de la laitue ou des germes de soja, un peu de gruyère allégé, des piments forts et des oignons coupés en dés. Cela constitue un délicieux sandwich allégé et il faut seulement dix minutes pour le préparer.

Cuisinez mexicain en quelques minutes

Vous cherchez une nouvelle version du sandwich aux haricots, utilisez des tortillas de blé complet ou des coquilles de tacos allégées molles ou dures. Garnissez-les de la même façon que les sandwiches aux haricots, ou reportez-vous à la recette sur les tacos du chapitre 19. Ils se préparent en un rien de temps.

Des hamburgers allégés sur petits pains

Si vous avez des blancs de dinde hachée sous la main, vous pouvez préparer un repas rapide n'importe quand. Conservez quelques petits pains complets dans le congélateur et décongelez-les dans le grille-pain ou dans le four à micro-ondes quand vous aurez préparé vos condiments. Nous adorons varier les ingrédients. La préparation d'un tel repas prend environ 15 minutes.

Les « antipasti » préférés de tous

Gardez toujours dans votre garde-manger et votre réfrigérateur des boîtes de haricots blancs, de haricots noirs, de thon au naturel, de piments, de cœurs d'artichauts, de betteraves rouges et d'autres garnitures et accompagnements. Tous ces ingrédients vite préparés sont faibles en gras. Si vous égouttez et rincez les légumes, mis en boîte dans de la saumure, ils seront moins salés.

Déposez de façon artistique dans un grand plat une sélection de tous ces légumes avec quelques feuilles de laitue fraîche. Aspergez de jus de citron ou de vinaigre balsamique et saupoudrez d'herbes fraîches.

Le temps de la compote

Gardez dans votre congélateur des fruits épluchés et coupés en tranches dans des sacs de plastique. Chaque fois que vous avez envie d'un dessert, mettez un mélange de fruits dans le robot culinaire, réduisez-le en compote jusqu'à ce que le mélamge soit onctueux, puis servez immédiatement. Pour cette compote de fruits, nous préférons les pêches, les kiwis, les framboises, les mûres et les fraises, mais n'importe quel fruit convient très bien.

Poisson minute

Les filets de poisson frais sont cuits en un rien de temps. Il est important que tous les filets aient la même minceur, ils cuiront ainsi très vite.

Préchauffez le four (225 à 250 °C). Déposez le poisson sous le gril, puis vérifiez au bout de 3 minutes. Arrosez-le uniformément de votre jus favori (jus d'orange, jus de citron ou cocktail de jus de légumes), ou d'une marinade allégée.

L'Omega-3

Bon nombre de personnes savent qu'il existe dans certains poissons un type d'huile bénéfique constituée d'acides gras appelée oméga-3. Mais comment choisir un poisson qui fournit cette substance ? Et quels sont les bienfaits réels de cette « huile de poisson » ?

Tout d'abord, les poissons contiennent des quantités variables de ce salutaire oméga-3. Dans certains, seulement environ 5 % du gras provient des acides gras omega-3, alors que d'autres peuvent en contenir plus de 40 %.

Les acides gras oméga-3 sont techniquement un ensemble de différents acides gras dont l'une des formes peut en fait permettre d'atténuer les risques de maladies cardiaques et d'accidents vasculaires cérébraux. Cet acide gras favorise une bonne coagulation du sang, réduit les taux de LDL (« mauvais » cholestérol) et augmente les taux de HDL (« bon » cholestérol). Tous ces bienfaits sont rendus possibles grâce à une substance chimique organique au nom presque impossible à prononcer : l'acide eicosapentaeonique, en abrégé EPA.

Les poissons qui contiennent une quantité importante d'EPA sont généralement des poissons d'eaux profondes, notamment le saumon, le thon, le maquereau, l'aiglefin, les sardines et les harengs. L'EPA est également présent en plus petites concentrations dans la morue, le thon, l'aiglefin, la truite et certains autres poissons.

Les acides oméga-3, avec leur EPA, ne constituent qu'une partie du gras du poisson, et il est impossible de n'en consommer que les parties bonnes pour le cœur. En fait, il est important de régulariser ses quantités tout comme n'importe quel autre aliment qui contient du gras.

Les acides gras oméga-3 se trouvent aussi dans d'autres aliments, mais en petites doses. Nous vous citons en option les haricots séchés, le tofu (fait à partir de fèves de soja) et les noix.

Plusieurs études révèlent que vous pouvez vous protéger contre les maladies cardio-vasculaires en mangeant des aliments riches en EPA seulement une fois ou deux par semaine. Et les personnes diabétiques ou arthritiques en ressentiront aussi les bienfaits.

Couscous instantané parfumé

Les boîtes de couscous instantané sont des plats d'accompagnement très savoureux qui s'apprêtent facilement et accompagnent de nombreux mets. Faites sauter quelques oignons

Mets allégés pour gens pressés

Les recettes suivantes exigent une préparation et une cuisson de 10 à 60 minutes. Certaines, marquées d'un astérisque, prennent plus de temps en raison de la marinade ou d'une période de refroidissement nécessaire.

Pâtes et sauces

Vermicelles chinois à la sauce de tomates fraîches (page 357) – Préparation : 35 minutes

Pilaf au couscous (page 371) – Préparation et cuisson : 10 minutes

Fettucini à la sauce de poivrons rouges grillés (page 375) – Préparation et cuisson : 15 minutes

Tagliatelles au citron et au parmesan (page 349) – Préparation et cuisson : 10 à 20 minutes

Frittata aux tagliatelles et aux brocolis (page 304) – Préparation et cuisson : 20 à 30 minutes

Nouilles orientales (page 333) – Préparation et cuisson : 30 minutes

Pâtes rustiques (page 382) – Préparation et cuisson : 30 minutes

Salades et vinaigrettes

Éclaboussure balsamique (page 388) – Préparation : 5 minutes

Salade César (page 383) – Préparation : 5 minutes

Salade de poulet aux pêches et aux noix de pecan (page 310) – Préparation et cuisson : 20 minutes

Salade saisonnière d'agrumes au raifort et au gingembre (page 341) – Préparation : 15 minutes

Vinaigrette crémeuse à l'ail (page 350) – Préparation : 5 minutes

Salade de concombre et de raisins rouges (page 315) – Préparation : 10 minutes

Salade de concombre à l'aneth (page 318) – Préparation : 10 minutes

Salade de légumes européenne (page 387) – Préparation : 10 minutes

Salade aux quatre haricots à la vinaigrette balsamique* (page 323) – Préparation : 10 minutes

Salade de haricots verts frais (page 369) – Préparation et cuisson : 20 à 25 minutes

Salade de pâtes à la grecque (page 319) – Préparation : 15 minutes

Salade de betteraves miniatures à la vinaigrette de framboise, de sirop d'érable et de noix grillées (page 394) – Préparation : 10 minutes

Salade d'Israël* (page 308) – Préparation : 10 minutes

Salade mixte avec vinaigrette italienne au parmesan (page 365) – Préparation : 5 minutes

Mélange de verdure et vinaigrette crémeuse au basilic* (page 358) – Préparation : 10 minutes

Verdure à la vinaigrette aux pêches et aux noix de pecan (page 306) – Préparation : 10 minutes

Salade à la vinaigrette de sirop d'érable et de noix (page 391) – Préparation : 10 minutes

Salade aux baies et pignons à la vinaigrette de tomates séchées (page 377) – Préparation : 10 minutes

Salade nouvelle (page 350) – Préparation : 10 minutes

Salade d'épinards aux poires et aux noix avec vinaigrette à la moutarde tiède (page 373) – Préparation : 10 minutes

Salade de pâtes mexicaine (page 327) – Préparation : 20 minutes

Légumes, haricots et riz

Ignames cuits au four avec une crème à la noix de muscade (page 354) – Préparation : 15 minutes ; cuisson : 35 à 45 minutes

Brocolis aux amandes et au citron (page 387) – Préparation et cuisson : 15 minutes

Riz basmati au citron (page 355) – Préparation et cuisson : 45 à 50 minutes

Marinade au maïs* (page 330) – Préparation : 10 minutes

Carottes miniatures glacées au miel (page 372) – Préparation et cuisson : 25 minutes

Mousseline de pommes de terre (page 385) – Préparation et cuisson : 20 à 25 minutes

Falafel grillé du Moyen-Orient (page 317) – Préparation : 15 minutes ; cuisson : 20 minutes

Guacamole aux pois (page 322) – Préparation : 10 minutes

Haricots noirs du Sud-Ouest (page 360) – Préparation : 10 minutes

Haricots verts spéciaux (page 376) – Préparation et cuisson : 20 minutes

Pomme de terre épicées (page 368) – Préparation : 10 minutes ; cuisson : 20 minutes

Tacos (page 352) – Préparation et cuisson : 15 minutes

Soupes et ragoûts

Potage de glands d'automne au fromage (page 330) – Préparation : 10 minutes ; cuisson : 45 minutes

Potage aigre et piquant (page 381) – Préparation et cuisson : 25 minutes

Ragoût de poulet et légumes à l'ancienne (page 393) – Préparation et cuisson : 45 minutes

(suite)

Mets allégés pour gens pressés — Suite

Potage de châtaignes grillées au riz sauvage (page 326) – Préparation et cuisson : 1 heure

Chili au poulet à la façon du Sud (page 338) – Préparation : 10 minutes ; cuisson : 45 minutes

Gaspacho épais à saveur piquante* (page 300) – Préparation : 15 à 20 minutes

Volaille

Blancs de poulet à la vinaigrette de framboise (page 348) – Préparation et cuisson : 35 minutes

Fajitas de Santa Fe au poulet (page 359) – Préparation et cuisson : 25 minutes

Hamburgers à la dinde (page 367) – Préparation et cuisson : 20 à 30 minutes

Fruits de mer

Poissons piquants à la Veracruz (page 353) – Préparation et cuisson: 40 minutes

Pétoncles flambés au poivre (page 375) – Préparation et cuisson : 15 minutes

Sauté thaïlandais (page 379) – Préparation et cuisson : 45 minutes

Pains, chips et sandwichs

Pain vite fait au blé concassé (page 313) – Préparation : 5 minutes ; cuisson : 45 minutes

Muffins au pain d'épices (page 332) – Préparation : 10 minutes ; cuisson : 20 minutes

Galettes de babeurre au fromage et aux piments forts (page 302) – Préparation : 10 minutes ; cuisson : 12 à 15 minutes

Pains pitas à l'humus (page 307) – Préparation : 15 minutes

Pains pitas à la pâte de lentilles (page 340) – Préparation : 10 minutes ; cuisson : 45 minutes

Pain d'avoine au bicarbonate de soude (page 305) – Préparation : 15 minutes ; cuisson : 30 à 40 minutes

Pain à l'ancienne à la semoule de maïs (page 339) – Préparation : 10 minutes ; cuisson 20 minutes

Salade du paysan dans un pain pita (page 325) – Préparation : 15 minutes

Sandwich grillé à la ratatouille et à la mozzarella (page 314) – Préparation et cuisson : 45 minutes

hachés et de l'ail émincé dans un peu d'huile d'olive ou de canola.

Mélangez dans un peu de couscous du bouillon de volaille ou de légumes et un peu d'assaisonnement comme du persil, du basilic ou du curry en poudre. Couvrez, retirez du feu et laissez reposer dix minutes. Détachez les grains à l'aide d'une fourchette et servez.

Pour varier, ajoutez quelques tomates en dés, des châtaignes d'eau ou des poivrons rouges grillés en tranches.

Raccourcis du chef

Chaque cuisinier élabore des trucs rapides qui rendent les recettes plus simples à apprêter. Ces raccourcis sont importants, car ils vous permettront de préparer des fruits frais, des légumes ou des garnitures tout aussi facilement que d'acheter des aliments déjà préparés.

Voici quelques-uns de nos raccourcis qui nous font gagner des minutes dans la préparation de nos repas.

De l'ail en quelques secondes

Placez les gousses d'ail individuellement sur une planche à découper. Écrasez-les avec le côté plat d'un large couteau semblable à un couteau de chef cuisinier. Les pelures devraient glisser très vite. Puis pressez-les dans un presse-ail de bonne qualité.

Des patates douces en quelques minutes

Pour réduire de 50 minutes le temps de cuisson des patates douces, très nutritives, coupez d'abord les tubercules non épluchés en gros cubes. Faites bouillir les cubes dix minutes, ou jusqu'à ce qu'ils soient tendres. Égouttez-les et servez.

Ou, pour varier, coupez les patates douces en tranches d'un peu plus de 1 cm d'épaisseur et recouvrez-les de sauce soja mélangée avec quelques gouttes d'huile d'olive ou de canola. Mettez sous le gril jusqu'à ce qu'elles soient croquantes et d'un brun doré.

Il existe également une version micro-ondes : transpercez les patates douces plusieurs fois avec une fourchette et mettez-les dans le four à micro-ondes jusqu'à ce qu'elles soient tendres. Une patate douce prend environ 4 à 5 minutes pour cuire. Si vous en mettez quatre, le temps de cuisson est d'environ 10 à 12 minutes.

De la courge en dix minutes

Votre four à micro-ondes peut très bien rendre votre courge tendre et savoureuse en moins de dix minutes. Coupez la courge en deux et transpercez la peau à l'aide d'une fourchette. La courge prend environ huit minutes à cuire dans le micro-ondes.

Un substitut au riz

Le riz brun doit être bouilli 45 minutes pour être prêt. Si vous manquez de temps – et si vous n'avez pas de riz brun précuit dans le réfrigérateur – essayez un des grains vite cuits suivants, qui sont prêts à manger en 5 à 12 minutes.

- Blé bulgur : 7 minutes
- Orge vite cuite : 12 minutes
- Couscous : 5 minutes
- Riz brun vite cuit : 10 minutes

Chapitre Quinze

Supprimer graduellement les graisses de tous les repas

Bon nombre d'entre nous ont à l'esprit de bons souvenirs des saveurs alléchantes qui venaient des cuisines de leurs mères ou de leurs grand-mères. C'est vrai, chacun de nous ressent toujours un certain plaisir à retrouver les recettes et les traditions transmises d'une génération à une autre. Au cours des siècles, la nourriture a toujours été un lien, un symbole de partage.

Malheureusement, un grand nombre de nos recettes préférées contiennent beaucoup de gras. Cela signifie-t-il que nous devrons les abandonner ?

Non ! Surtout si vous apprenez à les préparer en réduisant leur teneur en gras tout en conservant leur bon goût.

Comme nous l'avons découvert dans notre cuisine, vous pouvez adapter les recettes d'antan que vous préférez tout en les rendant meilleures pour votre santé. Ce chapitre offre une gamme de conseils simples et rapides que vous pourrez mettre en pratique dès aujourd'hui.

Ce chapitre vous fournira également les lignes directrices qui vous permettront de préparer des pains, des céréales de grains complets, aussi bien que des légumineuses – haricots, petits pois et lentilles. Nous savons tous que ces aliments sont nos alliés dans le cadre du programme de La Vie Allégée. Vous

L'ère du changement : que fait-on des huiles ?

D'accord, la poêle à frire est devant vous. La salade n'est pas assaisonnée. Plusieurs sortes d'huile vous tendent les bras. Mais quelle est la meilleure pour la santé ?

Si vous pensez à votre santé, il est évident que vous devrez choisir dans la cuisson et l'assaisonnement de vos aliments et vos salades les huiles d'olive et de canola, mais seulement en petites quantités.

Pourquoi ces deux huiles là ?

Parce qu'elles contiennent toutes deux beaucoup d'acides gras mono-insaturés qui permettent de contrôler le taux de cholestérol dans l'organisme. De plus, l'huile d'olive protège également contre les maladies cardiaques, selon certaines études réalisées à l'université Stanford. Des chercheurs ont prouvé que l'huile d'olive permet de réduire la formation de caillots de sang, responsables de maladies cardiaques ou d'accidents vasculaires cérébraux. Et plus encore, plusieurs études portant sur le cancer du sein et du colon révèlent que l'huile d'olive pourrait inhiber la formation tumorale, comme ne pourraient le faire d'autres huiles.

Bon nombre de personnes utilisent l'huile de canola parce qu'elles n'aiment pas le goût de l'huile d'olive sur certains aliments, en particulier les aliments sucrés cuits au four. Mais un soupçon d'huile d'olive parfume agréablement une salade. Vous pouvez l'utiliser également parcimonieusement pour faire frire du poisson, ou en ajouter quelques gouttes dans l'eau de cuisson des pâtes.

Les recettes de muffins et de pains rapides sont délicieuses si vous remplacez les trois quarts du gras de la recette par de la compote de pommes. Par exemple, vous pouvez remplacer les 125 g de beurre d'une recette de muffins par 2 cuillères à soupe de beurre et 6 cuillères à soupe de compote de pommes. Vous éliminerez ainsi une partie du gras.

Puis faites un test. Si le goût et la texture de vos muffins ou gâteaux vous plaisent, essayez d'éliminer encore plus de gras la prochaine fois que vous ferez la recette. S'ils perdent ainsi un peu de leur saveur, ajoutez-leur un édulcorant : de la vanille, du citron, des épices, de la cannelle ou de la noix de muscade, par exemple. Parcourez la recette originale et imaginez quelles épices et quels aromes pourraient rehausser davantage la saveur des muffins.

Si vous remplacez certains ingrédients de la recette, il est important de toujours bien surveiller le temps de cuisson – particulièrement dans la cas de cuisson au four. Il peut varier suivant l'ingrédient que vous changez dans la recette. Si vous remplacez par exemple le sucre par du miel, baissez la température d'environ 12 °C. Cet édulcorant brunit plus vite que le sucre.

tirerez la plus grande satisfaction des céréales et des légumineuses : ce sont des aliments nourrissants, au goût délicieux, qui contiennent de nombreuses fibres et toutes les substances nutritives essentielles à une bonne santé. Ils sont pour la plupart faciles à cuisiner, et contiennent peu de gras ou pas du tout. Cependant, nombreuses sont les personnes qui les croient difficiles à préparer.

Si vous voulez à la fois rassasier votre faim et bien vous nourrir, vous devrez vous habituer à préparer des repas qui incluent une grande quantité de grains complets et de légumineuses. Cherchez dans votre garde-manger les produits allégés. Vous y trouverez certainement du riz brun aux grains courts et longs ; des céréales complètes à cuire comme les flocons d'avoine, le millet, la crème de riz brun ou de riz entier ; des farines complètes comme la farine d'avoine, la maïzena, la farine de blé et la farine de froment ; et des légumineuses comme les lentilles, les pois chiches, les haricots blancs et les haricots rouges.

Vous réussirez très certainement les plats qui ont recours à ces ingrédients. Vous découvrirez les différentes façons de les cuisiner, leur temps de cuisson selon la recette, ainsi que des modes de préparation de qualité pour chaque légumineuse. Vous y trouverez également des conseils sur la cuisson des pains et gâteaux de la Partie 4. Il est évident que toutes ces méthodes – dont le but est de réduire en grande partie le gras de vos recettes préférées et d'ajouter à votre alimentation les grains complets et les légumineuses – ont été éprouvées avec succès dans notre cuisine.

Les substituts

Ce tableau vous donnera des idées de base sur la façon de réduire le gras d'un plat en remplaçant certains ingrédients de la recette. Quelques ingrédients suggérés ici sont des substitutions directes – remplacer le lait entier par du lait écrémé, par exemple, afin d'épargner 8 g de gras par tasse. D'autres ingrédients exigent davantage d'imagination, et certainement plus d'expérimentation.

À la place de...	Substitut...	Réduction du gras (en grammes)
Condiments, sauces, aromatisants et édulcorants		
Béchamel préparée avec 250 ml de lait complet 2 c.s. de farine et 2 c.s. de margarine	Béchamel préparée avec 250 ml de lait demi-écrémé et 2 c.s de farine	28
28 g de chocolat non sucré	28 g de cacao	15
28 g de chocolat à cuisson	3 c.s. de cacao	13
1 c.s. de mayonnaise	1 c.s. de mayonnaise allégée	11
Produits laitiers et œufs		
100 ml de crème fraîche	100 ml de crème fraîche allégée	44
115 g de fromage	115 g de fromage allégé	22
250 ml de lait entier	250 ml de lait écrémé	8
1 œuf grand calibre	2 blancs d'œuf	5

La tâche la plus difficile consiste à trouver des moyens ingénieux de préserver la saveur du plat que vous préparez. Par bonheur, sa saveur provient souvent davantage des ingrédients naturellement faibles en gras ou allégés que de ceux riches en gras.

À la place de…	**Substitut…**	**Réduction du gras (en grammes)**
Graisses et huiles		
250 ml d'huile	250 ml de compote de pomme	218
125 g de beurre	62,5 g de beurre	46
75 g de beurre	75 ml d'huile	10
Viandes et poissons		
110 g de bœuf haché, grillé	110 g de dinde hachée, grillée	22
450 g de porc avant la cuisson	450 g d'espadon avant la cuisson	20
110 g de thon dans son huile	110 g de thon au naturel	8
110 g de volaille rôtie avec la peau	110 g de volaille dépiautée, rôtie	4
Collations, plats d'accompagnement et desserts		
250 g de pop-corn avec beurre cuits dans de l'huile	250 g de pop-corn sans beurre cuits à la vapeur	15
28 g d'arachides grillées	28 g de marrons grillés	13
1 croissant	1 bretzel	10
28 g de chips	28 g de chips allégés	10
125 g de glace à la vanille	125 g de yaourt glacé à la vanille	8
1 morceau de pizza avec fromage et saucisson	1 morceau de pizza avec fromage et champignons	4

Rester jeune : les bienfaits des légumes sur les années

Les collations et les recettes que nous suggérons dans La Vie Allégée englobent naturellement beaucoup de fruits et de légumes frais. Ces aliments contiennent peu de gras, ou pas du tout, et une grande quantité de substances nutritives qui procurent une grande énergie à votre organisme. Ces aliments présentent aussi un autre avantage. Ils possèdent des substances naturelles qui permettent de neutraliser les radicaux libres, fragments moléculaires qui peuvent endommager les cellules corporelles. Il est crucial de freiner l'action des radicaux libres pour protéger votre corps contre des maladies dégénératives et du vieillissement précoce.

Autrement dit, tous ces fruits et légumes peuvent également vous permettre de vous sentir plus jeunes et de vous en donner l'apparence.

Mais qu'entend-on exactement par radicaux libres et comment certains éléments nutritifs ne font pas obstacle à leurs attaques insidieuses ?

Selon la « théorie du radical libre » largement acceptée, un grand nombre de molécules instables et très réactives, qui se déplacent autour des cellules, réagissent facilement à l'action de l'oxygène, créant ainsi une oxydation. Et cette oxydation provoque l'érosion : elle rouille le métal et fait pourrir le fruit. Les radicaux libres des cellules entraînent des réactions en chaîne et créent un effet destructeur que les biochimistes appellent « réaction en cascade ». L'ADN, matière génétique à l'intérieur du noyau de la cellule, est particulièrement atteint. Quand l'ADN est endommagé, les effets résiduels peuvent être cause de cancer, de maladies cardiaques et de vieillissement précoce.

Si vous consommez des fruits et des légumes frais, vous absorbez des substances appelées anti-oxydants. Ce sont des inhibiteurs de radicaux libres qui peuvent court-circuiter le processus d'oxydation. Ces substances interfèrent avec la destruction irrationelle que causent les radicaux libres. Les antioxydants que l'on trouve dans les aliments frais sont le beta-carotène (dans les légumes frais aux couleurs vives et vert foncé) et la vitamine C.

Les vitamines B (B_1, B_6 et acide pantothénique), la cystéine (acide aminé), le zinc, le sélénium, la catéchine et l'indol – substances protectrices permettent également d'inhiber l'action des radicaux libres que l'on trouve dans les pommes de terre et les bananes. Ajoutez les bienfaits d'un contrôle radical que vous donne la chlorophylle, présente dans la plupart des légumes verts. Il est clair que tous les fruits et légumes frais agissent comme protecteurs des cellules de l'organisme.

Conseils sur les produits de substitution

L'expérience nous apprend à réduire avec succès le gras d'un plat tout en lui gardant son goût initial. Vous constaterez que certaines recettes acceptent mieux que d'autres d'êtres faites avec très peu ou sans gras.

Ce sont la graisse et le sel qui rehaussent le plus la saveur d'un plat, dit-on. Si on les élimine tous les deux d'une recette, le plat vous paraîtra alors un peu fade. Variez donc davantage herbes et épices, et mettez-en en plus grande quantité, vous augmenterez ainsi la saveur du mets. (Et dans les recettes de plats sucrés, vous pouvez ajouter davantage d'édulcorant). Quand vous remplacerez la farine blanche ou la farine de riz par des farines complètes – meilleures pour la santé – ces dernières transmettront une saveur unique à vos recettes. Elles sont également plus nourrissantes et vous les apprécierez très certainement.

Si vous éliminez l'huile de certaines sauces, vous n'en altérerez pas tellement la saveur. Par contre, si vous éliminez le gras de certains plats cuits au four, sans le remplacer, il se peut que vos ingrédients deviennent secs et sans goût. Vous réussirez très bien d'autres plats en réduisant de moitié la quantité de beurre, de margarine ou d'huile stipulée dans la recette. Il est facile de remplacer un œuf entier par deux blancs d'œufs ou du lait entier par du lait écrémé.

Un point de départ

Si vous voulez réduire de façon importante le gras des recettes préférées de votre famille, vous devrez manger moins souvent de viande.

Si vous n'avez pas encore adopté une alimentation allégée en viande, nous aimerions vous donner quelques conseils à ce sujet. En diminuant graduellement la viande de votre alimentation, vous verrez qu'il vous sera très facile de changer vos habitudes alimentaires et votre santé n'en sera que meilleure.

Un nombre important de chercheurs et d'organisations de santé préconisent de plus en plus une alimentation végétarienne qui comprend les grains complets, les haricots et les légumineuses, les fruits, les légumes et les produits laitiers faibles en gras ou allégés. D'autres recommandent un régime semi-végétarien, qui laisse la place à des quantités limitées de volaille dépiautée ou de poisson, mais inclut peu ou pas de bœuf ou de porc.

Les arguments en faveur d'une alimentation végétarienne ou semi-végétarienne sont acceptées par la recherche. Dans une étude de l'université de Kuopio, enFinlande, des chercheurs en médecine suivirent des végétariens « nouveaux » pendant sept mois et remarquèrent que leur niveau de cholestérol dans le sang avait chuté en moyenne de 9 %. Leur niveau de HDL (« bon » cholestérol) avait augmenté, ce qui améliorait le taux de cholestérol total de 2,5 %. Au bout de sept mois, 38 % des personnes qui avaient choisi une alimentation végétarienne rapportaient qu'ils se sentaient plus éveillés et vigoureux, et moins fatigués.

Une cuisine végétarienne peut également affecter l'humeur. Une étude qui a duré cinq ans, portant sur les conditions cardiques familiales, à Portland, en Oregon, révéla que de nombreuses personnes qui adoptaient une alimentation faible en gras et en friture, mais riche en grains complets allégés, fruits, légumes et légumineuses étaient rarement dépressives. Ces personnes avaient également moins d'accès de colère. L'étude laisse entendre qu'une consommation allégée – avec davantage de plats végétariens – permettrait aux personnes de faire face de façon plus efficace au stress quotidien.

Autrefois, certaines personnes hésitaient à adopter une alimentation végétarienne, car elles étaient persuadées que la viande leur fournissait des éléments absents dans les fruits et les légumes. Mais des chercheurs en médecine ont observé attentivement des milliers de végétariens pendant des dizaines d'années et ont conclu que ces derniers se nourrissaient généralement très bien. Mieux encore, cette catégorie de personnes souffrait moins de maladies de dégénérescence chronique que le restant de la population.

On a également observé que les personnes végétariennes avaient une tension artérielle plus basse et que leur niveau de cholestérol sanguin était presque parfait. Chez ces personnes, l'incidence de maladies cardiaques, d'ostéoporose, d'obésité, d'arthrite, de diabète ou de maladie du rein est également moins élevée. Certaines études démontrent que si vous passiez d'une alimentation riche en viande à une alimentation végétarienne allégée, vous diminueriez certainement vos risques de certaines formes de cancer et renforceriez votre système immunitaire.

L'une des raisons pour lesquelles les régimes végétariens semble réduire les risques de cancer est que les fruits et les légumes ne contiennent qu'une faible quantité de mutagènes, substances qui peuvent causer le cancer. « Nous croyons que les mutagènes dans les viandes frites et grillées activent le processus et que l'alimentation riche en gras favorise notamment les cancers du sein, de la prostate et du colon », déclarent des scientifiques de la Fondation américaine de la santé, à Valhalla, New York. « Les pommes de terre frites et les aliments similaires contiennent quelques mutagènes, mais les viandes en contiennent mille fois plus. »

Une transition facile

Jour après jour, vous franchirez des étapes qui vous permettront d'éliminer le gras de votre alimentation en consommant moins de viande. Que vous coupiez complètement le gras, ou en partie seulement, vous verrez très vite que votre défi de réduire votre consommation de viande s'est vite transformé en une habitude de vie très agréable. Voici comment vous pouvez amorcer une telle transition.

Mangez du pain et des petits pains sortis tout frais du four. Enfourner quelques pains faits maison devrait devenir une habitude agréable de fin de semaine. L'odeur du bon pain frais est l'un des plaisirs de la vie.

Si vous disposez de peu de temps, achetez une des nombreuses machines à pain (robot boulanger) disponibles sur le marché. Essayez les nouveaux pains : pain de blé complet, pain de seigle ou de seigle noir, petits pains, pour n'en nommer que quelques-uns…

Vous pouvez accompagner chacun de vos repas de produits de boulangerie de grains complets. Le goût naturel du pain de blé complet est souvent si délicieux que vous n'y ajouterez que très peu de beurre ou de margarine, pour éventuellement ne pas en mettre du tout.

Diminuez les portions de viande rouge. Commencez de façon mathématique. Cette semaine, diminuez de 20 % votre consommation de viande. Enlevez-en 20 % de plus la semaine suivante. Essayez en même temps de remplacer le porc ou le bœuf par un blanc de dinde ou de volaille faible en gras, ou encore par du poisson frais. Tout en continuant à réduire vos portions, vous pourriez graduellement transformer la viande en un plat d'accompagnement.

Cette étape vous semble-t-elle réaliste ? Oui, elle l'est pour la plupart d'entre nous. Vous commencez par ne manger qu'une seule fois par jour de la viande maigre, du poisson ou de la volaille, en limitant votre portion de 100 à 120 g.

Rehaussez les saveurs. Personne n'a vraiment envie de changer son alimentation, sauf si on lui propose des mets et des collations qui ont un goût extraordinaire. Conservez donc dans votre réfrigérateur des boîtes de condiments forts et épicés, comme de l'ail, des épices, de la sauce salsa et d'autres sauces. Choisissez pour chaque plat ceux qui le parfumeront à votre goût.

Ajoutez de la variété à vos salades. Cherchez des légumes colorés aux délicieuses saveurs nouvelles. Regardez tout le choix que vous propose le rayon de légumes de votre supermarché et variez ainsi la salade de votre repas : épinards vert profond, chou frisé et arugula, options les plus populaires ; puis les carottes, les tomates, les oignons, le brocoli et le chou-fleur. Et pourquoi ne pas ajouter du goût à votre salade en la parsemant de pommes en dés, de noix hachées ou de fromage râpé allégé ?

Essayez les assaisonnements de salade allégés vendus au supermarché. Goûtez-les et préparez vous-même celles que vous préférez. En plus des assaisonnements allégés que vous trouverez dans la Partie 4 de ce livre, essayez cet assaisonnement rapide : une très petite quantité d'huile d'olive et quelques gouttes de vinaigre balsamique ou de jus de citron, et vos épices favorites pour terminer.

Optez pour les fruits et les légumes. En ajoutant des produits frais aux aliments que vous aimez déjà, vous passez facilement à un régime allégé tout en gardant certaines saveurs qui vous plaisent. Si c'est la salade de thon ou de volaille que vous préférez, préparez-la donc avec de la mayonnaise allégée et des poivrons rouges et verts hachés. Ajoutez-y également des tranches de tomates, des oignons ou des concombres, ou les trois. Servez le tout sur un lit de laitue fraîche. En moins d'une minute,vous doublez votre portion de légumes, tout en préservant la partie principale de votre salade préférée ou de votre sandwich.

Dans les plats mijotés, ajoutez moins de viande et mettez quelques légumes supplémentaires, des céréales ou des pâtes. Si vous avez l'habitude de servir du jambon ou des saucissons riches en gras sur une mince tranche de pain ou des petits grillés, remplacez la viande par des morceaux croquants et tous frais de concombres, de carottes, de céleri ou de courgettes. Si vous servez des amuse-gueules, goûtez des bouquets de brocoli ou de chou-fleur accompagnés de sauces épicées et de vinaigrettes crémeuses faibles en gras ou allégées.

Faites vos courses dans le rayon des produits importés. Prévoyez davantage de repas avec de la viande faible en gras, ou sans viande du tout, en préparant vos aliments exotiques préférés – au goût mexicain, asiatique, italien et autres.

Ayez toujours dans votre cuisine des provisions de soupes aux légumes, de haricots en conserve sans gras, de grillés de grains complets allégés, de jus de fruits surgelés, de fruits à point et d'épices fraîches. Élargissez vos menus avec de petites portions de nouveaux plats d'accompagnement, de soupes ou de plats mijotés en utilisant des aliments exotiques comme le riz basmati, le bulgur, le couscous ou le tofu.

Essayez aussi quelques repas rapides sans viande en utilisant un wok et un peu d'huile. Vous serez surpris de constater que la transition à un nouveau régime allégé s'effectue sans peine.

Imaginez de nouvelles recettes sans viande et sans gras. Feuilletez vos livres de cuisine préférés et trouvez des nouvelles recettes où l'on utilise peu ou pas de viande. Préparez-les avec d'autres substituts allégés – et indiquez au crayon, en marge, les changements que vous y apportez.

Mettez à jour les recettes de vos grand-mères. Chaque famille a ses recettes favorites, et certaines se passent de génération en génération. Transformer cet héritage culinaire de façon à satisfaire les exigences nutritionnelles allégées recommandées d'aujourd'hui est l'une des manières de marier le meilleur des deux mondes. Gardez les vieilles recettes à cause de leur valeur sentimentale (Leslie les attache derrière la version nouvelle transformée), mais appliquez les principes énoncés dans ce chapitre, qui sont d'éliminer le gras de votre alimentation.

Chaque fois que vous préparez une recette, ayez toujours un crayon à la portée de la main afin de noter toute modification à la recette originale. Quand vous passerez ces recettes à vos enfants, ce ne sera pas seulement les traditions que vous leur ferez partager, mais une version allégée qui favorisera à la fois une bonne santé et les bons souvenirs.

Cuisiner avec des grains complets

Vous voulez non seulement préparer des recettes les plus allégées possible, mais aussi utiliser bon nombre d'ingrédients allégés, très nourrissants et riches en fibres. Ce sont donc les grains complets qui vous conviendront le mieux.

Les grains complets figurent à la tête d'une alimentation saine. Avec les légumineuses, les grains complets constituent, dans le monde entier, l'élément alimentaire principal des personnes qui vivent vieux et en bonne santé. La farine complète possède également de grandes propriétés nutritives.

Malheureusement, peu de personnes utilisent les grains complets dans leur cuisine. Les produits de grains complets les plus utilisés en Amériquedu Nord sont le riz blanc, la farine blanche enrichie et de temps en temps un petit bol de flocons d'avoine pris avec du lait chaud ou un biscuit à la farine d'avoine.

Comme la technologie moderne s'est étendue à l'industrie alimentaire, les grains raffinés se trouvent souvent plus facilement que ceux qui ne le sont pas. Cependant, nous perdons des vitamines quand les grains complets sont raffinés. Quand le blé complet si nutritif est moulu pour être transformé en farine blanchie, les substances nutritives essentielles, comme le son riche en fibres et le germe très nutritif, disparaissent durant les processus de broyage et de raffinage. La farine blanche est souvent blanchie par un procédé chimique, source de multiples problèmes. Cependant, même si le produit final est une pâle imitation de l'aliment original de grain entier, la farine blanche enrichie est l'une des farines les plus utilisées.

Le riz, autre grain complet très important dans l'alimentation, perd également beaucoup de sa valeur nutritive lors du procédé de raffinage. Le riz brun riche en fibres et nutritif est utilisé par de nombreuses personnes comme le riz blanc. Durant le raffinage, l'extérieur du riz est poli, ce qui fait disparaître sa couverture de son riche en fibres. Quand il est servi à table après avoir été cuit, le riz a pratiquement perdu toute sa valeur nutritive.

Votre supermarché ne vend peut-être pas certains des grains complets qui sont si importants dans le cadre d'une vie allégée. Aussi aurez-vous besoin pour en faire provision de vous rendre dans un magasin d'alimentation naturelle. Les grains complets se conservent bien : achetez-en en grande quantité et mettez-les dans des récipients fermés hermétiquement. Rangez-les dans un endroit sombre et bien sec. Si vous voulez faire des provisions pour longtemps, conservez les grains complets et la farine dans le réfrigérateur, ou même dans le congélateur, ainsi ils ne deviendront pas rances.

Les grains comme entrées ou plats d'accompagnement

Cuisiner des grains est d'une grande simplicité. Tout ce dont vous avez besoin, c'est d'eau bouillante et des grains que vous allez faire cuire.

Chaque sorte de grain exige un temps de cuisson différent. C'est donc un défi au début de définir les bonnes quantités à cuire.

Comme directive générale, vous pouvez prévoir environ 60 g de grain cuit par personne. Peut-être vous en faudra-t-il moins ou davantage selon le repas, le grain et l'appétit de chaque convive. Pour des rapports spécifiques et les temps de cuisson, référez-vous au « Tableau de cuisson des grains complets » de la page 266.

Vous trouverez ci-dessous la méthode de cuisson de n'importe quel grain.

1. Portez à ébullition dans une casserole la quantité d'eau demandée.

2. Ajoutez lentement le grain et portez de nouveau l'eau à ébullition.

3. Réduisez le feu à doux, couvrez et laissez frémir le temps recommandé, ou jusqu'à ce que l'eau soit absorbée. Les grains devraient être moelleux, sans être pâteux, résistants, croquants ou durs.

Tableau de cuisson des grains complets

Grain (250 g)	**Repas principal/plat d'accompagnement** Eau (ml)	Temps de cuisson (min.)	Portion (g)	**Céréales chaudes** Eau (ml)	Temps de cuisson (min.)	Portion (g)
Orge, décortiquée	450-550	45-50	450	675	20-25	675
Riz brun	450	35-45	450	900	5-10	900
Sarrasin, décortiqué	450	15-20	900	1,1	10-12	900
Semoule de maïs	675-900	25	675-900	900	5-10	900
Millet	450	20-25	450-675	675-900	20-30	900
Avoine	450	45	450-550	450	10-15	400
Seigle	675-900	90	625	675	10	675
Blé	900	120-180	550	900	15	900
Riz sauvage	450-675	35-45	675	900	45-60	900

Farine	Commentaires
Texture semblable au blé. Contient peu de gluten. Un bon substitut au blé si on veut éliminer le gluten.	Utilisez les flocons d'orge pour les céréales chaudes. Sa couche extérieure vient de l'orge perlé. N'utilisez que si l'orge décortiquée n'est pas disponible.
Texture granulaire et friable. Se combine bien aux farines d'avoine, de millet et d'orge.	Utilisez le riz moulu grossièrement ou les flocons pour les céréales chaudes.
Foncé, lourd, mais savoureux. Bon pour les crêpes. Utilisez du sarrasin non décortiqué pour la farine.	Le sarrasin blanc décortiqué et non grillé est le meilleur choix. Utilisez les flocons ou les grains complets pour les céréales chaudes.
Bon dans les pains de maïs ou les pains multigrains. La semoule de maïs à forte teneur en lysine est un bon choix.	Utilisez la semoule de maïs pour des céréales chaudes et la semoule ou la farine comme repas principal (polenta).
Texture pâteuse. Bon dans les sauces. Meilleur lorsque combiné avec des farines de riz, d'avoine et d'orge.	Le grain complet est utilisé comme repas principal et pour les céréales chaudes.
Texture moelleuse. L'avoine décortiquée est moulue en farine. Les flocons d'avoine peuvent être moulus dans un mélangeur pour faire de la farine.	Utilisez les flocons à cuisson rapide pour les céréales chaudes, et la farine complète pour les pains sans levure.
Le seigle foncé est le meilleur. L'écorce de son est retirée dans le seigle pâle.	Utilisez les flocons d'avoine, les grains grossiers, le gruau et l'avoine à cuisson rapide pour les céréales chaudes.
Quantité importante de gluten. Bonne farine pour les pains à levure.	Utilisez les flocons à cuisson rapide, le gruau et les flocons ordinaires pour les céréales chaudes.
Texture moelleuse. À utiliser de préférence avec d'autres farines.	Utilisez le grain complet pour les céréales chaudes.

4. Retirez la casserole du feu et laissez reposer, avec le couvercle, de cinq à dix minutes. Cette opération donnera aux grains une texture légère et moins collante.

5. Détachez les grains doucement à l'aide d'une fourchette, puis servez.

Voici d'autres conseils qui vous permettront de réussir la cuisson de vos plats de grains ainsi que quelques idées pour y ajouter davantage de saveur.

- Rincez les grains seulement s'ils semblent sales, s'ils ont des petits débris ou si la recette le demande. Par conséquent, cette étape n'est pas indispensable. (Une exception : le riz sauvage doit être rincé et égoutté avant d'être cuit.)
- Ne remuez pas les grains durant la cuisson. Cela les rend collants et pâteux, et ils ne se détacheront pas.
- Pour une saveur supplémentaire, ajoutez du bouillon de légumes ou de volaille, en plus de l'eau de cuisson ou à sa place. Vous pouvez ajouter également un peu de vin blanc sec à l'eau de cuisson.
- Tentez l'expérience avec toutes sortes d'herbes, d'épices, de légumes hachés, en les ajoutant pour rehausser le goût. Vous pouvez ajouter les herbes et les épices à n'importe quel moment de la cuisson. Pour que les légumes frais restent bien croquants et ne soient pas trop cuits, ajoutez-les vers la fin de la cuisson. Si vous utilisez des légumes surgelés, faites-les cuire seulement deux minutes dans la casserole en fin de cuisson.

Cuisiner des céréales chaudes de grains complets

Manger des céréales de grains complets comme petit déjeuner est l'une des manières de bien commencer votre journée. Un bol de céréales se prépare rapidement. Utilisez le « Tableau de cuisson des grains complets » à la page 266 pour les proportions, les quantités et les temps de cuisson. Puis suivez les étapes suivantes pour la cuisson des céréales.

1. Mettez dans une casserole la quantité d'eau demandée.

2. Portez l'eau à ébullition et mélangez-la aux céréales.

3. Portez de nouveau à ébullition en mélangeant.

4. Baissez le feu et faites cuire le temps recommandé, en remuant de temps en temps jusqu'à ce que les céréales aient une consistance douce et crémeuse.

5. Durant les dernières minutes de cuisson, ajouter l'édulcorant choisi : lait écrémé, yaourt non gras, fruit frais ou sec, épices ou noix broyées.

6. Retirez du feu, puis servez.

Vous pouvez imaginer d'innombrables combinaisons d'ingrédients. Ajoutez des fruits frais de saison. Essayez vos céréales de grains complets avec différentes saveurs de yaourt et une grande variété de garnitures. Certaines personnes préparent régulièrement leur mélange préféré – comme le muesli Bircher-Benner décrit dans l'encadré « Le petit déjeuner du chef, en provenance de Suisse » à la page 87. D'autres ne se lassent jamais d'essayer de nouveaux ingrédients. Cela donne un nouveau départ à leur journée.

Les pains sans levure à la farine complète

Dans la Partie 4 de ce livre, vous trouverez 24 recettes de délicieux pains sans levure de boulangerie à la farine complète. En plus d'être utilisée dans la confection de pains à levure, la farine complète et d'autres farines de grains complets servent également dans les recettes de pains sans levure qui n'exigent pas d'être pétris. Certains des pains sans levure les plus populaires se présentent sous la forme de muffins et de scones, d'autres ressemblent à de petites miches de pain ordinaire lorsqu'elles sont cuites.

Les pains sans levure sont faits à partir de pâte versée dans des plats et enfournés immédiatement. On utilise plutôt de la levure chimique, du bicarbonate de soude, ou les deux, pour faire monter les pains. Ne contenant pas de levure de boulangerie, les pains sans levure ont une texture se rapprochant de celle d'un gâteau. Ils sont généralement assez sucrés et un peu plus riches en gras que les pains à lever. Et, comme l'indique leur nom, leur préparation est plus rapide, étant donné que la pâte ne doit pas être levée ni pétrie avant d'être enfournée.

La farine de pâtisserie complète donne aux pains sans levain une très belle texture. Vous pouvez également utiliser n'importe quelle farine de grains complets ainsi qu'un mélange de farine.

Vous trouverez des recettes spécifiques de pains sans levure pour vos menus de déjeuners ou de dîners dans la Partie 4. Une fois que vous aurez le tour de main pour faire ces pains, vous trouverez facile d'essayer vos propres recettes, en utilisant toutes les combinaisons de grains, d'herbes, de fruits et de noix qui vous tentent. Voici quelques conseils généraux qui vous aideront à réussir n'importe quel pain sans levure.

- Travaillez rapidement la pâte et ne la mélangez pas trop.
- Mélangez les ingrédients secs et humides dans des bols séparés. Utilisez un grand bol pour les ingrédients secs : la farine, la levure chimique, le bicarbonate de soude, les épices et l'édulcorant sec. Prenez un bol plus petit pour les ingrédients humides : le beurre, la margarine ou l'huile, les édulcorants liquides, le lait, les essences et les œufs. Mettez de côté les ingrédients secs et les ingrédients humides, huilez les plats et préchauffez le four.
- Ne mettez ensemble les ingrédients secs et humides qu'au moment où vous serez prêt à déposer la pâte sur le plat et à le glisser au four. Versez rapidement les ingrédients humides dans les ingrédients secs. Mélangez bien les ingrédients et la pâte jusqu'à ce qu'elle soit lisse.
- Lorsque vous pensez que le pain est cuit ou quand la minuterie sonnera, piquez le centre du pain avec une pointe de couteau. S'il en sort sec ou avec des petites miettes, c'est que la cuisson est terminée. S'il en sort humide, laissez le pain encore un peu dans le four. *Note* : Quand vous essayez une recette de pain allégé sans levure, il se peut que la pointe du couteau soit humide. Remettez le pain à cuire plus longtemps seulement s'il de la pâte non cuite collée à la pointe du couteau.
- Une fois la cuisson du pain terminée, sortez-le du four et laissez-le refroidir quelques minutes. Puis enlevez-le du plat et faites-le refroidir sur une grille. Le pain doit être complètement refroidi quand vous le coupez.

■ Quand vous faites des pains sans levure à haute altitude, vous pouvez avoir besoin de diminuer légèrement les quantités de levure chimique et d'édulcorant et d'augmenter légèrement le liquide exigé dans la recette.

Bon nombre de recettes de pains sans levure donnent deux miches. Dans la mesure du possible, j'aime doubler la recette pour en avoir quatre. Ces pains se congèlent bien, et vous pouvez les décongeler facilement dans le four à micro-ondes. Si vous avez l'habitude d'en prendre une ou deux tranches à la fois, couper le pain avant de le congeler.

Au cours des années, j'ai élaboré ma propre recette de farine en mélangeant plusieurs grains complets que j'utilise pour mes pains rapides, mes scones, mes muffins et mes gâteaux. Je trouve que ce mélange s'adapte bien à toutes les recettes qui demandent de la farine de grains complets ou de la farine de pâtisserie complète. Mélangez simplement des quantités égales de farine d'orge, de farine de riz brun, de farine d'avoine et de millet.

Vous pouvez aussi mélanger les farines à l'avance, puis les mettre dans un contenant fermé hermétiquement que vous rangerez dans un endroit bien sec à l'abri de la lumière. De cette manière, vous pourrez conserver le mélange plusieurs mois.

Choisir et cuisiner des légumes secs

Tout comme les grains complets et les aliments de grains complets, les légumineuses font partie de l'alimentation de base de bon nombre de personnes âgées en meilleure santé du monde. Les légumineuses occupent une grande place dans l'alimentation allégée, grâce à leur valeur nutritive importante et les nombreuses fibres qu'elles contiennent.

Les légumineuses sont des graines comestibles arrivées à maturité qui poussent à l'intérieur des cosses des plantes légumineuses. Ce groupe important d'aliments, connu pendant des siècles en tant que viande des pauvres, comprend les haricots, les petits pois et les lentilles. Ils sont presque tous bon marché et faciles à préparer. Les légumineuses sèches comme les haricots blancs, les haricots rouges et les pois séchés, doivent être cuites très longtemps afin d'être bien digérées. Cependant, certaines légumineuses fraîches, comme les petits pois, les haricots verts, et les fèves de Lima doivent cuire très vite. Certaines peuvent même se manger crues ou légèrement blanchies.

Tout comme les grains, les légumineuses sèches sont faciles à ranger. Il est très important de les mettre dans des contenants fermés hermétiquement avant de les placer dans un endroit frais et sec à l'abri de la lumière. Vous pouvez les conserver pendant des mois, tant qu'ils ne moisissent pas.

Les légumineuses sont généralement vendues dans des sacs de plastique transparent, ce qui vous permet de vérifier leur qualité avant de les acheter. Mais vous devez savoir comment les choisir. Voici quelques conseils à ce sujet.

- Choisissez des légumineuses à la couleur brillante et uniforme. Celles à la couleur fade ou sombre sont en magasin depuis trop longtemps. Elles ne sont pas forcément mauvaises, mais mettront beaucoup de temps à cuire.
- Choisissez-les d'une grosseur régulière. Plus les légumineuses sont grosses, plus elles prendront de temps à cuire. Si vous mélangez différentes grosseurs, certaines légumineuses ne seront pas assez cuites, alors que d'autres le seront trop.
- Si certaines légumineuses sont craquelées ou ridées, ou ont des trous d'épingle, ce sont peut-être des insectes qui les ont endommagées.

Méthode de pré-trempage

Tout le monde sait que la plus grande famille de légumineuses – les haricots – cause des flatulences. Mais il existe une méthode de cuisson qui atténue ce problème. Si vous faites tremper les haricots dans l'eau, puis que vous videz l'eau de trempage et ajoutez de l'eau fraîche avant la cuisson, vous éliminerez la plupart des hydrates de carbone non digestibles, appelés alpha-galactosides ou trisaccharides, qui provoquent les gaz intestinaux. En vidant l'eau de trempage, vous perdrez quelques vitamines solubles dans l'eau, mais les légumineuses, que vous digérez plus facilement, ont encore une très grande valeur nutritive.

Voici les étapes pour préparer des haricots secs.

1. Pesez la quantité désirée, en utilisant celle qui est donnée dans votre recette, soit 225 g.

Cuisson des légumineuses sèches

Ce tableau vous donne les temps de cuisson de plusieurs légumineuses : haricots, lentilles, fèves de lima et pois cassés. Il montre également la proportion de légumes cuits quand vous commencez avec une quantité de 225 g de légumineuses sèches.

Légumineuses (225 g)	**Minimum Eau (ml)**	**Temps de Cuisson (heures)***	**Portion (g)**
Doliques à œil noir	675-900	1	450
Fèves de Lima (petites)	450	1½	400
Fèves de Lima (grosses)	450	1½	300
Fèves de soja	675-900	3	450
Pois cassés	675	¾-1	450
Pois chiches	900	2½-3	725-900
Pois en cosse	450-675	1- 1½	250-300

*Le temps de cuisson peut varier.

2. Triez les haricots, en enlevant petits cailloux, saletés ou sable. Ou tout haricot craquelé, ridé ou décoloré.

3. Déposez les haricots dans une passoire et rincez-les sous l'eau courante. Versez-les dans une grande marmite que vous remplirez entièrement d'eau chaude.

4. Mettez un couvercle sur la marmite et laissez tremper les haricots toute la nuit. Il vaut mieux mettre la marmite au réfrigérateur s'il y a suffisamment de place.

5. Le matin, videz la marmite de l'eau de trempage et remplissez-la d'eau fraîche. Puis laissez les haricots tremper dans l'eau jusqu'à ce que vous les fassiez cuire.

Quand vous êtes prêt à passer à l'étape de la cuisson, videz l'eau de trempage et remplissez la marmite d'eau fraîche, en utilisant la quantité minimale suggérée dans le tableau ci-dessus « Cuisson des légumineuses sèches ». Placez la marmite sur le feu, portez à ébullition, puis mettez à feu doux. Couvrez à moitié la marmite, vérifiez bien, le couvercle doit être entrouvert. Certains haricots (en particulier les pois chiches et les graines de soja) produisent de l'écume qui débordera si vous mettez complètement le couvercle sur la marmite. Pendant la cuisson, vous pouvez enlever facilement l'écume à l'aide d'une grande cuillère.

6. Surveillez la cuisson des haricots régulièrement afin de voua ssurer qu'ils ne soient pas trop cuits. (Le tableau « Cuisson des légumineuses sèches » donne des temps de cuisson approximatifs.) Pour vérifier leur cuisson, sortez un haricot au moyen d'une cuillère. Laissez-le refroidir légèrement et prenez-le entre votre doigts ou vos dents. Si l'intérieur est mou et facile à presser, et s'il a une texture semblable à celle d'une pomme de terre bien cuite, retirez la marmite du feu. Égouttez les haricots, puis servez-les.

Quand vous faites cuire des haricots pour des salades, et afin de vous assurer qu'ils seront fermes mais tendres, vérifiez attentivement la cuisson et enlevez-les au moment approprié.

Méthode de cuisson rapide

Si vous oubliez de faire tremper les haricots ou si vous décidez de les mettre au menu à la dernière minute, et que vous ne pouvez donc pas les faire tremper toute une nuit, voici une alternative rapide.

1. Triez et rincez les haricots en suivant les directives des étapes 2 et 3 ci-dessus.

2. Mettez-les dans l'eau bouillante dans une grande marmite. Ou bien remplissez une marmite d'eau fraîche, versez-y les haricots, puis portez l'eau rapidement à ébullition.

3. Laissez bouillir deux à cinq minutes. Éteignez le feu, mettez un couvercle sur la marmite et laissez reposer au moins une heure.

Videz l'eau de trempage, remplacez-la avec de l'eau fraîche et faites cuire, en vous référant aux quantités et aux temps indiqués dans « Cuisson des légumineuses sèches ». Les haricots préparés avec cette méthode peuvent exiger un peu plus de temps de cuisson que ceux qui ont été prétrempés.

Sauf indication contraire, vous devriez toujours vous assurer que la cuisson des haricots est presque terminée avant d'ajouter la plupart des autres ingrédients. En effet, les ingrédients acides et qui comprennent du vin, du gras, du sel ou du bouillon, comme les tomates, le vinaigre, le citron, durciront la peau des haricots et augmenteront le temps de cuisson. Mais vous pouvez ajouter de l'ail, des oignons, des herbes et des épices n'importe quand sans affecter le temps de préparation.

Les haricots cuits se conservent facilement dans le réfrigérateur pendant plus d'une semaine. Vous pouvez les congeler pendant plus de six mois. Faites-en donc cuire beaucoup à la fois et conservez ce qu'il vous reste. Pour congeler vos légumineuses cuites, voilà les trois étapes supplémentaires à suivre :

1. Après la cuisson, égouttez bien les légumineuses dans une passoire.

2. Laissez les légumineuses sécher légèrement et versez-les dans un récipient fermé.

3. Mettez une étiquette sur le contenant en inscrivant la date et placez-le dans le congélateur.

Acheter des légumineuses précuites

Un grand nombre de légumineuses exigent un trempage et des temps de cuisson relativement longs. Pour cette raison, vous préférerez peut-être les acheter précuites, en boîte de conserve. Elles sont déjà préparées, vous avez simplement à les faire chauffer.

Certaines marques vendent des légumineuses dans de l'eau et sans sel. Mais dans de nombreux cas le sel a été ajouté, alors vérifiez bien l'étiquette. Si vous voulez réduire la quantité de sel, rincez bien les légumineuses sous l'eau courante avant de les faire chauffer.

Pour des salades et autres plats froids, versez simplement les légumineuses dans une passoire. Rincez-les puis égouttez-les sans aucune autre préparation. Voilà un moyen pratique d'ajouter plus souvent dans votre alimentation ces aliments nutritifs.

C'est une bonne idée de vérifier sur les étiquettes si d'autres ingrédients que le sel ont été ajoutés. Méfiez-vous des agents de conservation, du sucre, des gras et des couleurs artificielles. Même s'il est écrit sur la boîte de conserve « 100 % naturel », il est important de lire la liste des ingrédients, les haricots peuvent contenir du sucre, des gras et d'autres ingrédients additionnels, naturels mais non nécessaires et indésirables. Pour ma part, je vous conseille de choisir en ce cas d'autres produits.

Chapitre Seize

Des repas allégés au restaurant

Si vous prenez souvent vos repas à l'extérieur, alors la vie allégée n'est pas seulement entre vos mains, mais dans celles des chefs cuisiniers qui s'affairent au-dessus des marmites de leurs restaurants.

Vous menez souvent une vie très affairée et vous êtes obligé de prendre vos repas et vos collations à l'extérieur de chez vous. Mais ce n'est pas une raison pour que le dîner à l'extérieur devienne synonyme de désastre en matière de nutrition. La plupart des plats servis dans les restaurants contiennent beaucoup trop de matière grasse et de cholestérol, mais il est devenu plus facile de faire des choix qui sont bons pour la santé. De nombreux restaurants ajoutent à leur menu un choix plus vaste de salades fraîches, de fruits de mer, de pommes de terre au four, de plats cuits en cocotte, de céréales et de légumes ainsi que de plats d'accompagnement, de pains complets et de variétés de recettes de pâtes allégées. Néanmoins, vous devez faire attention au gras caché, particulièrement dans les préparations des gâteaux, des fonds de tarte, des sauces à la crème, des potages et des fromages.

Voici quelques conseils qui vous permettont de respecter les règles du programme de La Vie Allégée.

- Évitez les formules buffet où vous mangez à volonté.
- Commandez à la carte : les « formules complètes » encouragent à manger trop et sont souvent trop riches en graisse et en protéines.
- Prenez connaissance du menu si possible avant d'entrer, ou téléphonez à l'avance pour demander la liste des plats proposés.
- Ne craignez pas de poser des questions au téléphone ou en personne. De nombreux restaurants pourront éliminer ainsi le sel, cuisiner avec moitié moins de matière grasse (ou sans gras du tout) et réduire le fromage, les œufs et les produits laitiers entiers.

Passez votre commande...

Voilà, vous êtes confortablement assis dans l'un de vos restaurants favoris. Vous examinez le menu pour prendre connaissance de ce qui vous semble bon – et allégé. Malheureusement, aucun plat figurant sur le menu ne vous indique combien de grammes de matière grasse contient chaque portion. Qu'allez-vous choisir ?

Éviter tous les aliments frits. Même si le restaurant déclare que la nourriture est frite dans des huiles végétales « bonnes pour la santé », la friture des aliments produit des acides gras que l'on associe à un nombre important de problèmes de santé.

Maîtrisez votre appétit pour les amuse-gueule. N'abusez pas des amuse-gueule, aliments riches en gras, souvent inscrits en tête du menu. Vous en mangez beaucoup trop quand vous mourez de faim et que vous demandez « juste un petit quelque chose » en attendant que votre repas arrive.

Les olives, les cacahuètes, le saucisson, les chips sont des plus tentants. Optez plutôt pour de l'eau glacée ou du thé glacé ou pour une tranche ou deux de pain complet sortant du four en attendant que l'on vous serve. Ou bien commandez un bouillon de légumes ou un potage de tomate sans crème, si le restaurant l'offre au menu. Buvez à petites gorgées et savourez ensuite chaque morceau de pain frais ou chaque cuillerée du potage.

Attention aux salades. Les salades sont toujours un bon choix si vous préférez des légumes frais. Faites attention aux salades mélangées à l'avance (même la salade de chou cru) qui sont nappées d'huile épaisse ou de crème et qui sont généralement riches en gras. Vous devez éviter également deux garnitures : les olives qui renferment ⅓ à 1 g de gras et la moitié d'un avocat qui contient plus de 30 g de gras.

Assaisonnez sans excès. Si vous ignorez la nature de l'assaisonnement, commandez-le à part. Une cuillère à soupe d'huile, quelle que soit l'huile, contient 14 g de matière grasse.

N'importe quelle mayonnaise est une menace si vous décidez de réduire le gras de votre alimentation. En effet, la mayonnaise vendue actuellement dans le commerce contient environ 12 g de matière grasse par cuillèrée à soupe. Pour réduire les graisses dans l'assaisonnement de votre salade, demandez que l'on vous serve à part l'huile, le citron ou le vinaigre. Vous pourrez vérifier de cette manière la quantité de gras que vous consommez en mettant de l'huile très légère (ou en aspergeant votre salade de jus de citron), et en choisissant un vinaigre au goût très riche comme le vinaigre balsamique, de framboise ou le vinaigre de vin blanc ou rouge.

Les assaisonnements à base épaisse de tomates sont souvent faibles en gras. Si vous en éparpillez un peu sur votre salade, vous pouvez en maîtriser la quantité.

Enlevez un peu de graisse. Quand vous dînez à l'extérieur, l'une des principales sources de gras peut provenir d'une épaisse tranche de bœuf ou de porc, de poisson frit ou de poulet, ou d'un plat nageant dans la crème, le beurre, la margarine, le fromage ou une sauce huileuse. Commandez des aliments préparés d'une manière « allégée », par exemple de la sauce dans un plat séparé, de la volaille dépiautée ou du poisson que l'on fait cuire sans gras, et un peu ou pas du tout de fromage.

En général, choisissez des entrées cuites à la vapeur, pochées, sur le gril, rôties, au four ou cuites dans leur propre jus. Les bons restaurants font cuire sur le gril les fruits de mer ou la volaille (sans gras et non salée). Et si vous voulez une sauce allégée, demandez-la au serveur. Le chef cuisinier saura vous en préparer une de votre choix.

Potage agréable au goût au restaurant. Les meilleurs potages sont préparées essentiellement avec des légumes. Évitez la crème et les soupes à base de viande, elles sont généralement riches en gras.

Ne mettez pas de crème sur vos pâtes. Toutes les pâtes conviennent si elles ont une sauce aux tomates, au vin ou n'importe quelle autre sauce allégée. Mais évitez les sauces épaisses, crémeuses et riches en gras.

Remerciez les grains. Les pains complets sont de délicieuses sources de fibres et d'hydrates de carbone complexes. Mais évitez les produits à tartiner tels que la mayonnaise, le beurre et la margarine.

Si vous prenez votre petit déjeuner dans un restaurant, mangez de préférence des céréales chaudes, comme les flocons d'avoine et les variétés de céréales multigrains ou des céréales sèches complètes. Mangez vos céréales avec du lait écrémé et des fruits pour en rehausser la saveur.

Dégraissez le dessert. Quand vous choisissez un dessert, demandez une petite portion – ou mieux encore, emportez avec vous un dessert maison comme petit extra de la soirée après avoir fait une promenade. Une part de tarte maison cuite au four ou un gateau aux fruits convient très bien une fois par mois, mais pas davantage. Si vous ne voulez vraiment pas de fruits frais, commandez sur le menu des desserts à base de fruits et des sorbets glacés, du yaourt glacé allégé.

Surveillez les quantités. De nombreux restaurants servent de très grandes portions, c'est un problème si vous mangez souvent à l'extérieur. Si vous dînez avec d'autres personnes, prenez une salade fraîche accompagnée d'un plat de haricots, de légumes ou de légumineuses et un morceau de pain complet. Si vous savez que ce restaurant sert de grandes portions, partagez votre entrée avec une autre personne.

La gastronomie internationale allégée

De nombreux restaurants étrangers offrent des cuisines au goût exquis qui utilisent les grains entiers, les légumineuses, les légumes et les fruits, ainsi que le poisson ou la volaille. N'importe quelle cuisine nouvelle pourra tenter vos papilles gustatives et les mettre au défi. Si vous préférez un repas sans viande, vous avez à votre disposition des aliments moins gras et très parfumés. Voici quelques idées sur un certain nombre de nos cuisines préférées.

Cuisine italienne

Les restaurants italiens offrent à leurs clients de nombreux aliments allégés très savoureux et un très grand choix de plats. Les pâtes aux moules, aux légumes, aux palourdes ou servies avec une sauce au vin sont excellentes. Vous pouvez aussi choisir les « crevettes au vin blanc » (sautées dans du vin blanc) : elles sont très faibles en gras.

Si le menu affiche le « poulet cacciatore », c'est une autre bonne option : blanc de poulet nappé d'une sauce aux tomates et aux champignons. Les lasagnes aux légumes sont également inscrites au menu : commandez-les préparées avec du fromage allégé ou moins de fromage. Ou goûtez au « cioppino », ragoût de pêcheur préparé avec une variété de fruits de mer et de légumes dans un bouillon à base de tomates, si vous êtes certain que le bouillon est faible en gras.

Aimez-vous la pizza ? Commandez-en une sans olives, avec un supplément de légumes. Réduisez la quantité de fromage de moitié ou du tiers. Les oignons, les poivrons verts et les champignons sont des garnitures faibles en gras. Vous pouvez également essayer les épinards frais, l'ail, les tomates, les cœurs d'artichauts, les haricots, les fruits de mer, la dinde dépiautée ou le blanc de poulet, ansi que bien d'autres ingrédients pour changer un peu le ton.

Cuisine mexicaine

Choisie avec soin, la cuisine mexicaine est bon marché, délicieuse, riche en hydrates de carbone complexes et faible en gras. Les haricots, le riz, les tortillas de maïs non frites, la sauce salsa, le poisson et les salades sont les aliments de base les plus utilisés. Les « burritos » aux haricots, le poisson frais mariné dans une sauce au citron vert et les haricots au riz sont des spécialités faibles en gras.

Certaines recettes mexicaines authentiques comprennent d'autres légumes aux saveurs incomparables. Le « jicama » est un fruit tropical qui ressemble au rutabaga et a une saveur délicieuse. Les fleurs de courge sont parfois servies comme garniture. Si vous en avez l'occasion, essayez les « tomates miniatures » (semblables à de petites tomates vertes), le « chayote » (courge en forme de poire) et la figue de Barbarie. Et le Mexique est bien sûr réputé pour son assortiment magnifique de poivrons.

La meilleure chose à faire est de téléphoner au chef cuisinier du restaurant mexicain de votre choix et lui demander s'il utilise du lard, de l'huile de noix de coco ou une autre huile dans sa recette de haricots frits. Beaucoup de restaurants utilisent de petites quantités d'huile de soja ou, dans le meilleur des cas, n'ajoutent pas de gras du tout.

Évitez la crème fraîche, le guacamole, la viande rouge, le porc et les plats aux œufs aussi bien que les aliments frits, et demandez de réduire de moitié la quantité de fromage utilisé dans un plat.

Cuisine méditerranéenne

Chaque région de la Méditerranée possède ses propres richesses culinaires. Ces dernières années, la cuisine de ces régions douces et ensoleillées – fruits de mer cuits sur le gril, légumes, ail et épices, plats préparés ou servis aspergés d'huile d'olive –, est devenue populaire partout dans le monde.

Cuisine espagnole

Les nombreuses spécialités gastronomiques en provenance d'Espagne comprennent haricots, riz, fruits de mer frais ou volaille, pommes de terre, ail et légumes frais, tous savoureux et rehaussé à l'huile d'olive qui caractérise si bien la cuisine méditerranéenne. Les amuse-gueule espagnols, appelés « tapas », sont devenus très populaires. Ces collations incluent traditionnellement un vaste assortiment de bouchées chaudes et froides, souvent servies sur de grands plats comme amuse-gueule le midi et en début de soirée. Évitez surtout les plats d'œufs, les aliments frits et ceux composés de saucisses et d'autres viandes.

Cuisine indienne

Les recettes utilisées dans de nombreux restaurants indiens comprennent souvent des légumes, des légumineuses, du yaourt et de nombreuses épices. Évitez les plats imbibés d'huile de noix de coco ou de « ghee », c'est-à-dire de beurre clarifié.

Une recette populaire est le « murg jalfraize », poulet ou légumes parfumés d'épices fraîches sautés avec des oignons, des tomates et des poivrons rouges. Vous pouvez commander ce plat sauté sans beurre ou sans huile, version allégée.

Cuisine chinoise

Dans les restaurants chinois, vous pouvez choisir tous les plats composés essentiellement de riz et de légumes avec de petites quantités de poisson et de volaille. Évitez les entrées comme les « rouleaux printaniers », car ils sont généralement cuits dans la friture et regorgent de gras. Et évitez à tout prix le canard : le canard de Pékin contient 30 g de matière grasse pour 100 g de viande.

Les plats cuits dans le wok contiennent généralement peu de matière grasse. Ils sont souvent cuits très vite dans un wok très chaud légèrement huilé. Les légumes gardent ainsi davantage de vitamines que ceux cuits de la façon traditionnelle. On utilise généralement l'huile d'arachide, riche en gras mono-insaturé, mais demandez toujours au chef cuisinier d'en mettre le moins possible. L'un des plats cuits dans le wok les plus demandés est le « moo goo gai », mélange de champignons, pousses de bambou, châtaignes d'eau, poulet, fruits de mer ou tofu servis sur du riz.

Cuisine japonaise

La cuisine japonaise contient généralement peu de gras et ses aliments de base sont les produits de germes de soja, remplis de protéines comme le tofu et le « tempeh », ainsi que les fruits de mer, les légumes, les nouilles et le riz. Les algues utilisées dans les soupes japonaises et les ragoûts contiennent beaucoup de minéraux. Une entrée de choix est le « yosenabe », plat de légumes aux fruits de mer.

Cuisine américaine

Mis à part les restaurants américains de cuisine rapide dits « fast-food » et les quelques restaurants régionaux et de spécialités, vous trouverez dans ce pays des plats bons pour la santé et un vaste choix de plats à commander. De nombreux restaurants en Nouvelle-Angleterre et sur la côte ouest proposent un vaste choix de leurs propres spécialités en fruits de mer, accompagnés de salades de légumes frais et de légumes verts provenant des fermes avoisinantes. Des restaurants de « cuisine cajun » surgissent un peu partout – mais attention aux aliments cuits dans la friture. Commandez plutôt les soupes au gombo et d'autres plats très épicés ; vous découvrirez de nouvelles saveurs qui vous satisferont l'appétit tout en stimulant vos papilles gustatives.

Les restaurants qui mettent en vedette la cuisine californienne, c'est-à-dire des plats faibles en gras avec beaucoup de légumes frais et de haricots, se rencontrent aussi dans tout le pays. Les portions servies sont de taille raisonnable, et de nombreux cuisiniers explorent de merveilleuses nouvelles manières de faire ressortir les meilleures saveurs des aliments frais et des légumineuses.

Cuisine végétarienne

Même si les restaurants végétariens servent des repas sans viande et sans produits laitiers, de nombreux plats sont souvent riches en gras. Méfiez-vous des fromages cachés et évitez les aliments imbibés d'huile, de beurre ou de crème.

Pour faire de nouvelles découvertes culinaires, choisissez des pains frais et complets, et des plats de légumes et légumineuses mijotés, comme repas principal ou plat d'accompagnement. De nombreux cuisiniers végétariens réalisent des merveilles avec du riz et des pâtes, les préparant avec des sauces allégées et une variété de légumes de saison frais.

En route vers des repas allégés

Quand vous voyagez, que ce soit pour affaires ou pour votre plaisir, vous trouverez peut-être, comme nous l'avons fait, qu'il est vraiment sage de prévoir des repas et des collations qui réduiront votre stress et maintiendront en hausse votre énergie.

S'arrêter dans un restaurant « fast food » chaque fois que vous voulez boire quelque chose ou prendre une collation coûte cher non seulement en francs, mais aussi en graisse. Prenez les moyens de vous hydrater autrement et de satisfaire votre appétit, tout en consommant de l'eau minérale, du thé glacé, du jus de fruits et certaines de nos collations allégées.

Pour des repas complets, si vous avez peu de temps et peu de choix de restaurants, prévoyez un pique-nique allégé. Ayez un léger repas dans la voiture et arrêtez-vous dans un endroit offrant une vue panoramique. Si le temps ou la circulation vous font perdre un peu de temps, mangez donc au bord de la route en attendant que la situation se rétablisse.

Nous emportons souvent une petite glacière pour nos sandwichs et mettons nos salades marinées dans des boîtes de plastique, à côté de quelques portions de desserts allégés. Quand Leslie et moi voyageons pour affaires en avion, nous glissons des sandwichs et des collations dans notre serviette. Et quand la famille entière part en ballade, nous avons chacun un « sac à nourriture ».

Emporter en voyage de la nourriture allégée est amusant. Nous avons l'impression de partir en pique-nique. De plus, nous n'avons plus à consommer les aliments riches en gras servis dans les aéroports, à bord des avions et dans les restaurants d'autoroutes.

Chapitre Dix-sept

Un garde-manger bien approvisionné

Vous savez très bien que l'un des secrets de la réussite d'un Programme de Vie Allégée est de réaménager votre garde-manger et vos provisions afin d'avoir sous la main un vaste choix d'aliments allégés. Si vos étagères sont remplies d'aliments riches en gras, il est temps de les faire disparaître et de les remplacer par des ingrédients que vous trouverez dans les listes qui suivent.

Ayez toujours les ingrédients nécessaires à portée de main pour préparer vos collations ou vos repas allégés. Cela se traduira par beaucoup moins de courses à faire et une épargne de temps et d'argent. Si vous vivez dans un petit appartement, l'espace disponible de votre garde-manger et de votre congélateur est peut-être restreint. Ce n'est pas une raison cependant pour vivre en manque constant d'aliments clés.

Ayez en tête de réaménager votre territoire. Installez par exemple quelques étagères supplémentaires en vidant une partie d'un placard afin d' y ranger aliments, céréales et pâtes. Comme vous choisissez un mode de vie allégée, dressez-vous une liste d'ingrédients essentiels. Pour essayer les recettes de ce livre et pour créer vos repas allégés préférés en modifiant les recettes traditionnelles, vous découvrirez l'importance de tous les ingrédients énumérés ci-après.

Les meilleurs produits

Comme je l'ai mentionné, vous pouvez mettre bien en vue sur un mur de votre cuisine une ardoise où vous noterez tous les produits dont vous risquez de manquer. Vous saurez ainsi quand vous devrez aller au supermarché et, de plus, vous prendrez plus de plaisir à préparer vos plats. Y a-t-il rien de plus énervant que de commencer une recette et de découvrir pendant la préparation qu'il vous manque un ingrédient clé et qu'il vous faut courir au magasin ou chez le voisin pour le chercher ?

Voici une liste des ingrédients essentiels qui s'avérera utile dans la préparation des repas-minutes et des recettes de la Partie 4.

Pains et pâtes

Conseil de conservation : Les pains peuvent être conservés dans le congélateur et décongelés quand on en a besoin.

- Petits grillés allégés
- Pâtes (tagliatelle, fettucine, spaghetti, cheveux d'ange, ziti, coquillette, macaroni, par exemple)
- Grillés de seigle, comme les Rasa ou autres grillés sans gras ajouté
- Pains complets – si vous n'avez pas le temps de faire vous-même votre pain, pensez à acheter une machine à pain (robot boulanger) ou cherchez une boulangerie qui vendrait du pain complet.
- Tortillas de blé complet ou de maïs, ou chapatis (pains plats indiens de blé complet)
- Pain pita de blé complet
- Produits en conserve
- Cœurs d'artichauts
- Piments forts hachés
- Tomates broyées ou en purée

- Lait écrémé
- Fruits (dans les jus de fruits, sans ajout d'édulcorants ou de sucres)
- Jus de fruits
- Tomates entières ordinaires ou Roma
- Légumineuses (pois chiches, doliques à œil noir , haricots noirs, fèves de Lima, par exemple)
- Piments
- Bouillon de poulet allégé et faible en sodium
- Saumon rose ou rouge
- Haricots frits (sans lard ou autre graisse)
- Sauce salsa
- Jus de tomate ou jus de légumes
- Concentré de tomate
- Sauce tomate (avec peu ou pas d'huile ajoutée, sans gras ou sans sodium)
- Thon (au naturel)
- Châtaignes d'eau

Produits laitiers

- Fromage suisse allégé
- Fromage à tartiner allégé
- Babeurre allégé ou faible en gras (voir recette à la page 302)
- Ricotta allégé ou faible en gras
- Yaourt nature 0 %
- Crème fraîche allégée
- Parmesan
- Gouda ou gruyère partiellement écrémé
- Mozzarella partiellement écrémée
- Lait écrémé
- Beurre non salé

Aliments secs

- Levure sèche de boulangerie
- Fécule de maïs ou de tapioca
- Levure chimique
- Bicarbonate de soude
- Cacao en poudre à forte teneur de cacao
- Fruits secs (raisins, groseilles et dattes)
- Légumineuses sèches (lentilles, doliques à œil noir, pois

chiches et haricots noirs, haricots blancs et fèves de Lima)

- Biscuits de grains complets allégés
- Lait en poudre allégé
- Céréales de type muesli allégées, de même que de nombreuses céréales complètes et allégées pour le petit déjeuner
- Noix et graines (amandes, noisettes, pignons, noix de pecan, graines de citrouille et graines de tournesol, graines de pavot et graines de sésame décortiquées). Conservez-les et utilisez-les en petites quantités, (fraîches, autant que possible)
- Beurre de cacahuète (sans ajout d'huile ou d'édulcorant)
- Coquilles de tacos
- Tahini (beurre de graines de sésame)
- Collations très faibles en gras ou non grasses (bretzels et tortilla chips cuites au four)

Céréales et farines

Conseil de conservation : C'est une bonne idée de conserver la farine dans le congélateur dans un sac fermé hermétiquement.

- Riz brun (essayez celui au grain court pour le risotto et celui au grain long, comme le riz basmati brun, pour la plupart des autres plats)
- Couscous
- Céréales complètes chaudes (comme les flocons d'avoine cuits à l'ancienne, le millet, par exemple)
- Orge décortiquée
- Maïs soufflé
- Farine non enrichie
- Farines complètes (farine complète, farine complète spéciale pâtisserie, farine d'orge, d'avoine, semoule de maïs, farine de millet, pour n'en nommer que quelques unes)

Herbes, épices et assaisonnements secs

- 4-épices
- Basilic
- Feuilles de laurier

- Carvi
- Poivre de cayenne
- Graines de céleri
- Poudre de chili (il en existe de nombreuses variétés, depuis le doux jusqu'à l'extra-fort)
- Cannelle
- Clous de girofle
- Coriandre
- Cumin
- Curry
- Aneth
- Ail (en grains ou en poudre)
- Gingembre
- Marjolaine
- Moutarde en poudre
- Noix de muscade
- Origan
- Paprika
- Poivre en grains (poivre noir ou mélange de différents types)
- Flocons de piments forts
- Romarin
- Safran (très cher, mais une petite quantité dure longtemps ; vérifiez bien d'avoir le vrai safran qui provient de la fleur du crocus)
- Sauge
- Sel
- Estragon
- Thym
- Curcuma

Denrées diverses périssables

- Œufs (grands)
- Fruits frais
- Herbes fraîches (persil, basilic et coriandre)
- Blancs de volaille frais ou congelés
- Fruits de mer frais ou congelés
- Légumes frais ou congelés
- Fruits congelés (comme les baies non sucrées et les pêches)
- Ail

- Citrons et citrons verts
- Champignons
- Oignons (jaunes, blancs et rouges)
- Pommes de terre et patates douces
- Tomates

Huiles, condiments et assaisonnements humides

- Compote de pommes non sucrée (remplace très bien le gras dans certaines bonnes recettes au four)
- Huile de canola
- Chili en purée additionné d'ail (comme assaisonnement d'appoint dans les plats asiatiques)
- Essences naturelless (vanille, citron, orange et amande principalement)
- Sauce au piment fort
- Confiture (tous fruits), gelée de fruits, fruits en conserve ou en tartinade)
- Ketchup
- Moutarde (style moutarde de Dijon ou à l'ancienne)
- Mayonnaise non grasse et faible en gras
- Marinades non grasses
- Assaisonnements de salade allégés
- Huile d'olive
- Sauce soja
- Sauce à steak
- Soupes très faibles en gras et allégées
- Vinaigres (vinaigre balsamique, vinaigre de vin blanc, de vin rouge, vinaigre de framboise et de vin de riz ; en utilisant un vinaigre de bonne qualité et bien aromatisé, vous réduirez la quantité d'huile de vos salades et de vos assaisonnements)
- Vin pour cuisiner (rouge et blanc sec, et xérès)
- Sauce Worcestershire

Édulcorants

- Cassonade
- Miel
- Sirop d'érable
- Mélasse
- Sucre

Les bons ustensiles

Avoir chez soi de bons ustensiles est essentiel – à longue échéance cela permet de préparer les repas plus facilement et plus rapidement. Vous aurez besoin de façon régulière de certains ustensiles pour préparer de la cuisine allégée. Voici une courte liste de ceux qui sont indispensables dans votre cuisine : ils allègeront vos tâches ménagères quotidiennes et vous ne pourrez plus vous en passer.

Robot culinaire. Cherchez bien avant d'acheter la merveille de robot de cuisine qui satisfera vos besoins et votre budget. Un robot culinaire vous fera gagner du temps quand vous devrez hacher, trancher, mélanger et réduire en purée vos aliments.

Presse-ail. Voici l'un des ustensiles le plus souvent utilisé dans notre cuisine. Quand une recette contient de l'ail frais, détachez une gousse d'ail de sa tête et écrasez-la doucement sur une planche à découper ou en utilisant la paume de votre main pour faire sortir la peau. Avec un presse-ail, pelez la gousse d'ail, déposez-la dans le presse-ail et pressez. La méthode traditionnelle de hacher l'ail en fins morceaux prend quelques minutes de plus.

Mixeur électrique à la main. Cet article bon marché est très pratique par exemple pour mélanger de la levure à un peu de farine quand on fait du pain de grains complets ou des petits pains. Cette technique permet au gluten de fermenter et donne une plus belle texture au pain. Le mixeur à la main est également utile pour battre les blancs d'œufs en neige.

Couteaux de cuisine. Avoir une panoplie de couteaux de cuisine de bonne qualité présente de nombreux avantages. Une fois que vous les avez choisis, conservez-les bien aiguisés. Un bloc en bois pour les ranger est un bon investissement ; les couteaux s'usent moins vite que dans un tiroir. Utilisez un aiguisoir de chef en acier pour conserver toujours vos couteaux tranchants comme un rasoir.

Presse-citron. Pour peu d'argent vous trouverez un petit instrument qui extraira le jus des citrons tout en ôtant leurs pépins. Cela vous fera gagner du temps.

Poêles non-adhésives. Nous préférons nos poêles anti-adhésives, de même que les autres plats de cuisson anti-adhésifs qui nous permettent de réduire considérablement, voire d'éliminer la graisse que l'on utilise dans la cuisson des aliments pour les empêcher de coller.

Essoreuse à salade. Cet article se vend dans la plupart des magasins d'articles de cuisine et des quincailleries. Ce gadget est très utile pour essorer toutes les sortes de salades. Après avoir lavé les feuilles, séchez-les en un clin d'œil dans une essoreuse à salade. Plus de serviettes mouillées ni de temps gaspillé à sécher la laitue à la main feuille après feuille !

Tous les produits mentionnés ci-haut sont disponibles dans la plupart des magasins d'alimentation ou dans les magasins d'aliments naturels. Les magasins de produits importés vendent également de nombreux aliments ou épices étrangers.

Partie 4

Nouvelles recettes pour une vie allégée

Il est évident que si vous n'appliquez pas en cuisinant les principes d'une alimentation allégée, toutes les lignes directrices de nutrition ne vous apporteront ni santé ni énergie. « Ce dont nous avons besoin, écrivait Jean Mayer, professeur spécialiste reconnu en nutrition et ancien président de l'université Tufts de Medford, au Massachusetts, sont des exemples pratiques [...] pour préparer une délicieuse cuisine allégée. Et des recettes bien écrites fournissent aux consommateurs toutes les informations nécessaires, jusqu'à la quantité de chaque portion. »

Les pages qui suivent sont un exemple brillant de ce que le Dr Mayer sollicite. Les recettes pour une vie allégée, ainsi que les menus-types qui les accompagnent, ont été préparés, testés et écrits par ma femme, Leslie, auteur de *America's New Low-Fat Cuisine*. Leslie, mes enfants et moi-même avons suivi le programme de La Vie Allégée pendant des années. Il nous a donné un regain d'énergie et nous a permis de goûter à de nouvelles recettes tout à fait savoureuses.

Quelle que soit la vie que vous meniez, aussi trépidante soit-elle, les repas et les collations que vous découvrirez dans les pages qui suivent rempliront de joie vos journées. Mon enthousiasme

> **TRUC CULINAIRE**
> Les médecins déconseillent un régime allégé aux enfants de moins de deux ans. Vous pouvez leur servir les mêmes repas, mais assurez-vous de leur donner du lait entier, du beurre, des fromages, des yaourts entiers et d'autres aliments à plus forte teneur en graisses.

pour ces recettes a été partagé par les nombreuses personnes qui ont assisté aux cours de Leslie et qui ont essayé les menus avec leur propres familles et leurs amis.

Régalons-nous des fruits de la terre

En accord avec les recommandations de nombreuses organisations de santé, bon nombre des recettes qui se trouvent dans cette partie sont végétariennes. Mais Leslie a également inclus de délicieuses recettes pour des repas composés de fruits de mer et de volaille. Chaque menu quotidien offre une grande variété de saveurs, avec des légumes nutritifs, des céréales complètes, des légumineuses et autres aliments bons pour la santé.

Vous pouvez assortir repas et menus pour ajouter de la variété dans votre vie, en utilisant nos suggestions comme point de départ – vous ferez preuve ainsi d'imagination dans vos nouvelles recettes préférées. Chaque recette a fait l'objet d'une analyse nutritionnelle complète, comprenant le gras, le gras saturé, le cholestérol, le total des calories et des fibres, ainsi que d'autres informations nutritionnelles.

Dans chacun des repas complets, moins de 25 % des calories proviennent du gras. Pour certaines des recettes individuelles, cependant, la quantité de calories provenant du gras est un peu plus élevée. Pour vous assurer que le repas total est faible en gras, assurez-vous de ne pas dépasser la quantité recommandée par portion pour chaque partie du repas.

Que pouvez-vous faire d'autre si ce n'est de goûter aux résultats des prouesses culinaires de Leslie ? Laissez-moi vous dire que j'ai de la chance. C'est un excellent chef cuisinier qui a étudié de la façon la plus passionnée et la plus perspicace les traditions culinaires venant du monde entier. À la maison, elle a conçu et créé les repas et les collations allégés les plus mémorables que j'ai jamais goûtés.

Grâce aux recettes et aux menus de *La Vie Allégée*, chaque jour sans graisse a été pour moi plus réussi et plus agréable que je n'aurais pu imaginer.

Ce n'est pas simplement une section spéciale de recettes que vous trouverez ici. C'est une invitation à la fois agréable et bienfaisante pour vous et vos proches à commencer une vie allégée ; et ce sera le meilleur investissement que vous puissiez faire dans votre vie.

Chapitre Dix-huit

Nouvelles recettes pour des déjeuners allégés

Bon nombre de familles adoptent les soupes, les salades et les sandwichs comme menu du déjeuner. Et cela convient très bien à un régime de vie allégée. Mais j'aime aussi rappeler aux gens la magnifique variété de combinaisons et de saveurs qu'ils peuvent utiliser dans un repas froid de midi. Du gaspacho épais à saveur piquante à la salade saisonnière d'agrumes au raifort et au gingembre, vous trouverez pour deux semaines des menus choisis pour le déjeuner. Certaines de ces recettes sont meilleures si elles sont faites à partir d'ingrédients frais, vous aurez donc à acheter les fruits et les légumes de saison dans le magasin de votre quartier. D'autres recettes pourront être exécutées à n'importe quel moment de l'année. Outre le grand nombre de soupes, de salades et de sandwichs, vous trouverez également quelques recettes « importées » faciles à préparer, comme le falafel grillé du Moyen-Orient, les quesadillas et les nouilles orientales.

Pour que vous vous retrouviez plus facilement, voici un calendrier des 14 nouveaux menus de déjeuners.

Jour 1

Gaspacho épais à saveur piquante (page 300)
Galettes de babeurre au fromage et aux piments forts (page 302)

Jour 2

Frittata aux tagliatelles et aux brocolis (page 304)
Pain d'avoine au bicarbonate de soude (page 305)
Verdure à la vinaigrette aux pêches et aux noix de pecan (page 306)

Jour 3

Pains pitas à l'humus (page 307)
Salade d'Israël (page 308)

Jour 4

Salade de poulet aux pêches et aux noix de pecan(page 310)
ou Salade de poulet aux grains de blé complet (page 311)
Pain vite fait au blé concassé (page 313)

Jour 5

Sandwich grillé à la ratatouille et à la mozzarella (page 314)
Salade de concombre et de raisins rouges (page 315)

Jour 6

Falafel grillé du Moyen-Orient (page 317)
Salade de concombre à l'aneth (page 318)

Jour 7

Salade de pâtes à la grecque (page 319)
Pain français complet (page 444)

Jour 8

Quesadillas (page 321)
Guacamole aux petits pois (page 322)
Salade aux quatre haricots à la vinaigrette balsamique (page 323)

Jour 9

Salade du paysan dans un pain pita (page 325)
Potage de châtaignes grillées au riz sauvage (page 326)

Jour 10

Salade de pâtes mexicaine (page 327)

Jour 11

Potage de glands d'automne au fromage (page 330)
Marinade au maïs (page 331)
Muffins au pain d'épices (page 332)

Jour 12

Nouilles orientales (page 333)
Won ton grillés (page 335)

Jour 13

Chili aux légumes (page 336)
ou Chili au poulet à la façon du Sud (page 338)
Pain à l'ancienne à la semoule de maïs (page 339)

Jour 14

Pains pitas à la pâte de lentilles (page 340)
Salade saisonnière d'agrumes au raifort et au gingembre (page 342)

Jour 1

Gaspacho épais à saveur piquante
Galettes de babeurre au fromage et aux piments forts

Un repas des plus savoureux.

Vous pouvez préparer le potage à l'avance et le garder au réfrigérateur. Quant aux biscuits, vous les ferez en un clin d'œil.

Servez deux biscuits avec une assiette de gaspacho.

VALEUR NUTRITIVE PAR REPAS

Par portion : 414 calories, 10,7 g de gras total (23 % des calories), 2,9 g de gras mono-insaturé, 0,8 g de gras polyinsaturé, 4,2 g de gras saturé, 17,8 g de protéines, 67,2 g d'hydrates de carbone, 8,3 g de fibres alimentaires, 16 mg de cholestérol, 1,267 mg de sodium.

Gaspacho épais à saveur piquante

TRUC CULINAIRE
Si vous remplacez les herbes séchées par des herbes fraîches, n'oubliez pas qu'elles sont beaucoup plus fortes. Utilisez-en seulement un quart ou un tiers tout au plus.

Le gaspacho est un délicieux potage froid à base de tomates. C'est un plat d'été idéal. Vous pouvez l'emporter en pique-nique. Réfrigérez bien à l'avance et versez-le dans une bouteille Thermos à large goulot.

Comme d'autres potages froids non cuits, la réussite du gaspacho dépend de l'épaisseur des légumes et de leur saveur. Dans la recette qui suit, je suggère plusieurs variantes qui produiront différentes saveurs : par exemple, un cocktail de jus de légumes à la place du jus de tomates, des poivrons rouges hachés ou des piments forts au lieu des herbes séchées ou fraîches.

Comme son nom l'indique, mon interprétation de la recette est légèrement épicée (vous pouvez augmenter ou diminuer l'assaisonnement selon votre goût), et comporte bon nombre de légumes en dés.

Même si la recette contient un assez grand nombre d'ingrédients, elle est facile et rapide à exécuter.

Pour que le gaspacho rafraîchisse plus rapidement, mettez au réfrigérateur le jus et les légumes avant de vous en servir.

Garnissez la soupe de croûtons de blé complet et de ciboulette coupée, si vous le désirez.

TEMPS DE PRÉPARATION : 15 À 20 MINUTES

TEMPS DE RÉFRIGÉRATION : 1 À 2 HEURES OU PLUS

900 ml de jus de tomate ou de cocktail de jus de légumes
1 gros oignon finement haché
1 poivron vert haché
1 concombre haché
2 tomates finement hachées
375 g de pois chiches cuits ou en conserve rincés et asséchés
55 g de poivrons rouges grillés hachés grossièrement ou de piments forts
2 gousses d'ail finement hachées
2 c. s. de vinaigre de vin
2 c. s. de persil frais finement haché
⅓ c. c. de coriandre frais finement haché
1 c. s. d'huile d'olive
1 c. s. de miel ou de sucre
1 c. s. de basilic frais finement haché ou 1 c. c. de basilic séché
1 c. s. d'aneth frais finement haché ou 1 c. c. d'aneth séché
½ c. c. d'estragon séché
½ c. c. de thym séché
¼ c. c. de cumin moulu
poivre noir moulu
sauce au piment fort
6 c. s. de crème aigre ou yaourt 0 %

Mélangez le jus de tomate ou le cocktail de jus de légumes, les oignons, le poivron vert, le concombre, les tomates, les pois chiches et les poivrons rouges dans un grand bol.

Ajoutez l'ail, le vinaigre, le persil, le coriandre, l'huile, le miel ou le sucre, le basilic, l'aneth, l'estragon, le thym, le cumin et le poivre noir, puis la sauce au piment fort.

Mélangez bien.

Réfrigérez pendant quelques heures.

Versez dans 6 assiettes individuelles et garnissez chacune d'une cuillerée à soupe de crème aigre ou de yaourt. Servir.

Par portion : 198 calories, 3,9 de gras total (17 % des calories), 1,7 g de gras mono-insaturé,

0,3 g de gras polyinsaturé, 0,4 g de gras saturé, 8,6 g de protéines, 35,2 g d'hydrates de carbone, 3,7 g de fibres alimentaires, 0 mg de cholestérol, 621 mg de sodium.

Pour 6 personnes

Galettes de babeurre au fromage et aux piments forts

TRUC CULINAIRE
Les produits de boulangerie faibles en gras rassissent très vite. S'il vous en reste, mettez-les dans un film plastique et congelez-les. Ils se conserveront ainsi plus d'un mois.

Traditionnellement, les biscuits sont préparés avec de la farine blanchie et beaucoup de beurre. Ils constituent, pour un repas, un supplément très savoureux, mais à forte teneur en graisse. Pendant de nombreuses années, j'ai cherché la recette d'un biscuit de blé complet qui, tout en étant digeste, aurait une saveur semi-traditionnelle et une texture légère.

Pour donner aux biscuits un style Sud-Ouest, j'ai ajouté à la recette de base des piments verts et du fromage. Le gouda et le gruyère allégés conviennent parfaitement.

TEMPS DE PRÉPARATION : 10 MINUTES
TEMPS DE CUISSON : 12–15 MINUTES

- 400 g de farine à pâtisserie de blé complet
- 1 c. s. de levure chimique
- 1 c. c. de sucre
- ¼ c. c. de bicarbonate de soude
- 1 pincée de sel
- 2 c. s. de beurre non salé
- 250 ml de babeurre (voir recette ci-dessous)
- 85 g de gouda ou gruyère rapé
- 55 g de piments forts en conserve, hachés

Tamisez la farine, la levure chimique, le sucre, le bicarbonate de soude et le sel dans un bol de taille moyenne.

Préchauffez le four à 230 °C.

À l'aide d'un mélangeur à pâtisserie ou de deux couteaux, émiettez le beurre ou la margarine dans la farine.

À l'aide d'une fourchette, mélangez délicatement le babeurre, le fromage et les piments dans la préparation de farine. Mélangez de façon à ce que le tout soit humecté. Si vous n'avez pas de babeurre, fabriquez-le vous-même en ajoutant deux cuillères à soupe de citron à 300 ml de lait écrémé chaud.

Déposez la pâte par cuillerée sur une plaque à biscuits afin de former 12 galettes. Faites cuire de 12 à 15 minutes jusqu'à ce que les biscuits soient dorés.

Servez immédiatement.

Pour deux biscuits : 216 calories, 6,8 g de gras total (27 % des calories), 1,2 g de gras mono-insaturé, 0,5 g de gras polyinsaturé, 3,8 g gras saturé, 9,2 g de protéines, 32 g d'hydrates de carbone, 4,6 g de fibres alimentaires, 16 mg de cholestérol, 646 mg de sodium.

12 biscuits

Jour 2

Frittata aux tagliatelles et aux brocolis
Pain d'avoine au bicarbonate de soude
Verdure à la vinaigrette aux pêches et aux noix de pecan

Les œufs peuvent très bien être combinés à un repas sain et faible en gras si vous n'utilisez pas tous les jaunes, mais les remplacez pas des blancs d'œufs. Les œufs sont également une bonne source de fer, spécialement si vous les mangez avec des fruits et légumes riches en vitamine C, ce qui permet une meilleure absorption du fer.

La frittata est une version italienne de l'omelette. Elle est un peu plus cuite et plus facile à faire.

Il faut moins d'une heure pour faire le délicieux pain d'avoine au bicarbonate de soude.

Pour un déjeuner plus rapide, utilisez du pain de blé complet et un assaisonnement de salade allégé.

VALEUR NUTRITIVE PAR REPAS

Par portion : 479 calories, 11 g de gras total (21 % des calories), 2,4 g de gras mono-insaturé, 2,3 g de gras polyinsaturé, 1,5 g de gras saturé, 29,5 g de protéines, 71,8 g d'hydrates de carbone, 13 g de fibres alimentaires, 116 mg de cholestérol, 553 mg de sodium.

Frittata aux tagliatelles et aux brocolis

La garniture donne à la frittata son caractère exceptionnel ; quant aux œufs, ils lient les ingrédients.

Vous pouvez pratiquement tout mettre dans une frittata : des légumes, des tomates séchées, des pommes de terre, des fruits de mer, du fromage, des herbes fraîches, voire n'importe quel ingrédient alléchant.

Les frittatas permettent d'utiliser les restes de pâtes du repas de la veille. Les ingrédients de la garniture sont mélangés avec les œufs et sont cuits à feu doux dans une poêle.

Touche finale : pour terminer la cuisson des œufs, mettez la poêle sous le gril jusqu'à ce qu'ils soient dorés.

Les frittatas sont bonnes servies chaudes ou à la température de la pièce.

TEMPS DE PRÉPARATION ET LA CUISSON : 20-30 MINUTES

2 œufs
225 ml de blancs d'œufs
2 c. s. de yaourt 0 %
125 g de fromage gruyère allégé
225 g de tagliatelles cuites et refroidies
2 c. s. de poivrons rouges grillés et émincés
sel
poivre noir moulu
1 échalote émincée
1 gousse d'ail écrasée
225 g de bouquets de brocoli

Fouettez ensemble les œufs, les blancs d'œuf, le yaourt dans un bol de taille moyenne.

Incorporez le fromage, les tagliatelles et les poivrons rouges. Assaisonnez de sel et de poivre. Mettez de côté.

Dans une poêle anti-adhésive qui se met au four, faites revenir l'échalote, l'ail et le brocoli. Faites cuire le tout environ 5 minutes à feu moyen, jusqu'à ce que le brocoli soit d'un vert tendre et l'échalote ramollie.

Mélangez la préparation de brocoli à celle des œufs et remettez immédiatement le tout dans la poêle. Cuire à feu doux afin de ne pas brûler le fond de la frittata. Faire une rotation de la poêle de temps à autre pour donner une cuisson égale.

Préchauffez le gril et placez la grille à moins 10 cm de l'élément chauffant.

Lorsque le fond et les rebords de la frittata sont dorés, gratinez le tout au four quelques minutes jusqu'à ce que le dessus soit d'un beau brun.

Si le milieu de la frittata n'est pas assez cuit, placez la poêle sur la grille inférieure et faites cuire quelques minutes de plus.

Coupez en 4 morceaux. Servez chaud ou à la température de la pièce.

Par portion : 176 calories, 6,3 de gras total (32 % des calories), 1 g de gras mono-insaturé, 0,4 g de gras polyinsaturé, 0,8 g de gras saturé, 15,8 g de protéines, 14,8 g d'hydrates de carbone, 1,2 g de fibres alimentaires, 116 mg de cholestérol, 147 mg de sodium.

TRUC CULINAIRE
Éliminez le gras et le cholestérol de bon nombre de recettes en mettant deux blancs d'œufs au lieu d'un œuf entier – une économie de 5 g de gras par jaune d'œuf. Dans la plupart des recettes, un substitut d'œuf non gras convient parfaitement.

Pour 4 personnes

Pain d'avoine au bicarbonate de soude

Voici un pain rapide et facile à faire. Comme son nom l'indique, vous le confectionnez en utilisant comme levain du bicarbonate de soude. Prenez de la farine à pâtisserie de blé complet, ou n'importe quelle farine de grains entiers. Le pain a une croûte très décorative, recouverte de flocons d'avoine. Si vous n'avez pas de babeurre, fabriquez-le vous-même en ajoutant deux cuillères à soupe de jus de citron à 300 ml de lait écrémé chaud.

TRUC CULINAIRE
Conservez au congélateur les tranches de pain qui restent. Vous pourrez rapidement en décongeler une pour un repas express, en consommant également d'autres fibres et des hydrates de carbones.

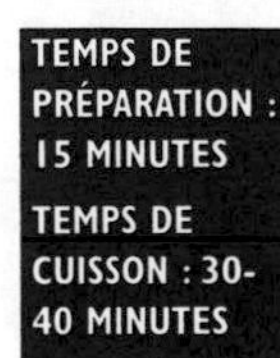

675 g de farine à pâtisserie de blé complet
1 c. c. de bicarbonate de soude
1 c. c. de levure chimique
½ c. c. de sel
1 c. s. de miel
170 g de flocons d'avoine
350 ml de babeurre allégé (voir recette à la page 302)

Préchauffez le four à 190 °C. Utilsez une plaque à pâtisserie. Mélangez la farine, le bicarbonate de soude, la levure chimique, le sel, le miel et 170 g des flocons d'avoine.

Faites un cratère dans le milieu de la farine. Versez-y le babeurre et mélangez. Si vous n'avez pas de babeurre, fabriquez-le vous-même en ajoutant deux cuillères à soupe de citron à 300 ml de lait écrémé chaud.

Déposez sur une surface plate le reste des flocons d'avoine (45 g). Versez la pâte sur les flocons et pétrissez-la légèrement. La pâte doit être molle et recouverte de flocons d'avoine.

Placez la pâte sur la plaque à biscuits. À l'aide d'un couteau tranchant, y faire une incision en X d'un centimètre de profondeur. Enduisez légèrement le dessus de beurre allégé.

Faites cuire au four de 30 à 40 minutes ou jusqu'à ce qu'on puisse entendre un son creux en tapotant sur le pain.

Faites refroidir avant de trancher.

Par portion : 234 calories, 1,9 g de gras total (7 % des calories), 0,4 g de gras mono-insaturé, 0,7 g de gras polyinsaturé, 0,4 g de gras saturé, 10,2 g de protéines, 46,8 g d'hydrates de carbone, 7,6 g de fibres alimentaires, 0 mg de cholestérol, 328 mg de sodium

Pour 4 personnes

Verdure à la vinaigrette aux pêches et aux noix de pecan

Toute huile douce convient comme assaisonnement, mais c'est l'huile de noix qui donne la meilleure saveur au plat.

TEMPS DE PRÉPARATION : 10 MINUTES

Légumes à feuilles au choix, en morceaux
1 pêche en quartiers
1½ c. s. de vinaigre de vin blanc
1½ c. s. d'eau ou de bouillon de volaille dégraissé
1 c. c. d'huile de noix
¼ c. c. de sucre ou de miel
⅛ c. c. de thym séché
⅛ c. c. de poivre noir moulu
3 noix de pecan partagées en deux

Divisez la verdure dans quatre assiettes individuelles. Mettez de côté.

Dans un mélangeur ou un robot culinaire, mettez les morceaux de pêche, le vinaigre, le bouillon de volaille ou l'eau, l'huile, le sucre ou le miel, le thym, le poivre et les noix de pecan. Mélangez jusqu'à ce que la préparation soit homogène. Nappez les salades de ce mélange et servez.

Par portion : 69 calories, 2,8 g de gras total (32 % des calories), 1 g de gras mono-insaturé, 1,2 g de gras polyinsaturé, 0,3 g de gras saturé, 3,5 g de protéines, 10,2 g d'hydrates de carbone, 4,2 g de fibres alimentaires, 0 mg de cholestérol, 78 mg de sodium.

Pour 8 personnes

Jour 3

Pains pitas à l'humus
Salade d'Israël

Ce repas est facile à préparer et se conserve bien au réfrigérateur. L'humus est préparé avec une assez grande quantité d'huile, mais en voici une autre version moins grasse.

VALEUR NUTRITIVE PAR REPAS

Par portion : 315 calories, 6,9 g de gras total (20 % des calories), 1,1 g de gras mono-insaturé, 0,5 g de gras polyinsaturé, 0,3 g de gras saturé, 13,4 g de protéines, 53,4 g d'hydrates de carbone, 4,6 g de fibres alimentaires, 0 mg de cholestérol, 242 mg de sodium.

Pains pitas à l'humus

L'humus est une tartinade faite de pois chiches et de tahini (pâte de graines de sésame). C'est la garniture parfaite du pain pita. Ce sandwich du Moyen-Orient est délicieux en tout temps. Il est très facile à préparer et assure un repas très rapide, surtout si vous utilisez des pois chiches en conserve.

500 g de pois chiches cuits ou en conserve, lavés et séchés
50 ml de jus de citron
2 gousses d'ail pelées et écrasées
2 c. s. de tahini non grillé

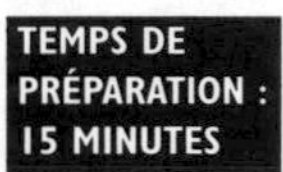

2 c. s. de persil frais haché
¼ de c. de coriandre
poivre noir moulu
poivre de Cayenne moulu ou sauce au piment fort
sel
6 pains pitas au blé complet
3 tomates coupées en tranches
½ oignon émincé
12 feuilles de laitue
germes de soja (facultatif)

Dans un mélangeur ou un robot culinaire, mélangez les pois chiches, le jus de citron, l'ail, le tahini, le persil, le cumin, la coriandre, le poivre noir, le poivre de Cayenne ou la sauce au piment fort, ainsi que le sel, selon le goût. Mélangez le tout jusqu'à ce que la préparation soit homogène et crémeuse. Ajoutez de l'eau au besoin pour diluer la préparation.

Coupez les pitas en 2 et répartissez l'humus dans chacune d'elles. Couvrir de tomates, d'oignons, de laitue et de germes de soja (à volonté).

Par portion : 266 calories, 5 g de gras total (16 % des calories), 0,05 g de gras mono-insaturé, 0,2 g de gras polyinsaturé, 0,05 g de gras saturé, 12 g de protéines, 45,4 g d'hydrates de carbone, 2,6 g de fibres alimentaires, 0 mg de cholestérol, 233 mg de sodium.

Pour 6 personnes

Salade d'Israël

En saison, les marchés en plein air d'Israël sont remplis de tomates rouges juteuses, de concombres croquants et de poivrons rouges et jaunes très bon marché.

Cette salade est croustillante, légère, rafraîchissante et non huileuse. Pour en aviver davantage la couleur, mélangez des poivrons verts, rouges et jaunes.

2 gros concombres pelés et coupés en dés
2 tomates coupées en dés

1 petit oignon rouge haché
1 poivron vert, rouge ou jaune coupé en dés
1 courge d'été jaune coupée en dés
50 ml de bouillon volaille dégraissé
2 c. s. d'huile d'olive
2 c. s. de jus de citron
1 gousse d'ail pelée et écrasée
1 c. s. de basilic frais haché ou 1 c. c. de basilic séché
½ c. c. d'origan séché
sel (facultatif)
poivre noir moulu

Combinez les concombres, les tomates, les oignons, les poivrons verts, rouges ou jaunes et la courge dans un grand bol. Mettez de côté.

Mélangez le bouillon de volaille, l'huile, le jus de citron, l'ail, le basilic, l'origan et le sel (si utilisé) et le poivre noir dans une petite tasse. Versez cette préparation sur les légumes et remuez.

Couvrez et laissez macérez à la température de la pièce environ 1 heure. (Plus les légumes macéreront longtemps, plus ils seront savoureux.) Remuez de temps en temps.

Assaisonnez selon le goût et servez.

Par portion : 49 calories, 1,9 de gras total (31 % des calories), 1,1 g de gras mono-insaturé, 0,3 g de gras polyinsaturé, 0,3 g de gras saturé, 1,4 g de protéines, 8 g d'hydrates de carbone, 2 g de fibres alimentaires, 0 mg de cholestérol, 9 mg de sodium.

Pour 6 personnes

TRUC CULINAIRE

Il est très facile de congeler des herbes fraîches, du basilic et de la coriandre, par exemple. Surgelées, leur goût est presque le même que lorsqu'elles sont fraîches. Vous les mettrez dans des soupes, des ragoûts ou des plats cuits en cocotte. Pour congeler les herbes, enlevez leurs longues tiges, puis rincez-les et séchez-les bien. Groupez-les dans un sac à congélation d'un litre. Faites sortir le plus d'air possible, étiquetez le sac et rangez-le dans le congélateur. Quand vous les utilisez, sortez-les du congélateur et écrasez les herbes dans le sac fermé hermétiquement. Utilisez-en la quantité nécessaire et remettez le restant au congélateur.

Jour 4

Salade de poulet aux pêches et aux noix de pecan ou Salade de poulet aux grains de blé complet
Pain vite fait au blé concassé

VALEUR NUTRITIVE PAR REPAS

(Salade de poulet aux pêches et aux noix de pecan)
Par portion : 445 calories, 9,6 de gras total (19 % des calories), 4,8 g de gras mono-insaturé, 2,6 g de gras polyinsaturé, 1,3 g de gras saturé, 27,7 g de protéines, 63,8 g d'hydrates de carbone, 6 g de fibres alimentaires, 47 mg de cholestérol, 688 mg de sodium.

(Salade de poulet aux grains de blé complet)
Par portion : 426 calories, 7,7 de gras total (16 % des calories), 3,7 g de gras mono-insaturé, 2,2 g de gras polyinsaturé, 1,1 g de gras saturé, 21,2 g de protéines, 71,1 g d'hydrates de carbone, 6,5 g de fibres alimentaires, 31 mg de cholestérol, 88,8 mg de sodium.

Choisir une seule recette de salade de poulet pour ce menu fut pour moi une tâche difficile, car il en existe de nombreuses versions. En voici donc deux, vous avez le choix d'ajouter ou de substituer les ingrédients que vous désirez, créant ainsi vos propres recettes. Servez la salade de poulet sur un lit de légumes verts avec une tranche et demie de pain. Ou encore servez-la dans du pain pita avec de la laitue, des tomates et des germes de soja, ou comme sandwich sur du pain régulier ou un bretzel.

Salade de poulet aux pêches et aux noix de pecan

Dans cette recette, la crème fraîche non grasse et la mayonnaise non grasse constituent un assaisonnement savoureux, traditionnel, sans la quantité de graisse habituelle.

Comme variante, ajoutez un peu de riz sauvage à la salade. Pour faire du riz sauvage, faites bouillir environ 375 g d'eau et ajoutez 125 grammes de riz. Diminuez le feu et laissez frémir 45 minutes. Retirez l'excès d'eau et mélangez le riz sauvage dans la salade.

Vous pouvez remplacer la salade par des fruits frais ou en conserve. Les raisins, les cerises, les fraises, les myrtilles et les kiwis sont les fruits de saison préférés de ma famille.

450 g de blanc de poulet dépiauté et désossé
2 branches de céleri haché
125 ml de yaourt 0 %
125 ml de mayonnaise allégée
55 g de noix de pecan grossièrement hachées
¼ c. c. d'estragon séché
sel (facultatif)
poivre noir moulu
250 g de pêches coupées en dés

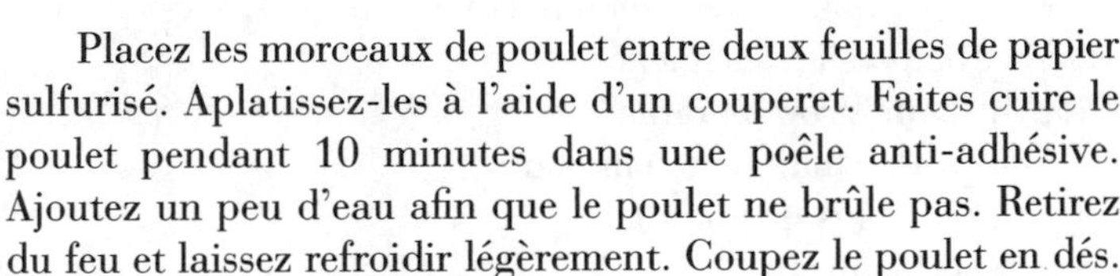

Placez les morceaux de poulet entre deux feuilles de papier sulfurisé. Aplatissez-les à l'aide d'un couperet. Faites cuire le poulet pendant 10 minutes dans une poêle anti-adhésive. Ajoutez un peu d'eau afin que le poulet ne brûle pas. Retirez du feu et laissez refroidir légèrement. Coupez le poulet en dés.

Mélangez bien le poulet, le céleri, le yaourt, la mayonnaise, les noix de pecan, l'estragon, le sel (si utilisé), le poivre selon le goût.

Incorporez délicatement les pêches. Placez au réfrigérateur en attendant de servir.

Par portion : 210 calories, 6,6 g de gras total (28 % des calories), 3,5 g de gras mono-insaturé, 1,6 g de gras polyinsaturé, 0,9 g de gras saturé, 19,7 g de protéines, 17,7 g d'hydrates de carbone, 1,4 g de fibres alimentaires, 46 mg de cholestérol, 477 mg de sodium.

Pour 4 personnes

Salade de poulet aux grains de blé complet

Cette salade est unique parce qu'elle utilise comme base des grains de blé. Elle a une saveur légèrement douce et une texture agréablement croquante. La cuisson des grains de blé est longue, vous pouvez les faire cuire à l'avance et les réfrigérer jusqu'à l'utilisation.

Vous pouvez également tremper les grains de blé non cuits la nuit et réduire le temps de cuisson à 30 minutes. (On trouve des grains de blé dans les magasins d'alimentation

TRUC CULINAIRE
La plus grande partie du gras de la volaille provient de la peau. En l'enlevant, vous éliminez à peu près cinq grammes de gras par portion de 100 grammes.

TEMPS DE PRÉPARATION ET DE CUISSON : 1-2 HEURES

naturelle.) Le reste de la salade peut être préparé en 20 minutes.

450	g de grains de blé complet non cuits
450	g de blanc de poulet dépiauté et désossé
300	ml de mayonnaise allégée
2	branches de céleri haché
1	petite pomme hachée
1	petit oignon rouge finement haché
4	c. s de noix de pecan ou noix hachées
125	g de persil frais haché
1½	c. c. de sirop d'érable
1	c. s. de vinaigre de vin blanc
½-1	c. s. de jus de pomme
	sel (facultatif)
	poivre noir moulu

Menez à ébullition 750 ml d'eau. Ajoutez les grains de blé séchés.

Couvrez et faites cuire à feu doux pendant 1½-2 heures (ou 30 minutes si les grains ont déjà trempé), jusqu'à ce que l'eau soit absorbée et que les grains soient tendres. Mettez de côté.

Entre-temps, placez le poulet entre 2 feuilles de papier sulfurisé et aplatissez-le à l'aide d'un couperet.

Faites cuire le poulet dans une poêle anti-adhésive environ 10 minutes. Ajoutez un peu d'eau au besoin afin d'empêcher le poulet de brûler. Retirez-le et laissez-le refroidir légèrement. Coupez-le en dés.

Mélangez les grains de blé, le poulet, la mayonnaise, le céleri, les pommes, l'oignon, les pecans ou noix, le persil, le sirop d'érable, le vinaigre, le jus, le sel (si utilisé), le poivre. Assaisonnez selon le goût. Laissez refroidir avant de servir.

Par portion : 191 calories, 4,7 g de gras total (22 % des calories), 2,4 g de gras mono-insaturé, 1,2 g de gras polyinsaturé, 0,7 g de gras saturé, 13,2 g de protéines, 25 g d'hydrates de carbone, 1,9 g de fibres alimentaires, 30 mg de cholestérol, 677 mg de sodium.

Pour 6 personnes

Pain vite fait au blé concassé

Ce pain a la texture des pains à levure sèche, bien qu'il soit fait avec du bicarbonate de soude et de la levue chimique. Sa saveur est presque sucrée, à mi-chemin entre le pain et le gâteau.

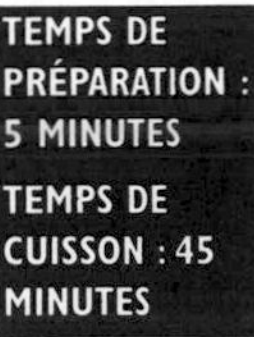

750 g de farine de blé complet
170 g de farine non blanchie
125 g de flocons d'avoine
125 g de sucre
2 c. s. de blé concassé
1½ c. c. de levure chimique
½ c. c. de bicarbonate de soude
¼ c. c. de sel
250-300 ml de lait écrémé
1 c. s. d'huile de canola
2 blancs d'œufs

Préchauffez le four à 175 °C. Utilisez un plat à pain antiadhésif.

Mélangez la farine de blé complet, la farine non blanchie, les flocons d'avoine, le sucre, le blé concassé, la levure chimique, le bicarbonate de soude et le sel. Mettez de côté.

Dans un autre bol de taille moyenne, mélangez le lait, l'huile, les blancs d'œufs. Faites un puits dans le milieu de la farine et versez-y le mélange.

Versez la pâte dans le moule et faites cuire au four pendant 45 minutes, jusqu'à ce qu'une pointe de couteau en sorte sèche. Démoulez immédiatement et laissez refroidir sur une grille.

Par tranche de 1 cm : 235 calories, 3 g de gras total (11 % des calories), 1,3 g de gras mono-insaturé, 1 g de gras polyinsaturé, 0,4 g de gras saturé, 8 g de protéines, 46,1 g d'hydrates de carbone, 4,6 g de fibres alimentaires, 1 mg de cholestérol, 211 mg de sodium.

9 tranches

TRUC CULINAIRE

La chapelure est facile à faire. C'est une bonne façon d'utiliser le pain restant. Rangez au congélateur les tranches de pain jusqu'au moment où vous voulez en faire de la chapelure. Mettez alors le pain dans un robot de cuisine jusqu'à ce qu'il soit réduit en fines miettes. Si les miettes sont trop humides, étendez-les sur une plaque à pâtisserie et passez-les au four à une température de 150 °C de trois à cinq minutes. Congelées, les miettes de pains se conservent pendant un an. Vous pouvez vous en servir dès que vous les sortez du congélateur.

Jour 5

Sandwich grillé à la ratatouille et à la mozzarella
Salade de concombre et de raisins rouges

VALEUR NUTRITIVE PAR REPAS

Par portion : 433 calories, 9,9 g de gras total (21 % des calories), 3 g de gras mono-insaturé, 0,8 g de gras polyinsaturé, 3,4 g de gras saturé, 20,4 g de protéines, 72,9 g d'hydrates de carbone, 10,5 g de fibres alimentaires, 16 mg de cholestérol, 555 mg de sodium.

La ratatouille est faite d'un mélange de légumes frais du jardin qu'on récolte en abondance durant l'été. On peut la servir chaude, à la température de la pièce ou froide.

Sandwich grillé à la ratatouille et à la mozzarella

On peut servir la ratatouille de multiples façons : au-dessus de céréales cuites, de pâtes, d'une pizza ou de pommes de terre au four ou en purée ; dans des crêpes, du pain pita ou des lasagnes. J'aime la servir dans un petit pain en sandwich avec des tranches de mozzarella grillée.

1 c. s. d'huile d'olive
1 gros oignon haché
6 grosses gousses d'ail pelées et écrasées
1 poivron vert émincé
1 poivron rouge émincé
1 aubergine moyenne coupée en dés
450 g de champignons émincés
3 petites courgettes émincées
4 tomates coupées en dés
225 ml de purée de tomates peu salée
75 ml de vin rouge ou de xérès
4 c. s. de basilic frais haché ou 2 c. c. de basilic séché
1 c. s. de jus de citron
2 c. c. de thym séché
1 c. c. d'origan séché

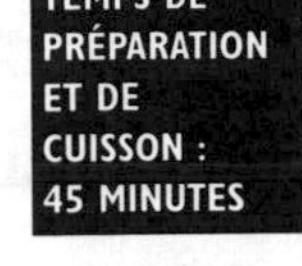

1 c. c. de cumin
poivre noir moulu
sel (facultatif)
3 c. s. de persil frais haché
6 petits pains de blé complet
170 g de mozarella (12 tranches)

Préchauffez l'huile dans une grande poêle anti-adhésive ou une casserole de taille moyenne à un feu moyen.

Ajoutez l'oignon et le cuire 5 minutes.

Ajoutez l'ail, le poivron vert, le poivron rouge, l'aubergine, les champignons, les courgettes, les tomates, la purée de tomates, le vin ou le xérès, le basilic, le jus de citron, le thym, l'origan, le cumin, le persil, le poivre noir et le sel (si utilisé).

Mélangez bien et couvrez. Faites cuire lentement pendant 20 minutes.

Coupez les petits pains en deux dans le sens de la longueur en remuant à l'occasion. Répartissez la ratatouille sur les pains coupés. Couvrez de mozzarella. Placez au gril quelques minutes jusqu'à ce que le fromage fonde.

Servez tel quel.

Par portion : 334 calories, 9,3 g de gras total (23 % des calories), 3 g de gras mono-insaturé, 0,6 g de gras polyinsaturé, 3,3 g de gras saturé, 16,6 g de protéines, 50,8 g d'hydrates de carbone, 7,2 g de fibres alimentaires, 16 mg de cholestérol, 475 mg de sodium.

Pour 6 personnes

Salade de concombre et de raisins rouges

Cette salade toute simple a une multitude de saveurs et une multitude de textures – elle peut être douce, croquante, froide ou piquante. Elle est merveilleuse à déguster un beau jour d'été.

3 concombres pelés et émincés
500 g de raisins
2 branches de céleri coupé en dés
125 ml de crème aigre ou de yaourt à 0 %
1 c. s. de vinaigre de cidre ou de vinaigre de vin blanc

TEMPS DE PRÉPARATION : 10 MINUTES

1 c. c. d'aneth séché
1 c. c. de ciboulette séchée
1 c. c. de moutarde de Dijon
1 c. c. de miel ou de sucre
poivre noir moulu

Mélangez les concombres, les raisins et le céleri dans un grand bol et mettez de côté.

Mélangez la crème aigre ou le yaourt, le vinaigre, l'aneth, la ciboulette, la moutarde, le miel ou le sucre et le poivre. Verser sur la préparation de concombres.

Mélangez délicatement.

Faites refroidir avant de servir.

VALEUR NUTRITIVE PAR REPAS

Par portion : 99 calories, 0,6 g de gras total (5 % des calories), 0,02 g de gras mono-insaturé, 0,2 g de gras polyinsaturé, 0,1 g de gras saturé, 3,8 g de protéines, 22,1 g d'hydrates de carbone, 3,3 g de fibres alimentaires, 0 mg de cholestérol, 80 mg de sodium.

Pour 4 personnes

Jour 6

Falafel grillé du Moyen-Orient
Salade de concombre à l'aneth

Le falafel, en Israël, est davantage consommé que la pizza aux États-Unis. Traditionnellement, les boulettes de falafel sont frites, puis recouvertes d'une sauce tahini épaisse. J'ai créé une variante faible en gras : le falafel cuit au four accompagné d'un assaisonnement tahini léger au yaourt. On peut préparer à l'avance les boulettes de falafel et la sauce. Les restes se conservent bien au réfrigérateur.

Par portion : 283 calories, 5,3 g de gras total (17 % des calories), 0,1 g de gras mono-insaturé, 0,1 g de gras polyinsaturé, 0,04 g de gras saturé, 13,2 g de protéines, 47,4 g d'hydrates de carbone, 2,4 g de fibres alimentaires, 0 mg de cholestérol, 238 mg de sodium.

Falafel grillé du Moyen-Orient

Pour faire un repas express, le mélange à falafel préconditionné est disponible dans de nombreux magasins d'alimentation naturelle.

Au lieu de frire le falafel, comme il est indiqué sur l'emballage, essayez plutôt de faire dorer les boulettes sur un feu moyen dans une poêle anti-adhésive.

TEMPS DE PRÉPARATION : 15 MINUTES
TEMPS DE CUISSON : 20 MINUTES

Falafel

500 g de pois chiches cuits ou en conserve, lavés et séchés
2 grosses gousses d'ail pelées et écrasées
2 c. s. de persil frais haché
2 c. c. de coriandre
2 c. c. de cumin
½ c. c. de poudre de chili
poivre de cayenne moulu
poivre noir moulu
sel

Sauce au tahini et yaourt

2 c. s. de yaourt à 0 %
2 c. s. de tahini ou beurre de sésame
1 c. s. de jus de citron
1 petite gousse d'ail pelée et écrasée
1 c. c. de persil frais haché
poivre de cayenne moulu ou sauce au piment fort
125 ml d'eau

Garniture

2 tomates coupées en dés
125 g d'oignons hachés

Assemblage

6 pains pita au blé entier
laitue romaine pour 6 personnes

Pour le falafel : Préchauffez le four à 200 °C.

Dans un mélangeur ou un robot culinaire, mixez les pois chiches, l'ail, le persil, la coriandre, le cumin, le poudre de chili, le poivre de cayenne, le poivre noir et le sel.

Brassez jusqu'à l'obtention d'une pâte épaisse.

Utilisez une plaque à pâtisserie anti-adhésive.

Roulez la préparation de pois chiches en boules de 2 cm de diamètre et placez-les sur la plaque.

Faites cuire au four 20 minutes, jusqu'à ce que les boules soient dorées. Mettez de côté.

Pour la sauce au yaourt et au tahini : Dans un mélangeur ou un robot culinaire, mélangez le yaourt, le tahini, le jus de citron, l'ail et le persil.

Ajoutez assez de poivre de cayenne ou de sauce aux piments forts pour donner un goût piquant à la sauce.

Tout en mixant, versez un peu d'eau pour obtenir une consistance plus légère.

Versez le tout dans un bol et réfrigérez jusqu'à ce que vous serviez la sauce. (La sauce devrait épaissir durant son refroidissement. Si elle est trop épaisse, ajoutez un peu d'eau.)

Pour la garniture : Mélangez les tomates et les oignons dans un bol de taille moyenne.

Pour assembler les falafels : coupez les pitas en deux et remplissez chaque cavité avec de la laitue, des boules de falafel et la garniture de tomates et oignons.

Par portion : 283 calories, 5,3 g de gras total (17 % des calories), 0,1 g de gras mono-insaturé, 0,1 g de gras polyinsaturé, 0,04 g de gras saturé, 13,2 g de protéines, 47,4 g d'hydrates de carbone, 2,4 g de fibres alimentaires, 0 mg de cholestérol, 238 mg de sodium.

Pour 6 personnes

Salade de concombre à l'aneth

Voici une salade fraîche, croquante et faible en gras facile à réaliser grâce à l'abondance des concombres en été. Épluchez les concombres si leur pelure est amère ou cireuse.

- 2 gros concombres pelés et émincés
- 2 échalotes (vertes) émincées
- 1 c. s. de vinaigre de vin blanc ou de jus de citron
- 50 ml de yaourt à 0 %
- ½ c. c. d'aneth séché

⅛ c. c. de poudre d'ail
poivre noir moulu
sel

Mélangez dans un grand bol les concombres, l'échalote, le vinaigre ou le jus de citron, le yaourt, l'aneth, la poudre d'ail, le poivre et le sel.

Mélangez bien.

Couvrez et réfrigérez jusqu'à ce que vous serviez la salade.

Par portion : 29 calories, 0,2 g de gras total (6 % des calories), 0,01 g de gras mono-insaturé, 0,07 g de gras polyinsaturé, 0,2 g de gras saturé, 1,7 g de protéines, 5,9 g d'hydrates de carbone, 1,6 g de fibres alimentaires, 0 mg de cholestérol, 14 mg de sodium.

Pour 4 personnes

Jour 7

Salade de pâtes à la grecque
Pain français complet

Ce plat de pâtes constitue un repas en lui-même. Ajoutez-y deux tranches de pain de blé complet et mettez-vous à table.

VALEUR NUTRITIVE PAR REPAS

Par portion : 596 calories, 11 g de gras total (17 % des calories), 4,5 g de gras mono-insaturé, 1,4 g de gras polyinsaturé, 3,8 g de gras saturé, 24 g de protéines, 101,8 g d'hydrates de carbone, 11,8 g de fibres alimentaires, 17 mg de cholestérol, 833 mg de sodium.

Salade de pâtes à la grecque

Généralement, la saveur de cette salade s'améliore avec le temps. Vous pouvez donc la préparer à l'avance et la conserver au réfrigérateur jusqu'au moment où vous la servirez. Elle est facile à faire. Pour une préparation plus rapide, achetez des épinards frais déjà lavés.

TRUC CULINAIRE
Quand vous choisissez vos pâtes, qu'elles soient fraîches ou sèches, faites attention de n'acheter que celles qui ne comportent ni œufs ni huile.

TEMPS DE PRÉPARATION : 15 MINUTES

Une bonne qualité de feta est importante pour la saveur du plat.

Servez la salade à la température de la pièce ou légèrement froide.

- 450 g de fettucini aux épinards
- 125 ml de bouillon de volaille dégraissé ou de bouillon de légumes
- 2 c. s. d'huile d'olive
- 2 c. s. de vinaigre balsamique ou de vinaigre de vin blanc
- 3 gousses d'ail pelées et écrasées
- 1 c. c. de basilic séché
- 1 c. c. d'origan séché
- 125 g de feta
- 250 g d'épinards lavés, séchés et hachés
- 1 concombre pelé et haché
- ½ petit oignon rouge émincé
- poivre noir moulu
- sel (facultatif)
- 10 tomates cerises en quartiers

Faites cuire les fettucini dans une grande casserole d'eau bouillante pendant 8 minutes jusqu'à ce qu'ils soient *al dente*.

Entre-temps, mélangez le bouillon de volaille dégraissé ou le bouillon de légumes, l'huile, le vinaigre, l'ail, le basilic et l'origan.

Égouttez les fettucini et placez-les dans un grand bol.

Ajoutez le bouillon assaisonné, la feta, les épinards, le concombre et les oignons. Mélangez bien.

Ajoutez sel et poivre.

Goûtez et ajoutez du bouillon de volaille ou de légumes, du vinaigre, du sel ou du poivre au besoin.

Ajoutez les tomates et remuez délicatement.

Par portion : 386 calories, 9,8 g de gras total (23 % des calories), 4,3 g de gras mono-insaturé, 1 g de gras polyinsaturé, 3,6 g de gras saturé, 15 g de protéines, 57,4 g d'hydrates de carbone, 4,2 g de fibres alimentaires, 17 mg de cholestérol, 297 mg de sodium.

Pour 6 personnes

Jour 8

Quesadillas
Guacamole aux petits pois
Salade aux quatre haricots
à la vinaigrette balsamique

Ce repas est tout à fait éclectique. Cependant, toutes ses composantes vont très bien ensemble. J'ai réinventé le guacamole traditionnel riche en gras en remplaçant l'avocat par des petits pois. Le résultat est unique et étonnamment délicieux.

Vous pouvez remplir les quesadillas, souvent servis comme amuse-gueule mexicains, avec toutes sortes d'ingrédients qui vous plaisent.

Pour terminer le repas, servez une salade composée de quatre types de légumes marinés dans une vinaigrette balsamique. Les recettes sont pour six personnes, mais vous pouvez les réduire de moitié si vous voulez.

VALEUR NUTRITIVE PAR REPAS

Par portion : 624 calories, 13,8 g de gras total (20 % des calories), 3,2 g de gras mono-insaturé, 1,3 g de gras polyinsaturé, 3,2 g de gras saturé, 30,1 g de protéines, 97,8 g d'hydrates de carbone, 10,1 g de fibres alimentaires, 12 mg de cholestérol, 1,163 mg de sodium.

Quesadillas

Pour faire des quesadillas, vous intercalez une variété d'ingrédients dans des tortillas et grillez le tout rapidement. Vous pouvez ajouter du poulet cuit ou des fruits de mer, des fèves, des olives, des poivrons, des piments verts doux ou forts, ou d'autres légumes hachés.

- 12 tortillas
- 375 g de gouda ou de gruyère allégé
- 2 tomates hachées
- 1 paquet d'échalotes (vertes) hachées
- guacamole aux pois sucrés (voir la recette ci-après)
- 6 c. s. de yaourt 0 %
- salsa (sauce tomate mexicaine)

Préchauffez le four à 95 °C. Placez une plaque à pâtisserie au four.

Préchauffez une poêle anti-adhésive 1 minute sur un feu moyen.

Mettez une tortilla dans la poêle et étalez une portion de fromage, de tomates, d'échalotes, et couvrez d'une autre tortilla.

Faites cuire 2 minutes jusqu'à ce que le dessous soit doré.

À l'aide d'une longue spatule, retournez le quesadilla et faites dorer l'autre côté.

Les tortillas brûlent facilement, il faut les surveiller. Transférez-les au four sur la plaque à pâtisserie afin de les garder au chaud.

Répétez la procédure avec le reste des tortillas, de façon à obtenir 6 quesadillas.

Coupez chaque quesadilla en quartiers et placez dans des assiettes individuelles déjà garnies d'une boule de guacamole aux pois sucrés.

Décorez le guacamole d'une cuillère à soupe de yaourt. Servez la salsa dans un petit bol.

Par portion : 288 calories, 7,8 g de gras total (24 % des calories), 0,02 g de gras mono-insaturé, 0,1 g de gras polyinsaturé, 2,4 g de gras saturé, 12,4 g de protéines, 42,4 g d'hydrates de carbone, 2,3 g de fibres alimentaires, 12 mg de cholestérol, 427 mg de sodium.

Pour 6 personnes

Guacamole aux petits pois

On prépare le guacamole traditionnel avec des avocats en purée, très riches en gras. Un avocat contient environ 30 grammes de gras.

Eh bien, voilà une recette adaptée de guacamole. J'utilise des petits pois surgelés et de la coriandre pour créer un goût unique, mais cependant familier. Un bon point supplémentaire : si vous avez déjà fait le guacamole traditionnel, vous savez qu'il est difficile de trouver des avocats juste à point. Avec des pois surgelés, le problème sera résolu.

Pour le rendre plus épicé, ajoutez des piments verts. Utilisez le guacamole pour accompagner un plat mexicain ou comme sauce.

TEMPS DE PRÉPARATION : 10 MINUTES

125	g de coriandre
2	c. s. de jus de citron vert
2	c. s. de piments forts hachés en conserve
1	c. s. d'huile d'olive
450	g de petis pois décongelés
½	c. c. de sel
¼	c. c. de cumin
55	g d'oignons rouges hachés
1	tomate hachée
	poivre noir moulu

Dans un mélangeur ou un robot culinaire, mixez la coriandre, le jus de citron vert, les piments forts et l'huile.

Ajoutez ensuite les petits pois, le sel et le cumin. Mélangez jusqu'à ce que le tout soit homogène.

Versez dans un plat et incorporez les oignons et les tomates.

Assaisonnez de poivre noir et réfrigérez à jusqu'à ce que vous le serviez.

Par portion : 97 calories, 2,6 g de gras total (23 % des calories), 1,7 g de gras mono-insaturé, 0,3 g de gras polyinsaturé, 0,3 g de gras saturé, 4,6 g de protéines, 14,6 g d'hydrates de carbone, 0,4 g de fibres alimentaires, 0 mg de cholestérol, 218 mg de sodium.

Pour 6 personnes

Salade aux quatre haricots à la vinaigrette balsamique

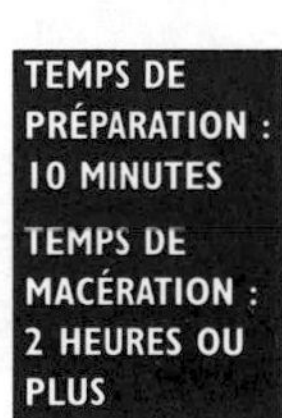
TEMPS DE PRÉPARATION : 10 MINUTES
TEMPS DE MACÉRATION : 2 HEURES OU PLUS

425	g de haricots rouges en conserve, lavés et égouttés
425	g de haricots noirs en conserve, lavés et égouttés
425	g de pois chiches
250	g de haricots verts cuits légèrement à la vapeur
125	ml d'eau ou de bouillon de volaille dégraissé
50	ml de vinaigre de vin rouge
3	c. s. de vinaigre balsamique

3 c. s. de persil frais haché
1 échalote
2 c. s. d'huile d'olive
poivre noir moulu
sel
1 pincée de sucre

Placez dans un plat assez grand et profond les haricots rouges en rangées égales.

Répétez le même procédé avec les autres haricots et les pois chiches. Mettez de côté.

Fouettez ensemble l'eau ou le bouillon de volaille dégraissé, le vinaigre de vin, le vinaigre balsamique, le persil, l'échalote, l'huile, le poivre, le sel et le sucre (facultatif).

Versez le mélange sur les haricots.

Couvrez et laissez macérer pendant 2 heures ou jusqu'au moment du service.

Remuez les haricots de temps à autre pour bien les enrober de la marinade.

Par portion : 239 calories, 3,4 g de gras total (12 % des calories), 1,5 g de gras mono-insaturé, 0,9 g de gras polyinsaturé, 0,5 g de gras saturé, 13,1 g de protéines, 40,8 g d'hydrates de carbone, 7,4 g de fibres alimentaires, 0 mg de cholestérol, 518 mg de sodium.

Pour 6 personnes

Jour 9

Salade du paysan dans un pain pita
Potage de châtaignes grillées au riz sauvage

Vous savourerez les saveurs distinctes, mais complémentaires, de ce sandwich et de ce potage délicieux. C'est un repas facile à préparer à l'avance, et les restes sont un vrai régal.

Par portion : 617 calories, 13,6 g de gras total (20 % des calories), 3,2 g de gras mono-insaturé,

VALEUR NUTRITIVE PAR REPAS

1,3 g de gras polyinsaturé, 10 g de gras saturé, 26,6 g de protéines, 99,8 g d'hydrates de carbone, 10,1 g de fibres alimentaires, 37 mg de cholestérol 488 mg de sodium.

Salade du paysan dans un pain pita

Pour cette recette, je me suis inspirée d'un merveilleux plat servi dans l'un de mes restautants préférés, en Illinois, qui dispose de l'un des buffets de salades les plus complets que l'on puisse imaginer.

La combinason des ingrédients de cette recette est unique, et la salade est présentée sans huile. Elle est parfumée au vinaigre balsamique qui enrobe bien tous les légumes.

Vous pouvez manger la salade seule, ou la servir sur des petits pains grillés ou dans des pains pitas, comme je vous la suggère ci-dessous.

Une autre suggestion... nappez-la d'une vinaigrette crémeuse à l'ail (recette à la page 350).

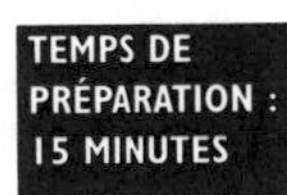

900 g de croutons de pain de blé entier
1/2 petit oignon rouge émincé
375 g de brocolis
½ poivron rouge émincé
½ poivron jaune ou vert émincé
1 concombre pelé et coupé en dés
5 tomates cerises coupées en deux ou
1 grosse tomate coupée en dés
125 g de champignons émincés
125 g de feta
6 c. s. de vinaigre balsamique
55 g de basilic frais haché ou
2 c. s. de basilic séché
55 g d'origan frais haché ou
2 c. s. d'origan séché
½-¾ c. c. de sel
poivre noir moulu
6 pains pitas de blé entier

Dans un très grand bol, mélangez les cubes de pain, l'oignon, le brocoli, le chou-fleur, les poivrons rouges, jaunes ou verts, les concombres, les tomates, les champignons, la feta, le vinaigre, le basilic, l'origan, le sel et le poivre.

Remuez bien.

Laissez macérer la salade pour obtenir plus de goût.

Coupez en deux les pitas et remplir les cavités de cette salade.

Servez avec une vinaigrette crémeuse à l'ail.

Par portion : 299 calories, 6,7 g de gras total (19 % des calories), 1,2 g de gras mono-insaturé, 0,8 g de gras polyinsaturé, 3,1 g de gras saturé, 12,5 g de protéines, 49,7 g d'hydrates de carbone, 7 g de fibres alimentaires, 17 mg de cholestérol, 841 mg de sodium.

Pour 6 personnes

Potage de châtaignes grillées au riz sauvage

Il existe différentes variétés de châtaignes : fraîches, en pot, en conserve et séchées. Je les préfère fraîches, grillées dans le four. C'est toutefois un aliment saisonnier surtout vendu durant la période des Fêtes.

Les châtaignes ont une faible teneur en gras et sont riches en fibres. Si vous utilisez des châtaignes fraîches dans cette recette, assurez-vous d'en acheter plus que prévu, car certaines peuvent être un peu défraîchies à l'intérieur et vous devrez les jeter.

Pour faire griller les châtaignes, préchauffez le four à 220 °C. À l'aide d'un bon couteau, tracez un X sur la face plate de la châtaigne. Placez les fruits sur une plaque à pâtisserie et faites-les cuire pendant 15 à 20 minutes. Laissez refroidir avant de les peler.

Une autre suggestion : utilisez deux grosses pommes de terre à la place des châtaignes. Vous obtiendrez un potage parmentier au riz sauvage.

TEMPS DE PRÉPARATION ET DE CUISSON : 1 HEURE

300 ml d'eau
125 g de riz sauvage lavé et égoutté
2 c. s. de beurre ou de margarine
2 petits oignons hachés
1 grosse pomme de terre pelée et coupée en dés

12 châtaignes grillées
550 ml de bouillon de volaille dégraissé ou de bouillon de légumes
300 ml de lait écrémé
½-1 c. c. de sel
poivre noir moulu
1 c. s. de xérès
4 c. c. de ciboulette fraîche hachée

Amenez l'eau à ébullition dans une petite casserole.

Jetez-y le riz sauvage et faites cuire à un feu moyen pendant 45 minutes, jusqu'à ce que l'eau soit absorbée.

Entre-temps, dans une casserole, faire fondre le beurre ou la margarine à feu moyen.

Ajoutez les oignons et faites les cuire pendant 5 minutes.

Ajoutez les pommes de terre et les châtaignes. Continuez la cuisson pendant 2 à 3 minutes.

Incorporez le bouillon de volaille ou de légumes, puis le lait.

Portez à ébullition et réduisez à feu très lent. Laissez mijoter 30 minutes.

En procédant par étapes, passez le potage au mélangeur ou au robot culinaire jusqu'à ce que le tout soit homogène.

Ajoutez le riz sauvage et assaisonnez de sel, de poivre et de xérès.

Réchauffez.

Pour servir, parsemez le potage de ciboulette.

Par portion : 318 calories, 6,9 g de gras total (19 % des calories), 2 g de gras mono-insaturé, 0,5 g de gras polyinsaturé, 6,9 g de gras saturé, 14,1 g de protéines, 50,1 g d'hydrates de carbone, 3,1 g de fibres alimentaires, 20 mg de cholestérol, 647 mg de sodium.

Pour 4 personnes

Jour 10

Salade de pâtes mexicaine

Cette salade de pâtes constitue un vrai repas. Je recommande toutefois de la servir avec des chips. Vous en trouverez plusieurs variétés sans ajout de gras dans la plupart des supermarchés.

Les pâtes tricolores de cette recette lui donnent une allure de festin. Vous pouvez cependant la préparer avec toute autre couleur ou toute autre taille de pâtes. Cette salade constitue le plat idéal à déguster par temps frais ou chaud.

Préparez-en beaucoup. Les restes sont délicieux et peuvent se conserver sept jours dans le réfrigérateur.

Servez la salade avec des chips ou des tortillas.

VALEUR NUTRITIVE PAR REPAS

Par portion : (Y compris 25 g de chips tortillas.) 605 calories, 12.3 de gras total (18 % des calories), 5,1 g de gras mono-insaturé, 1,2 g de gras polyinsaturé, 2,7 g de gras saturé, 22,3 g de protéines, 104,7 g d'hydrates de carbone, 7 g de fibres alimentaires, 8 mg de cholestérol, 1 236 mg de sodium.

TEMPS DE PRÉPARATION : 20 MINUTES

- 450 g de pâtes trois couleurs
- 3 c. s. d'huile d'olive
- 3 c. s. de bouillon de volaille dégraissé ou de bouillon de légumes
- 5 c. s. de vinaigre de vin blanc
- 3 c. s. de sauce tomate sans gras, peu salée
- 2 gousses d'ail pelées et écrasées
- 1 c. s. de poudre de chili
- 1 c. c. de sel
- ¼ c. c. d'origan séché
- 125 g d'oignons finement hachés
- 125 g poivron vert finement haché
- 225 g de maïs décongelé
- 55 g de persil frais haché
- 55 g de piments forts en conserve hachés
- 125 g de poivrons émincés
- 425 g de haricots rouges en conserve lavés et séchés
- 125 g de gouda ou gruyère allégé
- 1 c. s. de coriandre
- poivre noir moulu

Faites bouillir de l'eau dans une casserole

Faites cuire les pâtes de 4 à 8 minutes, jusqu'à ce qu'elles soient « al dente ».

Fouettez ensemble l'huile, le bouillon de volaille dégraissé ou le bouillon de légumes, la sauce tomate, l'ail, la poudre de chili, le sel et l'origan dans un petit bol. Mettez de côté.

Mixez les oignons, les poivrons verts, le maïs, le persil, les piments forts, les haricots, le fromage, la coriandre et le poivre noir dans un grand bol.

Incorporez les pâtes, puis le mélange liquide.

Amalgamez délicatement.

Par portion : 495 calories, 11,3 de gras total (18 % des calories), 5,1 g de gras mono-insaturé, 1,2 g de gras polyinsaturé, 2,7 g de gras saturé, 19,3 g de protéines, 80,7 g d'hydrates de carbone, 5 g de fibres alimentaires, 8 mg de cholestérol, 1,096 mg de sodium.

Pour 6 personnes

TRUC CULINAIRE

Si vous jetez les pâtes cuites dans un petit bouillon de poulet dégraissé avant d'ajouter la sauce, elles auront la même apparence soyeuse que si vous y ajoutiez de l'huile, mais sans aucun gras. Le bouillon recouvre les pâtes et les empêche de coller. N'ajoutez pas d'huile à l'eau de cuisson quand vous faites des pâtes. Remuez-les simplement plusieurs fois pendant la cuisson.

Jour 11

Potage de glands d'automne au fromage
Marinade au maïs
Muffins au pain d'épices

C'est le repas idéal pendant les jours frais d'automne, saison durant laquelle la courge est la meilleure. Le repas tout entier laisse des restes merveilleux : on peut facilement réchauffer la soupe, la saveur de la salade augmente tandis qu'elle marine, et les muffins constituent de délicieuses collations.

Cette soupe possède une saveur subtile. Elle est en même temps très nourrissante et évoque des souvenirs d'automne. Sa couleur orange crémeuse est très agréable à la vue, et sa texture est douce, riche et épaisse. Vous pouvez préparer la courge dans le micro-ondes pour raccourcir le temps de cuisson.

VALEUR NUTRITIVE PAR REPAS

Par portion : (Y compris 1 muffin) 507 calories, 13 de gras total (23 % des calories), 4,7 g de gras mono-insaturé, 1,3g de gras polyinsaturé, 4,7 g de gras saturé, 23,5 g de protéines, 82 g d'hydrates de carbone, 7,2 g de fibres alimentaires, 20 mg de cholestérol, 1 237 mg de sodium.

Potage de glands d'automne au fromage

TEMPS DE PRÉPARATION : 10 MINUTES
TEMPS DE CUISSON : 45 MINUTES

2	courges de grosseur moyenne
1	c. s. de beurre ou de margarine
750	ml de bouillon de volaille dégraissé ou de bouillon de légumes
¼-½	c. c. de sauge séchée
1	c. c. de poudre d'ail
170	g de gouda ou gruyère râpé allégé
375	ml de lait écrémé
1-2	c. c. de poivre moulu
	muscade moulue

TRUC CULINAIRE
Le gras n'est pas seulement une source de richesse, il augmente également la saveur. Vous devez donc assaisonner davantage vos plats faibles en gras. Prenez comme point de départ les recommandations de la recette, puis augmentez l'assaisonnement selon votre goût.

Préchauffez le four à 240 °C.

À l'aide d'un couteau tranchant, partagez en deux les courges. Retirez avec une cuillère les graines et placez les courges coupées, sur le côté, sur une plaque à biscuits à rebords (pour empêcher le jus de la courge de tomber et de brûler le four).

Faites cuire pendant 45 minutes ou jusqu'à ce que la chair soit tendre.

Retirez cette chair et écrasez-la en purée à l'aide d'un robot culinaire. Ajoutez la sauge et la poudre d'ail.

Transférez le tout dans une casserole de grosseur moyenne. Faites cuire quelques minutes.

Incorporez délicatement le fromage, le bouillon et le lait, remuez jusqu'à ce que le fromage soit fondu, ajoutez un peu plus de lait si le tout est trop épais.

Assaisonnez de sel et de poivre à volonté, puis de muscade.

Servez immédiatement ou gardez au chaud à feu très doux jusqu'au moment de servir.

Par portion : 227 calories, 6,5 g de gras total (24 % des calories), 0,6 g de gras mono-insaturé, 0,3 g de gras polyinsaturé, 3,8 g de gras saturé, 13,9 g de protéines, 31,2 g d'hydrates de carbone, 3 g de fibres alimentaires, 20 mg de cholestérol, 717 mg de sodium.

Pour 6 personnes

Marinade au maïs

Tout comme son nom, cette salade a une présentation alléchante. Elle est rapide et facile à faire. Vous pouvez la préparer sept jours à l'avance.

Plus le condiment macérera, plus grande en sera la saveur.

Assaisonnez selon votre goût personnel, ajoutez plus ou moins de poivrons verts, de coriandre, de citron vert, de vinaigre ou de sel.

750 g de maïs décongelé
125 g d'oignons rouges finement hachés
½ poivron vert finement haché
440 g de doliques à œil noir (variété de haricots) en conserve lavés et séchés
125 g de poivrons coupés en dés
125 g de piments forts en conserve hachés
55 g de persil frais haché
1 c. s. de coriandre
2 c. s. d'huile d'olive
3 c. s. de jus de citron vert
2 c. s. de vinaigre de vin blanc
2 c. c. de poudre d'ail
1 c. c. de basilic séché
¼ c. c. de cumin
poivre noir moulu
sel

Mélangez le maïs, les oignons, les poivrons verts, les pois, les piments forts, le persil et la coriandre dans un grand bol.

Mélangez bien.

Fouettez ensemble l'huile, le jus de citron vert, le vinaigre, la poudre d'ail, le basilic, le cumin et le poivre noir et le sel.

Versez cette marinade sur les légumes et remuez.

Mettez au réfrigérateur jusqu'au moment de servir.

Vérifiez l'assaisonnement avant de servir.

Par portion : 187 calories, 5,1 g de gras total (18 % des calories), 3,4 g de gras mono-insaturé, 0,6 g de gras polyinsaturé, 0,7 g de gras saturé, 6,9 g de protéines, 32,6 g d'hydrates de carbone, 2,5 g de fibres alimentaires, 0 mg de cholestérol, 450 mg de sodium.

Pour 6 personnes

Muffins au pain d'épices

Il existe des muffins moelleux et parfumés qui possèdent une saveur d'autrefois. Le doux parfum du gingembre pendant qu'ils cuisent nous met en appétit. Ce sont toujours nos muffins préférés.

TEMPS DE PRÉPARATION : 10 MINUTES
TEMPS DE CUISSON : 20 MINUTES

- 305 g de farine de blé complet
- 55 g de lait en poudre écrémé
- 1½ c. c. de gingembre moulu
- ¾ c. c. de cannelle
- ½ c. c. de bicarbonate de soude
- ½ c. c. de poudre chimique
- ¼ c.c. de muscade
- ¼ c. c. de clou de girofle moulu
- 50 ml de lait écrémé
- 6 c. s. de compote de pommes
- 50 ml de mélasse
- 3 c. s. de sirop d'érable
- 1 c. s. d'huile de canola
- 1 blanc d'œuf légèrement battu

Préchauffer le four à 175 °C.

Tamisez dans un grand bol la farine, le lait en poudre, le gingembre, la cannelle, le bicarbonate de soude, la poudre chimique, la muscade et le clou de girofle.

Mélangez dans un petit bol le lait écrémé, la sauce aux pommes, la mélasse, le sirop d'érable, l'huile et le blanc d'œuf.

Versez ce mélange sur les ingrédients secs.

Remuez délicatement jusqu'à ce que le tout soit humecté

Répartissez la pâte dans 12 moules.

Cuisez au four pendant 20 minutes, jusqu'à ce qu'une pointe de couteau en ressorte sèche.

TRUC CULINAIRE

Dans de nombreuses recettes pour muffins et ou pains , vous pouvez réduire le gras en substituant un montant égal de compote de pommes non sucrée à la moitié de beurre ou d'huile. En fait, vous pouvez généralement remplacer jusqu'à 75 % du beurre ou de l'huile par de la compote de pommes.

Par muffin : 93 calories, 1,4 g de gras total (13 % des calories), 0,7 g de gras mono-insaturé, 0,4 g de gras polyinsaturé, 0,2 g de gras saturé, 2,7 g de protéines, 18,2 g d'hydrates de carbone, 1,7 g de fibres alimentaires, 0 mg de cholestérol, 70 mg de sodium.

12 muffins

Jour 12

Nouilles orientales
Won ton grillés

J'ai été surprise d'apprendre que c'est un des repas dont mes jeunes enfants raffoleront toujours. La saveur douce de la sauce soja et du beurre de cacahuètes leur plaît beaucoup. Et les won ton croustillants sont une véritable merveille.

VALEUR NUTRITIVE PAR REPAS

Par portion : 494 calories, 10,8 g de gras total (17 % des calories), 3,8 g de gras mono-insaturé, 4,2 g de gras polyinsaturé, 1,6 g de gras saturé, 15,6 g de protéines, 85,5 g d'hydrates de carbone, 7,2 g de fibres alimentaires, 61 mg de cholestérol, 293 mg de sodium.

Nouilles orientales

Quand vous achetez des nouilles chinoises, prenez celles qui contiennent peu ou pas d'huile ou d'œufs. Vous trouverez de l'huile de sésame et du vinaigre de vin de riz dans le rayon d'aliments asiatiques de votre épicerie.

- 300 g de nouilles chinoises
- 50 ml + 2 c. s. de bouillon de volaille dégraissé ou de bouillon de légumes
- 2 c. s. d'huile de sésame grillée
- 50 ml de vinaigre de riz
- 1½ c. s. de sauce soja légère
- 1½ c. c. de beurre d'arachide naturel
- 1½ c. c. de gingembre moulu
- 1 c. c. de poudre d'ail

¾	c. c. de sucre
½	c. c. de poivre noir moulu
1-3	c. c. de coriandre fraîche hachée
⅛	c. c. de piments forts en paillettes
2	carottes coupées en julienne
300	g de bouquets de brocoli
1	courgette coupée en dés
250	g de châtaignes d'eau, lavées et asséchées
55	g de poivrons hachés
3	échalotes émincées
½	tomate hachée (facultatif)

Faites bouillir de l'eau dans une casserole.

Faites cuire les nouilles de 2 à 3 minutes, « al dente ».

Égouttez et rincez les nouilles à l'eau froide et ajoutez 50 ml de bouillon de volaille ou de bouillon de légume.

Mélangez dans un bol l'huile, le vinaigre, la sauce soja, le beurre d'arachide, le gingembre, la poudre d'ail, le sucre, le poivre noir, la coriandre, la poudre de piments forts (facultatif).

Versez ce mélange sur les nouilles et remuez, réservez.

Faites cuire sur un feu moyen, dans une poêle anti-adhésive, les carottes et le brocoli, ajoutez les 2 dernières cuillerées à soupe de bouillon de volaille et faites cuire quelques minutes jusqu'à ce qu'ils soient tendres.

Ajoutez les courgettes et faites cuire quelques minutes de plus.

Mélangez le mélange de brocoli aux châtaignes d'eau, les piments forts, l'échalote et aux les nouilles.

Assaisonner selon le goût.

Servez à la température de la pièce et garnissez de tomates (facultatif).

Par portion : 494 calories, 10,8 g de gras total (17 % des calories), 3,8 g de gras mono-insaturé, 4,2 g de gras polyinsaturé, 1,6 g de gras saturé, 15,6 g de protéines, 85,5 g d'hydrates de carbone, 7,2 g de fibres alimentaires, 61 mg de cholestérol, 293 mg de sodium.

Pour 4 personnes

Won ton grillés

Les chips Won ton sont faciles à faire, et les enfants aiment particulièrement leur texture croquante. Saupoudrez-les donc d'épices avant de les cuire pour en varier leur saveur. Les chips se conservent bien et sont très appréciées pour de nombreuses sauces.

Achetez les paquets de chips won ton en épicerie dans le rayon des aliments asiatiques.

TEMPS DE PRÉPARATION : 5 MINUTES
TEMPS DE CUISSON : 5-7 MINUTES

8 sachets de won ton frais
Sel (facultatif)

Préchauffez le four à 175 °C.

Utilisez une plaque à pâtisserie anti-adhésive.

Coupez les sachets de won ton en triangles et placez-les un à côté de l'autre sur la plaque à biscuits.

Saupoudrez de sel (si utilisé) et faites-les cuire au four de 5 à 7 minutes, jusqu'à ce qu'ils soient dorés.

Par portion : 46 calories, 0 g de gras total (0 % des calories), 0 g de gras mono-insaturé, 0 g de gras polyinsaturé, 0 g de gras saturé, 2 g de protéines, 9 g d'hydrates de carbone, 0 g de fibres alimentaires, 0 mg de cholestérol, 38 mg de sodium.

Pour 4 personnes

Jour 13

Chili aux légumes ou Chili au poulet à la façon du Sud Pain à l'ancienne à la semoule de maïs

Il existe de nombreuses variétés de Chili – avec ou sans haricots, chaud ou froid, avec de la viande ou des légumes – chacun possédant ses qualités particulières. Y a-t-il mieux qu'un plat de Chili accompagné d'une tranche de pain à la semoule de maïs ?

Vous trouverez ci-dessous deux recettes de Chili exceptionnelles. Si vous avez une recette de Chili préférée, vous pourrez facilement y apporter quelques modifications salutaires.

Commencez en remplaçant le bœuf par un blanc de dinde haché (n'oubliez pas de dégraisser et de dépiauter la viande avant de la hacher). Si cette recette demande de l'huile ou une autre matière grasse, utilisez seulement une à trois cuillères à soupe d'huile d'olive ou de canola.

Réduisez ou éliminez le sel. Ajoutez certains des assaisonnements demandés dans mes recettes et utilisez une sauce tomate allégée en gras. Servez votre Chili avec une salade si aucun légume n'entre dans la composition de votre recette.

VALEUR NUTRITIVE PAR REPAS

Par portion : Chili aux légumes : 450 calories, 8,1 g de gras total (16 % des calories), 3,7 g de gras mono-insaturé, 2,1 g de gras polyinsaturé, 0,8 g de gras saturé, 20,4 g de protéines, 80,7 g d'hydrates de carbone, 9,2 g de fibres alimentaires, 0 mg de cholestérol, 829 mg de sodium

Par portion : Chili au poulet à la méthode du Sud : 510 calories, 13,8 g de gras total (24 % des calories), 5,1 g de gras mono-insaturé, 3,3 g de gras polyinsaturé, 2,8 g de gras saturé, 42,6 g de protéines, 72,1 g d'hydrates de carbone, 16,5 g de fibres alimentaires, 56 mg de cholestérol, 1 295mg de sodium

---

Chili aux légumes

Pour bon nombre d'entre nous, un chili rappelle les froides soirées d'hiver. J'ai créé une nouvelle version de ma recette préférée en remplaçant le bœuf par des légumes. Pour varier un peu, servez le chili sur du riz brun ou autre riz complet, avec une pomme de terre ou sur de la pâte à pizza. Vous pouvez toujours en faire des lasagnes. Le chili se congèle bien et se réchauffe facilement.

1 c. s. d'huile d'olive
1 oignon haché

TEMPS DE PRÉPARATION : 25 MINUTES
TEMPS DE CUISSON : 30 MINUTES OU PLUS

1	carotte émincée
1	poivron vert haché
250	g de champignons émincés
1	petite courgette hachée
12	olives noires (facultatif)
4	gousses d'ail pelées et écrasées
796	ml de tomates en conserve avec le jus et hachées
500	ml de sauce tomate sans gras, peu salée
125	g de piments forts en conserve, coupés en dés
900	g de haricots rouges
3	c. s. de Chili en poudre
1	c. s. d'origan séché
2	c. c. de cumin
2	c. c. de paprika
	piments forts en poudre (facultatif)
	poivre de Cayenne (facultatif)
1	c. s. de vinaigre de vin blanc
	coriandre fraîche hachée (facultatif)
	crème aigre ou yaourt à 0 % (facultatif)

Chauffez l'huile sur un feu moyen dans une grande casserole.

Ajoutez les oignons, les carottes, les poivrons verts, les champignons, les courgettes, les olives (si utilisées) et l'ail, et faites sauter pendant 20 minutes.

Ajoutez les tomates et leur jus, la sauce tomate, les piments forts, les haricots, la poudre de chili, l'origan, le cumin, le paprika et la poudre de piments forts (si utilisés) et le poivre de Cayenne (si utilisé selon votre goût).

Faites mijoter environ 30 minutes. Remuez à l'occasion.

Ajoutez le vinaigre et la coriandre (si utilisés).

Laissez mijoter quelques minutes.

Garnissez de crème aigre ou yaourt (si utilisé) et servez.

Par portion : 285 calories, 4,4 g de gras total (13 % des calories), 1,8 g de gras mono-insaturé, 0,9 g de gras polyinsaturé, 0,5 g de gras saturé, 15,5 g de protéines, 50,6 g d'hydrates de carbone, 5,6 g de fibres alimentaires, 0 mg de cholestérol, 510 mg de sodium

Pour 6 personnes

Chili au poulet à la façon du Sud

Cette recette de Chili utilise des blancs de poulet dépiautés et des haricots blancs. Ce sont les piments verts qui lui donnent cette saveur légèrement épicée. La recette est rapide, facile et très savoureuse ainsi, mais vous pouvez y ajouter pratiquement tout ce que vous voulez.

Vous pouvez facilement épicer à votre goût cette recette. Pour une saveur plus douce, réduisez la quantité de piments verts ; pour rendre ce plat plus relevé, ajoutez des paillettes de piments rouges.

TEMPS DE PRÉPARATION : 10 MINUTES
TEMPS DE CUISSON : 45 MINUTES

- 1 c.c. d'huile d'olive
- 450 g de blancs de poulet désossés et dépaiutés, coupés en morceaux
- 1 oignon émincé
- 250 g de champignons grossièrement tranchés
- 4 gousses d'ail pelées et écrasées
- 1 boîte de piments forts émincés
- 1 c.s. de cumin
- ½ c.c. d'origan
- ⅛ c.c de piments forts en poudre (facultatif)
- 375 ml de bouillon de volaille dégraissé
- 2 boîtes de haricots d'environ 450 g chacune
- ½-1 c.c de coriandre fraîche
- 55 g de fromage rapé allégé

Réchauffez l'huile à feu moyen dans une grande casserole. Ajoutez le poulet et faites sauter pendant 5 minutes, jusqu'à ce que le poulet soit doré. Retirez le poulet de la casserole et réservez.

Ajoutez les oignons, faites sauter quelques minutes. Incorporez les champignons, l'ail, et faites cuire quelques minutes de plus. Ajoutez les piments forts, le cumin, l'origan et les paillettes de piments forts (si utilisées) puis le bouillon de volaille dégraissé. Couvrez et laissez mijoter pendant 30 minutes, tout en remuant à l'occasion.

Ajoutez le poulet, les haricots et la coriandre, remuez délicatement.

TRUC CULINAIRE
La farine à pâtisserie de blé complet, moulue à partir d'un blé plus tendre, contient peu de gluten. Elle donne aux muffins et aux autres aliments de boulangerie une plus belle apparence de gâteaux que si vous utilisez du bicarbonate de soude ou de la levure chimique.

Laissez mijoter sur un feu très doux pendans 15 minutes.

Assaisonner selon votre goût. Au besoin, ajoutez des paillettes de piments forts.

Saupoudrez le fromage sur le chili au moment de servir.

Par portion : 285 calories, 4,4 g de gras total (13 % des calories), 1,8 g de gras mono-insaturé, 0,9 g de gras polyinsaturé, 0,5 g de gras saturé, 15,5 g de protéines, 50,6 g d'hydrates de carbone, 5,6 g de fibres alimentaires, 0 mg de cholestérol, 510 mg de sodium

Pour 4 personnes

Pain à l'ancienne à la semoule de maïs

Voici un pain de maïs de grains entiers, léger, subtilement sucré, ressemblant à un gâteau rempli de grains de maïs. Les restes constituent d'excellentes collations, chaudes ou froides.

250 g de farine à pâtisserie de blé entier ou autre farine de blé entier
170 g de semoule de maïs
85 g de sucre
3 c. c. de levure chimique
¾ c. c. de sel
250 ml de lait écrémé
2 blancs d'œufs légèrement battus
2 c. s. d'huile de canola ou de beurre non salé, fondu
250 g de maïs décongelé

Préchauffez le four à 220 °C.

Utilisez un moule anti-adhésif.

Mélangez dans un grand bol la farine, la semoule de maïs, le sucre, la poudre chimique et le sel.

Mélangez dans un petit bol le lait, les blancs d'œufs, l'huile ou le beurre.

Versez les ingrédients secs sur le mélange liquide. Brassez pour humecter les ingrédients.

Versez dans le moule préparé et faites cuire 20 minutes,

jusqu'à ce qu'une pointe de couteau enfoncée en ressorte sèche.

Laissez refroidir et coupez en 9 morceaux.

Par carré : 165 calories, 3,7 g de gras total (19 % des calories), 1,9 g de gras mono-insaturé, 1,2 g de gras polyinsaturé, 0,3 g de gras saturé, 4,9 g de protéines, 30,1 g d'hydrates de carbone, 3,6 g de fibres alimentaires, 0 mg de cholestérol, 319 mg de sodium

9 carrés

Jour 14

Pains pitas à la pâte de lentilles Salade saisonnière d'agrumes au raifort et au gingembre

La pâte de lentilles est facile à préparer mais nécessite environ 45 minutes de cuisson pratiquement sans surveillance. Elle est délicieuse réchauffée au micro-ondes. Vous pouvez donc la préparer à l'avance, elle donnera d'excellents restes. Vous pouvez également couper la recette de moitié si vous voulez obtenir trois portions.

VALEUR NUTRITIVE PAR REPAS

Par carré : 447 calories, 8,9 g de gras total (18 % des calories), 5,1 g de gras mono-insaturé, 1,2 g de gras polyinsaturé, 1,2 g de gras saturé, 24.5 g de protéines, 70,9 g d'hydrates de carbone, 4,2 g de fibres alimentaires, 0 mg de cholestérol, 589 mg de sodium

---

Pains pitas à la pâte de lentilles

Les lentilles sont une excellente source de fibres. Contrairement à la plupart des autres légumineuses, il n'est pas nécessaire de les faire tremper avant. Dans cette recette, on fait cuire les lentilles jusqu'à ce qu'elles aient une consistance semblable à celle des fèves réchauffées, et leur saveur vous permettra de les utiliser dans les plats mexicains à la place des fèves traditionnelles. On peut étaler la pâte de lentilles sur du pain on sur des pains pitas avec des farces faibles en gras.

TEMPS DE PRÉPARATION : 10 MINUTES
TEMPS DE CUISSON : 45 MINUTES

1	c. s. d'huile d'olive
125	g d'oignons hachés
2	grosses gousses d'ail pelées et écrasées
½	poivron rouge ou vert haché
375	g de lentilles lavées, séchées
900	ml de bouillon de volaille dégraissé ou de bouillon de légumes
1	carotte râpée
1	c. s. de mélasse
1	c. s. de vinaigre de xérès
1	c. c. de cumin
1	c. c. de marjolaine séchée
1-3	c. c. de coriandre frais haché
	sel
	poivre noir moulu
	sauce aux piments forts (facultatif)
	6 pains pitas

Mettez dans un grand poêlon, l'huile, les oignons, l'ail et le poivron rouge ou vert. Faites cuire le tout en remuant sur un feu moyen pendant 3 minutes.

Ajoutez les lentilles et le bouillon de volaille ou de légumes. Portez à ébullition.

Réduisez la chaleur à un feu moyen.

Couvrez et faites cuire pendant 30 minutes. Remuez de temps en temps.

Incorporez les carottes, la mélasse, le vinaigre, le cumin, la coriandre, la marjolaine, le cilantro, le sel et le poivre noir, selon votre goût, puis la sauce aux piments forts (si utilisée).

Couvrez et laisser mijoter pendant 15 minutes, jusqu'à ce que le liquide soit absorbé et les arômes bien épanouies.

Retirez du feu et laissez le couvercle fermé jusqu'au moment de servir.

Partagez les pains pitas en 2 et étendez la pâte de lentilles.

On peut ajouter comme garniture de la laitue, des tomates, des germes de soja, de l'avocat émincé, de la sauce salsa, du fromage râpé allégé ou de la crème aigre sans gras.

Par portion : 349 calories, 3,6 g de gras total (9 % des calories), 1,8 g de gras mono-insaturé, 0,5 g de gras polyinsaturé, 0,4 g de gras saturé, 21,2 g de protéines, 59,7 g d'hydrates de carbone, 1,3 g de fibres alimentaires, 0 mg de cholestérol, 540 mg de sodium.

Pour 6 personnes

Salade saisonnière d'agrumes au raifort et au gingembre

La majeure partie du gras de cette salade provient de l'avocat, les autres ingrédients du repas sont faibles en gras. L'assaisonnement à base de gingembre et de raifort est parfait pour napper cette salade.

TEMPS DE PRÉPARATION : 15 MINUTES

Salade mixte en morceaux pour 6 personnes

2 clémentines pelées en quartiers
250 g de champignons émincés
6 radis émincés
germes de soja

Vinaigrette de raifort et gingembre

50 ml de mayonnaise allégée
50 ml de yaourt 0 %
50 ml de jus d'orange ou de jus de tangerine
2 c.c. de raifort
1 c. c. de gingembre moulu
¼ c. c. de miel

Pour la salade : Disposez la salade mixte dans 6 bols individuels.

Répartissez également chaque portion de clémentines, de champignons, de radis, d'avocats et de germes de soja (si utilisés). Réservez.

Pour la vinaigrette de gingembre et de raifort : Dans un mélangeur, mixez le yaourt ou la mayonnaise, la crème aigre, le jus d'orange ou de tangerine, le raifort, le gingembre et le miel. Amalgamez jusqu'à ce que le tout soit homogène.

Garnissez le dessus de chaque salade avec la vinaigrette et gardez au frais jusqu'au moment de servir.

Par portion : 98 calories, 5,3 g de gras total (45 % des calories), 3,3 g de gras mono-insaturé, 0,7 g de gras polyinsaturé, 0,8 g de gras saturé, 3,3 g de protéines, 11,2 g d'hydrates de carbone, 2,9 g de fibres alimentaires, 0 mg de cholestérol, 49 mg de sodium.

Pour 6 personnes

Chapitre Dix-neuf

Nouvelles recettes pour des dîners allégés

Si vous suivez le programme de *La Vie Allégée*, vous devriez mettre de côté les recettes trop riches en gras telles que les viandes en sauce, les poulets frits et les ragoûts mijotés, et les remplacer par celles qui figurent dans ce chapitre.

Pourquoi se limiter aux recettes traditionnelles alors que le monde entier vous offre bon nombre d'autres façons de cuisiner ? Ce chapitre contient des recettes d'Italie, d'Espagne, d'Inde, de Thaïlande, du Mexique et du Moyen-Orient. Et ces menus comprennent des versions faibles en gras de certains plats rapides, par exemple les fajitas, les pizzas et les hamburgers. Vous trouverez les ingrédients dans la plupart des supermarchés et des épiceries spécialisées.

Voici, pour deux semaines, nos menus préférés de dîners allégés.

Jour 1

Jour 2

Jour 3

Jour 4

Jour 5

Jour 6

Jour 7

Jour 8

Pilaf au couscous (page 371)
Carottes miniatures glacées au miel (page 372)
Salade d'épinards aux poires et aux noix avec vinaigrette à la moutarde tiède (page 373)

Jour 9

Pétoncles flambés au poivre (page 375)
Fettucini à la sauce de poivrons rouges grillés (page 375)
Haricots verts (page 376)
Salade aux baies et pignons à la vinaigrette de tomates séchées (page 377)

Jour 10

Sauté thaïlandais (page 379)
Potage aigre et piquant (page 381)

Jour 11

Pâtes rustiques (page 382)
Salade César (page 383)

Jour 12

Roulés de poulet à la Suisse (page 384)
Mousseline de pommes de terre (page 385)
Brocolis aux amandes et au citron (page 387)
Salade de légumes européenne (page 387)
Éclaboussure balsamique (page 388)

Jour 13

Paella du village (page 390)
Salade à la vinaigrette de sirop d'érable et de noix (page 391)

Jour 14

Ragoût de poulet et légumes à l'ancienne (page 393)
Salade de betteraves miniatures à la vinaigrette de framboise, de sirop d'érable et de noix grillées (page 394)

Jour 1

Blancs de poulet à la vinaigrette de framboise
Tagliatelles au citron et au parmesan
Salade nouvelle
Vinaigrette crémeuse à l'ail

Ce menu convient aussi bien à un repas express en famille qu'à un dîner élégant et amusant. Il tire son origine de la cuisine californienne, légère et parfumée. Comme complément agréable à un si bon repas, nous vous conseillons le pain français complet (recette à la page 444).

VALEUR NUTRITIVE PAR REPAS

Par portion: 628 calories, 13,4 g de gras total (19 % des calories), 6,1 g de gras mono-insaturé, 2,7 g de gras polyinsaturé, 3,2 g de gras saturé, 38,1 g de protéines, 87,3 g d'hydrates de carbone, 3,2 g de fibres alimentaires, 53 mg de cholestérol, 459 mg de sodium.

Blancs de poulet à la vinaigrette de framboise

Les framboises, le vinaigre de framboise et le vin blanc font ensemble une sauce délicieuse à verser sur des blancs de poulet légèrement sautés. Pour un repas végétarien, faites sauter environ 110 g de tofu par personne et doublez la quantité de sauce. Ce plat est rapide et simple à préparer. De plus il satisfera pratiquement tous les goûts.

TEMPS DE PRÉPARATION ET DE CUISSON : 35 MINUTES

4 blancs de poulet dépiautés, désossés et partagés en deux
poivre noir moulu
sel
1 c. s. d'huile de canola ou de beurre non salé
50 ml de vin blanc sec
2 c. s. de vinaigre de framboise
250 g de framboises fraîches ou congelées

Déposez les blancs de poulet entre 2 feuilles de papier sulfurisé ou un film plastique. Aplatissez-les à l'aide d'un couperet

Assaisonnez de sel et de poivre.

Chauffez à feu moyen l'huile ou le beurre dans une grande poêle anti-adhésive.

Faites revenir les blancs de poulet dans la poêle à feu moyen pendant 5 à 10 minutes jusqu'à ce qu'ils soient dorés des deux côtés.

Retirez-les de la poêle et gardez-les au chaud.

Dans la même poêle, ajoutez le vinaigre, le vin et les framboises. Cuire à feu vif jusqu'à ce que la sauce épaississe légèrement.

Nappez le poulet et servez immédiatement.

Par portion : 145 calories, 5,5 g de gras total (35 % des calories), 2,7 g de gras mono-insaturé, 1,5 g de gras polyinsaturé, 0,8 g de gras saturé, 17 g de protéines, 4 g d'hydrates de carbone, 1,4 g de fibres alimentaires, 46 mg de cholestérol, 40 mg de sodium.

TRUC CULINAIRE

Dans les recettes où le goût d'une petite quantité de beurre est essentielle, vous pouvez donner davantage de saveur avec moins de beurre si vous le chauffez jusqu'à ce qu'il devienne légèrement brun. On lui donne souvent le nom de beurre noisette.

Pour 4 personnes

Tagliatelles au citron et au parmesan

Ce plat de pâtes dégage une saveur simple et en même temps raffinée.

TEMPS DE PRÉPARATION ET DE CUISSON : 10-20 MINUTES

- 1 c. s. d'huile d'olive
- 2 gousses d'ail écrasées
- 125 ml de lait écrémé
- 375 g de tagliatelles
- 125 ml de jus de citron
- 85 g de fromage parmesan râpé
- 50 g de persil frais haché
- poivre noir moulu

Faites chauffez l'huile à feu moyen pendant 1 minute dans une petite casserole et ajoutez l'ail.

Ajoutez le lait, réduisez le feu et chauffez lentement.

Pendant ce temps, amenez de l'eau à ébullition dans une grande marmite. Quand l'eau bout, versez les tagliatelles et faites-les cuire de 8 à 10 minutes « al dente ». Égouttez-les et versez-les dans un grand plat. Ajoutez le jus de citron et mélangez bien.

Versez la préparation d'ail sur les pâtes et mélangez.

Ajoutez le parmesan, le persil, et le poivre selon votre goût. Mélangez bien à nouveau. Servez immédiatement.

Par portion : 405 calories, 7,3 g de gras total (16 % des calories), 3,4 g de gras mono-insaturé, 0,9 g de gras polyinsaturé, 2,3 g de gras saturé, 15,7 g de protéines, 68,7 g d'hydrates de carbone, 0,3 g de fibres alimentaires, 7 mg de cholestérol, 179 mg de sodium.

Pour 4 personnes

Salade nouvelle

Voici une salade pour vrais gourmets. Ajoutez-y tous les ingrédients que vous préférez.

Pour agrémenter le tout, servez la Salade nouvelle avec la vinaigrette crémeuse à l'ail.

1 kg de verdure assortie (lola rossa, scarole, endives et laitue par exemple)
4 échalotes hachées
12 pointes d'asperges cuites
4 c. s. de piments
cœurs de palmiers émincés (facultatif)
tomates séchées finement hachées

Répartissez la verdure dans 4 petits plats individuels.

Garnir d'échalotes, d'asperges, de piments forts, de cœurs de palmiers (si utilisés) et de tomates (si utilisées).

Par portion : 46 calories, 0,5 g de gras total (5 % des calories), 0,01 g de gras mono-insaturé, 0,2 g de gras polyinsaturé, 0,09 g de gras saturé, 4 g de protéines, 8,4 g d'hydrates de carbone, 1,5 g de fibres alimentaires, 0 mg de cholestérol, 17 mg de sodium.

Pour 4 personnes

Vinaigrette crémeuse à l'ail

Une mayonnaise allégée, de la crème fraîche et un soupçon d'ail composent cet assaisonnement faible en gras .

Vous pouvez vous servir également pour cette recette de yaourt ou de fromage blanc à 0 % de matière grasse.

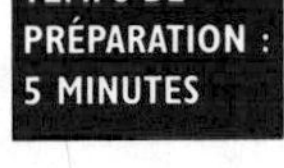

50 ml de mayonnaise allégée
50 ml de yaourt 0 %
1 petite gousse d'ail écrasée
½ c. c. de moutarde de Dijon
½ c. c. de persil frais haché
⅛ c. c. de poudre d'oignon
2 c. s. de lait écrémé
poivre noir moulu
sel

Versez dans un mélangeur ou un robot culinaire la mayonnaise, le yaourt, l'ail, la moutarde, le persil, la poudre d'oignon, le lait, le poivre et le sel (si utilisé). Mélangez bien jusqu'à ce que le tout soit homogène.

Réfrigérez avant de servir. Ajoutez du lait écrémé si vous voulez obtenir une consistance plus crémeuse.

Par portion : 32 calories, 0,06 g de gras total (2 % des calories), 0,02 g de gras mono-insaturé, 0,1 g de gras polyinsaturé, 0,01 g de gras saturé, 1,4 g de protéines, 6,2 g d'hydrates de carbone, 0,01 g de fibres alimentaires, 0,1 mg de cholestérol, 223 mg de sodium.

Pour 4 personnes

Jour 2

3 tacos

Quand je veux préparer rapidement un repas qui plaira à coup sûr à mes enfants, je fais des « tacos ». J'ai toujours les ingrédients sous la main, tout est donc prêt en 15 minutes. Deux ou trois tacos constituent un repas. Pour le rendre plus copieux encore, ajoutez du riz mexicain (page 361). Essayez un dessert léger du chapitre 20 si vous voulez un petit quelque chose de plus.

Par portion : 456 calories, 11 g de gras total (22 % des calories), 0,03g de gras mono-insaturé, 0,2g de gras polyinsaturé, 2,4 g de gras saturé, 25,8 g de protéines, 68,7 g d'hydrates de carbone, 3,9 g de fibres alimentaires, 12 mg de cholestérol, 1,302mg de sodium.

Tacos

Ce plat plaira aux personnes aux goûts les plus variés et il se prépare en un clin d'œil. Vous pouvez le présenter en achetant des tacos en paquets ou bien en les faisant vous-même avec de la farine ordinaire ou de blé complet.

Vous pouvez ajouter à la garniture des tacos du blanc de dinde hachée cuit. Ajoutez aussi au mélange des légumes supplémentaires, par exemple des oignons, des poivrons ou des concombres.

Si vous voulez préparer des nachos, versez les ingrédients de garniture sur la couche des tortillas cuites au four et glissez-les rapidement sous le gril pour faire fondre le fromage.

TEMPS DE PRÉPARATION ET DE CUISSON : 15 MINUTES

12 coquilles de tacos ou tortillas
500 g de haricots frits
2 tomates hachées
500 g de chiffonnade de laitue romaine
125 g de gouda ou gruyère allégé
yaourt à 0 %
sauce salsa (sauce tomate mexicaine)

Préchauffez le four à 175 °C.

Si vous utilisez des coquilles à tacos, faites-les cuire au four sur une plaque pendant 6 minutes ou vérifiez les instructions sur l'emballage.

Si vous utilisez des tortillas, réchauffez-les au four ou au micro-ondes.

Réchauffez les haricots au micro-ondes ou sur le dessus de la cuisinière.

Mettez la laitue et les tomates dans un saladier.

Déposez sur un grand plat les coquilles de tacos ou les tortillas ; puis, dans de petits plats individuels les haricots, la salade et les tomates, le fromage, le yaourt, la sauce salsa ou la sauce piquante. De cette façon, chacun des convives préparera son taco.

Par taco : 152 calories, 3,6 g de gras total (20 % des calories), 0,01 g de gras mono-insaturé, 0,07 g de gras polyinsaturé, 0,8 g de gras saturé, 8,6 g de protéines, 22,9 g d'hydrates de carbone, 1,3 g de fibres alimentaires, 4 mg de cholestérol, 434 mg de sodium.

12 tacos

Jour 3

Poissons piquants à la Veracruz
Ignames cuits au four avec une crème à la noix de muscade
Riz basmati au citron

Pour varier un peu la recette, remplacez le poisson par du poulet. Ou comme entrée végétarienne, servez du tofu.

VALEUR NUTRITIVE PAR REPAS

Valeur nutritive par repas : 587 calories, 11,3 g de gras total (17 % des calories), 5,8 g de gras mono-insaturé, 2,7 g de gras polyinsaturé, 1,5 g de gras saturé, 34,1 g de protéines, 87,1 g d'hydrates de carbone, 8,3 g de fibres alimentaires, 36 mg de cholestérol, 532 mg de sodium.

Poissons piquants à la Veracruz

Les poissons sont cuits jusqu'à ce qu'ils soient tendres dans une sauce légèrement épicée à base de tomates. Si vous préférez une sauce un peu plus épicée, ajoutez quelques gouttes de sauce au piment fort ou utilisez de la sauce salsa.

Les portions de poisson peuvent sembler petites si vous les comparez aux portions de restaurants, mais la valeur nutritive montre que 110 g de fruits de mer par personne est la quantité la plus salutaire. Servez ce plat sur du riz basmati au citron.

- 1 c. s. d'huile d'olive
- 1 petit oignon
- ½ poivron vert émincé
- 300 ml de purée de tomates ou de tomates en coulis
- 3 c. s. de vin rouge

TEMPS DE PRÉPARATION ET DE CUISSON : 40 MINUTES

125 ml de sauce salsa douce ou piquante
454 g de poisson (flétan, saumon, espadon, pétoncles ou vivaneau)
2 c. s. de persil frais haché
1 c. c. de coriandre fraîche hachée (facultatif)

Chauffez l'huile dans une grande poêle anti-adhésive, faites revenir les oignons et les poivrons à feu moyen. Faire cuire le tout pendant 5 minutes.

Versez dans la poêle la purée de tomates ou les tomates, le vin, la sauce piquante ou la salsa. Réduisez le feu, couvrez et laissez mijoter 20 minutes.

Mettez dans la poêle le poisson, le persil et la coriandre (si utilisée).

Versez une partie de la sauce sur le poisson.

Couvrez et faites cuire 10 minutes jusqu'à ce que le poisson se découpe facilement et/ou que les pétoncles soient cuites

Arrosez le poisson de sauce plusieurs fois pendant la cuisson. Servez le poisson et la sauce sur du riz.

Par portion : 222 calories, 6,6 g de gras total (26 % des calories), 3,4 g de gras mono-insaturé, 1,2 g de gras polyinsaturé, 0,8 g de gras saturé, 25,9 g de protéines, 14,5 g d'hydrates de carbone, 2,8 g de fibres alimentaires, 36 mg de cholestérol, 301 mg plus âcre.

Pour 4 personnes

Ignames cuits au four avec une crème à la noix de muscade

Les patates douces et les véritables ignames proviennent de plusieurs types de plantes. Les véritables ignames poussent en Afrique. Je préfère celles à la chair au parfum d'orange – souvent vendues dans les supermarchés pour des ignames. Un autre type de patate douce possède une chair ferme et jaune et est plus âcre.

TEMPS DE PRÉPARATION : 5 MINUTES
TEMPS DE CUISSON : 35-45 MINUTES

4 patates douces ou ignames
125 ml de yaourt à 0 %
1/2 c. c. de muscade moulue

Préchauffez le four à 215 °C.

Lavez les patates douces et placez-les sur une plaque à biscuits. Faites cuire pendant 35 à 45 minutes jusqu'à ce qu'elles soient tendres.

Mélangez le yaourt et la muscade dans un petit saladier. Mettez au frais jusqu'au moment de servir.

À l'aide d'un couteau tranchant, faites une incision en forme de X sur le dessus de chaque patate douce.

Ouvrez les 4 coins de la patate afin que la chair sorte de l'ouverture.

Garnir chaque patate douce de yaourt à la muscade.

Par portion : 190 calories, 0,3 g de gras total (1 % des calories), 0,02 g de gras mono-insaturé, 0,08 g de gras polyinsaturé, 0,3 g de gras saturé, 4 g de protéines, 42,6 g d'hydrates de carbone, 3,4 g de fibres alimentaires, 0 mg de cholestérol, 51 mg de sodium.

Pour 4 personnes

Riz basmati au citron

Tous les amateurs de riz basmati connaissent bien son parfum et sa saveur. Si vous n'avez pu vous procurer du riz basmati, remplacez-le par du riz brun à longs grains.

1 c. s. d'huile de canola ou de beurre non salé
2 échalotes hachées
2 gousses d'ail écrasées
2 c. s. de jus de citron
1 c. s. de zeste de citron râpé
1 c. s. de persil frais haché
½ c. c. de sucre
sel
poivre noir moulu
375 ml de bouillon de volaille dégraissé ou de bouillon de légumes
170 g de riz basmati

Faites chauffer l'huile ou le beurre à feu moyen dans une casserole.

Ajoutez les échalotes et l'ail, faites revenir légèrement.

Ajoutez le jus et le zeste de citron, le persil, le sucre, le sel et le poivre selon votre goût.

Incorporez le bouillon de volaille ou de légumes et portez à ébullition.

Ajoutez le riz et réduisez la température à feu moyen.

Couvrez et laissez mijoter de 35 à 45 minutes, jusqu'à ce que l'eau soit absorbée.

Retirez la casserole du feu.

À l'aide d'une fourchette, détachez les grains de riz et laissez le couvercle jusqu'au moment de servir.

Par portion : 175 calories, 4,4 g de gras total (23 % des calories), 2,4 g de gras mono-insaturé, 1,4 g de gras polyinsaturé, 0,4 g de gras saturé, 4,2 g de protéines, 30 g d'hydrates de carbone, 2,1 g de fibres alimentaires, 0 mg de cholestérol, 180 mg de sodium

Pour 4 personnes

Jour 4

Vermicelles chinois à la sauce de tomates fraîches
Mélange de verdure et vinaigrette crémeuse au basilic

Ce repas est facile et simple à préparer et nécessite très peu de cuisson. Les pâtes rassasient, le repas par contre est léger.

Préparer si possible l'assaisonnement à l'avance ; la saveur du basilic frais augmente s'il macère. Vous pouvez servir avec le repas un pain croustillant de blé complet.

VALEUR NUTRITIVE PAR REPAS

Par portion : 510 calories, 13,8 g de gras total (24 % des calories), 7,1 g de gras mono-insaturé, 1,6 g de gras polyinsaturé, 3,8 g de gras saturé, 19,9 g de protéines, 75 g d'hydrates de carbone, 4,1 g de fibres alimentaires, 10 mg de cholestérol, 324 mg de sodium.

(suite)

Vermicelles chinois à la sauce de tomates fraîches

Le vermicelle chinois (appelée également pâte cheveu d'ange ou capellini) est un spaghetti très fin. C'est la pâte préférée de ma famille. Cette pâte a une texture si fine qu'elle doit être servie avec une sauce légère et fraîche comme celle de cette recette, préparée avec des tomates rouges du jardin.

On peut servir ce plat chaud dès qu'il sort du feu. Vous pouvez également attendre que la sauce prenne la température de la pièce et la servir sur les pâtes chaudes.

TEMPS DE PRÉPARATION : 35 MINUTES

2 c. s. d'huile d'olive
6 gousses d'ail écrasées
900 g de tomates mûres et coupées en dés
125 ml de vin blanc sec
1 c. s. d'origan frais haché ou
1 c. c. d'origan séché
1 c.c. de basilic frais
poivre noir moulu
450 g de pâtes cheveux d'ange
170 g de parmesan râpé

Chauffez l'huile à feu moyen dans une grande casserole.

Ajoutez l'ail et faites cuire 2 minutes.

Incorporez 650 g de tomates, le vin, l'origan, le basilic, le poivre et le sel (si utilisé). Amenez la sauce à ébullition, puis réduire à feu doux et laisser mijoter 20 minutes.

Ajoutez le reste des tomates et retirez la casserole du feu.

Mettez une grande casserole d'eau à bouillir, faites cuire les pâtes de 2 à 3 minutes, « al dente ». Égouttez-les et mélangez-les avec la moitié du parmesan.

Versez la sauce sur les pâtes et mélangez à nouveau.

Recouvrez les pâtes du reste de parmesan. Servez.

Par portion : 438 calories, 10,1 g de gras total (21 % des calories), 4,6 g de gras mono-insaturé, 1,2 g de gras polyinsaturé, 3,3 g de gras saturé, 16,8 g de protéines, 67,6 g d'hydrates de carbone, 2,6 g de fibres alimentaires, 10 mg de cholestérol, 258 mg de sodium.

Pour 6 personnes

TRUC CULINAIRE

Les meilleurs croûtons pour une salade sont ceux faits maison. Ils sont moins gras que ceux achetés en magasin et ne contiennent pas de produits artificiels ni de sodium. Pour fabriquer vous-même des croûtons faibles en gras, disposez des cubes de pain dans un saladier. Saupoudrez-les de poudre d'ail et d'herbes fraîches ou séchées, puis secouez-les bien. Déposez les cubes sur une plaque de pâtisserie non adhésive et faites cuire à 175 °C de 10 à 15 minutes, ou jusqu'à ce qu'ils soient croustillants.

TEMPS DE PRÉPARATION : 10 MINUTES
TEMPS DE RÉFRIGÉRATION : PLUSIEURS HEURES

Mélange de verdure et vinaigrette crémeuse au basilic

Les saveurs et les textures des salades varient de la gamme du doux, juteux et croquant à celle d'agréablement douce et amère. Ajoutez en petites quantités les nouvelles variétés de salades à celles que vous préférez. Essayez quelques-unes des suivantes : la romaine, l'endive, la chicorée, la scarole, le raddichio, l'arugula (variété de salade d'origine italienne) et la mâche. La quantité varie selon le type de salade que vous choisissez, mais il faut généralement une grande laitue ou deux de taille moyenne, pour 6 personnes.

La vinaigrette crémeuse faible en gras est délicieusement parfumée et savoureuse avec du basilic frais. N'utilisez pas de basilic séché, il a beaucoup moins de saveur.

1 gousse d'ail écrasée
125 ml de yaourt 0 %
3 c. s. de vinaigre de vin blanc
1½ c. s. d'huile d'olive
1½ c. s. de moutarde de Dijon
½ c. c. de poivre noir moulu
sel (facultatif)
Mélange de verdure, en morceaux

Mélangez dans un mélangeur ou un robot-culinaire l'ail, le yaourt, le basilic, le vinaigre, l'huile, la moutarde, le poivre et le sel (si utilisé) selon votre goût. Réduire en une purée crémeuse et homogène.

Réfrigérez pendant plusieurs heures dans un pot de verre ou dans un récipient. Pour obtenir une meilleure saveur, réfrigérez toute la nuit.

Répartissez la salade dans 6 petits plats individuels et aspergez de vinaigrette.

Par portion : 72 calories, 3,7 g de gras total (44 % des calories), 2,5 g de gras mono-insaturé, 0,4 g de gras polyinsaturé, 0,5 g de gras saturé, 3,1 g de protéines, 7,4 g d'hydrates de carbone, 1,5 g de fibres alimentaires, 0 mg de cholestérol, 66 mg de sodium.

Pour 6 personnes

Jour 5

Fajitas de Santa Fe au poulet
Haricots noirs du Sud-Ouest
Riz mexicain

Vous pouvez commencer à préparer ce repas la veille, vous le terminerez le lendemain en un clin d'œil ! Si vous laissez macérer les haricots et le mélange à fajitas toute la nuit, ils seront bien plus savoureux, mais ce n'est pas indispensable.

Pour réduire le temps de cuisson, faites cuire d'abord le poulet, il marinera tandis que vous préparerez le reste du repas. Comme variante, remplacez le poulet par des crevettes ou du tofu.

VALEUR NUTRITIVE PAR REPAS

Par portion : 576 calories, 13,8 g de gras total (22 % des calories), 4,5 g de gras mono-insaturé, 2,7 g de gras polyinsaturé, 1 g de gras saturé, 30,5 g de protéines, 90,5 g d'hydrates de carbone, 11 g de fibres alimentaires, 37 mg de cholestérol, 59,5 mg de sodium.

Fajitas de Santa Fe au poulet

Il est possible d'épicer les fajitas à votre goût en utilisant une sauce plus ou moins épicée (de douce à extra-forte). On roulera les tortillas avec l'une des garnitures suivantes : crème fraîche allégée, gouda ou gruyère, piments forts et tomates hachées.

TEMPS DE PRÉPARATION ET DE CUISSON : 25 MINUTES

- 450 g de blancs de poulet, dépiautés et désossés
- 1 oignon rouge émincé
- 1 poivron vert émincé
- 175 ml de sauce salsa douce ou piquante
- 6 c. s. de jus de citron vert
- 3 gousses d'ail écrasées
- 2 c. c. de chili en poudre
- 1 c. c. d'origan séché
- ½ c. c. de cumin
- ¼ c. c. de fond de sauce fumé
- sel
- poivre noir moulu

TRUC CULINAIRE
On peut se procurer du fumé déjà préparé dans les épiceries et les supermarchés, rayon assaisonnements.
Il remplace très bien le goût du bacon et du jambon dans les soupes, les ragoûts et les plats mijotés. Il est très fort, utilisez-en peu à la fois.

pincée de sucre
1 c. s. d'huile de canola
10 tortillas

Coupez le poulet en fines lanières.

Mettez dans un grand saladier le poulet, l'oignon et les poivrons verts.

Dans un saladier de taille moyenne, mettez la sauce salsa, ou la sauce piquante, le jus de citron vert, l'ail, le chili en poudre, l'origan, le cumin, le fumé, le sel et le poivre selon votre goût et enfin le sucre.

Versez le tout sur la préparation de poulet.

Laissez mariner pendant au moins 1 heure, jusqu'au moment de la cuisson.

Chauffez l'huile dans une poêle anti-adhésive de taille moyenne.

Ajoutez le poulet et les légumes. Augmentez l'intensité du feu et faites cuire le poulet. Remuez constamment jusqu'à ce que le poulet soit cuit de tous les côtés.

Pour servir, répartissez également la préparation sur les tortillas. Ajoutez la garniture de votre choix et roulez les tortillas

Servir immédiatement.

Par portion : 325 calories, 8,2 g de gras total (23 % des calories), 2,1 g de gras mono-insaturé, 1,2 g de gras polyinsaturé, 0,6 g de gras saturé, 19,3 g de protéines, 43,9 g d'hydrates de carbone, 2,7 g de fibres alimentaires, 37 mg de cholestérol, 47 mg de sodium.

Pour 5 personnes

Haricots noirs du Sud-Ouest

Ce plat de haricots est l'équivalent d'une salade ou d'un assaisonnement. Il comprend peu d'ingrédients, il est donc rapide et facile à préparer. Plus les haricots macèrent, plus ils deviennent savoureux.

TEMPS DE PRÉPARATION : 10 MINUTES

425 g de haricots noirs lavés et séchés
½ poivron vert haché
50 g de maïs décongelé
1 tomate hachée

50 g d'oignons rouges hachés
3 c. s. de jus de citron vert
1 c. s. d'huile de canola
1 c. s. de vinaigre de vin blanc
1 c. s. de sauce soja
1 c. c. de sucre ou de miel
2 c. c. de chili en poudre
1 c. c. de poudre d'ail
poivre noir moulu
sauce au piment fort

Dans un grand saladier, mettez les haricots, les poivrons verts, le maïs, les tomates et les oignons.

Dans un petit saladier ou une tasse, mélangez le jus de citron vert, l'huile, le vinaigre, la sauce soja, le sucre ou le miel, le chili en poudre, la poudre d'ail, le poivre et la sauce au piments forts, selon votre goût.

Versez le tout sur la préparation de haricots.

Faites macérer à la température de la pièce jusqu'au moment de servir.

Par portion : 121 calories, 3,8 g de gras total (22 % des calories), 1,6 g de gras mono-insaturé, 0,9 g de gras polyinsaturé, 0,2 g de gras saturé, 7,8 g de protéines, 21,2 g d'hydrates de carbone, 6 g de fibres alimentaires, 0 mg de cholestérol, 381 mg de sodium.

Pour 5 personnes

Riz mexicain

Pour préparer ce plat, on cuit le riz dans une sauce à base de tomates, d'où son allure mexicaine. Pour obtenir un riz moins épicé, utilisez moins de piments forts.

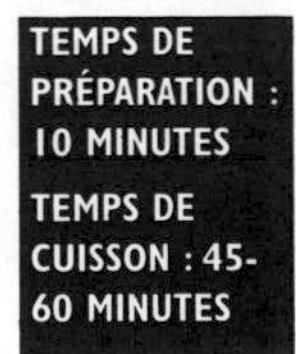

1 c. c. d'huile de canola
50 g d'oignons hachés
50 g de poivrons verts hachés
1 c. s. de piments forts en conserve hachés
250 ml de bouillon de poulet dégraissé ou de bouillon de légumes
125 ml de jus de tomate ou de cocktail de jus de légumes

2	c. c. de sauce Worcestershire
1	c. c. de chili en poudre
1	c. c. de sucre
¼	c. c. d'origan séché
¼	c. c. de poudre d'ail
	poivre noir moulu
170	g de riz brun à long grain

Chauffez l'huile dans une grande casserole à feu moyen. Ajoutez les oignons et les poivrons verts. Faites sauter pendant 3 minutes.

Rajoutez les piments forts. Faites cuire pendant 3 minutes en remuant souvent.

Ajoutez le bouillon de volaille ou de légumes, le jus de tomate ou le cocktail de jus de légumes, la sauce Worcestershire, le chili en poudre, le sucre, l'origan, l'ail en poudre et le poivre noir. Portez à ébullition.

Ajoutez le riz et portez de nouveau à ébullition. Mettez à feu doux, couvrez et laissez mijoter de 45 à 60 minutes ou jusqu'à ce que le liquide soit absorbé et que le riz soit cuit.

Retirez du feu et, à l'aide d'une fourchette, détachez les grains de riz. Laissez le couvercle sur la casserole jusqu'au moment de servir.

Par portion : 130 calories, 1,8 g de gras total (13 % des calories), 0,8 g de gras mono-insaturé, 0,6 g de gras polyinsaturé, 0,2 g de gras saturé, 3,4 g de protéines, 25,4 g d'hydrates de carbone, 2,3 g de fibres alimentaires, 0 mg de cholestérol, 167 mg de sodium.

Pour 5 personnes

Jour 6

Pizza blanche
Salade mixte avec vinaigrette italienne au parmesan

La pizza est un plat fort apprécié. Il existe des douzaines de sortes de pizzas, avec un nombre et une combinaison d'ingrédients multiples, selon le goût de chacun. Dans cette recette de pizza blanche, un mélange de fromage à tartiner allégé, de fromage blanc, d'herbes et d'épices remplace la sauce tomate habituelle. Vous pouvez ajouter à ces pizzas individuelles les traditionnelles garnitures que vous désirez.

Cette salade est un mélange européen classique de laitue, de chicorée, de cresson, de légumes verts considérés autrefois comme sauvages et d'herbes culinaires. Cette salade est très souvent servie dans un grand nombre de bons restaurants.

ALEUR UTRITIVE AR REPAS

Par portion : 486 calories, 11,5 g de gras total (21 % des calories), 4,4 g de gras mono-insaturé, 0,9 g de gras polyinsaturé, 4,6 g de gras saturé, 25 g de protéines, 71,8 g d'hydrates de carbone, 5,2 g de fibres alimentaires, 25 mg de cholestérol, 1033 mg de sodium.

Pizza blanche

Cette recette vous fournit les instructions pour fabriquer vous-même votre pâte à pizza. Pour un repas express, achetez une pâte toute prête en magasin. Vous pouvez aussi toaster du pain pita et l'utiliser comme pâte à pizza. Une sauce tomate remplace très bien une sauce à base de crème. Si vous réchauffez les restes, vous aurez un délicieux déjeuner.

La farine de blé est souvent une farine pour pâtes. Elle rend la pâte de la pizza bien meilleure. Si vous n'en avez pas, faites-la avec une moitié de farine de blé complet et une moitié de farine non blanchie ; pour obtenir une pâte à pizza plus épaisse, utilisez seulement de la farine de blé complet. Vous pouvez aussi parfumer la pâte en ajoutant avant de la pétrir de la poudre d'ail, de l'origan, du basilic et du poivre noir.

S'il vous faut seulement 2, 3 ou 4 pizzas, faites la recette entière pour la pâte et congelez le reste. Quand vous voudrez l'utiliser, vous la laisserez décongeler toute une nuit ou toute une journée.

TRUC CULINAIRE
Si vous prenez des fromages partiellement écrémés, prenez ceux qui ont cinq grammes ou moins de gras par 30 g.

Pâte

500 ml d'eau tiède (44-46 °C)
1 c. c. de miel ou de sucre

TEMPS DE PRÉPARATION ET DE LEVAGE : 55 MINUTES

TEMPS DE CUISSON : 15 MINUTES

2 c. s. de levure sèche de boulangerie
2 c. c. de sel
500 g de farine de blé
250 g de farine de blé entier
335-425 g de farine non blanchie

Sauce

175 ml de fromage à tartiner
50 ml de fromage blanc
¼ c. c. de poudre d'ail
¼ c. c. de basilic séché
⅛ c. c. d'origan séché
poivre noir moulu

Garniture

170 g d'oignons rouges hachés
1 poivron vert haché
125 g de poivrons rouges grillés émincés
375 g de champignons émincés
3 tomates en tranches
250 g de mozzarella râpée

Pour faire la pâte : huilez un grand récipient avec un peu d'huile d'olive.

Mettez dans un petit récipient l'eau, le miel ou le sucre et la levure. Laissez reposer 5 à 10 minutes.

Entre-temps, versez dans un robot culinaire (à lame de métal) le sel, la farine de blé et la farine de blé entier.

Ajoutez la préparation de levure et 250 g de farine non blanchie. Mettez en marche jusqu'à ce qu'une boule se forme dans le récipient.

Ajoutez graduellement le reste de la farine non blanchie jusqu'à ce que la pâte soit douce et pas trop collante.

Transvasez la pâte dans le récipient huilé et roulez-la jusqu'à ce qu'elle soit entièrement huilée.

Couvrez la pâte d'un film plastique et placez-la dans un endroit tiède (27-30 °C) pendant 30 à 45 minutes (un four avec sa lumière allumée donne une température tiède).

Pour faire la sauce : Mixez le fromage à tartiner, le fromage blanc, l'ail en poudre, le basilic, l'origan et le poivre dans un mélangeur ou un robot culinaire. Mettez de côté.

Pour garnir les pizzas : préchauffez le four à 230 °C.
Utilisez deux plaques à biscuits non adhésives.
Saupoudrez légèrement de farine.
Divisez la pâte en 8 morceaux.
Déposez les morceaux sur les plaques et formez 6 cercles.
Étalez la sauce sur la pâte.
Garnir d'oignons, de poivrons verts et rouges, de champignons, de tomates et de mozzarella.
Mettez au four les pizzas et laissez-les cuire 15 minutes, jusqu'à ce que le fromage soit fondu et la pâte dorée.

Par pizza : 367 calories, 5,5 g de gras total (14 % des calories), 1,4 g de gras mono-insaturé, 0,6 g de gras polyinsaturé, 3 g de gras saturé, 20 g de protéines, 59 g d'hydrates de carbone, 5,1 g de fibres alimentaires, 20 mg de cholestérol, 801 mg de sodium.

8 pizzas

Salade mixte avec vinaigrette italienne au parmesan

On peut se procurer des salades mixtes dans tout type de commerce. Elles sont vendues pré-lavées, il vous suffit de les assaisonner avant de les servir. Les degrés de saveurs s'échelonnent de doux à agréablement amer. C'est une de mes salades préférées.

- 125 ml de bouillon de volaille dégraissé ou de bouillon de légumes
- 3 c. s. de vinaigre de vin
- 3 c. s. de vinaigre balsamique
- 2 c. s. d'huile d'olive
- 3 c. s. de persil frais haché
- 2 c. s. d'échalotes finement hachées
- 1 grosse gousse d'ail écrasée
- ½ c. c. de basilic séché
- ¼ c. c. d'origan séché
- ⅛ c. c. de poivre noir moulu
- 8 c. s. de parmesan râpé
- Salade mixte pour 8 personnes

Dans un saladier moyen, mettez le bouillon de volaille ou l'eau, le vinaigre de vin, le vinaigre balsamique, l'huile, le persil, les échalotes, l'ail, le basilic, l'origan, le poivre et le parmesan. Mélangez bien.

Déposez la verdure dans un grand saladier et mélangez avec la vinaigrette.

Pour chaque portion, déposez 50 g de salade sur une assiette et recouvrez de 2 c. s. de vinaigrette.

Par portion : 119 calories, 6 g de gras total (42 % des calories), 3 g de gras mono-insaturé, 0,3 g de gras polyinsaturé, 1,6 g de gras saturé, 5,9 g de protéines, 12,8 g d'hydrates de carbone, 0,07 g de fibres alimentaires, 5 mg de cholestérol, 232 mg de sodium.

Pour 8 personnes

Jour 7

Hamburgers à la dinde
Pommes de terre épicées
Salade de haricots verts frais

Un hamburger accompagné de frites est un des plats préférés des Américains. Voici une version faible en gras et en cholestérol de ce repas populaire – le blanc de dinde haché remplace le bœuf, et les pommes de terre au four les frites traditionnelles.

Accompagnés d'une salade de haricots verts frais, les hamburgers à la dinde et les pommes de terre épicées constituent un parfait repas estival.

VALEUR NUTRITIVE PAR REPAS

Par portion : 592 calories, 10,8 g de gras total (16 % des calories), 4,6 g de gras mono-insaturé, 1,5 g de gras polyinsaturé, 1,7 g de gras saturé, 34,9 g de protéines, 93,3 g d'hydrates de carbone, 8,5 g de fibres alimentaires, 49 mg de cholestérol, 703 mg de sodium.

(suite)

Hamburgers à la dinde

Contrairement aux hamburgers de bœuf, ceux faits avec du blanc de dinde hachée sont faibles en gras et en cholestérol. Ils possèdent une saveur douce, vous pouvez donc y ajouter toutes les épices souhaitées pour créer un hamburger convenant au goût de votre famille. Pour un repas végétarien, essayez l'un des hamburgers sans viande, utilisant des légumes, des haricots et des grains. Pour un bon repas vite préparé, faites des hamburgers en plus, enveloppez-les individuellement et congelez-les.

TEMPS DE PRÉPARATION ET DE CUISSON : 20-30 MINUTES

450 g de blancs de dinde hachés, dépiautés et dégraissés
½ oignon haché
½ poivron vert finement haché
3 c. s. de sauce à steak
poivre noir moulu
4 pains de blé complet
4 feuilles de laitue
1 tomate coupée en quatre tranches
4 c. s. de ketchup
4 c. s. de moutarde

Mettez dans un grand récipient la dinde hachée, les oignons, les poivrons verts, la sauce à steak et le poivre noir. Mélangez bien et formez-en 4 boulette aplaties.

Mettez-les sous le gril 15 à 20 minutes jusqu'à ce qu'elles soient dorées des deux côtés.

Vérifiez la cuisson afin de faire cuire les galettes juste à point.

Servez les hamburgers sur un pain. Garnissez avec 1 feuille de laitue, 1 tranche de tomate, 1 c. s. de ketchup et 1 c. c. de moutarde.

Par portion : 253 calories, 3,8 g de gras total (13 % des calories), 0,4 g de gras mono-insaturé, 0,7 g de gras polyinsaturé, 0,8 g de gras saturé, 26,1 g de protéines, 28,9 g d'hydrates de carbone, 3 g de fibres alimentaires, 49 mg de cholestérol, 668 mg de sodium.

Pour 4 personnes

TRUC CULINAIRE

Soyez prudent quand vous faites hacher de la dinde et du poulet par votre boucher. Demandez-lui donc de hacher le blanc sans la peau et sans la viande brune, car elles augmentent la quantité de gras.

Pommes de terre épicées

Les frites étaient le point de départ de cette recette de pommes de terre. Les pommes de terre sont coupées épaisses, recouvertes d'huile d'olive et d'herbes, et elles sont cuites au four, elles ne sont pas frites. Elles ne sont pas très croustillantes, mais conviennent très bien aux hamburgers.

TEMPS DE PRÉPARATION : 10 MINUTES
TEMPS DE CUISSON AU FOUR : 20 MINUTES

3 pommes de terre coupées en quartiers minces
2 patates douces ou igname
ou 2 pommes de terre sucrées de grosseur moyenne coupées en minces quartiers
1 c. s. d'huile d'olive ou d'huile de canola
1 c. c. de poudre d'ail
1 c. c. de paprika
1 c. c. de basilic séché
sel
poivre noir moulu

Préchauffez le four à 240 °C.

Utlisez une plaque à biscuits anti-adhésive.

Mettez les patates douces ou pommes de terre sucrées, l'huile, l'ail en poudre, le paprika, le basilic, le sel et le poivre dans un grand récipient.

Mélangez bien.

Étalez les pommes de terre en une seule couche sur la plaque et faites cuire pendant 20 minutes, jusqu'à ce qu'elles soient légèrement dorées.

Tapissez un grand plat de serviettes de papier. Déposez les pommes de terre cuites et servez chaud.

Par portion : 222 calories, 3,7 g de gras total (15 % des calories), 2,5 g de gras mono-insaturé, 0,4 g de gras polyinsaturé, 0,5 g de gras saturé, 3,5 g de protéines, 45 g d'hydrates de carbone, 2,8 g de fibres alimentaires, 0 mg de cholestérol, 12 mg de sodium.

Pour 4 personnes

Salade de haricots verts frais

Cette salade marinée est plus savoureuse avec des haricots verts frais. Vous pouvez cependant vous servir de haricots surgelés. Plus la salade macère, meilleure elle est.

TEMPS DE PRÉPARATION ET DE CUISSON : 20-25 MINUTES
TEMPS DE MACÉRATION : 1 HEURE OU DAVANTAGE

900 g de haricots verts coupés en morceaux
2 c. s. d'huile d'olive
2 c. s. de vinaigre de vin rouge
2 c. s. de bouillon de volaille dégraissé ou de bouillon de légumes
1 gousse d'ail écrasée
1 c. s. de ciboulette fraîche hachée
½ c. c. de sucre ou de miel
½ c. c. de sauce soja
¼ c. c. de moutarde de Dijon
poivre noir moulu
1 grosse tomate coupée en dés
125 g de pois chiches frais ou
125 g de pois chiches en conserve lavés et séchés

Faites cuire les haricots à la vapeur pendant 10 minutes jusqu'à ce qu'ils soient tendres et d'un beau vert. Mettez-les de côté.

Dans un petit récipient, mélangez l'huile, le vinaigre, le bouillon de volaille ou de légumes, l'ail, la ciboulette, le sucre ou le miel, le paprika, la sauce soja, la moutarde et le poivre.

Dans un grand récipient, mettez les haricots, les tomates, les pois chiches et la préparation d'huile. Remuez délicatement. Couvrez et laissez macérer pendant 1 heure. Remuez de temps en temps.

Par portion : 117 calories, 3,3 g de gras total (23 % des calories), 1,7 g de gras mono-insaturé, 0,4 g de gras polyinsaturé, 0,4 g de gras saturé, 5,3 g de protéines, 19,4 g d'hydrates de carbone, 2,7 g de fibres alimentaires, 0 mg de cholestérol, 23 mg de sodium.

Pour 4 personnes

Jour 8

Poulet grillé à la sauce aux pêches et au xérès
Pilaf au couscous
Carottes miniatures glacées au miel
Salade d'épinards aux poires et aux noix avec vinaigrette à la moutarde tiède

Un festin pour un dîner en famille ou pour une fête. Cette recette est pour huit personnes. Pour quatre, diminuez les proportions de moitié. Les restes se réchauffent facilement. Voilà un repas impressionnant très simple à préparer.

VALEUR NUTRITIVE PAR REPAS

Par portion : 566 calories, 12,5 g de gras total (20 % des calories), 3,9 g de gras mono-insaturé, 3,9 g de gras polyinsaturé, 3,1 g de gras saturé, 29,5 g de protéines, 83,5 g d'hydrates de carbone, 14,3 g de fibres alimentaires, 54 mg de cholestérol, 419 mg de sodium.

Poulet grillé à la sauce aux pêches et au xérès

Le poulet dans cette recette est cuit au four avec l'os, dans une sauce douce et savoureuse. À la fin de la cuisson, on ajoute des cerises et des pêches. Essayez d'autres fruits – frais ou surgelés – tous ceux qui vous semblent savoureux.

TEMPS DE PRÉPARATION ET DE CUISSON : 20 MINUTES
TEMPS DE CUISSON AU FOUR : 1 HEURE

8 blancs de poulet dépiautés et partagés en 2
poudre d'ail
sel
poivre noir moulu
2 oignons émincés
250 ml de bouillon de volaille dégraissé
125 g de sucre brun
2 c. s. de fécule de maïs
250 ml de sauce chili
250 ml de xérès
375 g de pêches émincées

Dégraissez les morceaux de poulet. Déposez-les dans un plat à cuisson. Assaisonnez avec la poudre d'ail, le sel et le poivre.

Faites griller quelques minutes jusqu'à ce que le poulet soit doré. Mettez-le de côté.

Couvrez le poulet avec un papier d'aluminium. Mettez au réfrigérateur jusqu'à ce que vous soyez prête pour la cuisson ou passez à la prochaine étape.

Utilisez une casserole de taille moyenne anti-adhésive. Faites cuire les oignons pendant 5 minutes à feu moyen. Ajoutez le bouillon de volaille, le sucre brun, la fécule de maïs et la sauce chili. Mettez le feu au maximum et amenez la sauce à ébullition en remuant constamment. Retirez du feu et versez la sauce sur le poulet.

Préchauffez le four à 175° C. Faites cuire le poulet pendant 30 minutes. Découvrez et versez le xérès et les pêches sur le poulet.

Faites cuire pendant 30 minutes jusqu'à ce que le poulet soit cuit et que la sauce bouillonne.

Par portion : 162 calories, 2 g de gras total (11 % des calories), 0,7 g de gras mono-insaturé, 0,4 g de gras polyinsaturé, 0,6 g de gras saturé, 17,8 g de protéines, 15,3 g d'hydrates de carbone, 1,2 g de fibres alimentaires, 46 mg de cholestérol, 196 mg de sodium.

Pour 8 personnes

Pilaf au couscous

Le couscous est fait avec de la farine de semoule de blé. Ses petits grains sont très connus dans la cuisine marocaine.

Il est généralement vendu en paquet et rangé dans les épiceries à côté du riz. Il ne faut pas plus de dix minutes pour le préparer. Pour varier le goût et l'apparence du couscous, ajoutez d'autres légumes et des herbes dans la marmite.

1 c. s. de beurre non salé ou d'huile de canola
1 c. s. d'échalotes émincées
1 c. s. de persil frais haché

825 ml d'eau
½ c. c. de sel
poivre noir moulu
300 g de couscous

Chauffez le beurre ou l'huile dans une grande casserole à feu moyen.

Ajoutez les échalotes et le persil. Faites cuire pendant quelques minutes.

Ajoutez l'eau, le sel (si utilisé) et le poivre.

Amenez à ébullition.

Versez le couscous, couvrez et retirez du feu. Laissez reposer 5 minutes.

Avant de servir, détachez les grains de couscous avec une fourchette.

Par portion : 214 calories, 1,9 g de gras total (8 % des calories), 0,5 g de gras mono-insaturé, 0,2 g de gras polyinsaturé, 1 g de gras saturé, 6,8 g de protéines, 41,3 g d'hydrates de carbone, 8,3 g de fibres alimentaires, 4 mg de cholestérol, 6 mg de sodium.

Pour 8 personnes

Carottes miniatures glacées au miel

Ce plat de carottes, simple et légèrement sucré, est sûr de plaire à tout le monde.

1 c. s. de beurre ou de margarine non salé
2 c. s. d'échalotes(vertes) ou d'oignons émincés
900 g de carottes miniatures
250 ml de bouillon de volaille dégraissé ou de bouillon de légumes
2½ c. s. de miel
¼ c. c. de muscade moulue
1 c. s. de persil frais haché
sel
poivre noir moulu

Faites fondre le beurre ou la margarine dans une grande casserole à feu moyen.

Ajoutez l'échalote et les oignons. Faites cuire pendant 2 minutes.

Ajoutez les carottes, le bouillon de volaille ou de légumes. Amenez à ébullition.

Réduisez à feu doux.

Couvrez et laissez cuire pendant 15 minutes jusqu'à ce que les carottes soient tendres.

Augmentez à feu moyen et incorporez le miel, la muscade, le persil, le sel (facultatif) et le poivre. Mélangez jusqu'à l'obtention d'un sirop.

Par portion : 69 calories, 1,7 g de gras total (21 % des calories), 0,4 g de gras mono-insaturé, 0,1 g de gras polyinsaturé, 1 g de gras saturé, 1,2 g de protéines, 13,1 g d'hydrates de carbone, 2,3 g de fibres alimentaires, 4 mg de cholestérol, 84 mg de sodium.

Pour 8 personnes

Salade d'épinards aux poires et aux noix avec vinaigrette à la moutarde tiède

Pour cette salade facile, je mélange des épinards à des poires fraîches et des noix. Puis j'y ajoute un assaisonnement de moutarde douce.

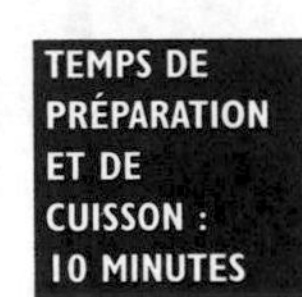

300 g d'épinards frais déchirés en morceaux
1 c. s. d'huile d'olive
1 grosse échalote émincée
2 c. s. de vinaigre de vin blanc
4 c. s. de moutarde à l'ancienne
2 c. s. de miel
1 c. s. de yaourt 0 %
sel
poivre noir moulu
2 grosses poires coupées en lanières
125 g de noix de Grenoble concassées

Déposez les épinards dans un grand saladier.

Chauffez l'huile dans une petite casserole à feu moyen. Ajoutez l'échalote et faites cuire quelques minutes.

Fouettez ensemble le vinaigre, la moutarde, le miel, le yaourt le sel (si utilisé), et le poivre. Verser dans l'huile. Bien amalgamer et faites cuire pour réchauffer.

Versez sur les épinards. Mélangez.

Répartissez dans 8 assiettes individuelles.

Garnissez de poires et de noix.

Servez immédiatement.

Par portion : 121 calories, 6,9 g de gras total (47 % des calories), 2,3 g de gras mono-insaturé, 3,2 g de gras polyinsaturé, 0,5 g de gras saturé, 3,7 g de protéines, 13,8 g d'hydrates de carbone, 2,5 g de fibres alimentaires, 0 mg de cholestérol, 133 mg de sodium.

Pour 8 personnes

Jour 9

Pétoncles flambés au poivre
Fettucini à la sauce de poivrons rouges grillés
Haricots verts
Salade aux baies et pignons à la vinaigrette de tomates séchées

Si vous devez préparer un repas composé de plusieurs plats, il est préférable de bien vous organiser au moment de leur cuisson. Commencez par faire la vinaigrette, puis faites cuire la sauce des pâtes et enfin les haricots verts à la vapeur. Préparez la salade, puis finissez par les haricots verts que vous mettez à feu très bas, à côté de la sauce des pâtes, pendant que vous terminez de préparer le repas. Vous êtes maintenant prête à servir, à faire cuire les pâtes et les pétoncles.

VALEUR NUTRITIVE PAR REPAS

Par portion : 578 calories, 13,4 g de gras total (21 % des calories), 6,8 g de gras mono-insaturé, 2,3 g de gras polyinsaturé, 1,4 g de gras saturé, 28,1 g de protéines, 88,8 g d'hydrates de carbone, 2,8 g de fibres alimentaires, 23 mg de cholestérol, 307 mg de sodium.

Pétoncles flambés au poivre

Voilà une recette rapide et simple à faire, tout en étant très raffinée.

20 pétoncles de mer
1 c. c. d'huile de canola
poivre noir
sel

TEMPS DE PRÉPARATION ET DE CUISSON : 15 MINUTES

Lavez et séchez les pétoncles.

Faites chauffer l'huile dans une grande poêle anti-adhésive, à feu moyen.

Saupoudrez les pétoncles de sel et de poivre.

Mettez-les dans la poêle et faites cuire de 3 à 5 minutes de chaque côté. Vérifiez la cuisson.

Servez immédiatement.

Par portion : 72 calories, 1,7 g de gras total (22 % des calories), 0,7 g de gras mono-insaturé, 0,5 g de gras polyinsaturé, 0,1 g de gras saturé, 11,9 g de protéines, 1,7 g d'hydrates de carbone, 0 g de fibres alimentaires, 23 mg de cholestérol, 114 mg de sodium.

Pour 4 personnes

Fettucini à la sauce de poivrons rouges grillés

Cette sauce pour les pâtes se prépare rapidement et facilement. Elle est d'une saveur exceptionnellement douce au palais. Des paillettes de piments forts ajoutent une touche agréable au plat. Vous pouvez les mettre sur la table pour que chacun se serve à son goût.

1 c. c. d'huile d'olive
55 g d'oignons hachés
1 grosse gousse d'ail écrasée
170 g de poivrons rouges grillés
4 noix de pecans partagées en 2
1 c. c. de vinaigre balsamique

TEMPS DE PRÉPARATION ET DE CUISSON : 15 MINUTES

50 ml de bouillon de volaille dégraissé ou de bouillon de légumes
sel
poivre noir moulu
piments forts en paillettes séchées
375 g de fettucini

Réchauffez l'huile dans une petite casserole à feu moyen.
Ajoutez les oignons et l'ail. Faites cuire quelques minutes à la même intensité.
À l'aide d'un mélangeur ou d'un robot culinaire, mixez la préparation d'oignons, les poivrons rouges grillés et les noix de pecan.
Réduisez en purée pour rendre le tout homogène.
Versez la purée dans la casserole.
Incorporez le vinaigre, le bouillon de volaille ou de légumes, le sel, le poivre et les paillettes de piments forts (si utilisées), selon votre goût.
Goûtez et assaisonnez à votre goût. Gardez au chaud à feu très bas.
Amenez l'eau à ébullition et faites cuire les fettucini de 8 à 10 minutes jusqu'à ce qu'ils soient «al dente ».
Égouttez et rincer les pâtes.
Mélangez à la sauce et servez immédiatement.

Par portion : 351 calories, 4 g de gras total (10 % des calories), 1,9 g de gras mono-insaturé, 1 g de gras polyinsaturé, 0,5 g de gras saturé, 11,5 g de protéines, 66,3 g d'hydrates de carbone, 0,5 g de fibres alimentaires, 0 mg de cholestérol, 37 mg de sodium.

Pour 4 personnes

Haricots verts spéciaux

Cette recette m'a été inspirée d'un plat que j'ai mangé dans un de mes restaurants préférés dont la spécialité est la cuisine au four.

450 g de haricots verts entiers
2 c. c. d'huile d'olive
4 gousses d'ail finement tranchées
125 ml de sauce soja

poivre noir moulu
piments forts en paillettes
1 c. c. de sucre

Faites cuire les haricots à la vapeur pendant 5 minutes, jusqu'à ce qu'ils soient partiellement cuits et d'un beau vert.

Chauffez l'huile dans une grande poêle anti-adhésive à feu moyen.

Ajoutez l'ail et faites cuire pendant 3 minutes.

Incorporez les haricots, la sauce soja, le poivre noir (selon votre goût), les paillettes de piments forts et le sucre.

Mélangez bien afin que les haricots soient bien enrobés. Faites cuire 10 minutes environ, tout en remuant souvent, jusqu'à ce qu'ils soient tendres.

TRUC CULINAIRE
Chaque fois que des noix entrent dans la composition d'une recette, faites-les griller dans un four à 175 °C de 5 à 10 minutes (selon la grosseur des noix), ou jusqu'à ce qu'elles soient légèrement grillées. Cette opération augmente la saveur, vous en utilisez donc moins. Si vous moulez les noix, elles se mêleront aux autres ingrédients, donnant à votre plat une saveur à goût de noix.

VALEUR NUTRITIVE PAR REPAS

Par portion : 64 calories, 2,4 g de gras total (30 % des calories), 1,7 g de gras mono-insaturé, 0,3 g de gras polyinsaturé, 0,3 g de gras saturé, 2,4 g de protéines, 10,2 g d'hydrates de carbone, 0,5 g de fibres alimentaires, 0 mg de cholestérol, 73 mg de sodium.

Pour 4 personnes

Salade aux baies et pignons à la vinaigrette de tomates séchées

L'assaisonnement à base de tomates séchées riche, et piquant, est un complément aux pignons et aux tomates cerise de la salade. Utilisez des raisins secs si vous n'avez pas de tomates cerise séchées.

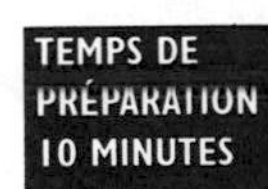

50 ml d'eau bouillante
4 tomates séchées
laitue rouge pour 4 personnes
4 c. s. de baies séchées
4 c. s. de pignons
50 ml d'eau froide
1 c. s. de vinaigre de vin rouge
1 c. s. de vinaigre balsamique
1 c. s. d'huile d'olive
1 c. c. de sucre
½ c. c. de basilic séché

¼ c. c. de poudre d'ail
⅛ c. c. de sel
poivre noir moulu

Versez de l'eau bouillante sur les tomates et laissez tremper quelques minutes.

Répartissez la laitue dans 4 assiettes individuelles.

Saupoudrez, dans un grand saladier, les tomates cerise et les pignons.

Fouettez l'eau froide, le vinaigre de vin rouge, le vinaigre balsamique, l'huile, le sucre, le basilic, la poudre d'ail, le sel et le poivre. Mettez de côté.

À l'aide d'un mélangeur ou d'un robot culinaire, réduisez en purée les tomates et leur eau de trempage. Verser le tout dans la préparation d'huile.

Servez la salade nappée de 1 à 2 c. s. de vinaigrette.

Par portion : 91 calories, 5,3 g de gras total (48 % des calories), 2,5 g de gras mono-insaturé, 0,5 g de gras polyinsaturé, 0,5 g de gras saturé, 2,3 g de protéines, 10,6 g d'hydrates de carbone, 1,8 g de fibres alimentaires, 0 mg de cholestérol, 83 mg de sodium.

Pour 4 personnes

Jour 10

Sauté thaïlandais
Potage aigre et piquant

La nourriture thaïlandaise est traditionnellement épicée. Cependant, le «feu» des épices ne masque pas la saveur de la nourriture. Dans les recettes suivantes, j'utilise du piment rouge en pâte avec de l'ail pour épicer le plat. Utilisez-en plus ou moins selon votre goût. Cherchez des ingrédients comme le piment rouge en pâte, du vin de riz et du vinaigre de riz dans les rayons de produits asiatiques des épiceries ou des magasins spécialisés.

VALEUR NUTRITIVE PAR REPAS

Par portion : 602 calories, 13,9 g de gras total (21 % des calories), 5,4 g de gras mono-insaturé, 5,3 g de gras polyinsaturé, 2,1 g de gras saturé, 32,8 g de protéines, 88,2 g d'hydrates de carbone, 10,1 g de fibres alimentaires, 139 mg de cholestérol, 1,436 mg de sodium.

Sauté thaïlandais

Cette recette contient beaucoup d'ingrédients. Elle se prépare en plusieurs étapes, mais elle est généralement facile à exécuter. Suivez simplement les étapes. Faites mariner les crevettes et cuire le riz pendant que vous coupez les légumes et mettez les autres ingrédients ensemble.

Pour varier la recette, remplacez les crevettes par des blancs de poulet, des pétoncles, du tofu, du tempeh ou tout simplement d'autres légumes, par exemple des brocolis, du chou chinois, du céleri. Vous pouvez aussi utiliser n'importe quel type de riz. N'oubliez pas d'épicer à votre goût en augmentant ou en diminuant la quantité du piment rouge en purée mélangé à l'ail.

- 900 ml de bouillon de volaille dégraissé ou de bouillon de légumes
- 425 g de riz brun
- 450 g de crevettes de grosseur moyenne décortiquées
- 1 c. s. de sauce soja
- 1 c. s. de vinaigre de riz ou
- 1 c. s. de vin blanc sec
- 1 gousse d'ail écrasée
- 1 c. c. + 1 c. s. d'huile de sésame rôtie
- 1 c. s. de fécule de maïs
- 1 c. s. de purée de tomate à l'ail
- ½ c. c. de sucre
- sel (facultatif)
- 1 c. c. de vinaigre de riz
- 1 oignon rouge émincé
- 1 poivron vert coupé en cubes 1 cm
- 2 carottes émincées
- 1 c. s. de coriandre fraîche hachée
- morceaux d'ananas et jus en conserve

4 échalotes émincées
4 c. s. de cacahuètes

Amenez à ébullition 875 ml d'eau ou de bouillon de volaille dans une casserole de taille moyenne. Ajoutez le riz puis couvrez. Faites cuire à feu moyen de 35 à 40 minutes, jusqu'à ce que le liquide soit absorbé. Retirez du feu. À l'aide d'une fourchette, détachez les grains. Couvrez et mettre de côté.

En utilisant un couteau tranchant, partagez en deux la crevette dans le sens de la longueur (genre papillon).

Mélangez la sauce soja, le vin, l'ail et 1 c. c. d'huile dans un saladier de taille moyenne. Ajoutez les crevettes et faites mariner jusqu'à utilisation.

Mélangez la fécule de maïs, la purée de Chili, le sucre, le sel (si utilisé), le vinaigre et le reste de l'eau ou de bouillon de volaille dans un petit saladier. Mélangez bien et mettez de côté.

Dans une grand poêle anti-adhésive, ou un wok, faites cuire à feu moyen les crevettes marinées des 2 côtés, jusqu'à ce qu'elles deviennent roses. Ne pas trop cuire. Retirez les crevettes de la poêle et mettez-les de côté.

Faites chauffer le reste de l'huile, soit 1 c. s., dans la poêle, à feu moyen.

Ajoutez les oignons, les poivrons et les carottes. Cuire à feu moyen de 5 à 10 minutes en remuant souvent. Versez la purée de chili sur les légumes. Réduisez à feu doux et poursuivez la cuisson quelques minutes.

Ajoutez les crevettes, la coriandre et les ananas (avec leur jus).

Réduisez la chaleur et faites cuire quelques minutes.

Goûtez et assaisonnez à votre goût.

Pour servir, mettez le riz dans des assiettes individuelles. Versez la préparation de crevettes sur le riz. Garnir d'échalotes et de cacahuètes.

Par portion : 508 calories, 10,1 g de gras total (18 % des calories), 4 g de gras mono-insaturé, 3,7 g de gras polyinsaturé, 1,6 g de gras saturé, 26,1 g de protéines, 79,5 g d'hydrates de carbone, 7,2 g de fibres alimentaires, 139 mg de cholestérol, 660 mg de sodium.

Pour 5 personnes

Potage aigre et piquant

Le goût « aigre et piquant » de cette soupe provient de la saveur légèrement épicée et amère de quelques ingrédients de base. Pour obtenir une soupe plus nourrissante, ajoutez d'autres légumes, un blanc de poulet, du tofu en cubes ou des nouilles chinoises.

- 1 c. s. d'huile de sésame rôtie
- 1 gousse d'ail émincée
- 125 g de champignons émincés
- 900 ml de bouillon de volaille dégraissé ou de bouillon de légumes
- 3 c. s. de vin de riz ou de vin blanc sec
- 2 c. s. de vinaigre de riz
- 2 c. s. de sauce soja
- ½-1 c. c. de purée de chili mélangée à de l'ail
- 1 carotte râpée
- 500 g de chou chinois ou d'épinards
- 500 g de bouquets de brocoli

Faites chauffer l'huile dans une grande casserole à feu moyen. Faites cuire l'ail et les champignons pendant quelques minutes.

Incorporez le bouillon de volaille ou de légumes, le vin, le vinaigre, la sauce soja, la purée de chili, les carottes, le chou chinois ou les épinards et le brocoli. Amenez à ébullition.

Réduisez l'intensité du feu à doux et faites cuire 5 minutes jusqu'à ce que les légumes soient cuits.

Goûtez et assaisonnez à votre goût. Ajouter davantage de vinaigre, de vin, de la sauce soja ou de la purée de chili si désiré.

Par portion : 94 calories, 3,8 g de gras total (33 % des calories), 1,4 g de gras mono-insaturé, 1,6 g de gras polyinsaturé, 0,5 g de gras saturé, 6,7 g de protéines, 8,7 g d'hydrates de carbone, 2,9 g de fibres alimentaires, 0 mg de cholestérol, 776 mg de sodium.

Pour 4 personnes

Jour 11

Pâtes rustiques
Salade César

Ce menu est rapide et copieux. Diminuez les proportions de moitié si vous voulez obtenir trois portions au lieu de six. Pour ma part, je préfère suivre la recette et garder les restes que je sers réchauffés au déjeuner. Je remplace l'huile de la salade par du yaourt. Elle ressemble ainsi étrangement à la salade César traditionnelle.

VALEUR NUTRITIVE PAR REPAS

Par portion : 535 calories, 10,8 g de gras total (18 % des calories), 5 g de gras mono-insaturé, 1,3 g de gras polyinsaturé, 2,9 g de gras saturé, 22,5 g de protéines, 91,2 g d'hydrates de carbone, 7 g de fibres alimentaires, 9 mg de cholestérol, 589 mg de sodium.

Pâtes rustiques

La sauce de ce plat à base de tomates en morceaux sent bon la campagne. Elle est toute simple et facile à préparer. Pour varier un peu, ajoutez d'autres légumes, par exemple des tomates séchées au soleil.

TEMPS DE PRÉPARATION ET DE CUISSON : 30 MINUTES

1 c. s d'huile d'olive
7 gousses d'ail émincées
1 oignon émincé
1 poivron vert émincé
796 ml de purée de tomates
175 ml de concentré de tomate
125 ml de vin rouge sec
1½ c. c. de basilic séché
1½ c. c. d'origan séché
18 petites olives noires dénoyautées
16 petites olives vertes dénoyautées
55 g de poivron rouge grillé ou de piments forts
420 g de cœurs d'artichauts en conserve égouttés et émincés
55 g de persil frais haché
poivre noir moulu

450 g de pâtes alimentaires : coquillettes, gnocchi ou autres
6 c. s. de parmesan râpé

Faites chauffer l'huile à feu moyen dans une grande casserole.

Ajoutez l'ail, les oignons et les poivrons verts. Faites cuire de 5 à 10 minutes.

Incorporez la purée de tomates, le concentré de tomates, le vin, le basilic, l'origan, les olives noires et vertes, le poivron rouge ou les piments forts, les cœurs d'artichauts, le persil et le poivre noir. Mettez à feu doux.

Couvrez et faites mijoter à feu doux environ 15 minutes en remuant de temps en temps.

Amenez de l'eau à ébullition dans une grande casserole. Faites cuire les pâtes de 8 à 10 minutes jusqu'à ce qu'elles soient « al dente ».

Égouttez et transvasez dans un grand bol. Versez la sauce sur les pâtes et mélangez bien.

Servez les pâtes dans des plats individuels.

Saupoudrez chaque portion de 1 c. s. de parmesan.

Par portion : 489 calories, 9,4 g de gras total (16 % des calories), 4,6 g de gras mono-insaturé, 1,2 g de gras polyinsaturé, 2,1 g de gras saturé, 18,3 g de protéines, 86,8 g d'hydrates de carbone, 5,6 g de fibres alimentaires, 5 mg de cholestérol, 482 mg de sodium.

TRUC CULINAIRE
Les restes du dernier dîner peuvent constituer de délicieux déjeuners à emporter. Vous pouvez réchauffer au micro-ondes les plats cuits en cocotte ainsi que les soupes, les ragoûts, les plats de légumes et de céréales, et même les pâtes.

Pour 6 personnes

Salade César

Cette variété de salade César est beaucoup plus faible en gras et en calories que la recette traditionnelle. De plus, contrairement à la recette originale, elle n'utilise pas beaucoup d'huile ni d'œuf cru.

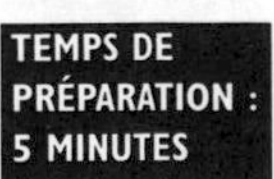

250 g de romaine en morceaux
125 ml de yaourt 0 %
2 c. c. de jus de citron
2 c. c. de vinaigre balsamique
1 c. c. de sauce Worcestershire

1 petite gousse d'ail écrasée
½ c. c. d'anchoïade
125 g de parmesan râpé

Placez la romaine dans un grand saladier.

Dans un mélangeur ou un robot culinaire, mixez le yaourt, le jus de citron, le vinaigre, la sauce Worchestershire, l'ail, l'anchoïade et la moitié du fromage râpé jusqu'à ce que vous obteniez une consistance lisse. Versez sur la romaine et mélangez bien. Saupoudrez du reste de parmesan et mélangez de nouveau. Mettez dans des assiettes individuelles.

Par portion : 46 calories, 1,4 g de gras total (37 % des calories), 0,4 g de gras mono-insaturé, 0,1 g de gras polyinsaturé, 0,8 g de gras saturé, 4,2 g de protéines, 4,4 g d'hydrates de carbone, 1,4 g de fibres alimentaires, 4 mg de cholestérol, 107 mg de sodium.

Pour 6 personnes

Jour 12

Roulés de poulet à la Suisse
Mousseline de pommes de terre
Brocolis aux amandes et au citron
Salade de légumes européenne
Éclaboussure balsamique

Voilà un excellent menu pour un dîner de famille sans importance. Ce sera un dîner plus raffiné si vous faites une jolie présentation. Vous pouvez également servir le poulet avec une sauce toute simple.

VALEUR NUTRITIVE PAR REPAS

Par portion : 564 calories, 15,4 g de gras total (25 % des calories), 5,1 g de gras mono-insaturé, 1,6 g de gras polyinsaturé, 7,2 g de gras saturé, 41,3 g de protéines, 68 g d'hydrates de carbone, 9,1 g de fibres alimentaires, 64 mg de cholestérol, 757 mg de sodium.

Roulés de poulet à la Suisse

Je prépare ces rouleaux en aspergeant sur les blancs de poulet du fromage suisse léger. Je roule les blancs dans le fromage en le faisant bien pénétrer puis je les trempe successivement dans une sauce à base de moutarde de Dijon et dans de la chapelure.

450	g de blancs de poulet, dépiautés et partagés en deux
170	g de gruyère allégé
6	c. s. de lait écrémé
4	c. s. de moutarde de Dijon
170	g de chapelure de pain
4	c. s. de parmesan
2	c. c. d'estragon séché
	poivre noir moulu

TEMPS DE PRÉPARATION : 25 MINUTES

TEMPS DE CUISSON AU FOUR : 45 MINUTES

Préchauffez le four à 190 °C.

Utilisez un plat anti-adhésif allant au four.

Déposez le poulet entre 2 feuilles de papier sulfurisé ou de pellicule plastique. À l'aide d'un couperet, aplatissez le poulet à 0,6 cm d'épaisseur. Mettez de côté.

Mélangez le lait et la moutarde dans un petit bol. Mettez de côté.

Mélangez la chapelure, le parmesan, l'estragon et le poivre.

Roulez chaque morceau de poulet. Trempez-le dans le lait puis dans la chapelure. Enrobez bien chaque morceau.

Déposez le poulet sur un plat allant au four, la section roulée touchant le plat.

Couvrez et faites cuire 30 minutes.

Découvrez et faites cuire 15 minutes encore jusqu'à ce que la viande soit bien dorée.

Par portion : 243 calories, 9 g de gras total (34 % des calories), 1,3 g de gras mono-insaturé, 0,5 g de gras polyinsaturé, 4,1 g de gras saturé, 30,4 g de protéines, 8,3 g d'hydrates de carbone, 0,2 g de fibres alimentaires, 64 mg de cholestérol, 476 mg de sodium.

Pour 4 personnes

Mousseline de pommes de terre

Mon mari se souvient de beaucoup de recettes de pommes de terre en purée et les aime dans leur forme la plus simple. Mais il y a mille façons de les apprêter, et chaque famille possède sa recette préférée. Vous pouvez battre les pommes de terre jusqu'à ce qu'elles aient une texture douce, ou les laisser croquantes. Vous avez également le choix de les peler ou non. Voici la recette préférée de la famille. Je la trouve délicieuse. Je fais cuire avec les pommes de terre des patates douces et une gousse d'ail. Cet ajout leur donne une texture légère et les rend moins grasses. Je n'ajoute pas de jaunes d'œufs ou de beurre et j'utilise de la crème fraîche allégée et de la mayonnaise. Elles sont ainsi encore plus faciles à digérer.

TEMPS DE PRÉPARATION ET DE CUISSON : 20-25 MINUTES

2 grosses pommes de terre pelées et coupées en cubes
2 patates douces ou ignames
ou 2 pommes de terre sucrées pelées et coupées en cubes
1 grosse gousse d'ail écrasée
2 c. s. de mayonnaise allégée
1 yaourt 0 %
2 c. s. de lait écrémé
poivre noir moulu
sel (facultatif)

Mettez dans une grande casserole les pommes de terre et les patates douces. Ajoutez l'ail.

Couvrez d'eau froide. Amenez à ébullition. Réduisez l'intensité à feu moyen et faites cuire de 15 à 20 minutes jusqu'à ce que les pommes de terre soient cuites. Égouttez bien.

Ajoutez le yaourt 0 %, la mayonnaise, le lait, le poivre et le sel (si utilisé).

Fouettez ou écrasez les pommes de terre jusqu'à l'obtention de la texture désirée en ajoutant davantage de lait si nécessaire.

Goûtez et assaisonnez selon votre goût. Servez immédiatement.

Par portion : 166 calories, 0,2 g de gras total (1 % des calories), 0,01 g de gras mono-insaturé, 0,08 g de gras polyinsaturé, 0,2 g de gras saturé, 3,3 g de protéines, 38,2 g d'hydrates de carbone, 1,9 g de fibres alimentaires, 0,1 g de cholestérol, 71 mg de sodium.

Pour 4 personnes

Brocolis aux amandes et au citron

Dans cette recette, les bouquets de brocolis sont assaisonnés d'une sauce mayonnaise au citron et parsemés d'amandes broyées.

TEMPS DE PRÉPARATION ET DE CUISSON : 15 MINUTES

1 gros brocoli
3 c. s. de yaourt 0 %
2 c. s. de lait écrémé
1. c. s. de mayonnaise allégée
2 c. c. de jus de citron
1 c. c. de zeste de citron râpé
¼ c. c. de sucre
⅛ c. c. de sel
⅛ c. c. d'estragon
poivre noir moulu
2 c. s. d'amandes effilées grillées

Coupez les brocolis en pointe. Enlevez la peau épaisse des tiges et lavez-les.

Faites cuire à la vapeur les brocolis pendant 10 minutes ou jusqu'à ce qu'ils soient tendres.

Dans un mélangeur ou un robot culinaire, mettez le yaourt, le lait, la mayonnaise, le jus de citron, le zeste de citron, le sucre, le sel, l'estragon et le poivre. Mélangez bien.

Déposez les brocolis sur un plat de service et nappez-les de sauce.

Saupoudrez d'amandes et servez.

Par portion : 77 calories, 2,4 g de gras total (24 % des calories), 1,2 g de gras mono-insaturé, 0,6 g de gras polyinsaturé, 2,4 g de gras saturé, 5,7 g de protéines, 11,2 g d'hydrates de carbone, 4 g de fibres alimentaires, 0,1 mg de cholestérol, 169 mg de sodium.

Pour 4 personnes

Salade de légumes européenne

Voici une recette de salade décorative que vous composez directement dans chaque assiette. Vous trouverez ci-dessous une combinaison d'ingrédients, vous pouvez également utiliser d'autres légumes, par exemple des grains de maïs cuits (frais ou surgelés), des poivrons rouges ou verts hachés, des tomates cerise, des tranches de concombres, des haricots verts cuits et des cœurs d'artichauts en tranches.

Recouvrez la salade de votre assaisonnement préféré ou d'éclaboussure balsamique (voir ci-dessous).

TEMPS DE PRÉPARATION : 10 MINUTES

Laitue en morceaux pour 4 personnes
250 g de carottes râpées
250 g de betteraves fraîches ou en conserve râpées
250 g de courgette râpée
piment fort émincé (facultatif)

Répartissez la laitue dans 4 bols individuels.

Ajoutez les carottes, les betteraves, les courgettes et les piments forts sur la salade (si désiré) en séparant bien chaque catégorie de légumes.

Par portion : 39 calories, 0,3 g de gras total (6 % des calories), 0,02 g de gras mono-insaturé, 0,1 g de gras polyinsaturé, 0,04 g de gras saturé, 1,8 g de protéines, 8,5 g d'hydrates de carbone, 3 g de fibres alimentaires, 0 mg de cholestérol, 36 mg de sodium.

Pour 4 personnes

Éclaboussure balsamique

Le vinaigre balsamique est un vinaigre foncé, doux et sirupeux, fabriqué en Italie et vieilli dans des tonneaux en bois. Grâce à sa saveur unique, il est très apprécié de nombreuses personnes.

3 c. s. de vinaigre balsamique
2 c. s. d'huile d'olive
1 c. s. d'eau ou de bouillon de volaille dégraissé
1 gousse d'ail écrasée
1 c. c. de graines de moutarde
½ c. c. de moutarde sèche en poudre
¼ c. c. de miel

poivre noir moulu

Mettez dans un petit saladier le vinaigre, l'huile, le bouillon de volaille ou l'eau, l'ail, les graines de moutarde, la moutarde séche (en poudre), le miel et le poivre. Battez au fouet ou à la main.

Par cuillerée à table : 39 calories, 3,5 g de gras total (80 % des calories), 2,6 g de gras mono-insaturé, 0,3 g de gras polyinsaturé, 0,5 g de gras saturé, 0,1 g de protéines, 1,8 g d'hydrates de carbone, 0 g de fibres alimentaires, 0 mg de cholestérol, 5 mg de sodium.

125 ml

Jour 13

Paella du village
Salade à la vinaigrette de sirop d'érable et de noix

L'un des ingrédients clés de la paella, plat espagnol à base de riz, est le safran – l'épice la plus chère au monde. Il faut 75 000 fleurs de crocus pour fabriquer une livre de safran séché.

Le safran est le plus souvent vendu dans une petite fiole d'un gramme, quantité bien suffisante pour ce plat de paella. Faites bien attention d'acheter les bons filaments de safran. Il existe un safran beaucoup moins cher provenant des fleurs de safran du Mexique, mais sa saveur n'est pas aussi fine.

Beaucoup d'épiceries et de supermarchés vendent du safran. Si vous le désirez, servez le plat avec du pain de grain entier croustillant.

VALEUR NUTRITIVE PAR REPAS

Par portion : 536 calories, 12,7 g de gras total (21 % des calories), 5,4 g de gras mono-insaturé, 4,3 g de gras polyinsaturé, 1,7 g de gras saturé, 39,6 g de protéines, 56,9 g d'hydrates de carbone, 5,4 g de fibres alimentaires, 107 mg de cholestérol, 567 mg de sodium.

Paella du village

La paella est une combinaison de riz, de fruits de mer, de volaille et de légumes traditionnellement cuits dans un poêlon peu profond en fer muni de deux poignées. (En fait le plat tire son nom du latin patella, signifiant «poêlon». Mais vous pouvez très bien réussir votre paella en utilisant une grande poêle à frire.)

La paella fait partie des plats qui possèdent peu d'ingrédients de base ; les autres ingrédients sont en effet choisis par le cuisinier. Vous pouvez donc utiliser n'importe quelle sorte de fruits de mer ou de volaille. (Un simple rappel : si vous utilisez des fruits de mer, n'oubliez pas de faire tremper les palourdes et les moules dans leur coquille et de très bien les rincer pour enlever le sable.)

Vous pouvez également préparer une paella végétarienne avec du tempeh, du tofu et des légumes, asperges et cœurs d'artichauts par exemple.

J'ai utilisé dans cette recette du flétan, un blanc de poulet, des crevettes et des pétoncles. Les restes se réchauffent très bien.

TEMPS DE PRÉPARATION : 20 MINUTES
TEMPS DE CUISSON : 1 HEURE

2 c. s. d'huile d'olive
1 blanc de poulet dépiauté, coupé en petits cubes
1 oignon haché
1 poivron vert émincé
4 gousses d'ail écrasées
375 g de riz brun
250 ml de tomates Roma égouttées et coupées en morceaux
375 ml de vin blanc sec
900 ml de jus de palourdes ou de bouillon de volaille dégraissé
1 c. c. d'origan séché
½ c. c. de filaments de safran
50 ml d'eau bouillante
2 c. s. de persil frais haché
250 g de flétan coupé en dés
250 g de pétoncles
250 g de crevettes pelées et décortiquées
250 g de petits pois
poivre noir moulu
sel

Faites chauffer l'huile dans une grande poêle anti-adhésive ou un plat à paella.

Ajoutez le poulet et faites cuire à feu moyen pendant 5 minutes. Retirer le poulet de la poêle et mettez de côté.

Dans la même poêle, faites cuire les oignons, les poivrons, l'ail avec le reste de l'huile, soit 1 c. s., pendant 5 minutes.

Ajoutez le riz, laissez cuire pendant 3 minutes ou jusqu'à ce que le riz soit légèrement doré.

Ajoutez les tomates, le vin, le bouillon de volaille – ou le jus de palourdes – et l'origan. Augmentez l'intensité du feu et amenez à ébullition.

Pendant ce temps, faites tremper le safran dans l'eau jusqu'au moment de vous en servir.

Faites cuire le riz 30 minutes, puis ajoutez le safran, l'eau de trempage et le persil dans la poêle. Ne remuez pas. Laissez cuire le riz pendant encore 5 à 10 minutes.

Ajoutez au riz le flétan, les pétoncles, les crevettes et le poulet. Faites cuire de 7 à 10 minutes de plus.

Ajoutez les petits pois, faites cuire 3 minutes. Le riz devrait être tendre et presque toute l'eau absorbée.

Assaisonnez de sel et de poivre.

Retirez la paella du feu et gardez au chaud jusqu'au moment de servir.

Ce plat est magnifique posé au milieu de votre table. Servez chaque portion individuellement.

Par portion : 461 calories, 8,6 g de gras total (17 % des calories), 4,5 g de gras mono-insaturé, 1,7 g de gras polyinsaturé, 1,4 g de gras saturé, 37,5 g de protéines, 47,7 g d'hydrates de carbone, 3,7 g de fibres alimentaires, 107 mg de cholestérol, 556 mg de sodium.

Pour 6 personnes

Salade à la vinaigrette de sirop d'érable et de noix

Un assaisonnement léger et au goût sucré recouvre cette salade toute simple. C'est une des salades préférées de mes enfants.

Laitue verte pour 6 personnes
Laitue rouge pour 6 personnes

6 noix de Grenoble partagées en deux
2 c. s. de sirop d'érable
2 c. s. de jus de pomme
1 c. s. d'huile de noix
1 c. s. de vinaigre de vin blanc
sel
poivre noir moulu

Disposez la laitue verte et la laitue rouge dans un grand saladier. Mettez de côté.

Dans un mélangeur ou un robot culinaire, mettez les noix, le sirop d'érable, le jus, l'huile, le vinaigre, le sel et le poivre.

Mélangez bien.

Versez la vinaigrette sur la laitue. Servez sur des assiettes individuelles.

Par portion : 75 calories, 4,1 g de gras total (45 % des calories), 0,9 g de gras mono-insaturé, 2,6 g de gras polyinsaturé, 0,3 g de gras saturé, 2,1 g de protéines, 9,2 g d'hydrates de carbone, 1,7 g de fibres alimentaires, 0 mg de cholestérol, 11 mg de sodium.

Pour 6 personnes

Jour 14

Ragoût de poulet et légumes à l'ancienne
Salade de betteraves miniatures à la vinaigrette de framboise, de sirop d'érable et de noix grillées

J'ai modifié la recette ici, transformant un ragoût de bœuf traditionnel en un ragoût de poulet à la crème. Il est cuit avec des légumes et servi sur des nouilles aux œufs sans leur jaune. Le ragoût est un mets copieux qui a des airs d'ancien temps. Sa saveur étonnante en fait un plat de gourmet. Une simple salade l'accompagne. Vous pouvez le servir aussi avec une tranche de pain de grain entier.

VALEUR NUTRITIVE PAR REPAS

Par portion : 596 calories, 14,3 g de gras total (22 % des calories), 4,9 g de gras mono-insaturé, 6,7 g de gras polyinsaturé, 1,5 g de gras saturé, 28,9 g de protéines, 89,6 g d'hydrates de carbone, 7 g de fibres alimentaires, 30 mg de cholestérol, 597 mg de sodium.

Ragoût de poulet et légumes à l'ancienne

Cette recette de ragoût vous permet de varier le choix de vos ingrédients. Remplacez par exemple le poulet par des fruits de mer (ajoutez les fruits de mer les toutes dernières minutes de la cuisson). Dans une optique végétarienne, ajoutez seulement un plus grand assortiment de légumes et utilisez du bouillon de légumes. Ce plat est également délicieux servi sur du riz.

TEMPS DE PRÉPARATION ET DE CUISSON : 45 MINUTES

450	g de blancs de poulet dépiautés
	sel
	poivre noir moulu
	poudre d'ail
2	c. s. d'huile de canola
20	oignons
3	gousses d'ail émincées
1	poivron rouge coupé en gros dés
250	g de champignons émincés
900	ml de bouillon de volaille dégraissé
125	g de persil frais haché
½	c. c. de marjolaine séchée
½	c. c. de thym séché
1	feuille de laurier
250	g de carottes miniatures
1	navet pelé et émincé
2	pommes de terre coupées en cubes
250	g de haricots verts, coupés en cubes de 2 cm
1	patate douce ou igname coupée en cubes de 2 cm
375	g de nouilles aux œufs
2	c. s. de fécule de maïs
2	c. s. de farine de blé entier
4	c. s. d'eau
125	ml de yaourt 0 %

Coupez le poulet en cubes. Assaisonnez de sel, de poivre et de poudre d'ail.

Chauffez 1 c. s. d'huile dans une grande marmite. Ajoutez le poulet et faites dorer 5 minutes à feu moyen. Retirez le poulet de la marmite.

Ajoutez le reste de l'huile, soit 1 c. s. et faites cuire l'oignon, l'ail, les poivrons rouges et les champignons environ 5 minutes.

Ajoutez le bouillon de volaille, le persil, la marjolaine, le thym et la feuille de laurier. Amenez à ébullition puis réduisez le feu. Faites cuire 5 minutes.

Incorporez les carottes, le navet, les pommes de terre, les patates douces (ou ignames) les haricots verts et le poulet. Amenez à ébullition puis réduisez à feu moyen doux. Couvrez et laissez cuire 15 minutes.

Pendant ce temps, amenez de l'eau à ébullition. Faites cuire les pâtes de 5 à 8 minutes jusqu'à ce qu'elles soient « al dente ». Égouttez et rincez. Mettez de côté.

Mélangez dans une petite tasse la fécule de maïs, la farine, l'eau, et quelques cuillèrées à soupe de bouillon chaud du ragoût. En remuant constamment, versez ce mélange dans la marmite. Faites cuire quelques minutes de plus.

Retirez du feu le ragoût et enlevez la feuille de laurier. Incorporez lentement le yaourt 0 %.

Assaisonnez avec un peu plus de sel et de poivre si vous le désirez.

Servez le ragoût sur les nouilles dans des plats individuels.

Par portion : 464 calories, 7,1 g de gras total (14 % des calories), 3,3 g de gras mono-insaturé, 2,1 g de gras polyinsaturé, 0,9 g de gras saturé, 25,9 g de protéines, 73,1 g d'hydrates de carbone, 4 g de fibres alimentaires, 30 mg de cholestérol, 392 mg de sodium.

Pour 6 personnes

Salade de betteraves miniatures à la vinaigrette de framboise, de sirop d'érable et de noix grillées

Cette salade est remplie de différents parfums enivrants.

3 c. s. de noix de Grenoble hachées
Laitue verte pour 6 personnes
2 c. s. d'huile de noix
5 c. s. de vinaigre de framboise
3 c. s. de sirop d'érable
3 c. s. d'eau
½ c. s. de basilic séché
poivre noir moulu
sel
425 g de betteraves en conserve égouttées et émincées

Préchauffez le four à 175° C.

Déposez les noix de Grenoble sur une plaque à biscuits. Faites cuire 5 minutes. Surveiller la cuisson afin que les noix ne brûlent pas. Retirez du four et mettez de côté.

Répartissez la laitue sur six assiettes individuelles et saupoudrez dessus 1½ c. c. de noix grillées.

Fouettez dans un petit saladier l'huile, le vinaigre, le sirop d'érable, l'eau, le basilic, le poivre et le sel. Mélangez bien.

Versez sur les laitues et servez.

Par portion : 132 calories, 7,2 g de gras total (45 % des calories), 1,6 g de gras mono-insaturé, 4,6 g de gras polyinsaturé, 0,6 g de gras saturé, 3 g de protéines, 16,5 g d'hydrates de carbone, 3 g de fibres alimentaires, 0 mg de cholestérol, 205 mg de sodium.

Pour 6 personnes

Chapitre Vingt

Nouvelles recettes pour des collations et des desserts allégés

Les épiceries et les magasins d'alimentation naturelle offrent un grand choix de collations et de desserts faibles en gras et riches en fibres. Grâce au nouvel étiquetage nutritionnel, vous pouvez maintenant connaître le contenu du produit. Cependant, faites bien attention de n'acheter que des collations et des desserts de grains entiers dont moins de 25 % des calories proviennent du gras. Et n'oubliez pas que les fruits frais de saison terminent parfaitement un repas.

Si vous voulez goûter à des collations et à des desserts faits maison, consultez les recettes de ce chapitre. Elles comprennent nos biscuits préférés : biscuits à l'avoine et aux raisins et biscuits à la mélasse à l'ancienne, de même que des gâteaux, des pains aux fruits, et bien d'autres merveilles allégées, par exemple le gâteau des anges au cacao et au blé complet et les petites barres au citron. Utilisez ces recettes comme point de départ de vos propres créations culinaires. Elles vous donneront des idées pour transformer les recettes que vous préférez en recettes de santé.

Biscuits à l'avoine et aux raisins

Ces biscuits sont moelleux tout en étant faibles en gras. Essayez donc leur recette, ils deviendront vos biscuits préférés. Pour les conserver moelleux, mettez-les dans une assiette recouverte d'un film plastique. Vous pouvez remplacer les raisins secs par des groseilles.

TEMPS DE PRÉPARATION : 10 MINUTES
TEMPS DE CUISSON : 10-15 MINUTES

55	g de beurre ou de margarine fondu
55	ml de miel ou de sirop d'érable
3-4	c. s. de lait écrémé
1	œuf entier, 2 blancs d'œufs ou 50 ml de substitut d'œuf allégé
2	c. s. de vanille
300	g de flocons d'avoine
375	g de farine de blé spéciale pâtisserie
125	g de cassonade
1	c. c. de levure chimique
½	c. c. de bicarbonate de soude
½	c. c. de cannelle
½	c. c. de muscade
170	g de raisins

Préchauffez le four à 190 °C.

Utilisez deux plaques à pâtisserie anti-adhésives.

Mélangez dans un petit bol le beurre ou la margarine, le miel ou le sirop d'érable, le lait, l'œuf, les blancs d'œufs ou le substitut d'œuf et la vanille. Mettez de côté.

Mélangez dans un grand bol les flocons d'avoine, la farine, la cassonade, la levure chimique, le bicarbonate de soude, la cannelle, la muscade et les raisins.

Versez la préparation d'œufs dans celle des flocons d'avoine.

Remuez pour humecter les ingrédients.

Déposez la pâte par cuillerées sur les plaques à pâtisserie. Laissez au moins 2,5 cm entre chaque biscuit.

Faites cuire de 10 à 15 minutes, jusqu'à ce que les biscuits soient légèrement dorés (vérifiez souvent la cuisson, car les biscuits brûlent facilement).

Retirez les biscuits de la plaque et laissez refroidir sur une grille.

Par biscuit : 69 calories, 1,8 g de gras total (22 % des calories), 0,5 g de gras mono-insaturé, 0,2 g de gras polyinsaturé, 0,9 g de gras saturé, 1,3 g de protéines, 12,4 g d'hydrates de carbone, 0,7 g de fibres alimentaires, 10 mg de cholestérol, 28 mg de sodium.

36 biscuits

Biscuits à la mélasse à l'ancienne

Les biscuits à la mélasse sont traditionnellement nappés avec un sirop de sucre que vous pouvez ajouter si vous voulez. Pour faire le sirop, battez avec une fourchette une très petite quantité de lait écrémé et 225 grammes de sucre glace jusqu'à ce que le mélange soit crémeux et très épais. Laissez les biscuits refroidir, puis arrosez-les d'une petite quantité de sirop à l'aide d'une fourchette.

TEMPS DE PRÉPARATION : 15-20 MINUTES
TEMPS DE CUISSON : 12-15 MINUTES

50	g de beurre non salé ou de margarine ramolli
225	ml de miel
150	ml de mélasse
1	œuf, 2 blancs d'œufs, ou 60 ml de substitut d'œuf allégé
625	g de farine à pâtisserie de blé spécial pâtisserie
1	c. c. de cannelle moulue
1	c. c. de gingembre moulu
1	c. c. de bicarbonate de soude
1	c. c. de clou de girofle moulu
125	g de groseilles (facultatif)
125	ml de babeurre allégé (voir la recette page 304)

Préchauffez le four à 175 °C.

Utilisez deux plaques à pâtisserie anti-adhésives.

Dans un grand bol, réduisez en crème, avec un batteur électrique, le beurre ou la margarine, jusqu'à ce que le tout soit homogène. Ajoutez le miel, la mélasse, l'œuf, les blancs d'œufs ou le substitut d'œuf et battez bien. Mettez de côté.

Dans un autre grand bol, mélangez la farine, la cannelle, le gingembre, le bicarbonate de soude et le clou de girofle. Ajoutez les groseilles (si utilisées) et le babeurre.

Versez la préparation de farine et de babeurre dans le mélange d'œufs. Mélangez bien.

Déposez la pâte par cuillerées à café sur les plaques à pâtisserie. Faites cuire de 12 à 15 minutes. Retirez les biscuits et laissez refroidir sur une grille.

Par biscuit : 68 calories, 1,5 g de gras total (19 % des calories), 0,4 g de gras mono-insaturé, 0,1 g de gras polyinsaturé, 0,8 g de gras saturé, 1,3 g de protéines, 13,1 g d'hydrates de carbone, 1 g de fibres alimentaires, 9 mg de cholestérol, 40 mg de sodium.

Donne 40 biscuits

Biscotti aux amandes et aux noisettes

Ces biscuits italiens aux noisettes, à la texture douce et croquante, sont un régal. Vous pourrez les déguster après le dîner ou à midi comme collation.

TEMPS DE PRÉPARATION : 20 MINUTES
TEMPS DE CUISSON : 25-30 MINUTES
SECONDE PÉRIODE DE CUISSON : 15 MINUTES

55	g d'amandes
30	g de noisettes (environ 26)
800	g de farine de blé spéciale pâtisserie
½	c. c. de levure chimique
½	c. c. de bicarbonate de soude
½	c. c. de cannelle moulue
½	c. c. de 4-épices
2	c. s. de beurre non salé ou de margarine ramolli
375	g de sucre
3	blancs d'œufs
1	œuf, 2 blancs d'œufs, ou 50 ml de substitut d'œuf sans gras
1	c. c. de vanille
1	c. c. de zeste d'orange ou de zeste de citron râpé finement

Préchauffez le four à 190 °C. Placez la grille dans le tiers supérieur du four.

Utilisez une plaque à pâtisserie anti-adhésive.

Hachez finement les amandes et les noisettes, à la main ou à l'aide d'un robot culinaire. Mélangez-les à la farine, la levure chimique, le bicarbonate de soude, la cannelle et les 4-épices dans un grand bol.

Dans un autre grand bol, fouettez au batteur électrique le beurre ou la margarine jusqu'à ce que le tout soit homogène. Ajoutez le sucre, 3 blancs d'œufs, l'œuf, 2 blancs d'œufs ou le substitut d'œuf, la vanille et le zeste d'orange ou de citron. Mélangez bien.

Incorporez le mélange sec aux ingrédients liquides. Pétrissez la pâte dans son bol jusqu'à ce qu'elle soit bien lisse. Avec les mains enfarinées, divisez la pâte en 2 rectangles. Déposez sur la plaque préparée. Faites cuire au four de 25 à 30 minutes, jusqu'à ce qu'une pointe de couteau enfoncée ressorte sèche.

Baissez le four à 160 °C. Retirez les biscotti et découpez chaque rectangle en 20 morceaux. Placez le côté coupé vers le haut. Remettez au four et faites cuire encore 15 minutes.

Sortez du four et laissez refroidir sur une grille.

Les biscotti durciront en refroidissant. Conservez-les dans une boîte hermétique.

Par biscuit : 86 calories, 2 g de gras total (20 % des calories), 0,9 g de gras mono-insaturé, 0,3 g de gras polyinsaturé, 0,5 g de gras saturé, 2,3 g de protéines, 15,6 g d'hydrates de carbone, 1,5 g de fibres alimentaires, 7 mg de cholestérol, 25 mg de sodium.

40 biscuits

Mandelbrot au blé complet

Le mandelbrot est un biscuit léger, doux et croquant. Il a l'apparence du biscotti italien. C'est l'en-cas idéale à tremper dans une tasse de thé chaud ou dans un verre de lait écrémé froid. La recette traditionnelle est faite avec du beurre auquel on ajoute des œufs, des fruits confits et des noix. La mienne est plus faible en gras. Avant de faire cuire ces biscuits, vous pouvez saupoudrer le mandelbrot de cannelle et de sucre.

750 g de farine de blé entier spéciale pâtisserie
170 g de sucre

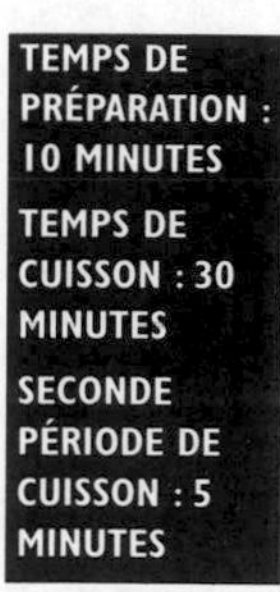
TEMPS DE PRÉPARATION : 10 MINUTES
TEMPS DE CUISSON : 30 MINUTES
SECONDE PÉRIODE DE CUISSON : 5 MINUTES

1 c. s. de levure chimique
1 c. c. de cannelle moulue
125 g de raisins
125 g de groseilles
125 g de dattes
50 ml de beurre non salé fondu ou d'huile de canola
2 c. c. de vanille
½ c. c. d'extrait d'amande
75 ml de lait écrémé
2 œufs, 4 blancs d'œufs ou 125 ml de substitut d'œuf allégé

Préchauffez le four à 175 °C.

Ulilisez une plaque à pâtisserie anti-adhésive.

Mélangez dans un grand bol la farine, le sucre, la levure chimique et la cannelle. Ajoutez les raisins, les groseilles, puis les dattes.

Mélangez dans un petit bol le beurre ou l'huile, la vanille, l'extrait d'amande, le lait, les œufs, les blancs d'œufs ou le substitut d'œuf. Versez dans le mélange sec. et remuez pour humecter les ingrédients seulement.

Déposez la pâte sur le plan de travail. Pétrissez plusieurs fois.

Séparez puis façonnez la pâte en 3 morceaux plats et rectangulaires. Déposez-les ensuite sur la plaque à pâtisserie en laissant quelques centimètres d'espace entre chaque morceau de pâte. Faites cuire pendant 30 minutes, jusqu'à ce que les biscuits soient dorés.

Retirez du four et coupez les biscuits dans le sens de la longueur en 8 tranches chacun. Tournez chaque tranche sur le côté et remettez la plaque au four pendant 5 minutes. Retirez du four, laissez refroidir sur la plaque. Conservez les biscuits dans une boîte bien hermétique.

Par biscuit : 123 calories, 2,7 g de gras total (19 % des calories), 0,6 g de gras mono-insaturé, 0,2 g de gras polyinsaturé, 1,4 g de gras saturé, 2,9 g de protéines, 23,2 g d'hydrates de carbone, 2,5 g de fibres alimentaires, 23 mg de cholestérol, 45 mg de sodium.

24 biscuits

Scones aux framboises et aux groseilles

TEMPS DE PRÉPARATION : 15 MINUTES
TEMPS DE CUISSON : 20 MINUTES

Les « scones » sont originaires de Grande-Bretagne. On les mange généralement à l'heure du thé. Dans notre recette, leur croûte ressemble à celle d'un biscuit. Nous l'avons recouverte de confiture de framboises. Toutefois, n'importe quelle autre confiture convient parfaitement.

750 g de farine de blé spécial pâtisserie
5 c. c. de levure chimique
½ c. c. de muscade moulue
5 c. s. de beurre non salé ou de margarine
55 g de sucre
85 g de groseilles
125 ml de lait écrémé
125 ml de confiture de framboises ou de gelée de framboise non sucrée

Préchauffez le four à 175 °C.

Ulilisez une plaque à pâtisserie anti-adhésive.

Dans un bol de taille moyenne, mélangez la farine, la levure chimique et la muscade.

À l'aide d'un robot culinaire, d'un coupe-pâte ou de deux couteaux, défaites le beurre ou la margarine dans la préparation afin d'obtenir de fines miettes. Ajoutez le sucre et les groseilles. Incorporez assez de lait pour former une pâte ferme.

Roulez la pâte en 16 boules. Déposez-les sur la plaque. À l'aide de votre pouce, formez un puits profond au centre de chaque boule. Remplissez de gelée ou de confiture.

Faites cuire pendant 20 minutes ou jusqu'à ce que les scones soient bien dorés.

Retirez du four et laissez refroidir sur une grille.

Par scone : 146 calories, 4,2 g de gras total (25 % des calories), 1,2 g de gras mono-insaturé, 0,3 g de gras polyinsaturé, 2,5 g de gras saturé, 3,5 g de protéines, 25,2 g d'hydrates de carbone, 3,1 g de fibres alimentaires, 10 mg de cholestérol, 109 mg de sodium.

16 scones

Pain de courgettes aux épices

Les courgettes donnent une belle texture à ce pain sans trop lui transmettre leur goût. Le pain est moelleux et son parfum prodigieux.

Le pain de courgettes aux épices se conserve bien au congélateur. Pour obtenir des tranches individuelles faciles à décongeler n'importe quand, coupez le pain en tranches et enveloppez chaque tranche dans un film plastique.

TEMPS DE PRÉPARATION : 15 MINUTES
TEMPS DE CUISSON : 35-45 MINUTES

750 g de farine de blé spéciale pâtisserie
125 g de sucre
1 c. s. de cannelle
1½ c. c. de levure chimique
1½ c. c. de bicarbonate de soude
1 c. c. de muscade moulue
2 œufs, 4 blancs d'œufs ou 125 ml de substitut d'œuf allégé
500 g de courgettes non épluchées râpées
250 ml de miel
2 c. s. de beurre non salé remolli ou d'huile canola
50 ml de compote de pommes non sucrée
1 c. s. de vanille

Préchauffez le four à 175 °C.

Utilisez 2 moules à pains anti-adhésifs.

Mélangez dans un grand bol la farine, le sucre, la cannelle, la levure chimique, le bicarbonate de soude et la muscade.

Mélangez dans un bol de taille moyenne les œufs, les blancs d'œufs ou le substitut d'œuf, les courgettes, le miel, le beurre ou l'huile, la compote de pommes et la vanille.

Incorporez la préparation d'œufs dans les ingrédients secs et mélangez jusqu'à ce que tous les ingrédients soient bien incorporés.

Versez la pâte dans les moules. Faites cuire de 35 à 45 minutes, jusqu'à ce qu'une pointe de couteau enfoncée ressorte sèche.

Laissez refroidir quelques minutes, puis démoulez sur une grille.

Par tranche : 157 calories, 2,1 g de gras total (11 % des calories), 0,4 g de gras mono-insaturé, 0,2 g de gras polyinsaturé, 1 g de gras saturé, 3,3 g de protéines, 33,1 g d'hydrates de carbone, 2,5 g de fibres alimentaires, 25 mg de cholestérol, 122 mg de sodium.

Pain de 20 tranches

Pain à la citrouille et aux airelles

Profitez toute l'année de ce pain d'automne merveilleux en achetant du potiron en boîte. Vous pouvez doubler la recette pour vous servir de la boîte entière. Remplacez si vous voulez les airelles par des raisins secs.

TEMPS DE PRÉPARATION : 15 MINUTES
TEMPS DE CUISSON : 1 HEURE

- 375 g de farine de blé spéciale pâtisserie
- 1 c. c. de cannelle moulue
- 1 c. c. de bicarbonate de soude
- ½ c. c. de levure chimique
- ½ c. c. de clou de girofle moulu
- ½ c. c. de muscade moulue
- 125 g d'airelles séchées
- 250 ml de purée de citrouille
- 175 ml de miel
- 1 œuf, 2 blancs d'œufs, ou 50 ml de substitut d'œuf allégé
- 2 c. s. de compote de pommes non sucrée
- 1 c. s. de beurre non salé fondu ou d'huile de canola
- 1 c. s. de vanille

Préchauffez le four à 175 °C.

Utilisez un moule à pain anti-adhésif.

Mélangez dans un grand bol la farine, la cannelle, le bicarbonate de soude, la levure chimique, le clou de girofle et la muscade. Incorporez les airelles.

Mélangez dans un bol de taille moyenne la citrouille, le miel, l'œuf, les blancs d'œufs ou le substitut d'œuf, la compote de pommes, le beurre ou l'huile et la vanille.

Incorporez la préparation de citrouille aux ingrédients secs et mélangez assez pour humecter les ingrédients.

Versez dans le moule préparé.

Faites cuire pendant 1 heure, jusqu'à ce qu'une pointe de couteau enfoncée au cœur du pain ressorte sèche.

Laissez refroidir dans le moule quelques minutes. Démoulez sur une grille.

Par tranche : 178 calories, 2,2 g de gras total (11 % des calories), 0,4 g de gras mono-insaturé, 0,2 g de gras polyinsaturé, 1 g de gras saturé, 3,3 g de protéines, 33,1 g d'hydrates de carbone, 2,5 g de fibres alimentaires, 25 mg de cholestérol, 122 mg de sodium.

Pain de 10 tranches

Gâteau aux épices et aux pommes

Ce gâteau léger est rempli de morceaux de pommes fraîches et garni de bien bonnes choses. La même recette donne des muffins délicieux (répartissez la pâte dans des moules à muffins tapissés de barquettes de papier plissé et faites-les cuire au four 30 minutes.

TEMPS DE PRÉPARATION : 10 MINUTES
TEMPS DE CUISSON : 45 MINUTES

1	c. s. de beurre non salé ramolli ou d'huile de canola
250	g + 1 c. s. de sucre
1	œuf, 2 blancs d'œufs ou 50 ml de substitut d'œuf allégé
2	c. s. de compote de pommes sans sucre
175	ml de lait écrémé
1½	c. c. de vanille
500	g de farine de blé spéciale pâtisserie
1	c. c. de levure chimique
1	c. c. de bicarbonate de soude
2½	c. c. de cannelle moulue
½	c. c. de muscade moulue
¼	c. c. de clou de girofle moulu
¼	c. c. de 4-épices
500	g de pommes coupées en dés
2	c. s. de noix de pecan finement moulues

Préchauffez le four à 175 °C.

Utilisez un moule à pain anti-adhésif.

Mélangez dans un bol de taille moyenne le beurre ou l'huile, 250 g de sucre, l'œuf, les blancs d'œufs ou le substitut d'œuf, la compote de pommes, le lait et la vanille.

Mélangez la farine, la levure chimique, le bicarbonate de soude, 2 c. c. de cannelle, la muscade, le clou de girofle, le 4-épices et les pommes.

Versez ce mélange dans les ingrédients liquides et remuez assez pour humecter le tout.

Versez dans le moule.

Dans un petit bol, mélangez les noix de pecan, le reste du sucre, soit 1 c. s., et le reste de la cannelle, ½ c. c et remuez bien. Saupoudrez cette garniture sur la pâte.

Faites cuire pendant 45 minutes, jusqu'à ce qu'une pointe de couteau enfoncée au cœur du gâteau ressorte sèche.

Laissez refroidir quelques minutes dans le moule. Démoulez sur une grille.

Par portion : 220 calories, 3,2 g de gras total (13 % des calories), 1 g de gras mono-insaturé, 0,5 g de gras polyinsaturé, 1,1 g de gras saturé, 4,7 g de protéines, 44,9 g d'hydrates de carbone, 3,7 g de fibres alimentaires, 25 mg de cholestérol, 170 mg de sodium.

Pour 10 personnes

Pain aux bananes

J'ai réduit la teneur en gras de cette recette qui vient de ma famille. J'ai néanmoins gardé le goût mœlleux et riche, ainsi que la texture de la recette originale.

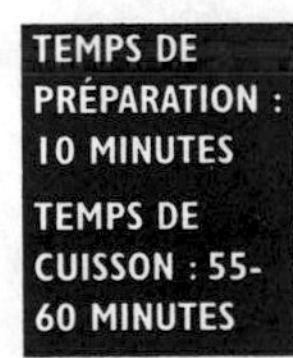

2	c. s. de beurre non salé ramolli ou d'huile de canola
175	ml de compote de pommes non sucrée
¼	c. c. de sel
625	g de sucre
4	œufs, ou 250 ml de substitut d'œuf allégé
125	ml de yaourt 0 %
1	c. s. de vanille
800	g de farine de blé spéciale pâtisserie
2½	c. c. de bicarbonate de soude
5	bananes mûres, écrasées

Préchauffez le four à 175 °C.

Utilisez 2 moules à pain anti-adhésifs.

À l'aide d'un batteur électrique, fouettez dans un grand bol le beurre ou l'huile, la compote de pommes, le sel, le sucre, les œufs, les blancs d'œufs ou le substitut d'œuf, le yaourt et la vanille.

Dans un petit bol, mélangez la farine et la levure chimique. Versez le tout dans la préparation précédente. Ajoutez les bananes et mélangez pour humecter seulement.

Versez la pâte dans les moules. Faites cuire de 55 à 60 minutes, jusqu'à ce qu'une pointe de couteau enfoncée au cœur du pain en ressorte sèche.

Laissez refroidir le pain dans les moules quelques minutes puis démoulez. Laissez refroidir sur une grille.

Par tranche : 228 calories, 2,7 g de gras total (10 % des calories), 0,4 g de gras mono-insaturé, 0,2 g de gras polyinsaturé, 1,2 g de gras saturé, 5 g de protéines, 48,6 g d'hydrates de carbone, 3,3 g de fibres alimentaires, 46 mg de cholestérol, 189 mg de sodium.

Pain de 20 tranches

Gâteau aux carottes et aux ananas

Les petits morceaux d'ananas rendent cette recette unique. Faites cuire ce gâteau dans des moules à muffins ou bien dans un moule à kouglof, et réglez le temps de cuisson en conséquence.

TEMPS DE PRÉPARATION : 15 MINUTES
TEMPS DE CUISSON : 45-60 MINUTES

750	g de farine de blé spéciale pâtisserie
55	g de sucre
2	c. c. de levure chimique
1	c. c. de cannelle moulue
1	c. c. de muscade moulue
2	c. c. de bicarbonate de soude
¼	c. c. de clou de girofle moulu
1	piment de la Jamaïque
¼	c. c. de 4-épices
125	g de fruits confits
2	c. s. de beurre non salé fondu ou d'huile de canola

250 ml de miel
1 c. s. de vanille
3 œufs, 6 blancs d'œufs, ou 175 ml de substitut d'œuf allégé
175 ml de compote de pommes non sucrée
125 ml de yaourt 0 %
250 ml d'ananas broyés (avec le jus)
500 g de carottes râpées

Préchauffez le four à 175 °C.

Utilisez deux moules à pain anti-adhésifs.

Mettez dans un grand bol, la farine, le sucre, la levure chimique, la cannelle, la muscade, le bicarbonate de soude, le clou de girofle, le piment de la Jamaïque et les 4-épices.

Incorporez les fruits confits.

Mélangez, dans un petit bol, le beurre ou l'huile, le miel, la vanille, les œufs, les blancs d'œufs ou le substitut d'œuf, la compote de pommes et le yaourt 0 %. Versez le tout dans le mélange sec.

Ajoutez les ananas (et leur jus) puis les carottes. Mélangez pour humecter les ingrédients.

Versez la pâte dans les moules.

Faites cuire de 45 à 60 minutes jusqu'à ce qu'une pointe de couteau enfoncée au cœur du gâteau en ressorte sèche.

Si vous utilisez des moules à muffins, diminuez le temps de cuisson. Dans le cas de moules à kouglof, cuire plus longtemps.

Par portion : 168 calories, 2,3 g de gras total (12 % des calories), 0,4 g de gras mono-insaturé, 0,2 g de gras polyinsaturé, 1,1 g de gras saturé, 4,2 g de protéines, 34,3 g d'hydrates de carbone, 3 g de fibres alimentaires, 36 mg de cholestérol, 168 mg de sodium

Pour 20 personnes

Gâteau des anges au cacao et au blé complet

La farine de grains entiers utilisée dans cette recette donne un gâteau léger, plus consistant que le gâteau traditionnel à base de farine blanche. Il contient peu d'ingré-

dients, mais il est très délicat. Il est donc important de respecter toutes les étapes de sa fabrication. Pour donner à ce gâteau délicieux une apparence de fête, accompagnez chaque tranche de baies fraîches et d'un petit yaourt glacé à 0 % de matière grasse.

Le gâteau des anges est préparé sans aucun gras dans sa pâte, ce qui lui donne son originalité. Sa texture délicate et aérée provient des blancs d'œufs.

TEMPS DE PRÉPARATION : 20 MINUTES

TEMPS DE CUISSON : 45 MINUTES

TEMPS DE REFROIDISSEMENT : 11/2 HEURE

- 170 g de farine de blé spéciale pâtisserie
- 55 g de poudre de cacao non sucrée
- 300 g de sucre
- 10 blancs d'œufs
- 1 c. c. de vanille
- ½ c. c. d'extrait d'amande

Préchauffez le four à 175 °C.

Tamisez dans un bol de taille moyenne la farine, le cacao et 55 g de sucre. Répétez 5 fois le procédé, puis mettez de côté.

Tamisez les 250 g de sucre restants dans un autre bol. Mettez de côté.

Mettez les blancs d'œufs dans un grand bol. À l'aide d'un batteur électrique, fouettez-les en neige.

Ajoutez une tasse de sucre, une cuillerée à la fois. Puis la vanille et l'extrait de citron.

Incorporez la farine par petites quantités en soulevant les blancs d'œufs.

Versez la pâte dans un moule à kouglof. Faites cuire 45 minutes.

Retirez le moule du four et renversez-le afin qu'il refroidisse. Laissez-le reposer pendant 1 h 30 minutes (on peut placer le moule sur une bouteille, ce qui aide le gâteau à refroidir sans qu'il rétrécisse).

Lorsque le gâteau est complètement refroidi, passez un couteau autour des rebords et démoulez.

Par portion : 126 calories, 0,3 g de gras total (2 % des calories), 0,04 g de gras mono-insaturé, 0,06 g de gras polyinsaturé, 0,07 g de gras sa-

turé, 4,3 g de protéines, 27,9 g d'hydrates de carbone, 1 g de fibres alimentaires, 0 mg de cholestérol, 48 mg de sodium.

Pour 12 personnes

Gâteau au café et au yaourt

Voici l'un des gâteaux préférés de Robert. C'est un gâteau de grains entiers, un vrai classique, simple et rempli de bonnes choses. Comme variante, ajoutez des fruits hachés dans la pâte avant de mettre le gâteau au four.

TEMPS DE PRÉPARATION : 10 MINUTES
TEMPS DE CUISSON : 35 MINUTES

Gâteau

375	g de farine de blé spéciale pâtisserie
250	g de sucre
2	c. c. de levure chimique
1	c. c. de bicarbonate de soude
250	ml de yaourt 0 %
2	œufs légèrement battus
½	c. c. de vanille
¼	c. c. d'extrait d'orange

Garniture

2	c. s. de farine de blé spéciale pâtisserie
5	c. s. de sucre brun
2	c. s. des noix de pecan hachées
1	c. s. de beurre non salé ou de margarine

Préchauffez le four à 175 °C.

Utilisez un moule anti-adhésif.

Pour le gâteau : Dans un grand bol, mélangez la farine, le sucre, la levure chimique et le bicarbonate de soude.

Fouettez ensemble le yaourt, les œufs, la vanille et l'extrait d'orange dans un bol de taille moyenne. Incorporez aux ingrédients secs et mélangez bien.

Versez la pâte dans le moule et mettez de côté.

Pour la garniture : Dans un mixeur ou un robot culinaire, versez la farine, le sucre brun, les noix de pecan, le beurre ou la margarine. Mélangez jusqu'à ce que la préparation soit émiettée. Saupoudrez au-dessus du gâteau.

Faites cuire 35 minutes, jusqu'à ce qu'une lame de couteau enfoncé au cœur du gâteau ressorte sèche.

Faites refroidir sur une grille avant de couper en tranches.

Par portion : 136 calories, 2,1 g de gras total (14 % des calories), 0,6 g de gras mono-insaturé, 0,3 g de gras polyinsaturé, 0,7 g de gras saturé, 4 g de protéines, 26,5 g d'hydrates de carbone, 1,6 g de fibres alimentaires, 29 mg de cholestérol, 130 mg de sodium.

Pour 16 personnes

Carrés aux patates douces et aux cerises glacés à l'orange

Moelleux et à l'allure de gâteau, ces carrés de grains entiers sont recouverts d'un glaçage à l'orange qui agrémente le gâteau. Remplacez si vous voulez les patates douces par des carottes, en utilisant la même quantité que la recette.

Remplacez les cerises séchées par des raisins secs, des groseilles ou des airelles séchées. Ces gâteaux en carrés plaisent beaucoup à nos enfants et à leurs amis.

TEMPS DE PRÉPARATION : 15 MINUTES
TEMPS DE CUISSON : 30-40 MINUTES

Gâteau

2 c. s. d'huile de canola ou de beurre non salé ramolli
375 g de sucre brun
250 ml de compote de pommes non sucrée
2 œufs, 4 blancs d'œufs ou 125 ml de substitut d'œuf allégé
1 c. s. de vanille
1 c. c. d'extrait d'orange
750 g de farine de blé spécial pâtisserie
2 c. c. de cannelle moulue
1 c. c. de bicarbonate de soude
½ c. c. de muscade moulue
½ c. c. de levure chimique
¼ c. c. de sel (facultatif)
750 g de patates douces râpées
375 g de baies (ou cerises) séchées

Glaçage

500 g de sucre glace
3 c. s. de jus d'orange
1 c. c. d'extrait d'orange ou zeste d'orange

Préchauffez le four à 175 °C.

Utilisez un plat anti-adhésif.

Pour le gâteau : Fouettez dans un grand bol le beurre ou l'huile, le sucre brun, la compote de pommes, les œufs, les blancs d'œufs ou le substitut d'œuf, la vanille et l'extrait d'orange.

Dans un petit bol, mettez la farine, la cannelle, le bicarbonate de soude, la muscade, la levure chimique et le sel (si utilisé). Incorporez à la préparation d'œufs et remuez délicatement. Ajoutez les pommes de terre sucrées et les cerises.

Versez la pâte dans le moule. Faire cuire de 30 à 40 minutes, jusqu'à ce qu'une pointe de couteau enfoncée au cœur du gâteau en ressorte sèche

Laissez refroidir complètement sur une grille.

Pour le glaçage : Déposez le sucre glace dans un bol de taille moyenne. Ajoutez le jus d'orange, l'extrait d'orange ou le zeste d'orange. Mélangez jusqu'à ce que la préparation soit homogène.

Étalez sur le gâteau refroidi. Attendez quelques minutes, puis coupez en carrés.

Par carré : 192 calories, 1,8 g de gras total (8 % des calories), 0,3 g de gras mono-insaturé, 0,2 g de gras polyinsaturé, 0,8 g de gras saturé, 3,1 g de protéines, 42,5 g d'hydrates de carbone, 2,3 g de fibres alimentaires, 21 mg de cholestérol, 69 mg de sodium.

24 carrés

Petites barres au citron

Une couche légère de citron recouvre la croûte moelleuse de type müesli de ces barres légères et parfumées.

TEMPS DE PRÉPARATION : 15 MINUTES

TEMPS DE CUISSON : 50 MINUTES

Pâte

170 g de flocons d'avoine
2 c. s. de farine de blé spécial pâtisserie
55 g de sucre brun
1 c. c. de cannelle moulue
1 c. c. d'huile de canola

Garniture

1 c. s. de beurre non salé ou de margarine ramolli
125 g de sucre
2 jaunes d'œufs
zeste râpé d'un citron
jus d'un citron
6 c. s. de farine de blé spécial pâtisserie
125 ml de lait écrémé
3 blancs d'œufs

Préchauffez le four à 175 °C.

Utilisez un moule anti-adhésif.

Pour la pâte : Mélangez dans un bol de taille moyenne les flocons d'avoine, la farine, le sucre brun, la cannelle et l'huile.

Mélangez bien. Étalez uniformément dans le moule.

Faites cuire 15 minutes jusqu'à ce le mélange soit bien doré. Mettez de côté.

Pour la garniture : Dans un grand bol, à l'aide d'un batteur électrique, réduisez en crème le beurre ou la margarine. Ajoutez le sucre, les jaunes d'œufs, le zeste de citron, le jus de citron, la farine et le lait.

Dans un autre bol, fouettez en neige les blancs d'œufs. Incorporez-les délicatement dans la préparation au citron.

Versez sur la pâte et laissez cuire pendant 35 minutes, jusqu'à ce que le dessus commence à brunir.

Retirez du four et laissez refroidir complètement sur une grille avant de couper en barres.

Par barre : 103 calories, 2,5 g de gras total (22 % des calories), 0,8 g de gras mono-insaturé, 0,4 g de gras polyinsaturé, 0,8 g de gras saturé, 3,3 g de protéines, 17,3 g d'hydrates de carbone, 0,5 g de fibres alimentaires, 29 mg de cholestérol, 24 mg de sodium.

16 barres

Carrés au chocolat hollandais ou « brownies »

Ces « brownies » vous surprendront par leur goût riche en chocolat et leur texture semblable à celle du fondant au chocolat. Voilà une recette facile à faire qui vous régalera.

2	c. s. de beurre non salé ou de margarine ramolli
250	g de sucre
125	ml de compote de pommes non sucrée
1	œuf ou 2 blancs d'œufs
2	c. c. de vanille
125	g de cacao en poudre non sucré
170	g de farine de blé spéciale pâtisserie

TEMPS DE PRÉPARATION : 5 MINUTES
TEMPS DE CUISSON : 25 MINUTES

Préchauffez le four à 175 °C.

Utilisez un plat anti-adhésif.

Dans un bol de taille moyenne, à l'aide d'un batteur électrique, fouettez le beurre ou la margarine, le sucre, la compote de pommes, l'œuf, les blancs d'œuf ou les deux blancs d'œufs et la vanille. Incorporez lentement le cacao en poudre et la farine.

Versez la pâte dans le moule. Faites cuire 25 minutes, jusqu'à ce qu'une pointe de couteau enfoncée au cœur du gâteau en ressorte sèche.

Laissez refroidir avant de couper.

Par carré : 96 calories, 2,2 g de gras total (19 % des calories), 0,5 g de gras mono-insaturé, 0,2 g de polyinsaturé, 1,1 g de gras saturé, 1,7 g de protéines, 19,2 g d'hydrates de carbone, 0,9 g de fibres alimentaires, 18 mg de cholestérol, 2 mg de sodium

16 « brownies »

Tarte aux pommes à l'anglaise

Cette tarte aux pommes a un fond de tarte spécial, qui se marie très bien avec son intérieur épicé. Presque toutes les sortes de pommes feront l'affaire, mais comme pour la plupart des recettes de pommes cuites au four, celles utilisées pour les tartes sont les meilleures. Essayez la recette à la mode avec une glace au yaourt à 0 %.

TEMPS DE PRÉPARATION : 15 MINUTES

TEMPS DE CUISSON : 45 MINUTES

TEMPS DE RÉFRIGÉRATION : 45-60 MINUTES

Fond de tarte

625	g de farine de blé spécial pâtisserie
125	g de sucre
1	c. c. de cannelle moulue
50	g de beurre non salé ou de margarine
2	c. s. de miel

Garniture

8-9	pommes acidulées émincées (épluchées ou non selon le goût)
125	g de sucre
55	g de farine de blé spécial pâtisserie
2	c. s. de vanille
3	c. s. de cannelle moulue
1	c. c. de muscade moulue

Préchauffez le four à 220 °C

Huilez un moule à fond amovible.

Le fond de tarte : Mélangez dans un grand bol la farine, le sucre et la cannelle.

En utilisant un coupe-pâte, un robot culinaire ou 2 couteaux, malaxez le beurre ou la margarine et le miel dans la préparation de sucre, afin d'obtenir de fines miettes.

Déposez ⅔ du mélange dans le moule en appuyant dans le fond et sur les côtés pour former la tarte.

La garniture : Mettez les pommes dans un grand bol.

Ajoutez le sucre, la farine, la vanille, la cannelle et la muscade. Remuez afin de couvrir les pommes.

Placez la préparation de pommes sur le fond de tarte.

Mettez au four 25 minutes.

Retirez la tarte du four et recouvrez du reste de la pâte (soit le ⅓). Appuyez légèrement dessus pour l'aplatir et saupoudrez de cannelle.

Remettez la tarte au four et faites cuire 20 minutes de plus.

Laissez refroidir 45 à 60 minutes avant de retirer les côtés du moule et coupez en parts.

Par portion : 268 calories, 5 g de gras total (16 % des calories), 1,3 g de gras mono-insaturé, 0,5 g de gras polyinsaturé, 2,7 g de gras saturé, 4 g de protéines, 55 g d'hydrates de carbone,

5,6 g de fibres alimentaires, 11 mg de cholestérol, 3 mg de sodium.

Pour 12 personnes

Tarte aux cerises

Cette recette donne d'excellents résultats. Cependant, les fonds de tarte peuvent être difficiles à confectionner avec de la farine allégée en gras ou de grains entiers. Pour une tarte non grasse, mettez la garniture au four dans des petits moules et servez une nouvelle variation appelée « cerises au four ».

TEMPS DE PRÉPARATION : 20 MINUTES
TEMPS DE CUISSON : 50 MINUTES

Garniture

1	kg de cerises à noyaux en conserve non sucrées (cerises acidulées)
125	g de fécule de maïs (farine de tapioca)
140	g de sucre
3	gouttes d'extrait d'amande

Fond de tarte

250	g de farine de blé spéciale pâtisserie
2	c. s. de sucre
50	ml de beurre non salé ou de margarine
4-8	c. s. d'eau glacée

Préchauffez le four à 190 °C

La garniture : Égouttez les cerises. Gardez le jus. Mettez de côté.

Mettez dans une petite casserole le féculent et le tiers du sucre. Versez dedans le jus de cerise mis de côté et faites cuire à feu moyen jusqu'à ce que la préparation épaississe. Ajoutez l'autre tiers du sucre, les cerises et l'extrait d'amande. Laissez cuire 3 minutes de plus tout en remuant.

Le fond de tarte : Mettez la farine et le sucre dans un grand bol. À l'aide d'un mixeur, d'un robot culinaire ou de 2 couteaux, malaxez le beurre ou la margarine dans la préparation jusqu'à obtention d'une texture granulée. Ajoutez l'eau, 1 c. s. à la fois, et formez une boule ferme. Abaissez en un cercle de

22 cm, déposez sur un plat à tarte et décorez les rebords. Versez la garniture dans la pâte.

Déposez une plaque à pâtisserie sous la tarte car le jus pourrait déborder pendant la cuisson.

Faites cuire au four pendant 50 minutes. Retirez du four et laissez refroidir sur une grille.

Par portion : 251 calories, 6,5 g de gras total (22 % des calories), 1,8 g de gras mono-insaturé, 0,4 g de gras polyinsaturé, 3,9 g de gras saturé, 3 g de protéines, 48 g d'hydrates de carbone, 3,3 g de fibres alimentaires, 17 mg de cholestérol, 10 mg de sodium.

Pour 8 personnes

Croustade aux pommes

Dans cette version de croustade aux pommes, les pommes, la cannelle et les raisins secs sont entourés d'une croûte de type müesli. Vous pouvez remplacer les pommes par des cerises séchées, des poires ou des pêches, et les raisins secs par des airelles ou des groseilles.

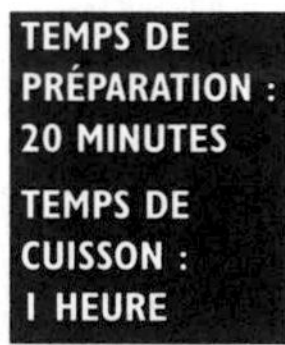

Garniture

8 pommes acidulées, émincées, épluchées ou non selon votre goût
jus d'un citron
170 g de raisins
125 g de sucre
2 c. s. de farine de blé spéciale pâtisserie
1 c. c. de cannelle moulue
1 c. c. de muscade moulue
1 c. c. de vanille
¼ c. c. de clou de girofle moulu
¼ c. c. de 4-épices

Pâte de croustade

500 g de flocons d'avoine
170 g de son et avoine mélangés
50 ml de beurre non salé ou de margarine fondu
125 g de farine de blé spéciale pâtisserie

125 g de sucre
2 c. s. de miel
2 c. c. de cannelle moulue

Préchauffez le four à 175 °C.

Utilisez un moule anti-adhésif.

La garniture : Dans un grand bol, mélangez les pommes, le jus de citron, les raisins, le sucre, la farine, la cannelle, la muscade, la vanille, le clou de girofle et les 4-épices. Mettez de côté.

La pâte de croustade : Mélangez dans un bol de taille moyenne les flocons d'avoine, le son, le beurre ou la margarine, la farine, le sucre, le miel et la cannelle. Étalez fermement dans le fond du moule la moitié de la pâte.

Déposez la garniture uniformément sur la pâte.

Recouvrez du reste de la pâte tout en appuyant légèrement pour aplatir.

Couvrez le moule d'une feuille d'aluminium. Faites cuire pendant 45 minutes.

Découvrez et faites cuire 15 minutes de plus jusqu'à ce que le dessus soit légèrement doré.

Laissez refroidir avant de servir.

Par portion : 190 calories, 3,9 g de gras total (17 % des calories), 1,1 g de gras mono-insaturé, 0,5 g de gras polyinsaturé, 1,9 g de gras saturé, 3,1 g de protéines, 39,6 g d'hydrates de carbone, 2,7 g de fibres alimentaire, 7 mg de cholestérol, 3 mg de sodium.

Pour 18 personnes

Pudding au tapioca parfumé au citron

Ce dessert rafraîchissant, faible en gras, est celui que ma famille préfère. Il est facile à faire. Vous pouvez remplacer le citron par n'importe quel autre extrait de fruit.

675 ml de lait écrémé
3 c. s. de tapioca à cuisson rapide
5 c. s. de sirop d'érable, de miel ou de sucre
1 œuf ou 1 blanc d'œuf
1 c. c. de vanille

TEMPS DE PRÉPARATION ET DE CUISSON : 10 MINUTES

TEMPS DE RÉFRIGÉRATION : 2 HEURES OU PLUS

½ c. c. d'extrait de citron
pincée de muscade

Mettez dans une casserole de taille moyenne le lait, le tapioca, le sirop d'érable, le miel ou le sucre, l'œuf, le blanc d'œuf, la vanille, l'extrait de citron et la muscade. Laissez reposer 5 minutes.

Faites cuire à feu moyen. Remuez jusqu'à ébullition, puis faites bouillir 3 minutes tout en remuant constamment.

Retirez le pudding du feu. Versez dans 4 bols individuels.

Réfrigérez 2 heures ou plus jusqu'à ce qu'il soit bien froid.

Par portion : 153 calories, 0,3 g de gras total (2 % des calories), 0,1 g de gras mono-insaturé, 0 g de gras polyinsaturé, 0,2 g de gras saturé, 6,6 g de protéines, 30,1 g d'hydrates de carbone, 0 g de fibres alimentaires, 3 mg de cholestérol, 103 mg de sodium.

Pour 4 personnes

Parfait à la citrouille

Voici une véritable recette de tarte à la citrouille, mais sans pâte afin d'alléger son contenu. Les œufs entiers donnent à la texture un aspect crémeux.

TEMPS DE PRÉPARATION : 5 MINUTES

TEMPS DE CUISSON : 45-50 MINUTES

2 œufs
170 g de sucre
500 ml de purée de citrouille
1 c. s. de mélasse
1 c. c. de cannelle moulue
½ c. c. de gingembre moulu
¼ c. c. de muscade moulue
¼ c. c. de clous de girofle moulus
300 ml de crème fraîche allégée

Préchauffez le four à 220 °C.

Enduisez légèrement de margarine allégée 8 ramequins individuels.

Déposez les œufs dans un grand bol et, à l'aide d'un batteur électrique, fouettez-les avec le sucre, la citrouille, la mélasse, la cannelle, le gingembre, la muscade et les clous de girofle.

Incorporez la crème.

Versez le mélange dans les ramequins préparés.

Faites cuire 10 minutes. Réduisez la température à 175 °C et continuez la cuisson 35 à 40 minutes de plus, jusqu'à ce que le dessus soit légèrement brun et le pudding consistant.

Servez tiède ou laissez refroidir.

Par portion : 156 calories, 1,4 g de gras total (8 % des calories), 0,1 g de gras mono-insaturé, 0 g de gras polyinsaturé, 0,5 g de gras saturé, 5,8 g de protéines, 31,1 g d'hydrates de carbone, 1,7 g de fibres alimentaires, 55 mg de cholestérol, 62 mg de sodium.

Pour 8 personnes

Coulis de framboises

Le coulis est le nom qui désigne une purée ou une sauce épaisse. Ce coulis au goût frais et doux peut être versé sur du yaourt glacé ou ordinaire, des puddings, des gâteaux, des crêpes ou du pain grillé. Essayez d'autres fruits.

TEMPS DE CUISSON : 20 MINUTES

750 g de framboises fraîches ou surgelées non sucrées
55 g de sucre

Déposez les framboises et le sucre dans une casserole épaisse.

Faites cuire à feu moyen 20 minutes en remuant souvent.

Laissez la sauce refroidir. Gardez au réfrigérateur dans un bocal de verre.

Par portion : 62 calories, 0,3 g de gras total (5 % des calories), 0 g de gras mono-insaturé, 0,2 g de gras polyinsaturé, 0 g de gras saturé, 0,6 g de protéines, 15,4 g d'hydrates de carbone, 2,8 g de fibres alimentaires, 0 mg de cholestérol, 0 mg de sodium.

Pour 6 personnes

Pita croustillante

Il s'agit de couper le pain en triangles et de le cuire jusqu'à ce qu'il soit croustillant. Utilisez ces pitas croustillantes quand vous voudrez remplacer les tortillas au maïs : comme collation (avec ou sans pâte à tartiner), pour des nachos et avec des soupes ou des salades.

TEMPS DE PRÉPARATION : 5 MINUTES
TEMPS DE CUISSON : 8-10 MINUTES

4 pains pitas au blé complet

Préchauffez le four à 175 °C

À l'aide d'un couteau tranchant, partagez les pains pitas en 2.

Coupez ensuite chaque moitié en 3 triangles.

Ouvrez chaque triangle en deux pour obtenir 6 morceaux.

Déposez les pains sur des plaques à pâtisserie sur une seule rangée.

Faites cuire de 8 à 10 minutes, jusqu'à ce que le tout soit croustillant et légèrement doré.

Par 6 morceaux : 85 calories, 0,9 g de gras total (8 % des calories), 0,1 g de gras mono-insaturé, 0,3 g de gras polyinsaturé, 0,1 g de gras saturé, 3,2 g de protéines, 17,6 g d'hydrates de carbone, 1,9 g de fibres alimentaires, 0 mg de cholestérol, 170 mg de sodium

48 morceaux

Mousse au piment fort et aux olives noires

Cette pâte à tartiner crémeuse remplace délicieusement les fromages à tartiner riches en gras. Les olives aussi sont riches en gras, n'en mettez pas plus de 2 cuillères à soupe par portion. Goûtez-la mousse sur des bretzel, ou des petites branches de céleri. Elle est souvent servie comme hors-d'œuvre.

250 ml de fromage blanc battu allégé
½ c. c. de basilic séché
¼ c. c. de poudre d'ail
5 olives noires dénoyautées et finement hachées
55 g de piments forts coupés en dés
1 c. s. de ciboulette fraîche hachée

Dans un bol de taille moyenne, mélangez le fromage, le basilic et la poudre d'ail jusqu'à ce que le mélange soit homogène.

Ajoutez les olives, le piment fort et la ciboulette.

Réfrigérez dans un contenant hermétique jusqu'au moment de servir.

Par 2 cuillerées à soupe : 24 calories, 0,9 g de gras total (22 % des calories), 0,5 g de gras mono-insaturé, 0,1 g de gras polyinsaturé, 0,1 g de gras saturé, 2,9 g de protéines, 1,1 g d'hydrates de carbone, 0,1 g de fibres alimentaires, 3 mg de cholestérol, 138 mg de sodium.

375 g

Mousse à la cannelle, aux raisins et aux noix

C'est notre pâte à tartiner préférée à emporter quand nous voyageons en voiture. Vous pouvez la manger avec des pitas croustillantes de grains entiers.

- 250 g de fromage blanc battu allégé
- 1 c. c. de sirop d'érable
- ¼ c. c. de zeste de citron finement râpé
- ¼ c. c. de cannelle
- ⅛ c. c. de muscade
- 55 g de raisins ou de fruits confits
- 55 g de noix ou d'amandes finement hachées

Dans un bol de taille moyenne, mélangez le fromage, le sirop d'érable, le zeste de citron, la cannelle, la muscade jusqu'à ce que le mélange soit homogène.

Incorporez les raisins ou les fruits confits, les noix ou les amandes.

Réfrigérez dans un contenant hermétique jusqu'au moment de servir.

Par 2 cuillerées à table : calories, 1 g de gras total (24 % des calories), 0,2 g de gras mono-insaturé, 0,6 g de gras polyinsaturé, 0,1 g de gras saturé, 3,2 g de protéines, 3,7 g d'hydrates de carbone, 0,2 g de fibres alimentaires, 3 mg de cholestérol, 114 mg de sodium.

375 g

Mousse de baba ghanoush

Il y a autant de façons d'épeller cette pâte à tartiner méditerranéenne que de façons de la préparer. Dans les recettes traditionnelles, on utilise des aubergines, de l'ail et beaucoup d'huile d'olive. Voici la version de ma recette allégée. Servez-la avec des tranches épaisses de pain de grains entiers.

TEMPS DE PRÉPARATION : 5 MINUTES
TEMPS DE CUISSON : 15-30 MINUTES

2 aubergines de grosseur moyenne émincées
2 gousses d'ail non épluchées
2 c. s. de jus de citron
2 c. s. d'huile d'olive allégée
2 c. s. de persil frais haché
sel
poivre noir moulu

Coupez l'aubergine en tranches. Déposez ces dernières avec l'ail sur une plaque légèrement huilée.

Badigeonnez légèrement le dessus des aubergines d'huile d'olive allégée.

Faites cuire quelques minutes jusqu'à ce que la pelure de la gousse d'ail brunisse. Retournez l'ail et continuez la cuisson quelques minutes de plus. Retirez l'ail.

Faites cuire les tranches d'aubergine jusqu'à ce qu'elles soient dorées d'un côté. Tournez l'aubergine et répétez.

Enlevez la pelure de l'ail et de l'aubergine.

Réduisez en purée l'ail et l'aubergine dans un mélangeur ou un robot culinaire jusqu'à ce que le mélange soit homogène. Ajoutez le jus de citron, l'huile d'olive, le persil, le sel et le poivre.

Assaisonnez selon votre goût et servez à la température de la pièce.

Par 2 cuillerées à table : 25 calories, 1,5 g de gras total (48 % des calories), 1 g de gras mono-insaturé, 0,2 g de gras polyinsaturé, 0,2 g de gras saturé, 0,4 g de protéines, 3,1 g d'hydrates de carbone, 0 g de fibres alimentaires, 0 mg de cholestérol, 2 mg de sodium.

625 g

Mousse de concombre au yaourt

J'ai goûté la première fois cette pâte à tartiner allégée dans un restaurant grec. À peine assis à table, on nous apporta du tzatziki (nom grec) et d'épaisses tranches de pain nourrissant. J'ai trouvé le goût du tzatziki si fort que je ne me souviens même plus des autres plats que l'on m'a servis cette journée-là. L'épaisseur de cette pâte à tartiner provient de la façon de faire dégorger le yaourt, une étape importante de sa fabrication. Il est primordial de servir le tzatziki avec d'épaisses tranches de pain de grains entiers.

TEMPS DE PRÉPARATION : 20 MINUTES

TEMPS POUR DÉGORGER : PLUSIEURS HEURES OU TOUTE LA NUIT

- 500 ml de yaourt nature à 0 %
- 1 gros concombre épluché
- ½ c. c. de sel
- 2 petites gousses d'ail épluchées et émincées

Mettez le yaourt dans un entonnoir ou dans une passoire tapissée d'une mousseline à fromage. Versez dans un bol et réfrigérez plusieurs heures ou toute la nuit pour qu'il égoutte bien.

Râpez ou hachez finement le concombre.

Déposez dans une passoire. Saupoudrez de sel et laissez dégorger 20 minutes. Rincez et égouttez bien une nouvelle fois.

Mélangez dans un bol profond un peu de yaourt avec de l'ail. Verserz dans le reste du yaourt, puis incorporez les concombres en les soulevant.

Réfrigérez.

Par portion : 55 calories, 0,2 g de gras total (3 % des calories), 0 g de gras mono-insaturé, 0 g de gras polyinsaturé, 0,1 g de gras saturé, 5,4 g de protéines, 7,9 g d'hydrates de carbone, 0 g de fibres alimentaires, 2 mg de cholestérol, 283 mg de sodium.

Pour 5 personnes

Chapitre Vingt et un

Nouvelles recettes pour des pains faits maison

Nous avons souvent recommandé, tout au long de ce livre, du pain complet aux personnes qui suivent le programme de La Vie Allégée. Ce pain est savoureux, consistant et plus nourrissant que le pain fait avec de la farine enrichie. Le pain complet grillé recouvert d'une couche de confiture de fruits est la pierre angulaire d'un petit déjeuner très nutritif et riche en fibres. C'est le pain idéal pour accompagner le repas du déjeuner ou comme collation pour toute personne qui aime le goût des grains et la texture du pain tout frais.

Vous n'êtes bien sûr pas obligé de faire votre pain. Vous pouvez acheter du pain complet dans de nombreux supermarchés et dans la plupart des magasins d'alimentation naturelle. Mais quelle merveilleuse idée si vous décidiez de le faire cuire vous-même !

La vue et l'odeur d'un pain tout frais possèdent un attrait romantique éternel – peut-être est-ce une des raisons qui poussent actuellement de nombreuses personnes à retrouver la joie de faire leur pain. On peut se poser aussi la question : mais pourquoi avons-nous cessé de faire cuire du pain ?

Un grand nombre d'entre nous grandissent en pensant que l'on doit passer toute la journée à la cuisine quand on fait cuire du pain frais. Ce n'est pas vrai du tout. Nous avons souvent des emplois du temps très chargés et nous comptons donc beaucoup sur les plats vite préparés. C'est pourquoi nous n'avons jamais essayé de faire notre pain. De plus, c'est une grave erreur de penser qu'on perd son temps en faisant cuire son pain.

Pour faire cuire un pain au levain dont on pétrit la pâte qui doit lever, il vous faudra demeurer chez vous pendant plusieurs heures, mais pas plus de 20 minutes d'affilée. Entre-temps, vous aurez seulement à aller dans la cuisine de deux à cinq minutes toutes les heures à peu près. Une fois que vous aurez adopté le rythme de la cuisson du pain, vous le ferez presque machinalement, sans jeter un coup d'œil sur la pendule.

De plus, vous n'aurez pas à faire votre pain chaque jour. En effet, si vous doublez la recette – qui généralement donne quatre miches de pain – cela ne vous prendra pas plus de temps et vous en aurez pour plusieurs jours. Quand vous sortirez les miches du four, vous constaterez avec bonheur qu'elles sont toutes chaudes et toutes fraîches. Vous en mangerez une tout de suite et vous réfrigérerez ou congélerez les autres pour plus tard.

Le pain complet que vous faites à la maison sera généralement plus nourrissant et aura davantage de goût que tous ceux que vous achèteriez en magasin. Vous le mangerez au petit déjeuner, au déjeuner et au dîner, ou vous vous en couperez une tranche comme collation. Votre famille et vous-même apprécierez beaucoup le goût bien particulier de ce pain fait maison.

Si c'est la première fois que vous faites cuire du pain au four avec de la levure, prenez n'importe quelle recette de pain complet dans ce livre. Je vous donne les recettes préférées de ma famille, mais sachez bien que vous pouvez mettre de la farine de blé complet dans de nombreuses recettes traditionnelles qui demandent de la farine blanche tout usage. La raison est que la farine complète, comme la farine blanche, contient du gluten, substance très importante qui réagit à la levure sèche de boulanger et permet au pain de lever. Mis à part la farine de blé, la plupart des autres farines complètes possèdent très peu ou pas du tout de gluten et sont rarement utilisées seules dans les pains au levain. Elles sont toujours mélangées à de la farine complète pour faire de délicieux pains.

Avant de commencer, jetez un coup d'œil aux procédures générales qui suivent, sous les noms de « Ingrédients de base », « Essai de la levure » et « Méthodes de cuisson ». Les principes sont les mêmes pour tous les pains au levain, cependant vous trouverez que l'on vous laisse prendre beaucoup d'initiatives pour leurs méthodes de cuisson. Au bout d'un certain temps, tous les boulangers expérimentés développent leur propre manière de faire leur pain.

Ingrédients de base

Une fois choisie la recette de pain que vous voulez essayer, rassemblez les ingrédients. Les ingrédients secs doivent être à la température de la pièce avant de commencer, les ingrédients liquides légèrement chauffés. Voici un aperçu des ingrédients de base et la manière de les utiliser.

Levure sèche de boulanger. Elle doit être conservée au réfrigérateur. Vous pouvez aussi utiliser de la levure concentrée ou de la levure à gâteaux. Il existe également une sorte de levure sèche qui lève très vite. Cela réduira donc le temps mis normalement à faire le pain. La levure perd de son action en vieillissant – même si elle est réfrigérée. C'est pourquoi vous devrez acheter seulement la quantité de levure nécessaire avant la date d'expiration figurant sur le paquet.

Liquides. Les recettes exigent souvent de l'eau, du lait écrémé, de l'eau de pommes de terre ou d'autres liquides. Pour de la levure sèche de boulanger, on doit chauffer le liquide à une température de 38 à 43 °C (j'opte généralement pour une température de 40 à 43 °C, température que j'indique dans les recettes qui suivent.) Cet écart est important. Il se peut que vous ayez besoin d'un thermomètre pour être certain d'avoir la bonne température. Si vous exposez la levure à une température beaucoup plus élevée que 38 °C, l'élément « actif » de la recette (qui est en fait un minuscule champignon) mourra. Quand la température descend au-dessous d'environ 38 °C, la réaction qui fait monter le pain prendra plus de temps à se produire. Si vous utilisez de la levure concentrée, la température devrait se situer entre 27 et 35 °C.

Farine. La farine doit contenir une quantité importante de gluten. La farine complète et la farine non enrichie en contiennent beaucoup et se révèlent donc des farines de choix pour la plupart des pains au levain. Le gluten retient les bulles de dioxine de carbone que la levure fait sortir. Puis il s'étire tandis que les bulles se répandent, ainsi il resserre en même temps la pâte pendant que le pain lève.

Les recettes de pains au levain comprennent des recettes avec d'autres farines, bien sûr :. de seigle, de maïs, d'avoine, de millet, de sarrasin, d'orge, de riz, de soja, de pomme de terre, d'amarante, de quinoa et de sorgho peuvent être mélangées à de la farine de blé. Cependant, chaque grain pris séparément contient peu, ou pas du tout, de gluten. Moins la farine contient de gluten, plus dense sera le pain.

Édulcorants. Ils ne sont pas nécessaires dans les pains au levain. Cependant, de petites quantités peuvent être utilisées pour les parfumer. Les édulcorants jouent également un rôle d'agent de conservation naturel. Vous pouvez aussi vous en servir pour activer l'action de la levure au début d'une recette.

Sel. Ce n'est pas un ingrédient indispensable dans la composition du pain, vous pouvez donc le diminuer ou l'éliminer d'une recette.

Le sel permet de contrôler la vitesse à laquelle la pâte monte. Cependant, si vous faites une pâte sans sel, surveillez soigneusement sa cuisson et vérifiez le minutage pour éviter qu'elle ne lève trop.

Matières grasses. Pour parfumer un peu le pain et le rendre moelleux, ce qui vous permettra de le conserver sans qu'il ne sèche, certaines recettes utilisent de très petites quantités de matières grasses. Vous pouvez néanmoins faire du pain sans aucune matière grasse et obtenir aussi de très bons résultats. Pour graisser les plats à pain, utilisez un peu de beurre non salé ou de la margarine, ou encore une huile de canola qui a un faible taux de gras saturés et un taux élevé de matières grasses mono-insaturées et polyinsaturés. Vous utiliserez moins d'huile si vous prenez des plats à pain antiadhésifs. C'est ce que je préfère utiliser quand je fais de la cuisson au four.

Essai de la levure

Étant donné que toutes les méthodes pour faire des pains au levain dépendent de l'action de la levure, nous vous conseillons tout d'abord de « tester » la levure, procédé qui vérifie l'activité de la culture vivante. Si, lorsque vous testez une levure, vous n'obtenez pas de réaction, ne l'utilisez pas, la pâte ne lèvera pas.

La réaction commence quand vous ajoutez un liquide chaud à la levure. Comme nous l'avons mentionné, pour la levure sèche de boulanger, vous devez chauffer le liquide à une température de 38 à 60 °C ; pour la levure concentrée ou à gâteaux, à une température de 27 à 35 °C. Cinq à dix minutes après avoir ajouté le liquide, le mélange de levure commence à mousser. S'il ne le fait pas, il se peut 1) que le liquide soit trop chaud et ait tué la culture active ; 2) que le liquide soit trop froid et n'ait pas fourni un environnement assez chaud pour que la levure puisse lever rapidement ; ou 3) que la levure soit trop vieille. Vérifiez bien la date d'expiration sur le paquet, achetez de la levure qui se conserve longtemps.

Si le mélange de levure ne devient pas actif au bout de cinq à dix minutes, vous pouvez faire un second essai en ajoutant une cuillerée à thé d'édulcorant. Laissez-le faire de l'effet pendant cinq autres minutes. Si le mélange ne réagit pas encore, jetez le tout et recommencez l'opération avec une nouvelle levure.

Méthodes de cuisson

Il y a six étapes de base à franchir pour la cuisson au four du pain : mélanger les ingrédients, pétrir la pâte, laisser lever la pâte, aplatir la pâte, donner une forme à la pâte et la laisser lever de nouveau, puis mettre au four la pâte. J'ai utilisé plusieurs méthodes pour la première étape, toutes marchent bien.

Étape 1 : Mélangez les ingrédients

Vous pouvez franchir cette étape de plusieurs manières. C'est à vous de choisir la vôtre. Chaque fois que vous faites du pain, vous pouvez essayer une méthode différente de la précédente et choisir ensuite celle que vous préférez. Ou si votre premier essai est concluant, conservez cette méthode.

Une méthode simple et rapide. Chauffez le liquide de 38 à 60 °C et versez-le dans un grand récipient. Ajoutez un édulcorant si vous le désirez et aspergez de la levure sur le dessus. Laissez-la faire de l'effet pendant dix minutes.

Versez le tout dans les ingrédients restants, lentement, en ajoutant seulement la quantité de farine nécessaire pour former une pâte ferme. Ensuite passez à l'étape 2.

La méthode de l'éponge. Essayez la levure de la manière que nous venons de décrire.

À la levure testée, ajoutez lentement environ un quart de la quantité de farine demandée dans la recette. Mélangez avec un batteur électrique, à la vitesse la plus basse.

Quand la farine est bien mélangée, mettez le batteur à la vitesse rapide et battez pendant trois minutes. Ou bien utilisez une cuillère en bois, en battant 300 coups. Le résultat du mélange s'appelle une éponge.

À la main, ajoutez en tournant la moitié de la quantité initiale de farine (vous devez en avoir encore un quart de côté) et les autres ingrédients. Puis passez à l'étape 2.

Vous pouvez aussi faire monter l'éponge de la manière suivante, avant d'ajouter davantage de farine et de la pétrir : couvrez l'éponge avec un linge humide, du papier sulfurisé ou un film plastique et déposez-la dans un endroit chaud (de préférence de 27 à 30 °C). Laissez la pâte lever pendant environ une heure. (Cette étape supplémentaire peut améliorer la texture du pain et vaut bien parfois le temps supplémentaire exigé, mais elle n'est pas absolument nécessaire.) Ajoutez en tournant autant de farine que nécessaire (la quantité variera) et les autres ingrédients, avant de passer à l'étape 2.

Une méthode humide et sèche. C'est peut-être cette dernière méthode que je préfère. Mélangez un quart de la farine avec le sel, la levure et tous les autres ingrédients secs dans un grand récipient. Chauffez tous les ingrédients liquides dans une casserole jusqu'à une température variant de 38 à 45 °C.

Versez le liquide sur les ingrédients secs et battez avec un batteur électrique (ou vigoureusement à la main) pendant trois minutes.

Ajoutez lentement la moitié de la quantité de farine, en mélangeant à la main. Puis passez à l'étape 2.

Étape 2 : Pétrir la pâte.

Retournez la pâte sur un plan de travail recouvert de farine ou sur toute autre surface. À ce stade, la pâte devra être friable, grumeleuse et gluante.

Commencez à pétrir en amenant le dessus de la pâte vers vous de la main droite, puis en repoussant de la paume la pâte vers le centre. De la main gauche, poussez la pâte dans la direction des aiguilles d'une montre. Répétez l'opération avec la main droite, puis la gauche et ainsi de suite, d'un mouvement stable et rythmique.

Pétrissez ensuite suffisamment la farine restante pour obtenir une pâte douce mais cependant ferme. Faites cette opération en aspergeant de la farine sur le plan de travail et en pétrissant la pâte au-dessus.

La manière de pétrir la pâte et d'y ajouter de la farine ne relève pas d'une science exacte. Entraînez-vous à pratiquer un type de mouvement rythmique semblable à celui que j'ai décrit ici pour être sûre de réussir votre pâte.

Si la pâte est encore collante, vous pouvez toujours la pétrir dans davantage de farine. Mais n'en ajoutez pas trop cependant, cela pourrait vous donner une miche trop lourde et trop dense. Mais surtout ne vous affolez pas : il est certain que vous ne réussirez pas forcément votre pain dès la première fois. Vous pourrez faire des mises au point la fois suivante, après avoir pris de l'expérience avec votre premier pain et avoir appris quelle quantité de farine était nécessaire pour le pétrir. Cela demande de la pratique. La quantité de farine nécessaire pour les pains au levain varie également selon la température et l'humidité intérieure et extérieure de votre maison, et suivant l'âge et le type de farine utilisée.

Pétrissez la pâte pendant environ dix minutes. Quand elle aura été assez pétrie, elle aura une texture douce et élastique et un aspect frais. La pâte faite avec des farines complètes autres que le blé aura tendance à être légèrement collante.

Après avoir pétri la pâte, vous pouvez l'envelopper et la congeler pendant plusieurs mois. C'est un moyen pratique d'avoir une pâte à votre disposition pour plus tard. Quand vous voudrez l'utiliser, sortez la pâte surgelée du congélateur, ôtez son film plastique et placez-la dans un récipient légèrement huilé. Couvrez-la et mettez-la dans un endroit chaud pour que la pâte décongèle et lève toute la nuit. Maintenant, vous pouvez sauter l'étape 3 et passer à l'étape 4.

Étape 3 : Laisser lever la pâte

Huilez légèrement l'intérieur d'un très grand saladier. Mettez la pâte dans le saladier et tournez-la pour l'enrober d'huile entièrement. Recouvrez légèrement la pâte de papier sulfurisé, d'un film plastique ou d'un linge humide. Il vous faut maintenant conserver la pâte montée dans un endroit chaud et non aéré. Une cuisinière au gaz munie d'une veilleuse est à peu près la température voulue. Si vous avez une cuisinière électrique, vous pouvez la chauffer légèrement une minute seulement, puis éteindre le four et mettre le pain dedans. Ayez à votre disposition un thermomètre pour vérifier la température régulièrement. Pour ma part, j'allume la lumière du four, cela permet de conserver le four tiède.

Rappelez-vous que si la température est trop élevée, la levure n'aura aucun effet. Mais si elle est trop basse, la pâte mettra beaucoup plus de temps à lever. Généralement il faut 45 à 60 minutes à la pâte pour lever complètement. Quand la pâte aura à peu près doublé sa taille initiale, vous pourrez la retirer du four.

Étape 4 : Dégonfler la pâte

Quand la pâte aura doublé de grosseur, sortez-la du saladier et dégonflez-la. Cela signifie que vous tapez littéralement dessus pour l'aplatir, répartissant ainsi le gluten et les bulles d'air. Vous pouvez alors soit passer à l'étape 5 soit, pour obtenir un pain à la texture très fine, pétrir la pâte pendant deux minutes et la laisser monter pendant 45 minutes de plus. Cela n'est pas nécessaire pour la plupart des pains, mais certaines recettes le recommandent.

Note : Si vous mettez un peu de pâte de côté pour la congeler, enveloppez la pâte dans du papier sulfurisé et mettez-la au congélateur. Sortez-la un peu plus tard pour l'utiliser et commencez alors l'étape 5.

Étape 5 : Donner une forme à la pâte

On peut donner à la pâte à pain pratiquement toutes les formes imaginables. Voici les instructions pour faire trois formes courantes. Pour les autres, consultez les recettes spécifiques de ce livre ou à d'autres livres de cuisines pour recettes de pains.

Le pain traditionnel. Divisez la pâte par le nombre de pains indiqués dans votre recette. Aplatissez chaque portion en un rectangle mesurant environ 17 x 25 cm.

En commençant par le côté de 17 cm, roulez la pâte vigoureusement pour lui donner la forme d'une bûche. Pincez les extrémités avec votre pouce et votre index, puis roulez la pâte doucement sur le plan de travail afin d'homogénéiser les rebords.

Quand vous avez formé les miches de pain, déposez-les dans des moules à pains légèrement graissés, les rebords à l'intérieur. Couvrez-les de nouveau et placez-les dans un endroit chaud pour qu'elles puissent lever pendant environ 45 minutes, ou jusqu'à ce qu'elles aient doublé de volume.

La miche ronde. Divisez la pâte par le nombre de pains indiqué dans votre recette. En formant des coupes avec la pâte à l'aide de vos mains, formez chaque miche en traçant un léger cercle.

Huilez légèrement une plaque à pâtisserie et aspergez dessus de la farine de maïs ou de la farine ordinaire. Déposez sur la plaque les miches en les séparant bien pour qu'elles ne se touchent pas quand elles s'étendront en cuisant.

Couvrez-les, mettez-les dans un endroit chaud et laissez-les monter pendant environ 45 minutes. Les miches rondes devraient presque doubler de taille.

Petits pains. Divisez la pâte par le nombre de petits pains désiré. Donnez aux petits pains la forme de cercles et déposez-les sur un plat allant au four en les espaçant, pour qu'ils ne se touchent pas pendant la cuisson. Tout d'abord, laissez-les monter jusqu'à ce qu'ils aient doublé de volume, puis :

- Donnez à chaque morceau de pâte la forme d'une petite miche ronde pour obtenir des petits pains individuels.
- Roulez chaque morceau de pâte en une mèche de 15 cm et nouez en tresse.
- Divisez chaque morceau de pâte en trois morceaux et donnez à chaque morceau la forme d'une petite balle. Déposez chacune d'elles dans un moule à petits gâteaux. Pendant leur cuisson, elles formeront un simple petit pain de la forme d'une feuille de trèfle.

Étape 6 : Mettre au four la pâte

La plupart des pains sont cuits à une température de 17 °C. Suivez les instructions de chaque recette pour régler la température du four et le temps de cuisson.

Il arrive qu'à la suite de variations de votre four ou de votre plat de cuisson, ou encore d'autres facteurs, le pain ne soit pas complètement cuit au bout du temps indiqué dans la recette. Vous devriez alors le goûter pour être sûr qu'il est assez cuit.

Sortez le pain du four. Si vous l'avez cuit dans un plat, renversez-le avec soin sur un égouttoir en métal pour pouvoir le transporter.

S'il est assez cuit, sa croûte sera brune et le pain sonnera creux si vous le tapotez avec vos doigts.

S'il lui faut davantage de cuisson, remettez-le dans le plat ou sur la plaque à pâtisserie et glissez-le dans le four pendant quelques minutes de plus.

Quand le pain a fini de cuire, sortez-le du plat et déposez-le sur un égouttoir. Il faut laisser le pain refroidir lentement avant de le trancher et de le manger (j'ai beaucoup de mal à empêcher mes enfants d'en prendre un morceau tout de suite). Il est très important de ne pas couper le pain avant qu'il ne soit refroidi, sinon le centre sera trop humide et aura un goût de pain non cuit.

Note : Faire cuire le pain à des températures élevées exige une attention particulière. Les pâtes contenant de la levure montent plus rapidement à des températures élevées ; cependant, utiliser moins de levure que la recette ne l'indique, ralentit le temps de levée de la pâte.

Pour faire du cuire du pain à des températures plus élevées, vous utiliserez souvent davantage de liquide et moins de levure que ne l'indique la recette. Et vous trouverez que vous avez probablement besoin de temps de cuisson plus longs et de températures un peu plus élevées. Pour cette raison, il vous faut prendre un peu d'expérience et ne pas oublier de rectifier vos recettes quand vous aurez trouvé la bonne combinaison.

Recettes de pains à levure

La plupart de ces pains à levure contiennent une quantité importante de farine complète, ce qui donne un pain plus dense et moins moelleux qu'un pain fait avec de la farine blanche.

Vous pouvez remplacer la farine non enrichie par de la farine complète jusqu'à ce que vous vous habituiez à un pain complet. De la même façon, vous pouvez utiliser de la farine complète dans les recettes qui demandent de la farine non enrichie.

N'oubliez pas que la cuisson du pain ne relève pas d'une science exacte. Utilisez ces recettes comme point de départ et amusez-vous à les faire, changez d'ingrédients quand vous le désirez pour créer vos propre recettes préférées.

Pain de campagne de la ferme

Voici un véritable pain de campagne dont la croûte, saupoudrée de farine, craque sous la dent. La farine complète lui donne une odeur alléchante.

112 ml de lait écrémé
125 ml d'eau
2 c. s. de beurre non salé ou de margarine.
1 c. s. de miel
1 c. s. de levure sèche de boulanger
2 c. c. de sel
1250–1500 g de farine complète

Faites chauffer dans une petite casserole, de 44 à 46 °C, le lait, l'eau, le beurre ou la margarine et le miel. Versez dans un grand bol et saupoudrez la levure dessus. Laissez reposer de 5 à 10 minutes.

Ajoutez le sel, puis 625 g de farine. Mélangez bien, soit à la main, soit au batteur électrique.

Déposez la pâte sur une surface recouverte de farine. Pétrissez-la, tout en ajoutant le reste de farine, pendant 10 minutes, jusqu'à ce que vous obteniez une pâte molle et non collante. Donnez-lui la forme d'une boule.

Enduisez légèrement un grand bol d'un peu d'huile. Mettez-y la pâte et enrobez-la d'huile en la tournant. Couvrez le bol et gardez-le dans un endroit tiède (27 à 30 °C). Laissez lever la pâte 1 heure, jusqu'à ce qu'elle ait doublé de volume.

Huilez légèrement une plaque à pâtisserie et saupoudrez-la de farine.

Abaissez la pâte avec votre poing et donnez-lui une forme de pain. Déposez-la sur la plaque préparée.

Badigeonnez le dessus de la pâte d'eau puis d'un peu de farine. Faites quelques entailles de 0,6 cm d'une extrémité à l'autre. Couvrez et laissez monter 45 minutes ou jusqu'à ce que la pâte ait doublé de volume.

Préchauffez le four à 190 °C.

Enfournez et laissez cuire de 35 à 40 minutes, jusqu'à ce que le pain soit doré et qu'il émette un son creux.

Retirez le pain de la plaque et laissez-le refroidir sur une grille.

Par tranche : 158 calories, 2,3 g de gras total (12 % des calories), 0,6 g de gras mono-insaturé, 0,4 g de gras polyinsaturé, 1,1 g de gras saturé, 6,5 g de protéines, 30,1 g d'hydrates de carbone, 4,7 g de fibres alimentaires, 5 mg de cholestérol, 284 mg de sodium.

Un gros pain de 16 tranches

Pain au blé concassé et au miel

L'addition de blé concassé donne à ce pain doux et nourrissant une texture croquante. Vous l'utiliserez pour préparer de délicieux sandwichs ou des toasts. En alternant les ingrédients, vous obtiendrez de multiples saveurs et textures. Remplacez par exemple les flocons d'avoine par du son ou les graines de tournesol par des graines de sésame.

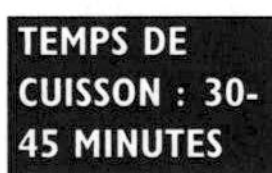

500 ml d'eau tiède (44 à 46 °C)
2 c. s. de levure sèche de boulanger
1125–1375 g de farine complète
250 g de blé concassé
125 g de son et avoine ou de blé et son
85 g de graines de sésame
75 ml de miel
2 c. s. de mélasse
1 c. s. d'huile de de canola

2 c. c. de sel

Versez l'eau dans un grand bol et saupoudrez la levure au-dessus. Laissez reposer de 5 à 10 minutes.

Ajoutez 500 g de farine. Battez 3 minutes avec un batteur électrique ou vigoureusement à la main.

Ajoutez le blé concassé, le son, les graines de sésame, le miel, la mélasse, l'huile et le sel.

Tournez le mélange sur un plan de travail fariné et pétrissez 10 minutes avec le reste de la farine, jusqu'à ce que vous obteniez une pâte souple et élastique. Formez une boule.

Huilez légèrement un grand bol, mettez-y la pâte. Enrobez-la d'huile.

Couvrez et placez dans un endroit tiède (27 à 30 °C) pour 1 heure, jusqu'à ce que la pâte ait doublé de volume.

Utilisez 2 moules à pain anti-adhésif.

Aplatissez la pâte avec votre poing et divisez-la en 2 boules. Donnez-leur la forme d'un pain et déposez-les dans les moules préparés.

Couvrez et laissez monter dans un endroit tiède 30 à 45 minutes.

Préchauffez le four à 190 °C C. Faites cuire de 30 à 45 minutes, jusqu'à ce que le pain cuit émette un son creux quand vous tapotez en-dessous.

Retirez des moules et laissez refroidir sur une grille.

Par tranche : 136 calories, 2,3 g de gras total (14 % des calories), 0,8 g de gras mono-insaturé, 0,8 g de gras polyinsaturé, 0,3 g de gras saturé, 4,9 g de protéines, 26,5 g d'hydrates de carbone, 3,4 g de fibres alimentaires, 0 mg de cholestérol, 182 mg de sodium.

2 pains de 12 tranches

Petits pains au miel pour le déjeuner

Ces petits pains sont très savoureux et léger, même s'ils sont faits avec de la farine complète.

250 ml d'eau tiède (44 à 46 °C)
1 c. s. de levure sèche de boulanger

50	ml de miel
750	g de farine complète
50	ml de lait en poudre sans gras
1	œuf
2	c. s. de beurre non salé ou de margarine fondu
2	c. c. de sel

Versez l'eau dans un grand bol et saupoudrez la levure au-dessus. Laissez reposer 5 à 10 minutes.

Ajoutez lentement le miel et 250 g de farine. Mélangez bien. Ajoutez le lait, l'œuf, le beurre ou la margarine et le sel. Battez vigoureusement à la main ou avec un batteur électrique.

Déposez sur un plan de travail fariné. Pétrissez 10 minutes en ajoutant le reste de la farine. La pâte doit être ferme et élastique. Formez une boule.

Huilez légèrement un grand bol. Mettez-y la pâte et enrobez-la d'huile de tous les côtés.

Couvrez le bol et placez-le dans un endroit tiède (27 à 30 °C) 1 heure, jusqu'à ce que la pâte ait doublé de volume. Huilez légèrement une plaque.

Aplatissez la pâte avec votre poing. Divisez en 10 morceaux. Donnez une forme de boule à chacun des morceaux et déposez-les sur la plaque préparée. Couvrez et laissez lever dans un endroit tiède 45 à 60 minutes ou jusqu'à ce que la pâte ait doublé de volume.

Préchauffez le four à 190 °C. Faites cuire les pains de 20 à 30 minutes, jusqu'à ce qu'ils soient dorés. Retirez et laissez-les refroidir sur une grille.

Par petit pain : 187 calories, 3,7 g de gras total (17 % des calories), 1 g de gras monoinsaturé, 0,4 g de gras polyinsaturé, 1,8 g de gras saturé, 6,6 g de protéines, 34,4 g d'hydrates de carbone, 4,6 g de fibres alimentaires, 28 mg de cholestérol, 231 mg de sodium.

10 petits pains

Pain de blé complet croustillant

Ce pain tire sa particularité non pas des ingrédients qui le composent mais de sa forme et de la façon dont on le mange. La pâte est mise en morceaux, trempée dans une petite quantité de beurre ou de margarine et déposée dans un plat.

On ne coupe jamais ce pain cuit au four. On s'en déchire un morceau quand on le mange. N'importe quelle recette de pain fera l'affaire : c'est toutefois celle-là que je préfère. Il existe sur le marché des moules pour le pain de blé complet croustillant, mais n'importe quel petit moule conviendra parfaitement.

TEMPS DE CUISSON: 30-40 MINUTES

50 ml de miel
250 ml de lait tiède (44 à 46 °C)
1 c. s. de levure sèche de boulanger
½ c. c. de sel
750 g de farine complète
1 c. s. de beurre non salé ou de margarine fondu

Dans un grand bol, mélangez le miel et le lait. Saupoudrez la levure au-dessus. Laissez reposer 5 à 10 minutes.

Ajoutez le sel puis 375 g de farine. Mélangez bien à la main ou avec un batteur électrique.

Déposez sur un plan de travail fariné. Pétrissez 10 minutes en ajoutant le reste de la farine jusqu'à ce que la pâte soit ferme et élastique. Formez-en une boule.

Huilez légèrement un grand bol. Mettez la pâte dans le bol et enrobez-la de tous les côtés. Couvrez le bol. Laissez lever dans un endroit tiède (27-30 °C) 1 heure, jusqu'à ce que la pâte ait doublé de volume.

Huilez légèrement un moule à pain.

Aplatissez la pâte avec votre poing et divisez en 12 morceaux. Trempez chacun d'eux dans le beurre ou la margarine. Empilez-les dans le moule préparé.

Couvrez et laissez lever 30 minutes, jusqu'à ce que la pâte ait doublé de volume.

Préchauffez le four à 190 °C. Faites cuire de 30 à 40 minutes, jusqu'à ce que le pain soit doré et qu'il émette un son creux lorsqu'on le frappe.

Retirez du moule. Laissez refroidir sur une grille.

Par morceau : 142 calories, 1,7 g de gras total (10 % des calories), 0,8 g de gras monoinsaturé, 0,3 g de gras polyinsaturé, 0,8 g de gras saturé, 5,2 g de protéines, 28,9 g d'hydrates de carbone, 3,8 g de fibres alimentaires, 3 mg de cholestérol, 101 mg de sodium.

1 pain de 12 tranches

Challah au blé complet et au miel

Le challah est le pain aux œufs traditionnel que les Juifs servent lors du repas de sabbat. Il a une très belle apparence – longue tresse à la croûte vernie d'un beau brun, souvent parsemée de graines de sésame ou de pavot, et il est délicieux.

Dans ma recette, j'utilise de la farine complète et du miel. Elle donne un très grand pain. Diminuez les ingrédients pour obtenir un pain plus petit. Mais je ne vous le conseille pas, car vous voudrez manger ce pain qui se mange plus rapidement que tout autre pain. De plus, les restes sont délicieux pour faire le week-end du pain grillé complet à la cannelle.

Les œufs entiers rendent ce pain unique. Comme vous le constatez dans l'analyse nutritionnelle, il convient aux personnes qui suivent un régime faible en gras.

TEMPS DE CUISSON : 40-45 MINUTES

500 ml d'eau tiède
2 c. s. de miel
2 c. s. de levure sèche de boulanger
½ c. c. de sel
2000–2250 g de farine complète
4 c. s. de beurre non salé ou de margarine fondu
3 œufs
2 c. s. d'eau
2 c. s. de graines de pavot ou de graines de sésame

Mélangez dans un grand bol l'eau tiède et le miel. Saupoudrez la levure au-dessus. Laissez reposer 5 à 10 minutes.

Ajoutez le sel puis 500 g de farine. Battez bien à la main ou au batteur électrique pendant 3 minutes.

Ajoutez le beurre ou la margarine et deux des œufs. Séparez le blanc du jaune du troisième œuf. Incorporez le blanc au mélange. Réfrigérez le jaune (couvrir). Mélangez encore 2 minutes.

Déposez sur une surface farinée et pétrissez 10 minutes en ajoutant le reste de la farine. Couvrez et placez dans un endroit tiède (27 à 30 °C) et laissez lever 1 heure, jusqu'à ce que la pâte ait doublé de volume. Formez une boule.

Huilez légèrement une plaque.

Aplatissez la pâte avec votre poing. Divisez en 4 parties égales. Mettez-en de côté 1 partie.

Formez 3 longues tresses des 3 autres parties. Déposez sur la plaque préparée.

Prenez la partie de pâte mise de côté. Coupez en trois et répétez l'opération précédente. Mettez la petite tresse au centre de la grosse.

Couvrez et laissez lever dans un endroit chaud de 30 à 45 minutes, jusqu'à ce que la pâte ait doublé de volume. Préchauffez le four à 175 °C.

Mélangez le jaune d'œuf mis de côté dans 2 c. s. d'eau.

Badigeonnez le dessus du pain avec cette préparation et saupoudrez de graines de pavot ou de graines de sésame.

Faites cuire de 40 à 45 minutes, jusqu'à ce que la croûte soit dorée et que le pain émette un son creux lorsqu'on le tapote.

Retirez de la plaque et laissez refroidir sur une grille.

Par tranche : 175 calories, 3,8 g de gras total (18 % des calories), 1 g de gras mono-insaturé, 0,7 g de gras polyinsaturé, 1,6 g de gras saturé, 6,8 g de protéines, 31,1 g d'hydrates de carbone, 5,1 g de fibres alimentaires, 32 mg de cholestérol, 55 mg de sodium.

1 très gros pain de 24 tranches

Pain de campagne à l'espagnole

Voici un véritable pain de campagne : des ingrédients de base simples, une croûte croquante saupoudrée de farine et un goût merveilleux de grains.

375 ml d'eau tiède (110 à 115 °C)
1 c. s. de lait écrémé tiède (44 à 46 °C)

1	c. s. de levure sèche de boulanger
1½	c. c. de sel
875	g de farine complète

Mélangez l'eau et le lait dans un grand bol. Saupoudrez la levure. Laissez reposer 5 à 10 minutes.

Incorporez le sel puis 375 g de farine. Battez bien à la main ou au batteur électrique pendant 3 minutes.

Déposez sur une surface farinée. Pétrissez 10 minutes en ajoutant le reste de la farine. La pâte doit être ferme et élastique. Formez une boule.

Huilez un grand bol. Enrobez la pâte de tous les côtés. Couvrez et laissez lever dans un endroit chaud (27 à 30 °C) pendant 45 minutes, jusqu'à ce que la pâte ait doublé de volume.

Huilez légèrement une plaque. Saupoudrez un peu de farine.

Aplatissez la pâte avec votre poing et pétrissez quelques minutes de plus. Mettez en forme de pain. Déposez sur la plaque préparée. Couvrez légèrement et déposez dans un endroit chaud. Laissez lever 30 minutes, jusqu'à ce que la pâte ait doublé de volume.

Préchauffez le four à 230 °C. Saupoudrez le dessus du pain de farine.

Faites cuire de 30 à 40 minutes.

Enlevez le pain de la plaque et laissez refroidir sur une grille.

Par tranche : 122 calories, 0,7 g de gras total (5 % des calories), 0,1 g de gras mono-insaturé, 0,3 g de gras polyinsaturé, 0,1 g de gras saturé, 5,2 g de protéines, 25,8 g d'hydrates de carbone, 4,4 g de fibres alimentaires, 0 mg de cholestérol, 269 mg de sodium.

1 pain de 12 tranches

Pain français complet

En utilisant de la farine complète, vous obtiendrez un pain plus consistant et plus dense qu'avec la farine blanche. Le pain a également davantage de goût. Pour un pain plus léger, utilisez moitié de farine complète et moitié de farine non enrichie.

Ce sont les fours de brique utilisés traditionnellement pour faire du pain français qui rendent sa mie si tendre et sa croûte si craquante. Pour obtenir une croûte craquante, j'ai eu l'idée d'asperger d'eau les miches pendant leur cuisson.

TEMPS DE CUISSON : 25 MINUTES

625 g d'eau tiède (44 à 46 °C)
2 c. s. de levure sèche de boulanger
1 c. s. de sel
1500-2000 g de farine complète

Versez l'eau dans un grand bol. Saupoudrez la levure au-dessus. Laissez reposer 5 à 10 minutes.

Ajoutez le sel puis 625 g de farine. Battez bien à la main ou au batteur électrique pendant 3 minutes.

Déposez sur une surface farinée. Pétrissez 10 minutes en ajoutant le reste de la farine. La pâte doit être ferme et élastique. Formez une boule.

Huilez légèrement un grand bol. Enrobez la pâte de tous les côtés. Couvrez et laissez lever dans un endroit chaud (27 à 30 °C) 1 heure, jusqu'à ce que la pâte ait doublé de volume.

Utilisez une plaque anti-adhésive. Saupoudrez de semoule de maïs.

Aplatissez la pâte avec le poing. Divisez en 2. Formez-en 2 pains ronds et déposez-les sur la plaque préparée. Couvrez et laissez lever 20 à 40 minutes, jusqu'à ce que la pâte ait doublé de volume.

Préchauffez le four à 220 °C.

Faites cuire le pain 25 minutes.

Toutes les 5 minutes, ouvrez le four et vaporisez d'eau les parois, le fond du four et enfin le pain.

Retirez les pains de la plaque. Refroidissez-les sur une grille.

Par tranche : 105 calories, 0,6 g de gras total (5 % des calories), 0,1 g de gras mono-insaturé, 0,2 g de gras polyinsaturé, 0,1 g de gras saturé,

4,5 g de protéines, 22,2 g d'hydrates de carbone, 3,8 g de fibres alimentaires, 0 mg de cholestérol, 268 mg de sodium.

2 pains de 12 tranches

Pain aux grains de blé germés

Ce pain est doux et sent bon la noisette. Les grains de blé lui donnent une belle texture souple. C'est le pain idéal pour faire des sandwichs. Toutefois, il ne peut pas être fait à la dernière minute, les grains de blé mettent 2 à 3 jours à pousser.

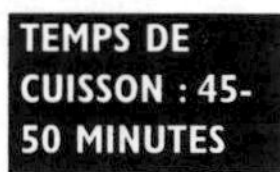

85 g de grains de blé séchés
750 ml d'eau tiède (44 à 46 °C)
2 c. s. de miel
1 c. s. de levure sèche de boulanger
1 c. s. de sel
1500-1750 g de farine complète

2 ou 3 jours à peu près avant de faire ce pain, mettez dans un pot de verre les grains de blé et remplissez d'eau froide. Laissez tremper toute la nuit. Égouttez, rincez et égouttez à nouveau. Mettez une mousseline à fromage sur le dessus. Fermez avec une bande élastique et placez sur une étagère. Chaque matin et chaque soir, rincez et égouttez les grains de blé. Quelques jours plus tard, lorsque vous verrez apparaître de petits germes blancs, vous pourrez utiliser les grains.

Mélangez l'eau et le miel dans un grand bol. Saupoudrez la levure sur le dessus. Laissez reposer 5 à 10 minutes.

Ajoutez le sel et 500 g de farine. Battez bien à la main ou avec un batteur électrique pendant 3 minutes.

Incorporez les grains de blé germés.

Déposez sur une surface farinée, pétrissez 10 minutes en ajoutant le reste de la farine. La pâte doit être ferme et élastique. Formez une boule.

Huilez un grand bol. Enrobez la pâte de tous les côtés. Couvrez le bol et laissez lever dans un endroit chaud (27 à 30 °C) pendant 30 à 60 minutes, jusqu'à ce que la pâte ait doublé de volume.

Huilez légèrement 2 moules à pain.

Abaissez le pain avec le poing et divisez en 2. Donnez la forme de pain et déposez dans les moules préparés.

Couvrez et laissez lever dans un endroit chaud 30 minutes, jusqu'à ce que la pâte ait doublé de volume.

Préchauffez le four à 260 °C. Enfournez et laissez réduire la température à 190 °C. Laissez cuire de 45 à 50 minutes, jusqu'à ce que le pain émette un son creux lorsqu'on le tapote légèrement.

Démoulez et laissez refroidir sur une grille.

Par tranche : 116 calories, 0,6 g de gras total (4 % des calories), 0,1 g de gras mono-insaturé, 0,2 g de gras polyinsaturé, 0,1 g de gras saturé, 4,5 g de protéines, 25 g d'hydrates de carbone, 4,1 g de fibres alimentaires, 0 mg de cholestérol, 268 mg de sodium.

2 pains de 12 tranches

Pain de seigle juif

J'ai conçu ce pain en pensant au pain de seigle que l'on me servait lorsque j'étais enfant dans les petits restaurants de New York. Il est délicieux mangé avec de la dinde en tranches ou du fromage suisse et de la moutarde. Je l'aime grillé pour le petit déjeuner avec un peu de fromage à tartiner allégé. Vous pouvez recouvrir le pain avec du sel casher et des graines de cumin si vous le désirez.

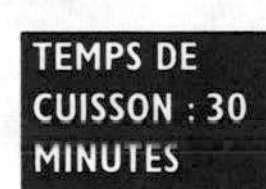

500 ml d'eau tiède (44 à 46 °C)
2 c. s. de sucre
2 c. s. de levure sèche de boulanger
500 g de farine de seigle
1 c. s. de sel
2 c. s. de graines de carvi
750 g de farine non blanchie
1 œuf
1 c. s. d'eau
1 c. s. de graines de carvi (facultatif)
2 c. s. de sel casher (facultatif)

Dans un grand bol, mélangez l'eau tiède et le sucre. Saupoudrez la levure au-dessus. Laissez reposer 5 à 10 minutes.

Ajoutez la farine de seigle. Battez bien à la main ou avec un batteur électrique.

Incorporez le sel et les graines de carvi.

Déposez sur une surface farinée. Pétrissez 10 minutes en ajoutant le reste de la farine. La pâte doit être ferme et élastique. Formez une boule.

Huilez un grand bol. Enrobez la pâte de tous les côtés. Couvrez. Laissez lever dans un endroit chaud (27 à 30 °C) pendant 1 heure, jusqu'à ce que la pâte ait doublé de volume.

Utilisez une plaque anti-adhésive.

Aplatissez la pâte avec le poing. Divisez la pâte en 2 en forme de pains et déposez sur la plaque préparée.

Couvrir et laissez lever dans un endroit chaud pendant 45 minutes, jusqu'à ce que la pâte ait doublé de volume.

Remplissez d'eau un grand plat allant au four et déposez sur la dernière grille du four.

Préchauffez le four à 200 °C.

Mélangez dans un petit bol à la fourchette l'œuf et 1 c. s. d'eau et badigeonnez-en les pains.

Saupoudrez de graines de carvi (si utilisé). Faites des entailles de 1,25 cm sur le dessus des pains.

Laissez cuire 30 minutes, jusqu'à ce que le pain émette un son creux quand on le frappe.

Démoulez. Laissez refroidir sur une grille.

Par tranche : 99 calories, 0,6 g de gras total (6 % des calories), 0,2 g de gras mono-insaturé, 0,2 g de gras polyinsaturé, 0,1 g de gras saturé, 3,2 g de protéines, 20,2 g d'hydrates de carbone, 1,5 g de fibres alimentaires, 9 mg de cholestérol, 270 mg de sodium.

2 pains de 12 tranches

Pain de seigle au maïs

Ce pain a une saveur agréable et une bonne consistance de pain complet. Il est facile à trancher et est délicieux comme pain de sandwichs.

625 ml d'eau tiède (44 à 46 °C)
1½ c. s. de mélasse
1 c. s. de miel
1 c. s. de levure sèche de boulanger
1 125-1 500 g de farine complète
170 g de semoule de maïs
170 g de farine de seigle
55 g de graines de pavot
2 c. s. de graines de carvi
1½ c. s. d'huile d'olive
½ c. s. de sel

Mélangez l'eau, la mélasse et le miel dans un grand bol. Saupoudrez la levure dessus. Laissez reposer 5 à 10 minutes.

Ajoutez 625 g de farine complète. Battez bien à la main ou avec un batteur électrique pendant 3 minutes. Ajoutez la semoule de maïs, la farine de seigle, les graines de pavot et les graines de carvi, l'huile et le sel. Battez bien.

Déposez sur une surface farinée. Pétrissez 10 minutes en ajoutant le reste de la farine de blé complète. La pâte doit être ferme et élastique. Formez une boule.

Huilez un grand bol. Enrobez la pâte de tous les côtés. Couvrez et laissez lever dans un endroit chaud (27 à 30 °C) pendant 1 heure, jusqu'à ce que la pâte ait doublé de volume.

Huilez 2 moules à pain.

Aplatissez la pâte avec le poing. Divisez en 2 et pétrissez quelques minutes. Déposez dans les moules préparés. Couvrez et laissez lever 45 minutes, jusqu'à ce que la pâte ait doublé de volume.

Préchauffez le four à 190 °C. Faites cuire 45 minutes, jusqu'à ce que le pain émette un son creux quand on le frappe.

Démoulez et laissez refroidir sur une grille.

Par tranche : 125 calories, 2,2 g de gras total (15 % des calories), 0,8 g de gras mono-insaturé, 0,8 g de gras polyinsaturé, 0,3 g de gras saturé, 4,2 g de protéines, 23,9 g d'hydrates de carbone, 3,8 g de fibres alimentaires, 0 mg de cholestérol, 48 mg de sodium.

2 pains de 12 tranches

Pain de seigle noir à l'oignon

Voici un pain inhabituel fabriqué avec de la levure qui ne demande pas à être pétri. Le pain de seigle noir à l'oignon est très doux au goût. Sa texture se situe entre celle d'un pain levé et celle d'un pain cuit rapidement. Le soupçon de caroube lui donne un goût un peu étrange. Vous pouvez le remplacer par du cacao en poudre.

TEMPS DE CUISSON : 30-35 MINUTES

250 ml d'eau tiède (44 à 46 °C)
125 ml de lait écrémé tiède (44 à 46 °C)
50 ml de mélasse
2 c. s. de levure sèche de boulanger
3 c. s. de beurre non salé ou de margarine
4 c. s. de poudre de caroube
550 g de farine complète
1 petit oignon finement haché
250 g de farine de seigle
1 c. c. de sel
1 c. c. de lait écrémé
2 c. c. de graines de carvi

Mélangez dans un grand bol l'eau, le lait tiède et la mélasse. Saupoudrez la levure dessus. Laissez reposer 5 à 10 minutes.

Faites fondre le beurre ou la margarine dans une petite casserole. Ajoutez la poudre de caroube. Mélangez. Laissez refroidir.

Ajoutez la farine complète à la préparation de levure.

Battez bien à la main ou avec un batteur électrique pendant 3 minutes. Ajoutez les oignons, la farine de seigle, le sel et le mélange de caroube. Battez pendant 3 minutes de plus.

Huilez un moule à pain.

Déposez la pâte dans le moule préparé.

Placez dans un endroit chaud (27 à 30 °C). Laissez lever 30 minutes, jusqu'à ce que la pâte ait doublé.

Préchauffez le four à 190 °C.

Badigeonnez le dessus du pain avec le lait et saupoudrez de graines de carvi.

Faites cuire de 30 à 35 minutes, jusqu'à ce que le pain émette un son creux quand on le frappe.

Démoulez. Laissez refroidir sur une grille.

Par tranche: 164 calories, 3,8 g de gras total (20 % des calories), 1 g de gras mono-insaturé, 0,4 g de gras polyinsaturé, 2 g de gras saturé, 5,2 g de protéines, 30,1 g d'hydrates de carbone, 4,2 g de fibres alimentaires, 8 mg de cholestérol, 192 mg de sodium.

1 pain de 12 tranches

Pain noir multigrains

Le mélange de grains donne à ce pain consistant une couleur sombre et une odeur parfumée. La grande quantité de grains autres que le blé rend la pâte un peu collante.

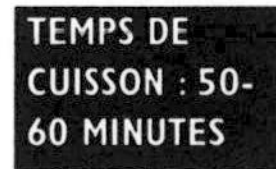

625 ml d'eau tiède (44 à 46 °C)
50 ml de mélasse
2 c. s. de miel
2 c. s. de levure sèche de boulanger
750 g de farine complète
170 g de semoule de maïs
170 g de flocons d'avoine
170 g de son et avoine ou de blé et son
125 g de farine de seigle
85 g de poudre de caroube ou de poudre de cacao
3 c. s. d'huile d'olive
2 c. c. de sel

Mélangez dans un grand bol l'eau, la mélasse et le miel. Saupoudrez la levure sur le dessus. Laissez reposer 5 à 10 minutes.

Ajoutez la farine complète. Battez bien à la main ou avec un batteur électrique pendant 3 à 5 minutes. Couvrez et laissez lever dans un endroit chaud (27 à 30 °C) pendant 30 minutes.

Incorporez la semoule de maïs, les flocons d'avoine, le son, la farine de seigle, la poudre de caroube ou la poudre de cacao, l'huile et le sel. Mettez la pâte sur une surface farinée. Pétrissez pendant 10 minutes en ajoutant de la farine complète. La pâte doit être humide mais non collante. N'utilisez pas trop de farine, ceci donnerait un pain très lourd.

Mettez la pâte dans un grand bol légèrement huilé (27 à 30 °C). Enrobez de tous les côtés. Couvrez le bol et laissez lever dans un endroit chaud (27 à 30 °C) pendant 1 heure, jusqu'à ce que la pâte ait doublé de volume.

Aplatissez la pâte avec le poing. Pétrissez quelques minutes et remettez-le dans le bol. Couvrez et laissez lever 35 à 40 minutes, jusqu'à ce que la pâte ait doublé de volume.

Aplatissez la pâte à nouveau et divisez-la en 2 pains ronds. Déposez-les sur la plaque préparée.

Couvrez et laissez lever dans un endroit chaud de 15 à 30 minutes.

Préchauffez le four à 175 °C. Faites cuire de 50 à 60 minutes ou jusqu'à ce que le pain émette un son creux quand on le frappe.

Démoulez et laissez refroidir sur une grille.

Par tranche : 122 calories, 2,6 g de gras total (17 % des calories), 1,5 g de gras mono-insaturé, 0,5 g de gras polyinsaturé, 0,4 g de gras saturé, 3,9 g de protéines, 23,7 g d'hydrates de carbone, 2,5 g de fibres alimentaires, 0 mg de cholestérol, 184 mg de sodium.

2 pains de 12 tranches

Pain au riz sauvage du Minnesota

Le riz sauvage est très différent du riz blanc ou du riz brun. Il provient habituellement d'une herbe aquatique, mais on le cuit et on l'utilise de la même façon que le riz. J'aime cuire le riz sauvage jusqu'à ce qu'il soit élastique mais pas pâteux. Dans ce pain, le riz apporte un goût léger de terroir et le rend nourrissant. Vous pouvez cuire le riz sauvage à l'avance et le mettre au réfrigérateur jusqu'au moment de l'utiliser.

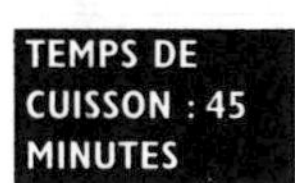

375 ml d'eau
170 g de riz sauvage, lavé et séché
625 ml d'eau tiède (44 à 46 °C)
125 g de sucre ou de miel
2 c. s. de levure sèche de boulanger
1250 g de farine complète

2 c. c. de sel
500-1000 g de farine non blanchie

Amenez 375 ml d'eau à ébullition dans une casserole de taille moyenne. Ajoutez le riz sauvage et amenez à ébullition une deuxième fois.

Réduisez le feu à intensité moyenne et laissez cuire le riz pendant 45 minutes, jusqu'à ce que l'eau soit absorbée.

Laissez refroidir.

Versez l'eau tiède dans un grand bol. Ajoutez 1 c. s. de sucre ou de miel. Saupoudrez la levure au-dessus. Laissez reposer 5 à 10 minutes.

Incorporez 625 g de farine complète.

Battez bien pendant 3 minutes à la main ou avec un batteur électrique. Ajoutez le sel, le riz sauvage et le reste du sucre ou le miel.

Déposez sur une surface farinée. Pétrissez 10 minutes en ajoutant 625 g de farine complète et suffisamment de farine non blanchie pour former une pâte maniable. La pâte doit être lisse, élastique et seulement un peu collante.

Formez en boule.

Huilez un grand bol. Enrobez la pâte de tous les côtés.

Couvrez et laissez lever dans un endroit chaud (27 à 30 °C) 1 heure, jusqu'à ce que la pâte ait doublé de volume.

Huilez légèrement 2 moules à pain.

Aplatissez la pâte avec le poing. Divisez en 2.

Formez la pâte en 2 pains et déposez-les dans les moules préparés.

Couvrez et laissez lever dans un endroit chaud de 30 à 45 minutes, jusqu'à ce que la pâte ait doublé de volume.

Préchauffez le four à 175 °C. Faites cuire 45 minutes, jusqu'à ce que le pain émette un son creux quand on le frappe.

Démoulez. Laissez refroidir sur des grilles.

Par tranche : 160 calories, 0,7 g de gras total (4 % des calories), 0,1 g de gras mono-insaturé, 0,3 g de gras polyinsaturé, 0,1 g de gras saturé, 5,6 g de protéines, 34,4 g d'hydrates de carbone, 3,5 g de fibres alimentaires, 0 mg de cholestérol, 179 mg de sodium.

2 pains de 12 tranches

Pain aux olives

Les olives et la farine complète cuits ensemble créent un pain complet parsemé de petites taches noires. Vous pouvez ajouter un peu de romarin ou de sauge pour le parfumer.

TEMPS DE CUISSON : 40 MINUTES

250 ml d'eau tiède (44 à 46 °C)
1 c. s. de levure sèche de boulanger
750-900 g de farine complète
1 c. c. d'huile d'olive
1 oignon finement haché
36 petites olives noires dénoyautées et hachées
1 c. c. de sel
½-1 c. c. de romarin séché ou de sauge séchée (facultatif)

Versez l'eau dans un grand bol. Saupoudrez la levure au-dessus. Laissez reposer 5 à 10 minutes.

Ajoutez 250 g de farine. Battez bien à la main ou au batteur électrique pendant 3 minutes.

Faites réchauffer l'huile dans une petite poêle.

Faites cuire les oignons à feu moyen pendant 5 minutes, jusqu'à ce qu'ils soient tendres.

Ajoutez à la pâte.

Ajoutez les olives, le sel, le romarin ou la sauge (si utilisé).

Déposez sur une surface farinée. Pétrissez 10 minutes en ajoutant le reste de la farine. La pâte doit être ferme et élastique. Formez une boule.

Huilez légèrement un grand bol. Enrobez la pâte de tous les côtés.

Couvrez et laissez lever dans un endroit chaud (27 à 30 °C) 1 heure, jusqu'à ce que la pâte ait doublé.

Huilez légèrement une plaque. Saupoudrez de farine.

Aplatissez la pâte avec le poing. Pétrissez quelques minutes de plus.

Donnez-lui la forme d'un pain rond et déposez-le sur la plaque préparée.

Couvrez et laissez lever dans un endroit chaud 40 minutes, jusqu'à ce que la pâte ait doublé de volume.

Préchauffez le four à 190 °C.

Saupoudrez le dessus du pain de farine.

Faites cuire 40 minutes. Sortez le pain du four et refroidissez sur une grille.

Par tranche : 128 calories, 3 g de gras total (19 % des calories), 1,6 g de gras mono-insaturé, 0,4 g de gras polyinsaturé, 0,4 g de gras saturé, 4,9 g de protéines, 23,6 g d'hydrates de carbone, 4,3 g de fibres alimentaires, 0 mg de cholestérol, 237 mg de sodium.

1 pain de 12 tranches

Pain au miel et aux patates douces

Pour ce pain, je râpe des patates douces d'un orange éclatant (également appelées ignames) et je les incorpore à une pâte parfumée au miel. C'est un de mes pains préférés. Il est doux, et sa mie un peu élastique quand on le sort du four. Il est excellent grillé pour le petit déjeuner et en pain à sandwich (mes enfants l'aiment au déjeuner avec du beurre de cacahuètes et de la confiture).

Cette recette vous donnera 3 grandes miches. Vous pouvez aussi mettre de côté une partie de la pâte pour faire des petits pains. Le pain et les petits pains se congèlent bien. Chez nous, ils sont mangés avant !

TEMPS DE CUISSON : 45 MINUTES

750 ml d'eau tiède (44 à 46 °C)
375 ml de miel
2 c. s. de levure sèche de boulanger
1875 g de farine complète
1000 g de patates douces râpées
2 c. c. de sel
1500 g de farine non blanchie

Mélangez dans un grand bol l'eau et 1 c. s. de miel. Saupoudrez la levure au-dessus. Laissez reposer 5 à 10 minutes.

Ajoutez 750 g de farine complète. Battez bien à la main ou avec un batteur électrique. Ajoutez les patates douces, le sel et le reste du miel.

Déposez sur une surface farinée. Pétrissez 10 minutes en ajoutant le reste de la farine complète, soit le 1125 g et assez de farine non blanchie. La pâte doit être ferme et élastique. Formez une boule.

Huilez légèrement un grand bol. Enrobez la pâte de tous les côtés.

Couvrez et laissez lever dans un endroit chaud (27 à 30 °C) 1 heure, jusqu'à ce que la pâte ait doublé de volume.

Huilez légèrement 3 moules à pain.

Aplatissez la pâte avec le poing et divisez en 3 morceaux.

Formez 3 pains et déposez dans les moules préparés.

Couvrez et laissez lever dans un endroit chaud de 30 à 45 minutes, jusqu'à ce que la pâte ait doublé de volume.

Préchauffez le four à 175 °C. Faites cuire pendant 45 minutes, jusqu'à ce que les pains soient dorés et émettent un son creux lorsqu'on les frappe.

Démoulez et laissez refroidir sur une grille.

Par tranche : 224 calories, 0,7 g de gras total (3 % des calories), 0,1 g de gras mono-insaturé, 0,3 g de gras polyinsaturé, 0,1 g de gras saturé, 6,1 g de protéines, 49,8 g d'hydrates de carbone, 3,7 g de fibres alimentaires, 0 mg de cholestérol, 123 mg de sodium.

3 pains de 12 tranches

Pain aux noix et aux pommes

Ce pain est rempli de gros morceaux de pommes et de bouts croquants de noix. Avec un soupçon de cannelle, ils transmettent au pain pendant sa cuisson un parfum incroyable. Cette miche est particulièrement bonne comme collation et au petit déjeuner.

TEMPS DE CUISSON : 45 MINUTES

500 ml d'eau tiède (44 à 46 °C)
175 ml de miel
2 c. s. de levure sèche de boulanger
1500-1625 g de farine complète
2 pommes acidulées, épluchées (cœur enlevé) et hachées
250 g de noix de Grenoble hachées

1 c. s. de cannelle moulue
2 c. c. de sel
500 g de farine non blanchie

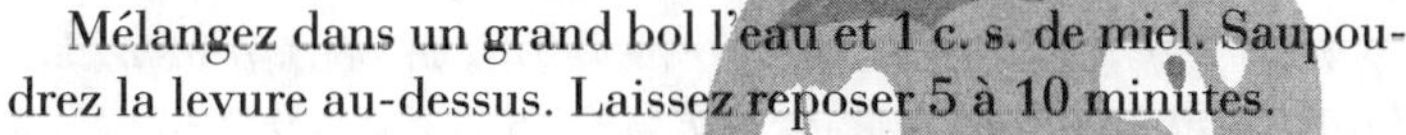

Mélangez dans un grand bol l'eau et 1 c. s. de miel. Saupoudrez la levure au-dessus. Laissez reposer 5 à 10 minutes.

Incorporez 500 g de farine complète. Battez bien pendant 3 minutes à la main ou avec un batteur électrique.

Incorporez les pommes, les noix de Grenoble, la cannelle, le sel et le reste du miel.

Incorporez la farine non blanchie.

Déposez sur une surface farinée.

Pétrissez 10 minutes en ajoutant le reste de la farine complète. La pâte doit être ferme et élastique. Formez une boule.

Huilez légèrement un grand bol. Enrobez la pâte de tous les côtés.

Couvrez le bol et laissez lever dans un endroit tiède (27 à 30 °C) pendant 1 heure, jusqu'à ce que la pâte ait doublé de volume.

Aplatissez la pâte avec le poing. Divisez en 2.

Faites-en 2 pains et déposez-les dans les moules préparés.

Couvrez et laissez lever pendant 45 minutes.

Préchauffez le four à 190 °C.

Faites cuire 45 minutes, jusqu'à ce que le pain émette un son creux quand on le frappe.

Démoulez. Laissez refroidir sur une grille.

Par tranche : 213 calories, 3,7 g de gras total (15 % des calories), 0,8 g de gras mono-insaturé, 2,2 g de gras polyinsaturé, 0,3 g de gras saturé, 6,8 g de protéines, 41 g d'hydrates de carbone, 4,4 g de fibres alimentaires, 0 mg de cholestérol, 180 mg de sodium.

2 pains de 12 tranches

Pain marbré aux raisins et à la cannelle

Les raisins secs, la cannelle, le miel et le sucre sont roulés à l'intérieur de ce pain à lever. Comme vous pouvez l'imaginer, il sent très bon une fois cuit.

L'apparence du pain marbré aux raisins et à la cannelle une fois tranché est aussi délicate que son odeur. Goûtez-le grillé.

Il constitue une excellente collation. En fait, c'est un des pains préférés chez moi. Pour cette raison, je double la recette et je fais 4 pains à la fois. J'en congèle 2, je mets le troisième au réfrigérateur et je remarque que le quatrième est déjà mangé à peine refroidi.

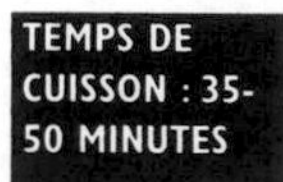

Pâte

250 ml de lait écrémé tiède (44 à 46 °C)
250 ml d'eau tiède (44 à 46 °C)
50 ml de sirop d'érable ou de miel
1 c. s. de levure sèche de boulanger
½ c. c. de sel
1125-1375 g de farine complète
2 c. s. de beurre non salé ou de margarine fondu
1 c. s. de vanille
½ c. c. d'extrait de citron ou zeste de citron râpé
½ c. c. de cannelle moulue
¼ c. c. de muscade moulue

Garniture

55 g de sucre blanc ou de sucre brun
1 c. s. de cannelle moulue
½ c. c. de muscade moulue
2 c. s. de miel
2 c. s. de beurre non salé ou de margarine fondu
170 g de raisins

Pour faire la pâte : Mélangez dans un grand bol le lait, l'eau, le miel ou le sirop d'érable. Saupoudrez la levure dessus. Laissez reposer 5 à 10 minutes.

Incorporez le sel, puis 500 g de farine. Battez bien à la main ou avec un batteur électrique pendant 3 minutes.

Incorporez le beurre ou la margarine, la vanille, l'arôme artificiel de citron ou le zeste de citron, la cannelle et la muscade.

Déposez la pâte sur une surface farinée. Pétrissez 10 minutes, jusqu'à ce que la pâte soit maniable. Ajoutez le reste de la farine en pétrissant. La pâte doit être lisse et élastique. Mettez dans un grand bol huilé. Mettez la pâte et retournez-la pour amener le côté huilé sur le dessus. Couvrez et laissez lever pendant 1 heure, jusqu'à ce que la pâte ait doublé de volume.

Huilez 2 moules à pain.

Faites dégonfler. Pétrissez quelques minutes et divisez en 2. Roulez chaque morceau en un rectangle.

Pour faire la garniture : Mélangez le sucre ou le sucre brun, la cannelle et la muscade dans une petite tasse.

Dans une autre tasse, mélangez le miel, le beurre ou la margarine.

Badigeonnez chaque rectangle avec la préparation de miel. Saupoudrez du mélange de sucre puis des raisins.

Roulez la pâte dans le sens de la longueur. Pincez les extrémités et déposez dans les moules préparés.

Couvrez et laissez lever pendant 30 minutes, jusqu'à ce que la pâte ait doublé.

Préchauffez le four à 175 °C.

Laissez cuire de 35 à 50 minutes, jusqu'à ce que le dessus soit doré.

Démoulez et laissez refroidir sur une grille.

Par tranche : 140 calories, 2,5 g de gras total (15 % des calories), 0,7 g de gras mono-insaturé, 0,3 g de gras polyinsaturé, 1,4 g de gras saturé, 3,8 g de protéines, 27,5 g d'hydrates de carbone, 3,1 g de fibres alimentaires, 6 mg de cholestérol, 52 mg de sodium.

2 pains de 12 tranches

Pain Müesli

C'est le pain idéal pour le petit déjeuner ou comme collation avec de la confiture ou du fromage en crème allégé. Il est rempli de fruits, de noix, de graines et d'autres ingrédients qui lui donnent une texture nourrissante. Si vous aimez un pain vraiment compact, remplacez la farine complète par de la farine enrichie. C'est un des pains préférés de Robert.

500 ml d'eau tiède (44 à 46 °C)
2 c. s. de miel

TEMPS DE CUISSON : 45 MINUTES

2 c. s. de levure sèche de boulanger
1000-1125 g de farine non blanchie
250 g de flocons d'avoine
250 g de farine aux 7 céréales
125 g d'abricots séchés, hachés
125 g de raisins ou autre fruit séchés
1 pomme, épluchée (enlever le cœur) et hachée
55 g de noix de Grenoble hachées
55 g de graines de tournesol
55 g de graines de citrouille
55 g de graines de sésame
55 g de son et avoine ou de blé et son
1 c. s. de sel

Dans un grand bol, mélangez l'eau et le miel. Saupoudrez la levure au-dessus. Laissez reposer de 5 à 10 minutes.

Incorporez 500 g de farine non blanchie. Battez bien, à la main ou avec un batteur électrique, 3 minutes.

Incorporez les flocons d'avoine, la farine de blé complet, les abricots, les raisins ou autres fruits séchés, les pommes, les noix de Grenoble, les graines de tournesol, les graines de citrouille, les graines de sésame, le son et le sel.

Déposez sur une surface farinée. Pétrissez 10 minutes avec le reste de la farine, jusqu'à l'obtention d'une pâte lisse et élastique. Formez en boule.

Mettez la pâte dans un bol huilé. Retournez-la pour amener le côté huilé sur le dessus. Couvrez et placez dans un endroit chaud (27 à 30 °C). Laissez lever 1 heure, jusqu'à ce que la pâte ait doublé.

Huilez légèrement une plaque.

Faites dégonfler la pâte et divisez-là en 2. Donnez-lui la forme de 2 pains ronds et déposez-les sur la plaque préparée. Couvrez et laissez lever dans un endroit chaud de 30 à 45 minutes, jusqu'à ce que la pâte ait doublé.

Préchauffez le four à 175 °C.

Faites cuire pendant 45 minutes, jusqu'à ce que le pain émette un son creux quand on le frappe.

Retirez de la plaque et refroidir sur une grille.

Par tranche : 165 calories, 3,5 g de gras total (19 % des calories), 0,9 g de gras mono-insaturé,

1,8 g de gras polyinsaturé, 0,4 g de gras saturé, 5,2 g de protéines, 29,6 g d'hydrates de carbone, 2,4 g de fibres alimentaires, 0 mg de cholestérol, 269 mg de sodium.

2 pains de 12 tranches

Brioches à la cannelle et au blé complet

Les petits pains traditionnels à la cannelle sont faits avec de la farine blanche et un sirop très riche. La version de ma recette est allégée et préparée avec de la farine complète. Ces petits pains de grande dimension constituent un petit déjeuner délicieux et consistant ou une collation.

TEMPS DE CUISSON : 20-25 MINUTES

75 ml d'eau tiède (44 à 46 °C)
1 c. c. + 125 ml de miel
2 c. s. de levure sèche de boulanger
500 ml de lait écrémé tiède (44 à 46 °C)
2 œufs
1 c. c. de sel
500 g de farine non blanchie
1250-1500 g de farine complète
4 c. s. de beurre non salé ou de margarine fondu
320 g de sucre brun
3 c. s. de cannelle moulue
500 g de raisins (facultatifs)

Mélangez dans un grand bol l'eau et 1 c. s. de miel. Saupoudrez la levure au-dessus. Laissez reposer 5 à 10 minutes.

Incorporez le lait, les œufs, le sel et le reste du miel, soit 125 g. Ajoutez la farine non blanchie et 500 g de farine complète. Battez bien à la main ou au batteur électrique pendant 3 minutes.

Déposez sur une surface farinée. Pétrissez 10 minutes avec le reste de la farine, jusqu'à l'obtention d'une pâte lisse et élastique. Formez une boule.

Mettez la pâte dans un grand bol huilé. Retournez-la pour amener le côté huilé sur le dessus. Couvrez et laissez lever dans un endroit chaud (27 à 30 °C) pendant 1 heure, jusqu'à ce que la pâte double de volume.

Huilez légèrement une plaque de 30 cm x 40 cm, puis badigeonnez avec un peu de beurre ou de margarine. Saupoudrez 55 g de sucre brun et 1 c. s. de cannelle.

Faites dégonfler la pâte. Déposez sur une surface farinée. Roulez en un grand rectangle de 22 cm x 60 cm.

Badigeonnez la pâte avec le reste du beurre ou de la margarine. Saupoudrez de raisins (si utilisés), du reste de sucre brun, soit 375 g, et du reste de cannelle, soit 2 c. s.

Roulez la pâte dans le sens de la longueur. Pincez les extrémités pour bien sceller.

Coupez en 12 morceaux égaux.

Placez le côté coupé vers le haut sur la plaque préparée. Laissez 2,5 cm entre chaque morceau.

Laissez lever dans un endroit chaud 45 minutes, jusqu'à ce que la pâte ait doublé de volume.

Préchauffez le four à 175 °C.

Faites cuire de 20 à 25 minutes ou jusqu'à ce que les brioches soient dorées.

Retirez du four et laissez refroidir sur la plaque.

Par brioche : 557 calories, 6,4 g de gras total (10 % des calories), 1,7 g de gras mono-insaturé, 0,8 g de gras polyinsaturé, 3,1 g de gras saturé, 13,1 g de protéines, 118,7 g d'hydrates de carbone, 8 g de fibres alimentaires, 47 mg de cholestérol, 229 mg de sodium.

12 brioches

Bâtonnets de pain en tresses

Ces baguettes de pain ont la forme de longues tresses. Elles sont très moelleuses et remplies de graines de pavot et de sésame.

TEMPS DE CUISSON : 20-30 MINUTES

300 ml d'eau tiède (44 à 46 °C)
2 c. s. de miel
1 c. s. de levure sèche de boulanger
½ c. c. de sel
375 g de farine complète
375 g de farine non blanchie

1 blanc d'œuf
1 c. s. d'huile de canola ou d'huile d'olive
3 c. s. de graines de pavot
1 c. s. de graines de sésame
1 c. c. de poudre d'ail

Mélangez dans un grand bol l'eau et le miel. Saupoudrez la levure au-dessus. Laissez reposer de 5 à 10 minutes.

Ajoutez le sel et 250 g de farine complète. Battez bien à la main ou au batteur électrique pendant 3 minutes.

Déposez sur une surface farinée. Pétrissez la pâte 10 minutes en ajoutant le reste de la farine complète, soit 125 g, et suffisamment de farine non blanchie pour former une pâte lisse et élastique. Formez une boule.

Mettez la pâte dans un bol huilé et retournez-la pour amener le côté huilé sur le dessus.

Couvrez le bol et laissez lever la pâte dans un endroit chaud (28 à 30 °C) pendant 1 heure, jusqu'à ce qu'elle ait doublé de volume.

Huilez légèrement une plaque.

Faites dégonfler la pâte et divisez en 12 morceaux. Étalez chaque morceau en rouleau mince en tenant par les extrémités et tournez la pâte pour former une spirale.

Déposez les bâtonnets sur la plaque préparée et appuyez bien les extrémités sur la plaque (pour empêcher qu'ils ne se déroulent).

Couvrez et laissez lever dans un endroit chaud de 20 à 30 minutes, jusqu'à ce qu'ils doublent leur volume.

Mélangez le blanc d'œuf et l'huile dans une tasse.

Mélangez les graines de pavot, les graines de sésame et la poudre d'ail dans une autre tasse.

Préchauffez le four à 175 °C.

Badigeonnez les bâtonnets du blanc d'œuf. Saupoudrez de la préparation de graines.

Faites cuire de 20 à 30 minutes, jusqu'à ce qu'ils soient dorés. Laissez refroidir légèrement avant de servir.

Par bâtonnet : 149 calories, 2,9 g de gras total (17 % des calories), 1 g de gras mono-insaturé, 1,3 g de gras polyinsaturé, 0,3 g de gras saturé, 4,9 g de protéines, 26,8 g d'hydrates de car-

bone, 2,4 g de fibres alimentaires, 0 mg de cholestérol, 95 mg de sodium.

12 bâtonnets

Bretzels au blé complet

Si vous avez la chance d'avoir un magasin qui vend des bretzels dans votre quartier, achetez ceux qui sont faits avec de la farine complète ou de la farine aux 7 céréales. Sinon, vous pouvez les faire vous-même, leur recette est très facile. De plus, les bretzels au blé complet se congèlent bien et sont très savoureux, grillés ou non.

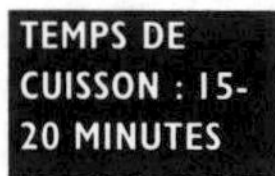

750 ml d'eau tiède (44 à 46 °C)
3 c. s. de miel
2 c. s. de levure sèche de boulanger
1 c. c. de sel
2000 g de farine complète
2 c. s. de bicarbonate de soude
1 c. s. de crème de tartre

Dans un très grand bol, mélangez l'eau et le miel. Saupoudrez la levure sur le dessus. Laissez reposer 5 à 10 minutes.

Ajoutez le sel et 750 g de farine. Battez bien à la main ou avec un batteur électrique pendant 3 minutes.

Déposez sur une surface farinée. Pétrissez 10 minutes en ajoutant le reste de la farine, jusqu'à obtention d'une pâte lisse et élastique.

Mettez la pâte dans un très grand bol huilé, retournez-la pour amener le côté huilé sur le dessus.

Couvrez et laissez lever dans un endroit chaud (27 à 30 °C) pendant 1 heure, jusqu'à ce que la pâte ait doublé de volume.

Amenez de l'eau à ébullition dans une grande casserole. Ajoutez la crème de tartre et le bicarbonate de soude.

Faites dégonfler la pâte, divisez en 16 morceaux. Roulez chaque morceau de façon à former une ficelle de 17,5 cm x 20 cm. Fermez les extrémités avec une goutte d'eau afin de former un cercle.

Laissez lentement tomber les bretzels dans l'eau bouillante (quelques-uns à la fois seulement : ils gonflent beaucoup).

Laissez bouillir 2 minutes. Retournez-les et laissez cuire 2 minutes de plus. Retirez les bretzels de l'eau et placez-les sur une grille pour les égoutter.

Huilez légèrement une plaque et déposez-y les bretzels.

Préchauffez le four à 220 °C.

Faites cuire de 15 à 20 minutes jusqu'à ce qu'ils soient dorés et croustillants.

Par bagel : 229 calories, 1,2 g de gras total (5 % des calories), 0,2 g de gras mono-insaturé, 0,5 g de gras polyinsaturé, 0,2 g de gras saturé, 8,8 g de protéines, 47,3 g d'hydrates de carbone, 7,6 g de fibres alimentaires, 0 mg de cholestérol, 136 mg de sodium.

16 bretzels

Variations

Graine de pavot : Battez légèrement un blanc d'œuf et, à l'aide d'un pinceau, recouvrez-en légèrement le dessus du bretzel avant de le mettre au four. Éparpillez dessus des graines de pavot. (Vous pourriez également remplacer les graines de pavot par des graines de sésame, des oignons et de l'ail émincés.)

Par bretzel : 225 calories, 1,5 g de gras total (6 % des calories), 0,2 g de gras mono-insaturé, 0,7 g de gras polyinsaturé, 0,2 g de gras saturé, 9,1 g de protéines, 47,5 g d'hydrates de carbone, 7,6 g de fibres alimentaires, 0 mg de cholestérol, 138 mg de sodium.

Cannelle-raisin : Augmentez la quantité de miel à 125 ml. Ajoutez à la pâte 200 g de raisins et 1 cuillère à soupe de cannelle moulue, après les avoir bien mélangés, mais avant d'incorporer davantage de farine.

Par bretzel : 262 calories, 1,2 g de gras total (4 % des calories), 0,2 g de gras mono-insaturé, 0,5 g de gras polyinsaturé, 0,2 g de gras saturé, 9 g de protéines, 58,4 g d'hydrates de carbone, 7,9 g de fibres alimentaires, 0 mg de cholestérol, 138 mg de sodium.

Pomme-cannelle : Augmentez la quantité de miel à 125 ml. Ajoutez à la pâte 250 g de pommes épluchées et hachées et une cuillère à soupe de cannelle moulue, après les avoir bien mélangés, mais avant d'incorporer davantage de farine.

Pain de seigle noir : Ajoutez 250 g de farine complète, 1 cuillère à soupe de mélasse et 2 cuillères à café de graines de carvi à la pâte, après les avoir bien mélangés, mais avant d'incorporer davantage de farine.

Par bretzel : 246 calories, 1,3 g de gras total (5 % des calories), 0,2 g de gras mono-insaturé, 0,5 g de gras polyinsaturé, 0,2 g de gras saturé, 9,4 g de protéines, 53,1 g d'hydrates de carbone, 8,4 g de fibres alimentaires, 0 mg de cholestérol, 138 mg de sodium.

Pains farcis

Il est facile de fabriquer des pains farcis. Roulez simplement la pâte pour obtenir un large rectangle et tartinez-la avec un certain nombre d'ingrédients. Puis roulez-la comme pour un gâteau roulé avant de la faire cuire. Une fois tranché, le pain aura sa garniture bien répartie, toute en volutes.

Les recettes suivantes de savoureux pains farcis sont excellentes pour le déjeuner ou pour un dîner léger. Ils constitueront un repas entier si vous les servez avec une salade ou une soupe. Ce sont également des collations très parfumées.

Les pains farcis se congèlent facilement. Ils sont délicieux réchauffés, ils sont très bons froids également. Utilisez mes recettes comme point de départ pour vos propres créations culinaires. Voici la liste des garnitures préférées de ma famille :

- de la poitrine de dinde fumée, du fromage provolone faible en gras, de la moutarde de Dijon et des poivrons sautés.
- des tomates séchées au soleil, du basilic frais, du parmesan et des tomates cerise.
- des haricots noirs, du cheddar fort partiellement écrémé, des piments, de la coriandre et de la crème fraîche allégée
- de la ratatouille et de la mozzarella partiellement écrémée.
- de la poitrine de dinde hachée sautée, des oignons, des champignons, des carottes, du thym, du basilic, de la moutarde de Dijon et du fromage partiellement écrémé.

Pains farcis aux épinards et à la feta

Vous pouvez très bien remplacer cette pâte par de la pâte congelée achetée en magasin. Décongelez-la simplement avant d'exécuter la recette.

Doublez si vous le voulez les ingrédients de garniture. Je pense néanmoins que ce n'est pas nécessaire, les saveurs sont suffisamment fortes. Pour obtenir un pain plus consistant, utilisez de la farine complète.

TEMPS DE CUISSON : 45 MINUTES

Pâte

500 ml d'eau tiède (44 à 46 °C)
1 c. s. de sucre ou de miel
2 c. s. de levure sèche de boulanger
500 g de farine complète
875 g de farine non blanchie
1½ c. c. de sel

Garniture

2 c. c. d'huile d'olive
125 g d'oignons rouges hachés
10 gousses d'ail épluchées et émincées
300 g d'épinards grossièrement hachés
2 c. c. de sucre
sel
poivre noir moulu
250 g de gruyère partiellement écrémé, râpé
125 g de feta émiettée
1 œuf légèrement battu
2 c. s. de graines de sésame ou de graines de pavot

Pour faire la pâte : Mélangez dans un grand bol, l'eau, le sucre et le miel. Saupoudrez la levure au-dessus. Laissez reposer de 5 à 10 minutes.

Ajoutez la farine complète et le sel. Battez bien à la main ou au batteur électrique pendant 3 minutes.

Déposez la pâte sur une surface farinée. Pétrissez 10 minutes en ajoutant la farine non blanchie afin d'obtenir une pâte lisse et élastique. Formez une boule.

Mettez la pâte dans un bol huilé, retournez-la pour amener le côté huilé sur le dessus. Couvrez et laissez lever dans un endroit chaud (27 à 30 °C) pendant 1 heure, jusqu'à ce qu'elle ait doublé de volume.

Pour faire la garniture : Faites chauffer l'huile à feu moyen dans une grande poêle anti-adhésive.

Ajoutez les oignons et l'ail. Faites sauter pendant 3 minutes. Ajoutez les épinards, le sucre, le sel et le poivre. Faites cuire pendant 10 minutes ou jusqu'à ce que le liquide soit évaporé. Remuez de temps à autre. Mettez de côté.

Huilez légèrement une plaque.

Faites dégonfler la pâte et divisez-la en 2.

Roulez en 2 rectangles de 25 cm x 37,5 cm sur une surface farinée.

Saupoudrez-les uniformément de gruyère, de feta et de la préparation aux épinards.

Faites un rouleau avec chaque rectangle. Pincez les extrémités.

Déposez sur une plaque le côté roulé touchant la plaque (laissez un espace afin que les pains puissent gonfler à la cuisson).

À l'aide d'un couteau tranchant, faites 3 incisions sur le dessus des pains.

Badigeonnez légèrement d'un peu d'œuf et saupoudrez de graines de sésame ou de pavot.

Préchauffez le four à 175 °C.

Faites cuire pendant 45 minutes, jusqu'à ce que la garniture ressorte des côtés et que le dessus soit bien doré.

Retirez du four et laissez refroidir sur la plaque 30 minutes avant de trancher et servir.

Par tranche : 163 calories, 3,3 g de gras total (18 % des calories), 0,8 g de gras mono-insaturé, 0,4 g de gras polyinsaturé, 1,5 g de gras saturé, 7 g de protéines, 26,6 g d'hydrates de carbone, 2,6 g de fibres alimentaires, 13 mg de cholestérol, 307 mg de sodium.

2 pains de 10 tranches

Pain farci aux légumes

Pour varier un peu, utilisez d'autres légumes que ceux suggérés dans cette recette. Des asperges, des cœurs d'arti-

chauts, des tomates séchées au soleil, des poivrons et des brocolis conviendront parfaitement.

TEMPS DE CUISSON : 45 MINUTES

Pâte

500 ml d'eau tiède (44 à 46 °C)
1 c. s. de sucre ou de miel
2 c. s. de levure sèche de boulanger
500 g de farine complète
1½ c. c. de sel
875 g de farine non blanchie

Garniture

2 c. s. d'huile d'olive
250 g d'oignons rouges émincés
12 gousses d'ail épluchées et émincées
2 courgettes émincées
250 g de champignons émincés
170 g de poivron rouge grillé et haché
125 g de persil frais haché
3 c. s. de basilic frais haché
sel
poivre noir moulu
500 g de mozzarella partiellement écrémée
125 g de parmesan râpé
1 œuf légèrement battu
2 c. s. de graines de pavot ou de graines de sésame

Pour faire la pâte : Mélangez dans un grand bol, l'eau, le sucre et le miel. Saupoudrez la levure sur le dessus. Laissez reposer de 5 à 10 minutes.

Ajoutez la farine complète et le sel. Battez bien à la main ou au batteur électrique pendant 3 minutes.

Déposez sur une surface farinée. Pétrissez 10 minutes en ajoutant la farine non blanchie afin d'obtenir une pâte lisse et élastique. Couvrez et laissez lever la pâte dans un endroit chaud (27 à 30 °C) pendant 1 heure, jusqu'à ce qu'elle ait doublé de volume.

Pour faire la garniture : Chauffez l'huile dans une grande poêle anti-adhésive à feu moyen. Ajoutez les oignons et l'ail. Faites cuire pendant 3 minutes. Ajoutez les courgettes, les champignons, les poivrons rouges, le persil, le basilic, le sel et le poivre. Faites cuire en remuant pendant 15 minutes ou jusqu'à ce que le liquide soit évaporé. Mettez de côté.

Huilez légèrement une plaque.

Faites dégonfler la pâte et divisez-la en deux.

Roulez la pâte sur une surface farinée en rectangles de 25 cm x 37,5 cm.

Saupoudrez uniformément de mozzarella, de parmesan et de légumes sautés. Faites un rouleau. Pincez les extrémités. Déposez sur la plaque préparée, le côté roulé touchant la plaque (laissez un espace entre les pains afin qu'ils puissent gonfler à la cuisson).

À l'aide d'un couteau tranchant, faites 3 incisions sur le dessus du pain.

Badigeonnez légèrement d'un peu d'œuf et saupoudrez de graines de sésame ou de pavot.

Préchauffez le four à 175 °C.

Faites cuire pendant 45 minutes, jusqu'à ce que la garniture ressorte des côtés et que le dessus soit doré.

Laissez refroidir 30 minutes avant de trancher et servir.

Par tranche : 180 calories, 4,1 g de gras total (20 % des calories), 1,2 g de gras mono-insaturé, 0,6 g de gras polyinsaturé, 1,8 g de gras saturé, 8,9 g de protéines, 27,8 g d'hydrates de carbone, 2,6 g de fibres alimentaires, 14 mg de cholestérol, 263 mg de sodium.

2 pains de 10 tranches

Pains spéciaux

Il vous est possible de faire une grande variété de pains parfumés en utilisant une recette de pâte de base, puis en ajoutant tous les ingrédients que vous voulez. Voici la recette d'une pâte que j'aime particulièrement.

375 ml d'eau tiède (44 à 46 °C)
4 c. s. de miel ou de sucre
1 c. s. de levure sèche de boulanger
625 g de farine complète
1½ c. c. de sel
ingrédients spéciaux (voir liste)
250-500 g de farine non blanchie

Mélangez dans un grand bol l'eau et 1 c. s. de miel ou de sucre. Saupoudrez la levure au-dessus. Laissez reposer 5 à 10 minutes.

Ajoutez 375 g de farine complète et le reste du miel ou du sucre, soit 3 cuillères à soupe.

Battez bien à la main ou au batteur électrique.

Incorporez le sel et votre choix de garniture spéciale.

Déposez sur une surface farinée. Pétrissez 10 minutes en ajoutant le reste de la farine complète, soit 250 g, et la farine non blanchie. La pâte doit être lisse et élastique. Formez une boule.

Mettez dans un bol huilé. Retournez pour amener le côté huilé sur le dessus. Couvrez et laissez lever la pâte dans un endroit chaud (27 à 30 °C) pendant 1 heure, jusqu'à ce qu'elle ait doublé de volume.

Huilez légèrement une plaque.

Faites dégonfler la pâte. Donnez-lui la forme d'un pain rond et déposez-le sur la plaque.

Couvrez et laissez lever sur une plaque pendant 45 minutes, jusqu'à ce qu'elle ait doublé de volume.

Préchauffez le four à 175 °C.

Faites cuire de 30 à 45 minutes, jusqu'à ce que le pain émette un son creux quand on le tape.

Retirez de la plaque. Laissez refroidir sur une grille.

Par tranche (sans les ingrédients spéciaux) : 147 calories, 0,6 g de gras total (4 % des calories), 0,1 g de gras mono-insaturé, 0,2 g de gras polyinsaturé, 0,1 g de gras saturé, 4,9 g de protéines, 32,1 g d'hydrates de carbone, 3,4 g de fibres alimentaires, 0 mg de cholestérol, 268 mg de sodium.

1 pain de 12 tranches

Ingrédients spéciaux

Tomates séchées au soleil et basilic : Faites tremper de 30 à 60 g de tomates séchées au soleil dans de l'eau bouillante pendant 5 minutes. Égouttez-les et coupez-les en tranches, ou hachez-les. Ajoutez les tomates, 65 g de parmesan rapé et 3 cuillères à soupe de basilic frais haché à la pâte à pain au moment indiqué dans la recette.

Par tranche : 163 calories, 1,3 g de gras total (7 % des calories), 0,3 g de gras mono-insaturé, 0,3 g de gras polyinsaturé, 0,5 g de gras saturé,

6 g de protéines, 33,8 g d'hydrates de carbone, 3,6 g de fibres alimentaires, 2 mg de cholestérol, 310 mg de sodium.

Airelles et oranges : Ajoutez 250 g d'airelles séchées, 125 ml de miel et une cuillère à soupe d'un zeste d'orange rapé à la pâte à pain au moment indiqué dans la recette.

Par tranche : 163 calories, 1,3 g de gras total (7 % des calories), 0,3 g de gras mono-insaturé, 0,3 g de gras polyinsaturé, 0,5 g de gras saturé, 6 g de protéines, 33,8 g d'hydrates de carbone, 3,6 g de fibres alimentaires, 2 mg de cholestérol, 310 mg de sodium.

Piments forts et cheddar : Ajoutez 125 g de cheddar fort partiellement écrémé. Vous pouvez également ajouter la quantité désirée de piments forts hachés en boîte à la pâte à pain au moment indiqué dans la recette.

Par tranche : 200 calories, 0,6 g de gras total (3 % des calories), 0,1 g de gras mono-insaturé, 0,2 g de gras polyinsaturé, 0,1 g de gras saturé, 4,9 g de protéines, 45,9 g d'hydrates de carbone, 4,3 g de fibres alimentaires, 0 mg de cholestérol, 269 mg de sodium.

Safran et pignons de pin grillés : Faites tremper ¼ de cuillère à café de filaments de safran dans 2 cuillères à soupe d'eau chaude pendant 15 minutes.

Faites dorer 60 g de pignons de pin dans une poêle à frire sans gras (ou sur une plaque dans un four à 175 °C) jusqu'à ce qu'ils commencent à brûnir (surveillez bien leur cuisson, ils brûlent facilement).

Ajoutez le safran et l'eau de trempage, les pignons de pin et 60 g de miel à la pâte à pain au moment indiqué dans la recette.

Par tranche : 186 calories, 2,3 g de gras total (11 % des calories), 0,1 g de gras mono-insaturé, 0,2 g de gras polyinsaturé, 0,1 g de gras saturé, 5,7 g de protéines, 38,3 g d'hydrates de carbone, 3,5 g de fibres alimentaires, 0 mg de cholestérol, 269 mg de sodium

Graines de fenouil et graines d'anis : Broyez légèrement ½-cuillère à café de graines de fenouil et ½ cuillère à café de graines d'anis.

Ajoutez les graines, 125 ml de miel et ¼ de cuillère d'extrait d'amandes à la pâte à pain au moment indiqué dans la recette.

Par tranche : 191 calories, 0,6 g de gras total (3 % des calories), 0,1 g de gras mono-insaturé, 0,2 g de gras polyinsaturé, 0,1 g de gras saturé, 4,9 g de protéines, 43,6 g d'hydrates de carbone, 3,5 g de fibres alimentaires, 0 mg de cholestérol, 269 mg de sodium.

Légumes : Dans un robot culinaire, mélangez 60 g d'oignons hachés grossièrement, 1 carotte, ½ poivron vert ou poivron rouge doux et 1 gousse d'ail. Hachez-les finement en faisant alterner les boutons du robot à la position marche et arrêt. Ajoutez le mélange de légumes, 125 g de parmesan rapé, 1 cuillère à café de basilic séché et 1 cuillère à café d'origan séché à la pâte à pain au moment indiqué dans la recette.

Par tranche : 172 calories, 1,9 g de gras total (10 % des calories), 0,5 g de gras mono-insaturé, 0,3 g de gras polyinsaturé, 0,9 g de gras saturé, 6,8 g de protéines, 33,6 g d'hydrates de carbone, 3,7 g de fibres alimentaires, 3 mg de cholestérol, 348 mg de sodium.

Index
Sujets

Note : Les références de pages soulignées renvoient aux textes encadrés. Les références **en gras** renvoient aux illustrations. Les références en *italiques* renvoient aux tableaux. Pour la liste des recettes et de leurs principaux ingrédients, consulter l'index des recettes commençant à la page 489.

A

B

C

D

E

F

I

L

P

R

T

U

V

Recettes Index

Note : Les numéros de pages soulignés renvoient au texte encadré.

A

D

E

F

H

I

L

M

N

O

P

Q

R

S

T

V

X

Y

Imprimé au Canada